經學研究論叢

◆第十七輯◆

林慶彰主編
張穩蘋編輯

臺灣 學生書局 印行

經學研究論叢編輯委員會

編者序

　　很多跡象可以顯示中國大陸的經學正在復興。其一，除了有北京清華大學歷史系經學研究中心彭林教授主編的《中國經學》已出版五輯外，南京師範大學趙生群、方向東教授主編的《古文獻研究集刊》，已出版兩輯，刊載經學相關論文多達十六篇；武漢大學郭齊勇教授主編的《儒家文化研究》，第二輯中有「現代經學之研究與整理」專輯，收論文八篇，點校二篇，合計十篇。其他刊物，經學相關論文也逐漸增加中。其二，召開以「經學」為名的學術會議，二○○五年十一月北京清華大學歷史系彭林教授和新加坡國立大學中文系合辦「首屆中國經學學術研討會」，第二屆由清華大學歷史系、西北大學文學院主辦，第三屆由清華大學經學研究中心、福建師範大學易學研究中心、廈門總商會主辦，本年十一月剛在廈門舉行過。其三，最近和蔣秋華兄主編出版的《中國經學相關研究博碩士論文目錄》（臺北市：萬卷樓圖書公司，2009 年 10 月），收論文二千二百篇。如以二○○○年為分界，一九七八至一九九九年，二十二年間，經學相關論文僅一千篇，二○○○至二○○七年，八年間，經學相關論文已有一千二百餘篇。經學的復興，大環境的變遷固然重要，學術機構教師的推動，更是功不可沒。本輯介紹中國社會科學院歷史研究所中國思想研究室、北京清華大學、四川大學、山東大學易學與中國古代哲學研究中心、南京師範大學古典文獻專業、福建師範大學易學研究所、曲阜師範大學歷史（孔子）文化學院等七個學術機構經學研究的成果。

　　王樹榮（1871－？），江蘇省江都縣人，前清舉人，京師法律學堂畢業，曾赴美國出席第八次監獄協會，巡歷十八國後返國。歷任江蘇高等法廳推事，天津高等審判廳廳長。所著《紹邵軒叢書》，是民國時期《春秋》學的代表作之一，可惜，尚未有學者作深入的研究，我請在東吳大學中國文學系就讀博士班、專研《春秋》學的張厚齊學弟撰寫〈紹邵軒叢書簡介〉一文。又恰好見到若松信爾所著〈王樹榮

研究序說〉一文，乃請在中國文化大學中國文學研究所就讀的呂祥竹學弟譯成中文，一起在本輯刊出，供學界參考。

　　感謝張善文、方向東、汪學群、舒大剛、張濤、李秋麗、宋立林等七位先生的賜稿，本期的專輯才能順利完成。也感謝李金坤、王鍔、孫廣海、楊逢彬等教授的賜稿。撰寫出版資訊的幾位學弟，負擔很重，謹表示謝意。

二〇〇九年十二月 林慶彰 誌於
中央研究院中國文哲研究所 501 研究室

經學研究論叢 第十七輯

目　次

經 學 研 究 論 叢
第 十 七 輯　　頁5～20
臺灣學生書局　2009 年 12 月

近年來中國思想史研究室
經學研究成果簡介*

汪學群**

　　歷史研究所中國思想史研究室成立於一九五七年，是中國社會科學院的重點學科。現有研究人員十人，其中研究員有六人，研究員人數居歷史所各研究室之首。中國思想史研究室長期以中國思想史研究為主，近年來研究的重點轉向中國經學史，由姜廣輝研究員主持的《中國經學思想史》（第一、二卷已經出版，第三、四、五卷不久將要出版）是這一領域研究成果的集中體現。本室同仁，除了參加集體項目以外，都有自己的研究方向，他們大都各治一經，以挖掘經學思想為著眼點，形成了自己特有的風格，也取得了一定的成績，下面擇要介紹。

一、詩經學研究

　　張海燕研究員對《詩經》的研究集中在〈「《詩》雲時代」——《詩經》在先秦的文化功能〉、〈《詩經》在漢代的教化功能齊、魯、韓、毛四家《詩》合論〉、〈經典累拜與道德自覺——朱熹《詩》學析論〉、〈《詩》在先秦的文化功能與意義變遷〉、〈先秦諸子對《詩》的解讀與理念化〉等論文，以及〈中國經學思想史〉相關篇章，主要探討了以下問題：

---

*　　本文承蒙林慶彰兄的美意寫成，謹此表示謝意。

**　汪學群，中國社會科學院歷史研究所研究員。

⑴先秦《詩經》學研究。其一，首次從「意義」角度對《詩》在先秦的文化功能進行了探討，指出《詩》在先秦具有意義的訴求與表達、意義的整合與認同、意義的傳遞與激發等多種功能。其二，深入比較與分析了先秦諸子對《詩》的不同解讀和評估，指出道家和法家從尚古與尚今的相反方向否定了《詩》，墨家從尚同、兼愛理念對《詩》的解讀具有較多理想主義的成分，其與墨家一道後來歸於沉寂；儒家從別貴賤的禮的角度解《詩》，契合宗法等級社會的現實存在，為《詩》日後成為權威性的儒家經典和主流意識形態做了必要的理論鋪墊。其三，「《詩》言志」是古人給《詩經》定性的一句古老而著名的論斷，歷代學者對它多有闡釋，半個世紀前朱自清先生且著有《詩言志辨》一書。經張海燕考釋，指出「《詩》言志」的「志」主指「意義」，否定了傳統所謂「情感」的主流說法。這一觀點最初以文章形式發表在一九九八年五月的《國際儒學研究》第四輯。近年出版的《上海博物館藏楚竹書》〈孔子詩論〉有「（詩）亡（隱）志，樂亡（隱）情，刊（文）亡（隱）言」句，進一步否定了「《詩》言志」的「志」指情感的成說。

⑵漢代《詩經》學研究。其一，關於《詩》與禮的關係，辨析了荀子與漢代四家《詩》學的異同，首次指出荀子是以《詩》證禮，即用《詩》來論證或印證禮的權威性，四家《詩》是以禮釋《詩》，即把《詩》的解讀納入禮的規定；前者的隆禮是在儒學定於一尊之前的戰國末葉，後者的釋禮是在禮教已大行其道的漢代，這合乎歷史的邏輯。其二，關於《詩》與史的關係，在前人的啟發下進一步指出，《韓詩外傳》的特點是「引《詩》證事」，《毛詩》的特點是「引事明《詩》」；前者屬今文經學，注重微言大義的寓意解讀，只借用歷史故事闡發義理，並不刻意恢復歷史的真實，後者屬於古文經學，強調名物訓詁，尋根溯源，結果歷史沒能真正復原而造成歷史的失真。其三，關於《毛詩》的「大序」、「小序」的作者，歷來眾說紛紜，其中主要有子夏作，子夏、毛公和衛巨集合作，衛巨集作三說。一九七七年阜陽漢簡《詩經》的出土基本上否定了《毛詩序》為衛宏所作，張海燕在分析中採用了這一珍貴的考古文獻。

⑶朱熹《詩經》研究。其一，如學者所說，在對《毛詩序》的態度上，《詩集傳》的確顯得溫和一些，因循的多一些；而《詩序辨說》則激烈一些，摒棄的多一些。關於此，張海燕指出，《詩集傳》作為《詩經》的一部注釋導讀性質的著作，

主要從正面告訴後學詩旨詩意是什麼，故其側重於採用《毛詩序》之「是」而不提或少提其「非」；《詩序辨說》則是一部向《毛詩序》發難的專論，旨在說明《毛詩序》的問題癥結之所在，偏向於指斥《毛詩序》之「非」而未論及或未詳及其所「是」。一個「是」之，一個「非」之，一個「立」之，一個「破」之，由於《詩集傳》與《詩序辨說》的立意不同、側重有別、功能有異，這就決定了二書對《毛詩序》的態度上的差異。當然，除了上述所謂著述主旨的不同，《詩集傳》與《詩序辨說》對《毛詩序》態度上的差別，如從思想、文化的層面來看，也反映了朱熹《詩》學的矛盾心態與思想困惑。而這應置於宋明理學這一哲學與社會思潮的廣闊文化背景下加以考查，以期尋繹出造成這一矛盾與困惑的社會歷史與思想的根據。道德是一種文化上的確定目標和社會共同體的契約，用以指導人們的價值準則與社會行為。

其二，在《詩集傳》中，朱熹大膽地指出，漢代以來被人們頂禮膜拜的《詩經》，裏面有部分「淫亂之詩」。關於此，張海燕指出，就中國古代思維範式與價值取向的演進而言，從一定意義上我們可以說，先秦諸子處於聖人崇拜階段，兩漢經學處於經典崇拜階段，宋代理學則處於道德自覺階段。理學思潮高揚人的道德良知，挺立人的道德的主體性，而不再一味跪拜於外在的道德楷模（聖人）與道德教條（經典）。惟其如此，理學家才可能對漢儒注釋的古代經典提出質疑與進行清算。也因此，《詩經》的神聖光環在朱熹那裏有所消退，並從中發現了「淫亂之詩」。當然，理學不是儒家基本信條的叛逆，而是在更高理論層面的發展，提升與回護。因而，朱熹的《詩》學雖批評「美刺」說和提出「淫詩」說，但他的出發點與歸宿點都是道德教化，這與漢儒並無二致。朱熹反對濫用「美刺」說《詩》，正是鑒於它有礙「溫柔敦厚之教」。

⑷姚際恆《詩經》研究。其一，姚際恆的《詩經通論》既疑《毛詩》，又疑《詩集傳》，還疑明人的《詩》學，除了《詩經》本文與原始儒家孔子、孟子等有關的詩論外，歷代的《詩經》注疏傳序都難逃他所疑之列。姚氏的疑古除了得益於他的不盲從權威的勇氣與豪情之外，又深深得益於他的理性批判。可以說，理性是他用來疑古的銳利武器。言及姚際恆的疑經與理性之關聯，有的學者也許會說宋代已經有了疑經思潮。但是，如果對宋人與姚際恆的疑經思想細加剖析會發現，姚際

恆在疑經中所運用的推理和邏輯，強調的證據與合理性，在宋人那裏沒有充分的呈現。其二，《詩經》來源多樣而複雜，寓意豐富而隱晦，其中許多詩篇的本事本義由於史闕有間，已難得其詳。此外，《詩經》學中亦有一些問題迷霧重重，幾成千古疑案。這些都非姚際恆個人的一己理性之睿智可以迎刃而解的。在《詩經通論》中，姚際恆有時疑古太甚，以至於給人一種眾人皆偽、惟我獨真的感覺；有時則前後自相矛盾，游移彷徨於兩端；有時則立論過勇，竟然造成歷史的誤會。它的最大特色在於疑古，成就也主要體現在疑古，它對近現代的巨大影響亦是因為疑古。

二、尚書學研究

吳銳研究員在經學方面側重《尚書》研究，主要成果收入《中國思想的起源》（山東教育出版社 2003 年）一書中，另有相關論文發表。觀點如下：

關於《尚書》篇章的來源，吳銳這方面的論述有：論文《尚書——從口傳歷史到成文歷史》，收入《國際儒學研究》第四輯。吳銳強調《尚書》的形成有一個從口傳歷史到成文歷史的過程。如《尚書》第一篇〈堯典〉開頭就說「曰若稽古」，《洪範》中有「我聞在昔」，〈呂刑〉中有「若古有訓」等等，等於講故事的開場白。因此可以說明《尚書》中的一些篇章雖然寫定成篇的時間較晚，而內容來源很早。

關於《尚書》內容的族系之別，古人認為《尚書》包含了二帝三王的心法，二帝即堯、舜，三王指夏朝締造者禹、商朝締造者湯、周朝締造者武王。實際上堯、舜、湯是鳥夷族，夏、周是黃帝族系。根據吳銳對中國上古史新格局的研究，在夏朝以前，文明積累最豐厚的是鳥夷族系、炎帝族系和黃帝族系。堯、舜二帝和三王中的商屬於鳥夷族系，三王中的夏、周屬於黃帝族系。鳥夷族系的大本營在東方，跨〈禹貢〉之冀、揚、豫、徐、青諸州。黃帝族系的大本營在西方，以渭水流域為中心。〈堯典〉揉合了鳥夷族系〈堯舜〉和黃帝族系（禹）兩支文化，又滲入了儒家的理想。堯、舜在中國文明史上可以說是承上啟下，即上承炎黃文明，下啟夏朝文明。堯舜二帝和三王中的夏還沒有文字，無法證明有相傳的「心」。而且據《古本竹書紀年》，堯曾經遭到舜的囚禁，恐怕難以心心相傳。從甲骨文等資料來看，商代的思想還很陋野，商作為周的敵對民族，是否有「心」傳給周，同樣難以證

明。至今沒有出土夏代的文字，虞夏書四篇本身不可能是虞夏時代的實錄，而是出自後人追述，必然有一些托古的成分。例如〈堯典〉，將堯塑造為「光被四表」的聖雄，寄託「協和萬邦」的理想，托古的傾向比較明顯。這可以說是《尚書》的第一層托古。《尚書》後來被儒家奉為經典，受到特別的重視。在闡釋《尚書》經義的過程中，必然產生第二層托古。蔡沈撰《書集傳》特別注意「發明」二帝三王之道，就是最明顯的例子。這種托古，不是歷史，屬於思想史的範疇，自有其光輝的意義。（上述觀點見於本人論文：1.〈從〈容成氏〉所記桀逃亡路線看夏文化與西部的關係〉，陝西省社會科學院《人文雜誌》2007 年第 2 期。2.〈「禹是一條蟲」再研究〉，山東大學《文史哲》2007 年第 4 期。）

　　《尚書》還有反映炎帝族系思想的篇章，楊向奎先生已指出〈洪範〉、〈呂刑〉是炎帝系統的文獻，中國的中庸思想即發端於此，吳銳支持這種說法。見二〇〇七年十月三十日在臺灣師範大學的演講，演講題目是〈呂刑新疏〉。

　　由〈禹貢〉引發的中國上古史新框架。一九九九至二〇〇四年，吳銳校對顧頡剛、劉起釪〈尚書校釋譯論〉即批評劉先生認為〈禹貢〉冀州是鳥夷、揚州是島夷，同意顧頡剛先生的觀點：冀州、揚州都是鳥夷。二〇〇七年十一月，吳銳出席中央研究院中國文哲研究所主辦的「民國經學」學術研討會，提交論文〈同途異歸：錢穆中國上古史的疑古走向〉，批評了古史辨派的歷史地理研究，認為古史辨派的歷史地理研究沿襲了清代學者的基本框架，疑古不夠。吳銳認為從錢穆到已故武漢大學石泉教授更激進的疑古立場是今後中國歷史地理研究的正確方向，可以重建新的中國上古史新框架。文中首次提出「石泉學派」。

　　商周兩套權力系統假說。二〇〇八年五月二十七至二十九日，出席臺灣佛光大學主辦、國立新加坡大學協辦「第一屆世界漢學中的《史記》學國際學術研討會」，提交論文〈史記所記太公、周公、召公與金文的比對〉，根據《尚書・君奭》等篇，提出商周兩套權力系統假說，佐證周公不曾稱王。

三、禮學研究

　　王啟發研究員專門從事禮學研究，經過多年的沉潛於儒學和三禮的研究，逐漸形成自己禮學研究的理論思路和解釋角度，近年來以一系列論文的發表和專著的出

版（〈《禮記》的禮治主義思想〉、〈《禮記》中的人格理想和社會理想〉、〈西周禮學的性質和特點〉、〈禮的道德意義〉、〈禮的屬性與意義〉、〈禮的宗教胎〉、〈《禮記‧月令》與古代自然法思想〉、〈政治經典與經典政治──《周禮》與古代理想政治〉等論文，《禮學思想體系探源》中州古籍出版社，2005年），形成了對中國古代禮學思想歷史發展的系統性、體系化的解讀和詮釋。

王啟發首先致力於禮學思想以及其物件的研究，他提出，從禮學經典中所包含的思想性內容，到思想家通過對禮學經典中的制度性內容，以及思想性內容的闡述和發揮所體現的思想活動，就構成了我們當今對古代禮學思想體系形成和發展過程進行考察的基本物件和路徑。古代禮學思想是古代思想的一種表達形式，而古代的思想又常常以討論禮學問題的方式而得以展開。換言之，一個思想家的禮學思想，不一定是其思想表達的全部，或只是通過對禮學問題的關注和思考而得到展開，其中也常常包含著對禮的無所不包、禮學的無所不包和禮學思想的無所不包的認識與理解，以致自覺或不自覺地表達和流露出來。這也是我們當今梳理歷代思想家或經學家的禮學思想的視閾所在。

王啟發的禮學研究，主要是通過對古代禮學的經典文獻的解讀，揭示禮學思想的體系化特徵及其表現，著力說明禮學作為古代中國人的宗教信仰、道德規範、法律意識、政治理想等方面的核心載體，既有其歷史的淵源，又有其思想的淵源。或以禮的表現形態考察為專題，或以個案性的篇章研究為基點，全面展開對禮學及其思想的整體性的研究；從對禮學經典文本三禮的考察分析和研究，到對歷代思想家對禮學經典的理解與認識的考察分析和研究，再到對如鄭玄等經注學家的禮學思想的考證，還包括對歷朝歷代皇權政治中的禮學實踐的考察分析和研究，這些就成為王啟發所著《禮學思想體系探源》一書的中心內容，以及對宋明禮學思想作進一步延伸研究的基本思路。

簡要地來說，對於禮、禮學和禮學思想的認識和理解，王啟發的核心觀點是，中國古代的「禮」起源於原始宗教，而且在相當長的歷史時期內仍保留有原始宗教的胎記。隨著人們社會化生活的深入和廣泛，以及認識能力和理智水準的提高，禮的宗教精神逐漸內化為道德自律的精神；又經過一段歷史時期後，禮的道德自律精神逐漸外化為法的他律的精神。最終，禮的宗教的、道德的和法的精神都表現出政

治的功能，從而成為國家政治各項制度的依據所在。王啟發認為，在禮的宗教屬性
方面，應以中國傳統宗教的提法來概括；在禮的道德屬性方面，應以家族倫理、社
會倫理和政治倫理的幾個層面來概括；在禮的法律屬性方面，應以自然法、國家法
和傳統法的幾個層面來概括；在禮的政治屬性上，應以歷史性、現實性和理想性的
幾個層面來概括。這也正是對禮學思想體系化體現的具體概括。這樣，在對中國古
代禮學及其思想的解讀上就構成了一個有著內在聯繫的理論框架，為深入地理解和
認識禮學的思想價值提供了方便。

　　具體而言，比如在對禮與法的關係具體考察上，王啟發認為，在原本無所不包
的禮學體系中有著一個漫長的禮與法分立的歷史，這一歷史發端於春秋戰國時期，
歷經秦漢兩音，至於隋唐，其結果是禮的範圍逐漸縮小，原先包含在禮制當中的各
種制度都歸到法制的範圍，成為獨立的制度或專門法。至唐代《開元禮》和《唐
律》、《唐令》編定後，禮、法分立，各成規制，並成為後世的範本。再如，對於
《禮記》中〈月令〉篇，王啟發借用了自然法的概念來加以解讀和研究，提出古代
世界在成文法出現之前，人們曾長期按自然的秩序和規律來規範其社會生產和生
活，而當成文法佔據主導地位的時候，這種自然法思維仍有著廣泛的影響。《禮
記・月令》可以說是中國古代的自然法典之集大成。對於《禮記》中的〈王制〉
篇，王啟發借用了國家法的概念來加以解讀和研究，提出當〈王制〉成為具有國家
法性質的依據時，其產生過程就是古代國家的立法程式的體現。就王權國家體制而
論，在〈王制〉中只見邦國，不見郡縣，似乎〈王制〉作者並不以郡縣制為是，而
仍以封邦建國為是，這反映出〈王制〉作者在國家體制選擇上的意向。還有，在考
察禮的道德意義時，王啟發認為儒家所講的禮所體現的道德意義，大體可以分為家
族倫理，社會倫理和政治倫理，〈儀禮〉中的冠禮、昏禮、喪服禮屬於家族倫理；
鄉飲酒禮、射禮屬於社會倫理；燕禮、聘禮、朝覲禮屬於政治倫理，並做了深入細
緻地解讀和分析。再有，王啟發以政治經典和經典政治的對比，對《周禮》中所包
含的融合先秦諸子百家政治思想的內容及其理想性進行了考察，並對西漢「王莽改
制」與《周禮》的關係進行了分析研究。還以相當的篇幅，對古代經學思想家鄭玄
和他的《三禮注》進行了細緻的考察，從而為理解「三禮」本身所包含的禮學思
想、內容提供了一個參考座標。

　　近些年來王啟發又展開了對宋元明禮學思想研究的新課題，先後對程顥、程頤的禮學思想、朱熹的禮學思想進行了考察，集中探討了程朱所代表的宋代禮學思想形而上學化發展的問題。還有就是對王安石的《周官新義》及禮學思想進行比較全面的考察研究，以及對宋代禮學的承傳發展及其學派分流、明代官方禮學及其特點等問題的概括性研究。從而進一步延伸和拓展了禮學思想研究的時間跨度和歷史領域。目前，相關的研究還在繼續進行當中。

四、易學研究

　　汪學群研究員主要研究清代易學，力圖揭示其學術特徵及其宗旨，勾勒出其承傳發展軌跡，突出其思想貢獻及歷史地位。本著這一宗旨，先後出版了兩部著作及相關論文。

　　《王夫之易學——以清初學術思想為視角》（社會科學文獻出版社 2002 年版），從方法論講，注重社會史與學術思想史的結合，把王夫之易學納入到當時的社會和學術背景中考察，揭示其治《易》的歷程及時代特徵。就內容而言，重在探討王夫之易學的貢獻，包括易學史和易學思想的貢獻。主要概括為以下幾點：

　　第一，務實求真。晚明心學掀起蹈虛空疏的學風，王夫之認為此種學風誤國誤學，究其根源，歸於佛老。他主張非無而有，非虛而實，非妄而真，治《易》務實求真，從客觀實際出發說明天地自然的本性。他的務實求真的主張，既是對張載以來氣論的繼承與發展，也與清初務實求真的學風相聯。第二，和諧變易。王夫之認為，自然界不是雜亂無章的堆積，而是一個和諧有機整體。他又認為，自然界總是處在不斷的變化中，其變化既有恆常的一面，也有變幻莫測的一面，由此呈現出複雜性。同時，變化不僅限於量的累積，也有性質的變化。他的和諧變易思想，既是對易學傳統的繼承與發展，也有其現實的社會基礎。和諧的觀點是對清廷民族高壓政策的一種理論批判，而其變易觀則反映明清鼎革的社會現實。第三，平等自由。王夫之從人道與天道關係出發，探討了平等自由問題。他對性與天道的研究，突出了人性上的平等與自由，這與明清之際市民階層的興起，在政治、經濟、思想上追求自由平等是一致的。第四，貞生貞死。王夫之治《易》重視人生修養，涉及吉凶禍福、義利、生死等問題，他一生雖遭遇吉凶禍福，但不為利益所動，仍以追求道

義為指歸，對待生死更為坦然，表現出一種豁達的胸襟和視死如歸的風骨。而倡導道德人倫的建設，可以說是對晚明以來世風日下的一種批判。第五，通經致用。王夫之生當明清之際，深感王學末流，竊佛老之旨，游心於虛無而招致亡國之禍，因此治《易》反對空談，表現為解釋社會現實問題。明末以來的社會動盪，至明清更迭達到極點。歷史急劇變遷，使整個社會陷入空前危機中，於是自明萬曆末葉興起的經世思潮，至清初空前高漲，王夫之治《易》經世，與明清之際經世思潮緊密聯繫在一起。

王夫之的易學核心在於哲理性、批判性、經世性。所謂哲理性就是其解《易》義理深邃，富有思辨色彩；其批判性是不盲從，敢於挑戰權威；其經世性則表現為他通過解《易》來關注社會問題，把學《易》與運用《易》結合起來。就其思想而言，可謂集宋易以來之大成，其歷史地位不容置疑。但也應看到他的時代局限性，他的思想是在傳統的學術思想框架中進行的，必然打上時代的烙印。

《清初易學》（商務印書館 2004 年版），以清初經學與清初易學關係為切入點。作為清初經學的一個組成部分，清初易學與其密切相關，清初經學的核心是經道合一，經道合一論也必然對清初易學產生影響。從經道合一角度看清初易學，則揭示當時易學的基本特徵，這為深入瞭解清初易學提供了宏觀的參考座標。本書主要內容包括明遺的宋易學、明遺的程朱易學、明遺對宋易圖書先天太極說的批評、清廷的程朱易學、儒臣的程朱易學、儒臣對宋易圖書先天太極說的辨偽。

依據政治傾向，清初易學可分為二部分，第一部分，主要探討明遺的易學，即生活在清初的明代遺民的易學。除孫奇逢外，其他明遺如方以智、王夫之、刁包、張爾岐、顧炎武、黃宗羲、黃宗炎等，大都生活在明萬曆中後期，約一六〇〇年至一六二〇年，尤以一六一〇年至一六二〇年居多。也就是說崇禎十七年即順治元年（西元 1644 年），他們大都在二十多歲至四十歲之間，其政治思想已經形成，清兵入主中原所帶來的生靈塗炭，家國變故，深深地印在腦海中，國仇家恨使他們大都對清廷採取抵制與不合作的態度，他們的易學多在借《易》抒發亡國之恨，總結明亡的經驗教訓。第二部分，主要探討清廷及儒臣易學。清廷易學指由清廷組織撰寫的《易經通注》、《日講易經解義》、《周易折中》，這三本書代表清初官方意識，因此亦可稱為官方易學。儒臣易學是儒臣個人的易學。與明遺相比，清廷易學

的參與者（除滿族貴族外）和儒臣（主要有張烈、陳夢雷、李光地、毛奇齡、胡渭、李塨等）應屬晚一輩。他們（張烈、毛奇齡除外）大都生於崇禎至順治年間，明清易代時，有的尚小，有的未生，總體上說沒有經歷社會變故所帶來的振盪，因此大都與清廷採取合作的態度，開始仕清。他們的政治取向決定其易學，即便是通經致用，也缺乏明遺那種批判精神，而轉向借《易》向當權者提供建設性意見，為清廷服務。

從學術宗旨角度，清初易學可分為三個部分，它們是宋易學、程朱易學、批評與考辨宋易圖書先天太極說。與清初學術直接源於宋明一樣，清初易學也源於宋明易學，所不同的是宋明學術爭程朱與陸王，因陸九淵與王守仁都沒有系統地解《易》著作，所以宋明易學起主導地位的是程朱易學，尤其是程頤的《伊川易傳》、朱熹的《朱子本義》，不僅影響宋明兩代，也對清初易學產生重要影響。清初易學無論是褒程朱還是貶程朱，皆以程朱易學來展開自己的思想體系。即使是對宋易圖書先天太極說的批評與考辨，也不是一概否定朱子易學（除毛奇齡外），他們大都拋棄的是朱子易學中的河圖洛書先天太極說部分，對其中包括義理及其它方面還是肯定的，至少不否定。從這個意義講，與其說他們的批評與考辨開啟乾嘉復興漢易學的先河，不如說這種批評與考辨客觀上幫了乾嘉漢易學的忙。

目前，汪學群已經出版《清代中期易學》（社會科學文獻出版社，2005 年）的撰寫，開始轉向研究晚清民國以來的易學。

五、春秋公羊學研究

鄭任釗博士近年來一直專注於春秋公羊學的研究，陸續發表了多篇論文，主要有〈何休的公羊學思想〉（《中國哲學》第 24 輯）、〈康有為的公羊學思想〉（《中國哲學》第 25 輯）、〈趙汸春秋學與公羊學的關係〉（《炎黃文化研究》第五輯）、〈清代公羊學的奠基人——劉逢祿〉（《湖南大學學報》（社會科學版）2008 年第 2 期）等。此外還參加了《中國經學思想史》和《儒藏》工程等重大課題，負責公羊學相關的部分內容的研究撰寫和校勘整理工作。

對於何休的公羊學，鄭任釗從《春秋公羊解詁》、歷史哲學、政治思想、災異說等方面，論述了何休所構建龐大精深的公羊學理論體系，及其對完善公羊學的貢

獻，強調了其公羊學的經世致用特色。具體而言，何休的代表作《春秋公羊解詁》總結並豐富了公羊學的基本理論，奠定了公羊學的理論基礎，在公羊學發展史上具有里程碑的意義。何休將公羊家的「張三世」說與「通三統」說加以重新整合與融會，提出了「衰亂──升平──太平」的社會進化發展模式，這是一種強調變易、改制和人類社會進步的歷史哲學。何休「進夷狄」的思想體現了一種進步的民族觀，嚮往「遠近小大若一」的民族大融合的局面。何休災異說的出發點就是對現實政治的批判，但他不幸過於張大了災異說的荒誕性，致使其整個思想體系被一種錯誤的外在形式所覆蓋。何休的公羊學思想雖然與東漢末年的現實緊密的聯繫在一起，而其豐富、深邃的內涵，對後世影響深遠。

鄭任釗從今文經學思想的確立、獨特的公羊學理論，以及返本開新的嘗試等方面闡述了康有為的公羊學思想體系，論述了他以公羊學為其維新變法的理論基石，並結合西學對公羊學進行的創造性改造。鄭任釗提出，康有為皈依公羊學走過了一個從「平分今古」到「尊今抑古」的過程，公羊學確為康有為內心之信仰，而並非只是借今文經學的軀殼為政治服務。康有為把三代「三統」都說成是孔子所托，是孔子寄寓「改制」思想的工具，這既為他在孔子的旗幟下推行變法鋪平了道路，也使他走出了那種以遠古為理想的舊說，可以從容地去推導歷史無限進步的「三世」進化論。他的「三世」說將西方的國家學說和民主思想融入進來，並益以西方近代進化論的成分，創造出了一套具有鮮明儒家特色的進化論體系。隨著他的政治實踐的起伏，康有為的「三世」說也從最初的強化君權轉為以兩千年君主制度為「小康升平世」，又轉為以兩千年君主制度為「據亂世」，再轉為貶抑歐美資本主義為「據亂世」，最終構建出了一個詳盡的「大同」世界的理想。鄭任釗認為，康有為從古老的公羊學術語中找到了現代意義，構架起全新的理論系統。雖然他吸收了很多西方思想，但從他對公羊學進行改造的本身來看，仍然是屬於經學藩籬之內的。

關於趙汸的春秋公羊學，鄭任釗考察了元末明初經學家趙汸對三傳的不同態度，剖析了趙汸並沒有獨尊《公羊》而卻受到清代公羊家推崇的原因，舉證了趙汸對公羊義理的選擇和發揮，如「尊王一統」、「天下無王，霸主可興」、「進夷狄」、「三統」、「《春秋》假魯以扶持世道之變」、「世道三變」、「復世仇」、「權變」、「災異說」等，並分析了其對清代公羊學家的影響。鄭任釗以

為，趙汸說《春秋》確實有獨特卓絕之處，尤其是他的春秋學在公羊學消沉千年以後，明確春秋學研究應以探求《春秋》微言大義為旨歸，肯定《公羊傳》「得學《春秋》之要」，啟發後人復興公羊學，於公羊學可謂有承前啟後之功。但鄭任釗也同時指出，趙汸終究不是公羊學家，對許多在歷史上發生重大影響的公羊學的核心命題，並沒有按照公羊學的理路進行闡發甚至加以反對，可見他對公羊學思想的理解和運用還只是停留在表層。

鄭任釗梳理了劉逢祿的學術淵源及其經世致用的學術特點，分析了其代表作《春秋公羊經何氏釋例》的寫作目的和意義，論述了劉逢祿對公羊義例的系統總結以及對今文經學的重振。鄭任釗認為，劉逢祿接續漢代董仲舒和何休之公羊統緒，推動以公羊學為核心的今文經學成為晚清學術主流。他對公羊學的總結與闡發，奠定了清代公羊學的基礎；對公羊學變革改制理論的挖掘，確立了清代公羊學的發展方向。

六、緯書與經學研究

張廣保研究員有關經學領域的研究有《緯書與東漢經學研究》（中國社會科學院歷史所重點研究課題，已結項，待刊）、《中國經學思想史》相關篇章等，另有學術論文三十多篇發表在各種刊物上。他有關經學方面的研究主要集中於緯書與漢代經學、北宋慶曆新經學兩大主題。

緯書是讖和緯的統稱，是盛行於漢代的一種獨特的解經文字，是在戰國後期興起的天人之學的直接刺激下應運而生的。緯書的內容雜而多端，舉凡天文、地理、歷史、神話、經學、方技等等應有盡有，但在這些雜亂的內容中還是有一個統貫的核心思想即天人感應。從這個角度來看，緯書也可以說是一種天人之學，主要探討天人之際的問題。它是儒學在東漢時期的特殊表現形式。

對於緯書的創作年代，自東漢迄今，流行著十種以上的不同觀點。明代胡應麟、清代的王鳴盛、蘇輿、蔣清翊等都對緯書的源流做過程度不等的研究。近代自姜忠奎的《緯史論微》問世之後，不少學界耆宿如陳槃、鍾肇鵬等都對緯書及其思想、淵源進行全面研究。尤其是日本安居香山、中村璋八《緯書集成》的編訂更是為這項研究提供資料基礎。然而，值得注意的是目前學界尚無人就緯書與東漢經學

展開全面研究。這顯然既是一種欠缺，同時也與自光武帝宣布圖讖於天下之後，緯書作為東漢官方主流意識形態，對經學的廣泛而深刻的思想影響極不相稱。

有鑒於此，張廣保圍繞緯書與東漢經學這條主線，對東漢經學所采緯說及其與緯學的思想關係進行全面研究。眾所周知，東漢經學中今古文之爭甚為激烈，勢同水火，但就援引緯說而言，今古文兩派的學者卻能達成一致。無論是古文家馬融、許慎、鄭玄（已有融合今古的趨勢），還是今文學家何休等在釋經時都大量採納緯說。然而，今古學家在援納緯說時呈現何種差異？緯書對這些今古文經學家解經、構建經學思想體系的影響等問題都值得進一步研究。其次緯書與被學界稱為東漢一朝官方憲章大典的《白虎通義》具有何種關聯也是值得關注的論題。再次，緯書自身的思想淵源及其內容的層次構成無疑與其不同出世年代形成呼應。因此，對於緯書思想自身及其與漢代天人之學的關係之研究也會有助於我們對緯書不同出世年代的判定。最後，狹義的緯與偏重於預言的讖尚不相同，緯書中有不少的解經文字，它們對經書的內容有正面詮釋，有些對後世影響還很大，例如關於儒學中的三綱之說就出於禮緯《含文嘉》。作者圍繞上述問題對緯書與東漢經學進行全面研究。

有關北宋慶曆新經學的研究，張廣保先後發表兩篇長文予以論述：其一為〈劉敞的春秋學與慶曆新經學〉（載於《新哲學》第五輯）。其二為〈經世致用：荊公新學對經學原典精神的復歸〉（載於《中國哲學》23 輯）。在這兩篇論文中張廣保對慶曆新經學的兩位代表人物劉敞、王安石的經學進路及其與慶曆新學的關係進行研究。

北宋仁宗時期，受中唐以後出現的經學新風尚的薰陶，學者多不守漢唐注疏傳統，自出義理，以己意釋經。從整個中國經學演變的歷史來看，這一時期是經學發展中最具創造性的時期之一。對此，有學者將這一時期出現的經學稱為「新經學」。新經學在批判、吸收漢唐經學的注疏成就基礎上，又立基於新時代的社會普遍需求，為新經學的主導思想確立基調。在這一過程中，思想家們「闡舊邦以輔新命」，致力於重建傳統，在思想意識方面幫助中國古代社會完成後半期的轉型。這是一個充滿自由創造的時代。劉敞、王安石就是這一時代出現的經學群星中耀眼的兩顆，他們與前後約略同期的范仲淹、孫復、石介、歐陽修、李覯、二程（程顥、程頤）、三蘇（蘇洵、蘇軾、蘇轍）、曾鞏等人構成一個學者群。他們互相砥礪、

切磋、勉以道義、勵以行節，以天下蒼生為念，復興、拓展傳統經學的優秀價值觀念，終於一洗五代以來萎靡苟安、廉恥道喪的士風、民風，樹立起「先天下之憂而憂，後天下之樂而樂」，以天下百姓為念的士林新風尚。顧炎武在《日知錄》卷十三「宋世風俗」中對北宋風俗之敦美給予讚歎即是證明。

在有關劉敞經學論文中，張廣保主要圍繞劉敞的《春秋》學展開論述。他認為雖然劉氏博通群經，學問淵博，然其經學的根柢卻是《春秋》學。張廣保通過考察北宋《春秋》學五大名家諸如孫復、劉敞、孫覺、程頤、蘇轍，認為較之其他四人，如就解經的精博及思想的社會影響，或許惟有孫復能與他比肩。然而論及學問之篤實，四庫館臣對兩人《春秋》學的優劣卻得出這樣的評論：「蓋北宋以來，出新意解《春秋》者，自孫復與敞始；復治啖、趙之餘波，幾於盡廢三傳；敞則不盡從傳，亦不盡廢傳，故所訓釋為遠勝於復焉。」這就明顯是揚敞抑復。又皮錫瑞總結趙宋一朝《春秋》諸家的治經特色，也認為「以劉敞為最優」。

綜核劉敞《春秋》學，張廣保認為他雖然上承唐代後期《春秋》大家啖助、趙匡、陸淳等人的懷疑學風，但又顯現出自身鮮明的特色。作者通過考察其所著《春秋》學三書《春秋權衡》、《劉氏春秋傳》、《春秋意林》及文集《公是集》相關篇章，將其特點概括為四點：其一重經不重傳。其二出入三傳，斷以己意。其三注重以禮制解《春秋》。其四以經證經，多引《詩》、《書》、《三禮》、《易》等經書解說《春秋》。這四大特點雖然在前人有關《春秋》學的著述中也有所體現，但劉敞卻將它發展到一個新的高度。此外作者還對劉敞《春秋》學闡發的核心觀念予以考察，以為作為一位生活於北宋中期的士大夫，劉敞的《春秋》學既不可避免地刻有時代的印記，同時又體現他個人的獨特個性。與孫復《春秋尊王發微》突顯「尊王」觀念有所不同，劉敞《春秋》學在倡導尊王的同時，又強調以天正王，強調以尊重大臣尊嚴為特徵的君臣之道，強調重民、愛民等等。他對《春秋》的解釋貫穿著這些思想觀念，由此構成其《春秋》學不同於其他北宋《春秋》家的思想的特色。

對於荊公新經學的研究，張廣保主要集中於論述《三經新義》與荊公新學。他以為荊公新學的性質與普通的經學流派不同，它不僅是北宋一個重要的經學門派，而且也是熙豐新政的指導思想，具有官學的地位。前人考論荊公新學多將其看成王

安石個人的思想系統，這是很不全面的。作為荆公新學派的核心人物及熙豐新政的靈魂，王安石當然是荆公新學的主要代表，然而，荆公新學的開創卻並非全然出於王安石個人的學術衝動，而是與神宗朝的政治、經濟、軍事制度改革緊密相聯。就是代表新學的主要著作——《三經新義》的撰作，也是在朝廷設立的專門機構經義局中完就的。對於這點，我們必須予以特別注意，因為它關係到對荆公新學的總體評判。張廣保對於荆公經學的總體評價是，認為這一派以回歸孔孟原始儒家為理想，以經世致用、富國強兵為目的，以禮樂刑政相結合為手段，一句話以統合內聖外王為開派宗旨。正是王安石和他的學派在中國歷史上進行了一次莊嚴而偉大的政治實踐，這就是北宋時期的熙豐新政。王安石的改革一方面固然是為了富國強兵，從根本上改變北宋王朝「積弱」、「積貧」的萎靡局面，另一方面其實也是儒家試圖由內聖開出外王的嘗試。構成王安石熙豐新政理論基礎的乃是他的荆公新學。

　　眾所周知，中國經學發展的重要途徑就是注解經書或借經發揮己義，經書本身所蘊含的價值及深邃文化底蘊為解讀者提供了展示或發揮自己思想的平台，經學家們正是通過解讀經書把自己的思想融入其中，這不僅使經書通過解經或發揮己義之作得到傳承，從而形成歷史上的經學的傳統，同時也使經學的思想綿延不斷，推動其向前發展。也就是說，作為經學載體的不僅是經書，更重要的是經注或發揮其中微言大義的著述，它們為我們研究經學提供了豐富的原材料和可以想像的空間。不同時代人通過對經書的解釋，把自己的觀點、主張注入其中，賦予經學時代的特色。而後人又根據其中所折射出的思想火花進一步加以詮釋，使經學具有永恆的魅力。本室同仁正是本著這一基本精神來研究經學並形成了自己的經學研究特色，當然這裏不僅不否認從其他視角研究經學的重要性，而是以更加開放寬容的心態加以對待，願與從不同視角研究經學的同道共同促進經學的繁榮與發展。

（本文根據張海燕、張廣保、王啟發、吳銳、鄭任釗、汪學群提供的資料寫成）

經 學 研 究 論 叢
第 十 七 輯　　頁21～50
臺灣學生書局　2009 年 12 月

百年學府開新運，再向儒林續逸篇
——四川大學經學教育與研究的前世、近世和現世

舒大剛*

> 星輝井絡，地雄巴蜀；
> 山川秀毓，西南美煥。
>
> ——蕭公權〈國立四川大學校歌〉

　　四川大學正是坐落在祖國大西南的一所高等學府，是植根於古老巴蜀大地，熔鑄儒學精神、巴蜀文化與近代西學於一爐的產物。近代「蜀學」曾被學人視為晚清中國學術的重心之一❶，四川大學又是近代「蜀學」的策源地和中心，研究四川大學學術史，對研究「蜀學」消長之跡，特別是探討近代中國學術之重心，都具有重要參考價值。本文即欲對四川大學的經學教育與研究歷史，作一回顧和探討，以就正於博雅方家。

---

* 　舒大剛，四川大學教授、《儒藏》主編，國家「985 工程」二期「文化遺產與文化互動」創新基地學術帶頭人，山東大學易學與中國古代哲學研究中心兼職教授。
❶ 　李學勤〈弘揚國學的標誌性事業〉，《西南民族大學學報》（哲社版），2005 年第 9 期。

　　四川大學作為一所現代新型高校，迄今只有一百一十二年歷史；但是作為一所具有豐厚文化底蘊、悠久辦學歷史的巴蜀第一學府，四川大學的文脈和學運，又可以追溯至清康熙年間所建錦江書院（1704－1903）、光緒年間所建尊經書院（1875－1902）和晚清民國興辦的存古學堂（「國專」）。如果要追述其儒學教育、經學研究的傳統，其遠源更須從西漢時期文翁石室（約前 143 年）講起。蓋因一九〇二、一九〇三年尊經書院、錦江書院與中西學堂合併，組建四川通省學堂（後改名四川省城高等學堂），即四川大學前身；而錦江書院又是康熙四十三年（1704）在文翁石室原址上重建，以傳承文翁教澤、振起巴蜀學術為己任的地方學府。因此，錦江書院者，清代之「石室」也；文翁石室者，「川大」之前世也；而「川大」者，則又石室、錦江之現世也。茲欲述「川大」傳經、弘儒之歷史，自然不能捨文翁石室、錦江書院、尊經書院於不顧也！故本文所述四川大學的經學教育與研究，實兼其前世、近世與現世而言。

一、文翁石室有儀型，庠序千秋播德馨：
「石室」時期

　　「文翁石室」為西漢景帝末年（約前 143）蜀守文翁所創。歷漢、唐、宋、元、明，相沿而不改，一直是蜀郡（或成都府、四川省城）的最高學府，為「蜀學」人才培養搖籃。「石室」歷時一千八百餘年從未間斷，直到明末戰亂，學校才被焚毀。在近兩千年辦學歷程中，「文翁石室」對中華文化產生了深遠影響，蜀學人士也為弘揚儒學、研究經學做出了突出貢獻。歷考其事，蓋有四端：

　　一曰推行「儒化」，移風易俗。文翁為廬江（今屬安徽）人，景帝末為蜀郡太守，當時「承秦之後，學校夷陵」，蜀中風俗猶「有蠻夷風」。文翁乃起學校於成都市中，遣張叔等十八人詣博士，「東受《七經》」，還教吏民。從此巴蜀士人欣欣向學，於是「蜀之學於京師者比於齊魯，巴、漢亦化之」❷；《華陽國志》〈蜀志〉甚至稱「蜀學比於齊魯」，「至今巴蜀好文雅，文翁之化也。」逐漸形成「蜀學」流派，蜚聲於華夏學術之林。杜甫詩：「諸葛蜀人愛，文翁儒化成。」即此之

---

❷　班固：〈地理志〉及〈文翁傳〉，《漢書》（北京市：中華書局，1962 年 6 月）。

大部分屬於尊經書院時期王闓運、廖平、吳之英和宋育仁等人著作，「蜀學」不振的局面得到根本扭轉。

尊經書院時期的學術成就，大致可歸納為四個方面：

一是長於「三禮」和《春秋》之學。如王闓運承常州學派之緒餘，擅長《春秋公羊》學，固無論矣。在他影響下，廖平亦「長於《春秋》，善說禮制」❸，運用禮制之異區別今文古文，著《今古學考》，被俞蔭甫（樾）推為「不刊之書」；又撰《穀梁古義疏》，名列「清人十三經新疏」之一，還有《公羊解詁三十論》、《左傳古經說》等春秋學著作二十餘種（今存十六種）。吳之英也明於《公羊》，「尤邃《三禮》」，著有《壽櫟廬叢書》，論者謂其「言《周禮》者最多最精」❹，其《儀禮》三書（《儀禮奭固》、《儀禮器圖》、《儀禮事圖》），尤稱精絕。宋育仁擅長文學，亦善經學，撰《問琴閣叢書》，有《周禮十種》，主張「復古改制」，宣傳維新變法，為改革號角。

二是「以復古求解放」，將乾嘉所復東漢古文學，進至西漢今文學，並進而將經學復至先秦子學和古史之學，最終實現經學向史學的轉變❺。自鄭玄混合今古，學人不知「今學」「古學」之別，乾嘉之學多停留於名物訓詁即「許鄭之學」；常州學派講《公羊》三世法，但不知今古文分歧所在，未得要領。廖平《今古學考》成，「然後二家所以異同之故，燦若列眉」。劉師培謂「貫澈漢師經例，魏晉以來，未之有也。」❻章太炎也說：「余見井研廖平說經善分別今古文，實惠棟、戴震、凌曙、劉逢祿所不能上。」❼使中國經學推進到新的發展階段。其後，廖氏門

---

❸　蒙文通：〈議蜀學〉，載《經史抉原》（成都市：巴蜀書社，1995 年 9 月）。

❹　謝興堯：〈周政三圖三卷提要〉，《續修四庫全書總目提要》（濟南市：齊魯書社，1996 年 10 月）第 32 冊。

❺　廖平本人即是「以復古求解放」的自覺實踐者，其〈與康長素書〉：「歲星再週，學途四變。由西漢以返先秦，更由先秦以追鄒魯。」（廖宗澤《六譯先生年譜稿》（重慶圖書館藏 1933 年原稿本，收入四川大學出版社、舒大剛主編《儒藏》第 100 冊）卷三「民國二年」。

❻　劉師培：〈非古盧下〉，《左庵外集》卷五，《劉申叔遺書》（南京市：江蘇古籍出版社，1997 年 11 月）本。

❼　章太炎：〈程師〉，《太炎文錄初編》，《章太炎全集》（上海市：上海人民出版社，1985 年 9 月）第四冊。

人蒙文通出，復推尋今古二家致異之源，而得「魯學」「齊學」（今文經學）與乎「晉學」（古文、史學）之秘，將經學分歧從兩漢的禮制之異，上溯為先秦的文化殊方和古史殊源，從而實現了對經學家法、師法的徹底解放，真正促成經學向史學過渡。

三是拓展經學內涵，擴大儒學範圍。廖平《今古學考》卷下：「予創為今古二派，以復西京之舊，欲集同人之力，統著《十八經注疏》（今文：《尚書》、《齊詩》、《魯詩》、《韓詩》、《戴禮》、《儀禮記》、《公羊》、《穀梁》、《孝經》、《論語》；古文：《尚書》、《周官》、《毛詩》、《左傳》、《儀禮經》、《孝經》、《論語》、《戴禮》。《易》學不在此數），以成蜀學。見成《穀梁》一種……因舊欲約友人分經合作，故先作《十八經注疏凡例》。」❶他不僅要嚴格區分今古文學，還要將儒家經典範式擴大到「十八經」，是對「蜀石經」形成的《十三經》的重大突破。這不僅僅是「以成蜀學」，而且是要重振宗風、再興孔教，重構儒家經典體系。可惜他後來屢變其說，無暇於此，「十八經注疏」沒有完成，留成歷史遺憾。

四是開拓近代經學史研究新局面。近世以來學人侈談「今古文學」問題，實則這一話題肇端於晚清「蜀學」中堅的廖平。皮錫瑞《經學歷史》：「國朝經學凡三變。國初……是為漢、宋兼采之學。乾隆以後，許、鄭之學大明，……是為專門漢學。嘉道以後，又由許、鄭之學導源而上，……漢十四博士今文說，自魏、晉亡千餘年，至今日而復明。實能述伏、董之遺文，尋武、宣之絕軌，是為西漢今文之學。學愈進而愈古，義愈推而愈高；屢遷而返其初，一變而至於道。學者不特知漢、宋之別，且皆知今、古之分，門徑大開，榛蕪盡闢。論經學於今日，當覺其易，而不患其難矣。」❶使「今人」知今文、古文之別者，能獲「講經學」之「易」者，即廖平其人。❷

---

❶　廖平：《今古學考》卷下，《廖平選集》（成都市：巴蜀書社，1998 年 7 月）上冊。

❶　皮錫瑞：《經學歷史》〈十經學復盛時代〉，周予同校注本（北京市：中華書局，1989 年）。

❷　有人甚至認為，兩漢本不存在今古文對壘，是廖平挑起這場千古公案。見錢穆：《兩漢經學今古文平議》〈自序〉（北京市：商務印書館，2001 年 7 月）；張岱年等，李學勤〈《今古學考》與《五經異義》〉（《國學今論》，瀋陽市：遼寧教育出版社，1991 年 12 月）。

五是托古改制，以經學講革命，講改制，誘導了思想解放。尊經書院講經學多主「托古改制」或「復古改制」，廖平、宋育仁、吳之英等人俱是如此；諸人還創辦《蜀學報》、《蜀報》鼓吹改良。是廖平「二變」尊今抑古思想，通過康有為引起了近世思想解放運動，為維新變法提供了精神武器。此人所共知者，茲不贅述。

李學勤認為：「晚清以來，有兩個地方的學術研究很有影響，即川學和湘學。廖平是川學的代表之一。」又說：「從晚清以後，中國傳統學術發展的重心有所轉移，一個是『湘學』，一個是『蜀學』。」㉑正是針對當時以尊經書院為代表的晚清蜀學而言的。

三、正聲微茫騷人怨，廢興萬變憲章淪：「學堂」時期

自「兩院一堂」合併成立四川省城高等學堂，至國立四川大學成立之間各時期，是儒學教育和經學研究在四川大學節節退縮，逐漸式微的過程。

四川省城高等學堂。該學堂係一九○二年由中西學堂與尊經書院、錦江書院組建而成，是傳統書院與現代大學辦學模式合一的高等學府。

高等學堂除保持書院時期師資力量外，也保持了書院時期的學科優勢。學堂分正科和附科兩大類，正科即本科，設有一部、二部、三部，分別是文科、理科、醫科，文科，教授經學、政法、文學、商科等知識。三部還有共同公共課，開設人倫道德（講《宋儒學案》）、經學大義（主講《五經》）等，其傳統氣味十分濃厚。附科設有速成師範科、優級師範科、普通科、體育科、測繪學堂、鐵路學堂、半日學堂、附設中學堂等。其「優級師範科」生員要求具有貢生、稟生功名，專門培訓中國儒經、諸史、詞章之學方面的師資。高等學堂除講授教育部頒佈課程，還重視修身、讀經、講經、國文等教學。

在師資方面，高等學堂對其水準和資歷要求都很高，除聘有數十名留洋人員和外籍教師外，國學師資多具有科舉功名（進士、舉人），或者原本就是尊經、錦江兩書院的「宿儒」，如翰林院編修胡峻（兼學堂總理）、狀元駱成驤、進士廖平，

㉑　李學勤：〈清代學術的幾個問題〉，《中國學術》總第 6 期，2001 年第二期；並參同註❶。

以及謝无量、劉豫波、楊滄白、徐炯等著名學人；特別是三任總理（校長）胡浚、周翔、駱成驤等，都是社會名流和政府要員。正科生源是省內外中學堂畢業生、各府縣有功名的生員。條件優越、師資雄厚，學生來源層次高，故高等學堂（含附中學堂）培養了一大批傑出人才，朱建德（朱德）、郭沫若（開貞）、張培爵、張頤、溫少鶴、王光祈、蒙文通、周太玄、李劼人、魏時珍、張怡蓀、曾琦等，後來在中國政治、軍事、文化等方面都產生了重要影響。

高等學堂後來經過國立成都高等師範學校、國立成都大學等階段的發展，再融入其他專門學校，成為今天四川大學的主要源頭。

辛亥革命後，推行「壬子學制」，改變前清「忠君、尊孔、尚公、尚武、尚實」的教育宗旨，不再提倡「以忠孝為本」、「以經史之學為基」；學堂改稱學校；在全國範圍內，取消「經學科」，大學分設文、理、法、商、醫、農、工七科，而以文、理為主。

一九一二年四川高等學校（即四川高等學堂）與四川高等師範學校（即四川高等師範學堂）合併，組成「國立成都高等師範學校」（「高師」）。其課程設置也隨新的學制有所調整，設國文部、英語部、博物部、數理部；國文部又分國文及國文學、歷史、哲學、美學、語言學等。「國文與國文學」課程，有講讀作文、諸子學、群經大意、中國文學史、文字學、韻文等。教員則有曾學傳（講宋明理學）、宋育仁（講文學史、駢文）、廖平（講諸子學、群經大意）、駱成驤（講國文）、龔熙春（講國文）、龔道耕（講經學通論），等等。雖然傳統經學已經沒有專門的學科門類，但仍是「國文部」中重要的課程，教員也是該門類中最優秀的一群。

吳玉章長高師時（1922－1924），又改國文科為文史科，專業課程有國文、國史、文學概論、文字學、諸子、文學史、講經；選修課則有中國倫理學史、古籍校讀法、國故概要、詩詞賦選講等，還基本保留了傳統經學的科目。國文教員中還有李植、文龍、譚焯、龔道耕、林思進、趙少咸、祝屺懷等耆學宿儒。只是課時大為縮減，《經學通論》已經從原來每周六至十一學時，減少為二學時；特別是取消了以宋明理學為內容的倫理課，蜀學宿儒的生存空間越益縮小。

「存古學堂」至「國學專門學校」：歷史上四川大學經學研究的另一重鎮，是與高等學堂並行發展的四川存古學堂（後改稱國學專門學校）。

隨著清廷壬寅、癸卯學制的改革，專門教育在四川得到蓬勃發展，形成了四川通省師範學堂和五大專門學堂（即四川法政學堂、四川藏文學堂、四川通省農業學堂、四川工業學堂、四川存古學堂）。

四川存古學堂是繼張之洞光緒三十三年（1907）在湖北設立存古學堂之後，於宣統二年（1910）設於成都，校址選在城南饑門街楊遇春宅，謝无量任督監（校長）。辛亥革命後，各省存古學堂皆奉新教育部令停辦（有的省先已停辦），而四川存古學堂則通過更名方式續辦。四川存古學堂一九一二年二月改稱四川國學館，下設教科部、印刷部、雜誌及講會部。同年，四川軍政府諮詢機構樞密院改為國學院（1912.6），吳之英任院正（長）；十一月，國學館與國學院合併，吳之英任院正，謝无量、劉師培任院副；原國學館教科部改稱國學學校，隸屬國學院，劉師培以院副兼校長，其課程則採用存古學堂章程「變通辦理」。一九一四年三月，國學院結束，專辦國學學校，廖平任校長；一九一八年，正式定名「四川公立國學專門學校」（「國專」），先後由宋育仁、廖平、駱成驤、蔡錫保任校長。

一九二七年，「國專」作為「五專」之一，合併為公立四川大學，「國專」改稱中國文學院；一九三一年遷至國立四川大學校本部（皇城）。存古學堂（國專）獨立運行了二十七年，「從 1910 年迄 1931 年，幾經嬗變，六易其名，均以國學一脈相承，校舍依舊，宗旨相近」❷，其儒學教育和經學研究成就主要表現在：

一是經學為本，保存國粹。存古學堂開辦宗旨，張之洞奏摺中有明確表達：「經學為政治之大源，保邦之要務」；「存國粹即所以束人心，束人心即所以維世教」。四川存古學堂也要「儲通材而維國學」，「存國粹以束人心」，要在西學大量湧入的背景下，「研究國學，發揚國粹，溝通古今，切於實用」。吳之英曾撰一聯以示趣：

斯道也將亡，難得四壁圖書，尚譚周孔；
後來者可畏，何惜一池芹藻，不壓淵雲。

---

❷ 存古學堂沿革，依張麗萍、郭勇：〈四川存古學堂及其嬗變〉，同註⓫，《儒藏論壇》第二輯考訂。

勉勵弟子們借此地以談儒家推崇的周公、孔子，以便上繼先賢王褒（子淵）、揚雄（子雲）。

二是實行專經教育。在新學紛紛擾擾的情況下，存古學堂以培養中學師資、升入「通儒院」為目的，學制分三年、七年兩種。三年畢業者，可派往中小學堂任國文教員；三年屆滿，願意繼續深造者，可再修四年，滿七年然後畢業。分科設有經學門、史學門、詞章門，一九一八年宋育仁繼任校長後，改為哲學科、史學科、國文科，基本上是尊經書院教學模式的翻版。

本科（三年），主修群經大意（周十二學時。比高師二學時多六倍）、中外歷史、中國文學、諸子學、宋明理學、倫理、教育學、地理等。又設預科（一年），主習經學、名學、小學、國文、算術。

「存古學堂」特別注重專經研習，還明確號召「尊孔讀經為要義」，要求學生「以讀經為主，參雜緯書、岐黃，故橫通醫學」❷❸；「本校學生專習一經，自認定後不得更改。」「新班先習《說文》，兼習《白虎通義》、《五經異義》，凡鈔書、點書、寫劄記，均以本經為主。」明確打上了廖平經學重視區別今古文學的特徵。

三是教學科研結合，是當時四川經學研究中心。存古學堂是在新學與舊學之爭激烈、傳統國學式微的狀況下開辦的，有保持國學，培養師範師資、道德楷模等功能，因而曾經被視為「文化保守主義」典型，「封建舊學」堡壘。存古學堂以及「國專」的校長和教員都是當時的「蜀學宿儒」，如督監（校長）初為少年才子謝无量（1909），後來繼任者有吳之英（1912）、劉師培（1913）、廖平（1914）、宋育仁（1918）、駱成驤（1922）等等。教員則有張森楷、曾學傳、楊贊襄、羅時憲等，都在經史、詞章領域卓有造詣。劉師培〈國學學校同學錄序〉：「前清宣統二年，四川總督請於朝，設存古學校……於是，耆德故老吳之英、廖平之倫，潛樂教思，朝夕講習，善誘恂恂。」吳虞也回憶：「其時，吳伯朅（之英）師，廖平前輩，劉申叔、謝无量諸公，聚於一堂。大師作範，群士回應，若長卿之為師，張寬

---

❷❸ 政治協商會議四川省委員會文史資料委員會編，《四川文史資料選輯》第 33 輯（成都市：四川人民出版社，1984 年 11 月）。

之施政。蜀才之盛，著於一時。」❷所培養學生也非常知名，如經史雙絕的蒙文通、經子皆擅的李源澄、詞章文獻兼長的向宗魯，以及彭雲生、曾宇康等，可謂英才薈萃，大家輩出。

特別是古文學大師劉師培入蜀，更成一番風氣。劉氏四世傳經，在《春秋左傳》和古文經學上有很高造詣。他進入四川後，朝夕與廖平、吳之英等人講論經學，一時學術靡然從風，撰文著書，不主古文，即主今學，無不打上今、古文學烙印。當時就讀於此的蒙文通回憶說：「文通於壬子、癸丑間，學經於國學院，時廖、劉兩師及名山吳之英並在講席，或崇今，或尊古，或會而通之，持各有故，言各成理……然依禮數以判家法，此兩師之所同，吳師亦曰：『《五經》皆以禮為斷。』是因師門之緒論，謹守而勿敢失者也。」❷劉氏還沿廖平分別今古文學的路子，專心研究《白虎通義》、《五經異義》，及其辭國學院之任，北游燕、晉，撰《周官古注集疏》、《禮經舊說考略》後，欣然曰：「二書之成，古學庶有根柢，不可以動搖也。」所謂「古學根柢」，實即廖氏分辨今古之理論和方法。

學堂也注重學生研究才能培養，特意開出系列選題讓學生作業，如：「列子尊孔詬儒分類鈔」、「莊子尊孔詬儒分類鈔」、「墨子尊孔詬儒分類鈔」、「論衡疑經攻孔駁義」、「史通疑經攻孔駁義」、「經學不厭攻孔疑駁」、「章太炎疑經攻孔駁義」等等，專業性極強。

四是古書校勘出版。存古學堂將原錦江書院和尊經書院所刻書版數萬餘片移入，組建存古書局，經校勘、修復，予以刷印，前後達三百餘種，一時成為成都重要的出版機構。當時蜀賢許多作品也在此刻印，如廖平《六譯館叢書》等。此外，還主辦《四川國學雜誌》（後改名《國學薈編》），成為當時全國有名的國學研究專刊，前後出版六十三期，直到一九一九年「五四」運動後才停刊。現存「存古學

---

❷ 吳虞：〈國立四川大學專門部同學錄序〉，《吳虞集》（成都市：四川人民出版社，1985 年 3 月）。

❷ 蒙默：〈蒙文通先生年譜〉，《蒙文通先生誕辰 110 周年紀念文集》（北京市：線裝書局，2005 年 12 月）。龐俊：〈成都龔向農先生墓誌銘〉（《成都大學學報》社科版，1987 年第 4 期）也說：「于時井研廖氏，儀徵劉氏，並有重名，斷斷辨誦。先生高揖其間，容色晬然，及所發正，不為苟同，斯所謂深造有得者乎。」

堂檔案」顯示，該刊「專以尊孔為主，崇尚道德，期養成高尚之學風。其他蜀中先正著述及近人論說精粹者悉採入焉。古籍中有專為蜀事而作，或近世所稀有之本，亦附卷末，以資學人研究。」（轉自前述張麗萍等文）

　　當然，在國專教員之中，也出現了另類人物，如號稱「隻手打倒孔家店的老英雄」、「中國思想界的清道夫」的吳虞。他又從另外一角度引導青年士子對傳統儒學和舊式道德進行了反思。吳虞原是錦江、尊經二書院學生，是廖平、吳之英的弟子，舊學功底極深。一九○五年留學日本後，思想漸趨激進。一九○七年歸國，執教成都各大學堂，後來轉教於「國專」，主講國文、先秦諸子、中國文學史等。一九一二年後，先後在《新青年》發表系列文章，主張：「不佞自謂孔子自是當時之偉人，然欲堅執其學以籠罩天下後世，阻礙文化之發展，以揚專制之餘焰，則不得不攻之者，勢也！」❷❻特別是後來因其與父親鬧矛盾，激起他對「孝悌」思想和宗法制度的反感，於是將宗法制度、家庭制度、專制制度和儒家的思想倫理混同起來，指責「儒家以『孝』『弟』二字為二千年來專制政治與家庭制度聯結之根幹」，流風所扇，「不減於洪水猛獸」❷❼！為從根本上否定儒學，吳虞大煽「疑古」風，纂錄「古人論諸經之說」，撰〈經疑〉一篇，對儒家《十三經》（包括《四書》）都進行了根本性否定，以為儒家經典非偽即殘，全不可信。主張「帝王臨民，因俗而治」，不必以儒學為治道之原，而要「不廢天師，兼宗釋氏，孫、吳、申、韓，並行不悖」❷❽。又說「孔尼空好禮」，「聖賢誤人深」，特撰〈吃人的禮教〉一文，猛烈抨擊封建舊禮教，在全國影響很大，在成都更是激起軒然大波，引起新舊二派的長期爭論，宋育仁、曾學傳等群起而攻之，必欲驅吳出教育界而後快。但是，風會所致，奇言高論，頗能鼓動人心，影響士氣，吳虞在當時四川青年中還是頗有影響的❷❾。

---

❷❻　吳虞：〈致陳獨秀〉，《吳虞文錄》（上海市：亞東圖書館，1927 年 6 月）。

❷❼　《新青年》第三卷，1917 年，第 1－5 號。

❷❽　吳虞：〈經疑〉，載《川大史學》〈歷史文獻卷〉（成都市：四川大學出版社，2006 年 8 月）。

❷❾　按，吳虞在「五四」後，因歷史局限，落伍時代，頓生「英雄若是無兒女，青史河山更寂寥」的頹唐情調，於是留連煙肆，沉溺妓館，終老其身，寂寞以死！孔子所謂「心逆而險，行僻而堅，言偽而辨，記醜而博，順非而澤」，正此類也。

在近代歐風美雨勁吹、國學式微的狀態之下，巴蜀學人一方面吸收新知、追趕科學，另一方面，又懷著「以夷變夏」、亡國亡教的憂思，頑強地宣傳國學、保持國粹，特別是四川存古學堂，在全國範圍內普遍停辦情況下，還更換名稱繼續辦學，傳習經典，宣揚國學，借以維繫人心，造就人才，為後日川大語言文學、歷史學等專業的開辦，培養和儲備了師資，其心其功，俱可嘉賞。然而，眾口喧喧，背傳統以言西化，闌「正聲」而泯「憲章」，諸先生護教保種之努力，一度淹沒於新派人物的口水仗中矣！李白〈古風〉所謂：「正聲何微茫，哀怨起騷人。廢興雖萬變，憲章亦已淪。」此之謂也。

四、大雅不作吾衰久，王風蔓草多荊榛：「改大」時期

在四川大學建校史上，二十世紀初是「書院」改「學堂」時期；1911 年辛亥革命後，又是「學堂」改為「學校」時期；二〇年代後半期，成都各高等學校又進入了申辦「大學」時期（簡稱「改大」）；三〇年代初，成都三所並立的大學合併為「國立四川大學」（即「三大合一」），即「會川」。今日四川大學之規模粗具，正在國立四川大學（1931）時期。

一九二六年，隨著全國「改大」之風，高師又一分為二，成立了兩所大學：

國立成都大學（成大），由原尊經高材生、著名社會活動家張瀾任校長；國立成都師範大學（師大），由著名經學家龔道耕任校長。

成大改科設系，與國學有關的是中文系、歷史系。中文系開設中國文學、經學、諸子、文字學等課程，由吳芳吉（系主任，講古今詩歌）、吳虞（國文、先秦諸子）、李劼人（文學概論）、龔道耕（經學、古文）、林思進（《文心雕龍》《史記》《文選》）、李植（文字學）、趙少咸（音韻學）、蒙文通（經學、史學）、伍非百（諸子）、劉咸榮（目錄學）、劉復（中國文學史）、盧前（宋詞元曲）、余舒（國文）等人擔任。其中有龔道耕、趙少咸、林思進等尊孔讀經、精通國故的耆學宿儒，也有吳虞、李劼人等反傳統、熱心新學的新派人物，新舊交融，相得益彰。

師大的力量相對薄弱，其系科設置與成大相仿，但是師資力量和教育經費都大

不如成大，只得與成大合聘教授。唯是其首任校長龔道耕擅長經、史、詞章，亦延「蜀學」一脈。他崇尚鄭玄之學，齋名「希鄭」，與廖平反鄭的今文學形成互補格局。撰有《經學通論》、《中國文學史略論》，尚不失為經典教材，為成都各大中學選用。

　　這一時期，無論是成大，或是師大，作為系科雖然沒有「經學」，但是作為課程卻都還有設立，並且由宿儒們主講。他們重視基礎教育的方法，對學生成才影響頗巨。當時就讀於師大的姜亮夫回憶說：「我一生治學的根底和方法，都是和林山腴、龔向農兩先生的指導分不開的。他們特別強調要在《詩》、《書》、《荀子》、《史記》、《漢書》、《說文》、《廣韻》這些中國歷史文化的基礎書上下工夫。他們說：『這些書好似唱戲的吊嗓子、練武功。』……龔先生還說，『由博返約之約才能成器，不博則不可能有所發現。』得林、龔二師之教，我在成都高等師範那幾年，便好好地讀了這些基礎書。這點，為我後來的治學，得益確實非淺。」❸雖然師大諸般皆弱，能成就姜氏一人，亦可以振恥！

　　一九二七年，「國專」等五所專門學校合併為公立四川大學，分別設立中國文學院（原「國專」）、外國文學院、法學院、工科學院、農科學院。中國文學院院長長期由向楚擔任，後為張頤。一九三一年，國立成都大學、國立成都師範大學與公立四川大學「三校歸一」，組建國立四川大學，中國文學院改稱文學院，成為今日四川大學文學院、歷史文化學院的前身。

　　文學院繼承了存古學堂（「國專」）的師資和傳統，素有「蜀學淵藪」、「國粹堡壘」之目，國學特別是經學教育實力雄厚，成果卓著。其系科設置，在存古學堂至「國專」時期（1910－1927）有經學門、史學門、詞章門三門，經學是其基礎和核心；宋育仁時期（1918）改為哲學科、史學科、國文科，哲學科其實就是經學的擴大，從中國儒學、諸子學擴大到西洋哲學、西方倫理學，其主體仍然是國學（或儒學）。

　　一九二七年中國文學院分設國文科、哲學科的本科以及專門部、預科，哲學科

---

❸　〈姜亮夫自傳〉，晉陽學刊編輯部編《中國現代社會科學家傳略》（太原市：山西人民出版社，1982 年 2 月）第 1 輯。

仍然繼承了「國專」師資和課程設置；一九三〇年改設中國文學系、史地系，原來哲學系併入中國文學系；一九三一年「三大」合併，文學院改設中國文學系、外國文學系、史學系、教育學系，經學教育分散於文學系、歷史系中。

有道是「雖無典型，猶有老成人」。文學院雖然經學系科不存，卻有大師宿儒在。院長是學問淵博、精通訓詁的教育廳長向楚（仙樵），教務主任則是經史雙絕、旁通佛老的蒙文通，學監為宋師度。教員有博極經史、擅長昆曲的龔道耕（向農），一代文宗、文獻學家林思進（山腴），精通經子、酷愛老莊的怪傑朱青長，擅長子學、尤精孟荀的余舒（蒼一），精通小學、疏證《廣韻》的趙少咸，學貫中西的李思純（哲生），精通考據義理、才氣橫益的劉咸炘（鑒泉），精通孟子和宋明理學的唐倜風（鐵風、唐君毅之父），精通墨家學說和先秦名學的伍非百，以及其他由史學家、文學史家、辭章家組成的教師隊伍，如祝屺懷、吳芳吉、蕭仲綸、盧前、劉衡如、李劼人、曾緘、李雅南、陶亮生、曾宇康、張浚生、閔民欽等人，這是一群在新舊學交替中僅存的國學遺獻、蜀學碩果。

研究川大校史的專家說：在三大學並列時期，他們多數在各校之間兼任講席，「但仍把中國文學院視為他們的國學特別是蜀學的發祥地和大本營。課程以經史、諸子、詩詞、訓詁、聲韻學為主，尤其是經學和訓詁、聲韻，師生均甚重視，把它列為博覽、深研的必修基礎課和練基本功的方向。」「中國文學院承尊經書院導讀的傳統學風，從國學實際出發，採取教學與治學相結合的方針，偏重自學，聽課少而閱讀時間多。教師在講課中特別注意誘導學生閱讀注解，探尋注解，從前輩大師學習治學方法。學院著重考核學生閱讀古籍的能力……同時考核學生分析問題能力和寫作能力，提倡積累資料，從事研究，寫出論文。」❸這是當時十足的「研究型大學」！

這批碩學耆儒們，一直延續到國立川大時期，儘管當時西學狂飆突進，川大國學氣氛仍然濃厚。課程仍然有：經學通論、諸子通論、訓詁學、古文字學、經學專書研究、古聲韻學、講經、諸子專書研究、《尚書》研究、語言文字專書研究、中

---

❸　四川大學校史編審委員會《四川大學史稿》（成都市：四川大學出版社，2006 年 8 月）第一卷。

國學術思想史、校勘學、語言學等等。當時就讀於川大的王利器回憶說：「校長是任鴻儁先生，文學院長是張頤先生，中文系有龔向農先生講《三禮》，林山腴先生講《史記》，周癸叔先生講詞，向仙樵先生講《楚辭》，祝屺懷先生講《資治通鑒》，李培甫先生講《說文》，李炳英先生講《莊子》，趙少咸先生講《廣韻》，彭雲生先生講《杜詩》，龐石帚先生講《文心雕龍》，蕭仲倫先生講《詩經》，曾宇康先生講《文選》，劉大杰先生講《中國文學發展史》，後來又聘請向宗魯先生講《校讐學》、《管子》、《淮南子》，陳季皋先生講《漢書》，師道立則善人多，教化行而風俗美。一時蔚為蜀學中心。」❸❷

　　一批有份量的國學論著，也在這一時期湧現。如，張森楷編著的為數一千餘萬字、三百餘卷《二十四史校勘記》、一百三十三卷《史記新校注》和二百六十九卷《通史人表》；著名語言學家趙少咸的分卷達二十八冊三百餘萬字的《廣韻疏正》、三十冊三百多萬字的《〈經典釋文〉集說附箋》；龔道耕一百一十餘種著述中的大部分；蒙文通《古史甄微》、《經學抉原》、《天問本事》等，向宗魯《說苑校證》，等等，多開始屬稿（或撰成）於這一時期，可謂碩果累累。

　　抗日戰爭時期，一批省外高校內遷，大量學人入蜀，學校之間師資互聘，有的學人甚至直接進入川大任教，又給川大帶來新氣息和新方法。但是重視國學的傳統，在川大仍然得到保留。當年畢業於此的章子仲深情回憶道：「抗日戰爭的中國西南，聚焦了全國的國學精英。但是，西南聯大等有聞一多、朱自清等『五四』名家，中央、武漢等大學也廣搜博採現代中西文化長項，而四川大學卻仍然執著於王闓運、廖季平的傳統。彙集的外來學者，也多是餘杭章太炎、蘄春黃季剛的傳人。川大中文系，是不許白話文進門的。杜仲陵老師教《昭明文選》，習作必須用騈文，不但講求文詞對仗，聲韻協調，連常見字、慣用詞，都要換成密碼式語言。……曾慎言（緘）老師講課口述『本師蘄春黃君』眉批；趙少咸老師是音韻訓詁學大師，不會寫白話文告示；龐石帚老師教《禮記》，還要我們去習禮儀。潘重規老師教《詩經》，還告誡女生不要用雞蛋白洗頭髮；教《離騷》的華陽林山腴老

---

❸❷　《王利器自述》（太原市：山西人民出版社，1997 年 12 月）。又見高僧德：〈善藏其器，善待其用——記王利器先生〉引，《鴻儒遍天涯》（武漢市：湖北人民出版社，1997 年 8 月）。

院史》（2000 初版、2006 重版）、《宋代蜀學論集》（2004）；曾棗莊「三蘇研究」系列（《蘇洵評傳》1983、《蘇軾評傳》1981、《蘇轍評傳》1995、《三蘇研究》1999 等）❸❻；劉琳撰《華陽國志校注》（1984），等等，又將學術研究聚焦於儒學和蜀學領域。特別是蒙默搜集整理《蒙文通文集》，分《古學甄微》（1987）、《古族甄微》（1993）、《經史抉原》（1995）、《古地甄微》（1998）、《古史甄微》（1999）、《道書輯校十種》（2007）六大卷，陸續出版❸❼；張志烈、馬德富、周裕鍇主編《蘇軾全集校注》（約一千萬字，二十五冊，即出），等等，都是儒學回歸川大學術領域、蜀學傳統得到繼承發揚的成果。

　　川大學人在注重現代學科（文、史、哲）研究同時，十分注意儒學文獻的系統整理研究，這集中地體現在古籍所近年的工作上。該所始建於二十世紀八〇年代初。一九八三年，中共中央下發〈關於整理我國古籍的指示〉，國務院成立「全國古籍整理出版規劃委員會」，教育部成立「全國高等院校古籍整理工作委員會」，號召全國有條件的大學中成立古籍整理研究所整理塵封已久的中華古籍。於是北京大學、復旦大學、四川大學、吉林大學、南開大學、華中師範大學、中山大學等十八所高校，分別組合最優秀的力量，同時成立了古籍整理研究所。猶之乎一陽來復，貞下啟元，預示了國學復蘇、「經學」回歸的大好前景。

　　川大古籍所首批學術帶頭人是徐中舒、繆鉞和楊明照，胡昭曦、趙振鐸、曾棗莊、劉琳、王曉波、李文澤等先後擔任副所長。當時部批編制二十三人，主要研究方向是先秦文獻、魏晉南北朝文獻、唐宋文獻、宗教文獻。現有在崗人員十七人，其中教授六人，副教授八人，講師三人，所長為舒大剛博士，另有退休教授四人。設有哲學文獻研究室（郭齊主任）、文學文獻研究室（李文澤主任）、歷史文獻研

---

❸❻ 此外，由曾棗莊主撰或主編的尚有《嘉祐集校箋》（1993）、《蘇轍年譜》（1986）、《三蘇研究》（1999）、《蘇詩彙評》《蘇文彙評》《蘇詞彙評》（俱 1998）、《三蘇傳》（1995）、《蘇軾研究史》（2001）、《三蘇文藝思想》（1986）等多種。

❸❼ 蒙先生撰有《古史甄微》、《經學導言》、《經學抉原》、《周秦少數民族史》、《儒學五論》、《中國史學史》、《巴蜀古史論述》、《越史叢攷》及《孔子與今文經學》等論文多篇。蒙默整理時，按類別分編為《古學甄微》、《古族甄微》、《經史抉原》、《古地甄微》、《古史甄微》、《道書輯校十種》等六卷，陸續出版。

究室（楊世文主任）、計算機輔助古籍整理研究室（吳洪澤主任），以及文獻資料中心（副所長尹波兼主任）、文瀾電子出版制作中心（周斌經理）等分支機構。

該所自成立以來，一直致力於傳統文獻研究和整理。胡昭曦先生擔任所長期間，積極解決辦公場地，購置大批圖書，使古籍所建制規模初具。既而胡先生調離，曾棗莊、劉琳二先生調入古籍所，積極申請古籍整理項目，配備專職科研人員，形成該所集體攻關的組織模式。綜觀本所工作，大致可分為兩個階段。

一是宋代文獻整理和研究階段。本所在建設實踐中，首先在宋代文獻方面得到長足發展，形成宋代文獻整理和研究陣地。先後承擔上億字的大型古籍整理項目《全宋文》（曾棗莊、劉琳主編。1985－2006），一千二百萬字的國家重點工程《中華大典》（宋遼金元文學分典）（曾棗莊主編，1994－1998），出版了一百零八冊《宋集珍本叢刊》（舒大剛主編，吳洪澤、尹波副主編，2004）、十冊《朱熹集》（郭齊、尹波校點，1996）、二十冊《三蘇全書》（曾棗莊、舒大剛主編，2002）、十二冊《宋人年譜叢刊》（吳洪澤、尹波主編，2003）等成果，為學術研究提供了方便，在海內外產生了一定影響。同時也在川大形成了宋代文化研究基地，出版宋代文化研究著作四十餘種，編輯《宋代文化研究》輯刊1－15輯。更為重要的是，編纂《全宋文》的實踐，為將來川大古籍所向傳統文化特是儒學研究縱深領域的發展，訓練了隊伍，儲蓄了力量！

二是儒學文獻整理和研究階段。二十世紀末葉，古籍所在基本完成《全宋文》編纂工作後，又繼承和發揚川大歷史上長於經學研究的優勢，將儒學文獻研究提上日程。為此，我們主要圍繞文獻整理、專題研究、學科建設和人才培養等方面開展了工作：

1.文獻整理。一九九七年，由古籍所提出、經學校批准，啟動「儒學文獻調查和《中華儒藏》編纂」工程。一九九九年，《儒藏》列為「國家 211 工程」「九五」規劃重點學科建設項目；二〇〇五年，又列入「國家 985 工程」創新基地建設項目，同年又申請成為中國孔子基金會「重大項目」。目前已經出版《儒藏》「史部」一百冊，學界和輿論界普遍認為「改寫了儒學『自古無藏』的歷史」，為構築「中華民族的精神長城」邁出了重要一步。

面對二十世紀初以來儒學被肢解、被割裂甚至被毀滅的局面，《儒藏》編纂意

欲全面調查和整理儒學成果，重新審視二千五百年儒學歷史，科學構建儒家文獻著
錄體系，使其能與《大藏經》、《道藏》鼎足而三，共同構築反映中國文化儒、
釋、道思想文化的三座豐碑。為達到這一目的，川大《儒藏》用「三藏二十四目」
分類著錄儒學文獻，將儒家文獻分成「經」、「論」、「史」三大《藏》，用「經
藏」收錄儒家經學文獻，「論藏」收錄儒家理論性文獻，「史藏」收錄儒學史文
獻。「三藏」下又根據文獻類型細分若干子目，「經藏」分元典、周易、尚書、詩
經、三禮、春秋、孝經、四書、爾雅、群經總義（含讖緯）、出土文獻十一類；
「論藏」分儒家、性理、禮教、政治、雜論五類，「史藏」分孔孟、學案、碑傳、
年譜、學校、傳記、禮樂、雜史八類。每類按主題收書，分別構成各種專題叢書。
從而重新構建起儒學的文獻大廈，方便學人「即類求書，因書就學」。

　　《儒藏》既是古籍整理工作，也是學術研究工作，本著「辨章學術，考鏡源
流」原則，我們比較注意儒學發展史及文獻演進史研究。吸收《別錄》、《七略》
以及《四庫全書總目》的成功經驗，《儒藏》採用分類編排、系統敘錄、精心校
點、提要評說等方式，加強儒學文獻源流和內容的探討。全「藏」前有〈總序〉一
篇，論述儒學文獻整理的必要性和緊迫性；三「藏」前各有〈分序〉一篇，分別敘
述「經」、「論」、「史」三類文獻發生、發展及演變歷史；「二十四目」又各有
〈小序〉，分別概述本門學術研究現狀和該類文獻構成情況。在入選各書之前又有
〈內容提要〉一篇，分述作者生平、著述源流和內容梗概。這些內容，分之則各冠
篇首，以為開卷入門之參考；合之則並為《儒藏總目》，方便學人檢閱。

　　2.專題研究。為推動儒學研究，特別是要配合《儒藏》編纂，我們有計畫地組
織各類儒學專題（特別是儒學史）研究，出版「四川大學『儒藏』學術叢書」，編
輯論文集《儒藏論壇》。兩年來，叢書已經出版十八種，《論壇》已出至第二輯。
內容涵蓋儒學與儒教、現代新儒家、出土文獻、經典著作、書院教育、家族與學
術、《儒藏》編纂法、蜀學研究等方面。

　　本所還繼承川大長於儒學史和經學史研究的傳統，在儒學流派史和經學文獻學
研究方面，組織了系列課題，展開了系統研究。

　　在儒學流派研究方面，我們繼承「學案體」編纂方法，進行歷代學案續編工
作，撰著《周秦學案》、《魏晉學案》、《南朝學案》、《北朝學案》和《隋唐五

代學案》五種；還對前人所編各學案進行系統整理校勘，如黃宗羲《明儒學案》、黃宗羲等《宋元學案》、馮雲濠王梓材《宋元學案補遺》、徐世昌《清儒學案》、唐晏《兩漢三國學案》，合計共十種，約一千七百萬字，從而構成《中國儒學通案》大型叢書，即將由某權威出版機構出版。

在儒學文獻研究方面，我們申請獲准了教育部人文社會科學研究重點基地的重大項目「儒家文獻學研究」（舒大剛）和國家社科基金項目「二十世紀儒學文獻研究史」（楊世文），組織青年教師和碩士博士研究生，人各一經（或一類），分頭研究，分工合作。目前已經仿朱彝尊《經義考》例，對歷代各類經學文獻進行了全面普查，編制了「專經」（或「專類」）《文獻目錄》，注明其存佚和版本情況；其次對每類文獻進行系統研究和綜述，寫成《儒學文獻概論》和「專經」《文獻概論》，有力地配合了《儒藏》編纂和儒學人才培養。

3.在學科建設方面。近年來，加強了歷史文獻學學科建設，二〇〇七年申報國家重點學科，經過激烈競爭後獲得批准。歷史文獻學作為重點學科，目前在全國還是首次，也是唯一的一例。「歷史文獻學」國家重點學科能夠申報批准，從近處來說，它是徐中舒、繆鉞、劉琳等一大批川大學人，長期堅持教學科研，孜孜不倦地進行古籍整理、文獻研究的結果；從遠處來說，也是自尊經書院就開始的「兩文達之學」（即目錄學和考據學）、存古學堂時期堅守的「國粹」精神之延續。可謂百年積澱，一朝收穫！

4.人才培養。一九九五年始，我們在全校開設了《周易講座》、《孔子研究》等選修課（舒大剛主講）。一九九九年始，在「歷史文獻學」下設「儒學文獻研究」方向招收碩士生；二〇〇三年始，在專門史下增設「中國經學史」方向招收博士生（舒大剛指導）。經過數年探索，目前又在歷史學下申報成功「中國儒學」博士學位授予權，招收「儒學史」、「儒學文獻」、「儒學思想」、「儒學與現代社會」等專業研究生，從而在儒學學科建設和人才培養方面獲得了系統規劃和長期發展的空間，目前該專業有博士生導師五人，即李文澤教授、郭齊教授、舒大剛教授、楊世文教授、黃玉順教授，他們都是為人謹厚，術業專精的優秀導師。

自二十世紀初反傳統、反儒學以來，經學被趕出教育領域，經學這個原本自成體系的學術，一時之間不復成為學科。在現行教育和學科體系中，佛教、道教等宗

教都有專業目錄，唯獨「儒學」（或經學）不見身影，儒學人才培養甚感「無所措手足」。我們申報「中國儒學」學位授予權獲准，將改變這一狀況，產出一批術有專精、行有修養的儒學之士，也將為恢復儒學本體學科積累經驗。

此外，配合《儒藏》編纂和人才培養，本所還主辦「儒藏講座」、「儒藏網站」。「講座」目前已經舉行四十餘講，聘請校內外專家擔任主講。「網站」則及時反映編纂情況、交流學術訊息。同時，為了加強「蜀學」歷史的總結和研究，我們正建議四川省政府支持《巴蜀全書》和《巴蜀學案》編纂，加強巴蜀文化和「蜀學」的研究與普及，希望「蜀學」真正能夠振起於當代社會。

川大的傳統優勢當然是以國學特別是經學為基礎，無論是建設國家重點學科「歷史文獻學」，還是培養「中國儒學」專門人才，似乎都難以逃避這一特色，如果加以提煉，「經學」甚至可以成為我們研究工作和人才培養的「底色」。目前，我們已經成功地實現了新老交替，一方面，蒙默、繆文遠、胡昭曦、趙振鐸、張永言、向熹、賈順先、曾棗莊、劉琳等先生已經從教學科研第一線退休下來，但其實他們又退而不休，仍然以不同的方式參與古籍所的科研活動和人才培養；另一方面，古籍所在崗人員如李文澤（教授）、刁忠民（教授）、郭齊（教授）、王蓉貴（副教授）、舒大剛（教授）、王智勇（副教授）、黃錦君（副教授）、吳洪澤（副教授）、楊世文（教授）、尹波（副教授）、周斌（教授）等功力淳厚，王小紅（副教授）、張尚英（講師）、李冬梅（講師）、霞紹暉（助教）、劉平中（助教）等年青學人，成長順利。老、中、青互相配合，各盡其能，各呈意態。目前隨著《儒藏》大型集體項目開展，也都實現了科研轉型和力量整合，已經將優勢兵力聚焦於儒學與經學上來。因而，川大儒學教育與經學研究傳統迅速得到恢復，以川大自身力量為主的《儒藏》工程也得到穩步推進，儒學史專題研究也在深入進行。

同時，儒學人才培養也初見成效。在強調「專經」研究的培養模式下，現已畢業的碩士、博士生中，學位論文已經有「易學」（金生楊）、「詩經學」（李冬梅）、「尚書學」（王小紅）、「春秋學」（張尚英）、「孟子學」（張鶴群）等專題，此外還有「周禮學」（夏微）、「儀禮」與「禮記學」（潘斌）、「論語學」（詹勇）等學位論文，正在順利撰寫之中。他們通過專經文獻的調查研究，既夯實了基礎，也熟悉了專經，還在目錄學、校勘學和經學史等方面，都獲得了系統

訓練。別而視之，則自成個人專經研究之特長；合而觀之，則庶可成為經學研究之集體優勢！

隨著儒學人才的茁壯成長，我們的「中國儒學」專業學位課程，已由「專經博士」們來承擔了；將來《儒藏》「經部」文獻的整理和研究，也將由他們來負責。我們完全可以預期，當他們潛下心來，讀開書去，堅持五至十年，坐冷板凳，啃冷饅頭，不離不棄，無怨無悔，在其完成各自負責的專經文獻之選目、校勘、評說和講授等各項程序之後，到那時，四川大學收獲的，將不只是一部質量上乘的《儒藏》，也將是經學苑圃奼紫嫣紅的滿園春色，和蜀學園地一株株枝葉繁茂的參天大樹！以經學為特徵的傳統「蜀學」，將有望重現於將來！

結　語

四川大學是一所在儒學教育和經學研究方面具有悠久歷史和優良傳統的綜合性大學。其遠源可以追溯到文翁石室時期，其近源也可以追溯到錦江書院、尊經書院和存古學堂時期。以文翁石室為「前世」，錦江書院、尊經書院為「近世」，四川大學為「現世」的歷代「蜀學」群體，在經學領域，代代相傳，世世相承，作出了一定努力。文翁石室推行「七經」教育，開啟了地方庠序，促進了巴蜀地方的移風易俗、儘快儒化，還擴展了儒家經典範圍，從《五經》擴展至《七經》。孟蜀《石室十三經》刊刻，則奠定了中國儒學文獻後半段的基本典範。錦江書院早期推行「先經義而後制藝，先行誼而後進取」教育方針，使其真正成為清代四川文化的中心。以「通經學古」為職志的尊經書院，則在振起蜀學、造就人才、轉變風氣、經世致用方面，起到過非常重大的作用。存古學堂（「國專」）挺立於歐風美雨之中，不顧非笑，信守國粹，貫徹經、史教育，注重文獻訓詁，尤如風中之燭、黑夜之燈，頑強地將中華文明之祥光聖火，灑滿人間，照亮前夜，具有傳遞民族智慧、存續國學血脈的意義！

如果說，文翁石室肇開蜀學，奠定了巴蜀「儒化」風格的話；那麼，錦江、尊經時期，傳授經、史、詞章，則是純粹的儒學教育，是傳統文化的華章正聲；存古學堂則是一盞招搖於歐風美雨之中的航標路燈。由「國專」培養、聚集並頑強地保存下來的國學師資，猶如燒不盡的離離原草，為百年川大蘊藏了遇時而蘇的勃勃生

機。又如果說，二十世紀初的改書院為學堂，是儒學在教育領域的第一次退卻的話；那麼「國專」實行新學制，改經學為哲學，則是儒學的第二次退卻；川大文學院時期，經學縮小為中文系下的一門課程，則是儒學的第三次退卻。然而當時去「古」未遠，故老猶存，「文學院」時期的老教授們，仍然變著法子講授傳統國學，傳授儒家經典，儒學若隱若現，不絕若縷。可是，當大老云亡、典型不存之後，這點「以人載道」的血脈也就風隨物化，掃地幾盡了！

李白〈古風〉曰：「我志在刪述，垂輝映千春。希聖如有立，絕筆於獲麟。」「刪述」與「希聖」則未必，也不現實。但是，今日之川大學人，自應有一種責任心，有一種使命感。尊經書院「紹先哲、起蜀學」之精神，「蜀學」先輩們重視國學、弘揚儒教之傳統，無時無刻不在呼喚後學去繼承，去弘揚。吾人自當乘盛世修文之際，以編纂《儒藏》為契機，在研究儒學流派、研究經學文獻、培養儒學人才、建設重點學科等方面，堅持不懈，勤奮努力，為中華文化特別是經學的現代復蘇，再創佳績，奉獻綿薄！

經 學 研 究 論 叢
第 十 七 輯　　頁51～58
臺灣學生書局　2009 年 12 月

山東大學易學與
中國古代哲學研究中心介紹

李秋麗*

一、歷史沿革

　　山東大學易學與中國古代哲學研究中心（以下簡稱「中心」），是教育部確定的一百個「普通高等學校人文社會科學重點研究基地」之一，也是民政部批准成立的國家一級學會中國周易學會的主辦單位。一九八四年，山東大學哲學系成立了「周易研究室」。一九八八年三月，在研究室的基礎上成立了直屬於學校的獨立學術研究機構──山東大學周易研究中心，中心於二〇〇〇年被教育部確立為「普通高等學校人文社會科學重點研究基地」，正式更名為「山東大學易學與中國古代哲學研究中心」。

　　二〇〇三年以中心所在中國哲學博士點為龍頭的山東大學哲學學科獲准成立博士後流動站；二〇〇四年以中心為骨幹聯合山東大學哲學與社會發展學院、歷史文化學院、文史哲研究院相關學術力量，組成了「985 工程」山東大學易學與中國傳統文化研究哲學社會科學創新基地，獲教育部批准；二〇〇五年中心與哲學系所在哲學學科獲一級學科博士學位授予權；二〇〇六年中心所屬中國哲學學科被評為山東省重點學科。

---

*　李秋麗，山東大學易學與中國古代哲學研究中心助理研究員。

二、主要工作

作為專門的科研機構，中心主要致力於易學與中國哲學方面的學術研究，在倡導和推動《周易》經傳、易學史、易學與中國古代哲學、易學與中國哲學的現代化及全球化的研究等方面，做了大量工作，取得了豐碩成果。

㈠組建高水平的學術研究梯隊

經過長期努力，中心形成了一支年齡結構合理、研究布局協調、研究方向齊全、素質較高、充滿激情和活力的年輕化學術研究梯隊。中心現有專職研究人員八人，兼職人員十五人，其中，博士生導師三人，教授七人，副教授二人，四十五歲以下教授四人。

中心創建人、中心主任與第一學術帶頭人、著名易學家劉大鈞教授現為「985工程」山東大學易學與中國傳統文化研究哲學社會科學創新基地首席專家，中國周易學會會長，《周易研究》學刊主編，北京大學兼職教授，學術以兩漢象數易學、出土易學文獻研究見長，主持多項省部級重大課題，著有《周易概論》、《今、帛、竹書《周易》綜考》、《周易經傳白話解》等著作，在《中國社會科學》、《哲學研究》、《文史哲》、《周易研究》等期刊發表過一系列高水平學術論文，獲得多項省部級以上哲學社會科學優秀成果獎勵。

另外，中心為集中更多研究力量，壯大研究隊伍，還聘請了國內著名學者湯一介先生為學術委員會主任，李學勤先生、呂紹綱先生、蒙培元先生、張立文先生、蕭漢明先生等為學術委員或兼職教授。

中心自成立至今，已承擔省部級以上重大項目十五項，省部級以上一般項目十多項，其他項目十多項；出版學術專著三十多部；在 CSSCI 期刊發表學術論文二百餘篇，產生了一定的學術影響，部分論著填補了國內外學術研究的空白。中心研究人員在兼顧象數、義理的同時，尤致力於作為易學之根的象數學研究，取得了為海內外學界所公認的突出成就，為澄清人們對易學的各種誤見，正確揭示易學的本質，發揮了其他研究機構所不可替代的作用。

㈡創辦《周易研究》學刊

一九八八年，由中心主任劉大鈞教授自籌經費，創辦了《周易研究》學刊。這

是目前大陸唯一向海內外公開發行的易學研究專刊。《周易研究》從易學作為專門之學的實際出發，堅持義理與象數並重的原則，提倡學術自由，廣泛開展多學科綜合交叉研究，在學界贏得了「二嚴」之利（指辦刊嚴肅、學術嚴謹）的良好聲譽。刊物從創辦至今，從不刊登廣告或變相廣告，從不收取版面費，在學界贏得廣泛贊譽。目前，學刊的發行範圍已達二十八個國家和地區，發行量穩步增長，為弘揚易學、培植易學研究力量、推動易學研究健康發展，做出了重大貢獻。學刊被北京大學圖書館和中國社會科學院文獻信息中心分別列為「全國中文核心期刊」、「全國人文社會科學核心期刊」，並被新聞出版總署確立為「中國期刊方陣雙效期刊」。二〇〇〇年起，一直入選 CSSCI 索引期刊、中文核心期刊。學刊也是中國周易學會會刊。二〇〇三年，英文版《周易研究》開始試發行，進一步加快了易學研究的國際化步伐。

㈢積極開展多種形式的學術交流活動

1.舉辦大型學術會議

　　為推動易學研究的深入開展，加強海內外學術界的聯繫，提高中心及大陸易學研究的水平，中心先後十次主辦、三次協辦大型國際、國內學術會議。其中，一九八七年十二月由當時的山東大學周易研究室主辦的「首屆國際周易學術研討會」，正式拉開了大陸易學研究高潮的序幕。一九九三年至今，中心與臺灣各大學及相關學術團體一道，先後舉辦了七次「海峽兩岸周易學術研討會」，有力促進了兩岸的學術交流。特別是中心在世紀之交的二〇〇〇年主辦的「百年易學回顧與前瞻國際學術研討會」，回顧過去，瞻望未來，在海內外易學界產生了重大影響。

　　為開闊青年學者的學術視野，提高其易學研究水平，中心還首創了與臺灣的大學和研究機構攜手舉辦青年易學論文發表會這種雙向交流的形式。自二〇〇〇年以來，中心聯合了北京大學、武漢大學、臺灣大學、臺灣師範大學、臺灣清華大學等海峽兩岸二十多所高校及學術團體，先後在臺北、濟南和武漢舉辦了四屆青年易學論文發表會。通過這種會議形式，增進了兩岸青年學者之間、新老學者之間的相互了解。

2.拓展對外學術文化交流空間

　　中心努力拓寬學術空間，加大與海外學術文化交流的力度，先後接待日、韓、

美、德、新加坡及臺、港等國家和地區的訪問學者近百人；同時，中心人員也多次前往日、美、德、英、法、比、新加坡及臺、港參加學術會議或進行學術訪問。通過這些活動，開闊了中心的學術視野，擴大了中心的影響，增進了與海內外學界朋友的友誼。

㈣充實圖書資料，建立專門網站

中心充分重視圖書資料的建設，把建立和充實圖書資料室工作作為當前的一項基本建設工作來抓。中心本看以搜集易學和中國哲學類圖書為主兼顧其他的原則，先後購買中外文圖書三千八百餘種，訂購中外文期刊五十餘種。尤其值得一提的是，中心接受著名漢學家倪策教授遺贈的大量易學圖書資料，使中心在易學資料收藏方面在國內佔有一席之地。圖書資料的採購、編目及查詢等也基本實現了自動化管理以及與校圖書館、省圖書館的資源共享。

二〇〇〇年，中心開辦了自己的工作網站。實行專人管理，聘請既懂數據庫編程又懂易學的人員來加強網站硬件建設，不斷加強對網絡建設的管理與維護，重視網頁內容的及時更新和豐富，充實古籍文獻資料，及時反映最新研究成果，並確保中心成員的科研成果和學術活動動態及時體現在網站上，積極開展與其他注重傳統文化研究的學術網站的交流。幾年來，網站建設取得較大成效，逐步實現中心網站從工作網站向學術網站的轉變。

㈤加強人才培養

中心注重專職青年研究人員培養，為他們提供優越的科研環境和必要的科研手段，實行更新電腦，優先解決科研經費，優先考慮出國交流等措施。在這些措施保障下，一批專職青年學者脫穎而出。林忠軍、劉玉建、王新春科研成果突出，被評為教授和博士生導師，成為中心的骨幹力量。中心成立至今，共培養博士研究生十五人，碩士研究生十九人。中心培養的研究生理論基礎紮實，發表了多篇學術論文，顯示了較強的科研潛力，並有多人獲得校內多項獎學金。

三、研究特色

易學研究的水平和質量是中心生存和發展的命脈。多年以來，中心人員精誠合作，勤於科研，圍繞周易經傳、易學史、易學與中國文化三大方向，致力於易學研

究和中國哲學理論研究和創新，形成了山東大學以易學為特色的中國哲學的學科優勢。

㈠周易經傳研究

　　開展易學研究，最基礎性的工作就是對《周易》經傳本身的研究。建國後的很長一段時間裡，《周易》經傳研究的象數易學方法被武斷地拋棄。然而《周易》本屬「觀象繫辭」之作，不懂象數根本無法全面把握《周易》的義理和思維方式。劉大鈞教授作為建國後少數幾位精通象數易學的學者之一，高度重視象數易學的研究，強調象數在易學研究中的基礎性地位，其出版的第一部學術專著《周易概論》就指出，作為易之本源的象數易學絕不可棄，並積極倡導象數與義理兼顧的易學研究方向，對於推動海內外易學研究的積極開展發揮了重要作用。

　　中心在經傳研究上取得了累累成果，出版了大量學術著作。劉大鈞教授在其專著《周易概論》的基礎上，還與林忠軍教授合作對《周易》經傳作了全面注疏，出版了《周易古經白話解》、《周易傳文白話解》等多部著作。其中《周易概論》、《周易古經白話解》還被翻譯成法文、英文在海外出版。劉大鈞教授還花費巨大精力點校整理了經傳注疏的集大成之作——清人易學巨著《周易折中》，並在 2 萬多字的前言中發表了對易學研究的重要看法。他在《中國社會科學》、《哲學研究》、《中國哲學史》、《文史哲》、《周易研究》等刊物發表論文數十篇，對《易傳》十篇成書先後、《周易》卦序、帛《易》、《周易》經傳中的卦氣說等問題發表新見，在國內外易學界造成了很大影響。他還主編《大易集成》等多部易學論文集，對易學中諸多疑難問題和重要問題進行了深入探討，具有相當的分量。

　　近幾年，新出土了包括易學文獻在內的大量地下文獻，如馬王堆帛書《周易》、阜陽漢簡《周易》、王家台秦簡《歸藏》、上博楚簡《周易》等，新出土簡帛易學研究成為當今易學研究焦點。這些地下文獻的出土，被稱之為具有「改寫中國思想史」的重大意義。中心抓住地下文獻出土契機，將新出土簡帛易學作為學術研究重點之一，群策群力，重點突破，大力推進簡帛易學的研究，取得了一定成績。劉大鈞、李學勤等教授發表的關於郭店楚簡、長安西仁村陶拍數字卦、王家台出土《歸藏易》、上海博物館藏楚簡和帛書《易傳》研究論著，大部分屬於原創性的研究。如劉大鈞教授就帛書《周易》和上博簡《周易》解讀研究發表了多篇論

文，並於二〇〇五年出版了專著《今、帛、竹書《周易》綜考》，對於簡帛易學研究有突出貢獻。

(二)易學史研究

《周易》為大道之源，歷經幾千年而不衰，產生諸多不同的學派和形態各異的易學體系，易學著作更是浩翰如海，據不完全統計，現存的易學著作達三千餘種。故整理歷代易學著作、探討易學發展史是當今易學研究極為重要的任務。然而目前國內學界易學史研究還十分薄弱，雖然取得了一些成果，但至今國內還未有一部真正意義的完整易學史著作。

易學史作為經學史的重要組成部分，以象數為原、以義理為流而展開，而國內易學史的研究多偏重於哲學（義理）。山東大學著眼於經學、以象數為主開展易學史的研究，發表的專著和論文皆體現了這一特色。中心在易學史研究方面也取得了具有重要影響的成果。劉大鈞教授於其著作《周易概論》中專列「歷代易學研究概論」兩章，專門論述歷代易學源流、著作、思想等概況。之後林忠軍教授出版的《象數易學發展史》第一卷、第二卷，重點探討了易學尤其是象數易學的發展演變的規律、特點，提出了許多獨到見解。劉玉建教授對兩漢象數易學作過深入、系統的研究，具備了從多角度、多層面、多學科系統、綜合研究象數易，出版了《兩漢象數易學研究》等著作；王新春教授對宋代易學進行了專門研究，有多篇論文發表。這充分顯示了中心易學史研究的實力。同時，山東大學具有以易學為第一方向的博士點、碩士點，專門開設了「經學史」、「易學史」等課程，教學相長，有助於推動易學史的研究。

(三)易學與中國文化研究

《周易》是中華文化最為重要的「活水源頭」，對中華文化的形成與發展產生了重大而深遠的影響。要想對中華文化的內在本質有一個深刻的理解，離開對於《周易》及易學的準確把握是斷難做到的。

中心該研究方向的相關人員對於易學與中華哲學、文化關係的把握、對於易學與世界性的文化關係的理解，皆有其獨到、深入之處。王新春教授側重易學與傳統儒學的研究，他對中華哲學文化，有著一種較好的把握，對易學活水長流本身，也有著較深刻的理解，先後出版了《周易虞氏學》、《自然視野下的人生觀照——道

家的社會哲學》和《神妙的周易智慧》等學術專著。丁原明教授對黃老道家有深入的研究，出版了《黃老學論綱》一書。中心兼職教授、著名學者張立文先生則長期著力於「和合」文化（包括《周易》的「和合」思想）的探討與闡揚以及其他易學問題的研究。中心兼職教授、武漢大學教授蕭漢明先生致力於易醫關係的研究和道家易的研究，出版了《《周易參同契》研究》等著作。

易學作為專門之學，更需要有正確合理的研究方法。中心研究人員堅持象數義理兼顧，充分利用傳統的象數學、義理學、訓詁學、歷史學等研究方法，並與現代詮釋學方法相結合，勇於創新易學研究方法。

中心兼職教授、著名學者湯一介先生近年來注思於中國式的「解釋學」問題，曾連續發表〈能否創建中國的「解釋學」〉（已公開發表於《學人》第 13 輯，1998 年 3 月）、〈再論創建中國解釋學問題〉（已公開發表於《中國社會科學》2001 年第 1 期）、〈三論創建中國解釋學問題〉（已公開發表於《中國文化研究》2000 年夏之卷）等三篇文章探討這一問題。與此同時，為了更好推進易學研究方法的創新，《周易研究》發表了湯一介先生〈關於建立《周易》解釋學問題的探討〉一文，引發學術界展開了進一步的討論。並先後編輯發表了這方面的論文，如李蘭芝《焦循的易學詮釋學》、高瑞泉《易理詮釋與哲學創造：以熊十力為例》、林義正《論中國經典詮釋的兩個基型：直釋與旁通——以《易經》的詮釋為例》等相關文章，從多個方面，多角度探討了易學中的詮釋學。

中心科研人員在易學詮釋方法研究方面也取得了較多的成果，如王新春教授曾在《哲學研究》發表了〈易學研究的視野與方法——淺議當今易學研究中存在的幾個問題〉一文，指出中國傳統學術具有鮮明的中國式的哲學詮釋學的特徵，每一時代都有每一時代的易學詮釋學，具有原創力的易學家都置身於特定的歷史文化背景下，以時代所賦予他並為他所認同的思想文化之「前見」理解、詮釋和闡衍著《周易》經傳。林忠軍教授在《文史哲》發表了〈從詮釋學審視中國古代易學〉一文，指出從易學詮釋學承傳看，易學詮釋是以批判為特色的解構，惟有解構才使得易學整合發展成為可能。林忠軍教授繼而在《北京大學學報》發表了〈從帛書《易傳》看孔子易學解釋及其轉向〉一文，通過解讀帛書《易傳》，闡述了孔子易學解釋學。指出孔子確立了見仁見知的解釋學原則，提出了「後亓卜筮、觀亓德義」易學

解釋方法，孔子關於易學解釋已具有了西方哲學解釋學的意味，與西方人不同是孔子仍然未放棄中國傳統的文字訓釋、象數和史學等方法，並以之為哲學解釋的進路。孔子及其後學的易學解釋學宏觀上說，是一種循環的解釋學。

　　中心在易學與哲學文化研究方向的努力，將有力帶動易學與中華文化、易學與世界文化研究的深入，並可望在這一研究領域取得突破性的成果，從而更好地推進中華文化的復興乃至世界文明的進步。

　　當前的易學研究呈現出了多元化、哲理化、國際化的特徵。山東大學易學與中國古代哲學研究中心今後將在易學研究基地的基礎上，一如既往，不斷提升自己的學術研究水平，進一步加強海內外的學術文化交流，辦好《周易研究》學刊，繼續發揮把握易學研究導向的作用，抓緊專人專題的實質性研究，奮力攻堅，力爭在不遠的將來，寫出一部真正體現當代易學研究水準的《中國易學史》。易學研究的國際化是世界文化發展的大趨勢，也是文化交流的需要。中心致力於建設海內外一流的以易學為特色的中國哲學研究創新平臺，使中心真正發揮其應有的權威和表率作用，為傳承和弘揚中華民族優秀的傳統文化，為社會文明的創新貢獻自己的力量。

經 學 研 究 論 叢
第 十 七 輯　　頁59～62
臺灣學生書局　2009 年 12 月

南京師範大學文學院
古典文獻專業概況

方向東*

歷史沿革

　　南京師範大學文學院古典文獻專業成立於一九八三年，是中國教育部直屬古籍整理與研究專門人才的培養基地，是全國四家古典文獻專業之一（另三家分別為北京大學、浙江大學、上海師範大學），由老一輩全國語言文字學家、古文獻學家徐復、禮學研究專家錢玄等先生經手創建，是江蘇省首批品牌專業之一。專業前身於一九七八年建立漢語史碩士點，是南京師範大學首批碩士點之一，一九八三年建立中國古典文獻學碩士點，二〇〇〇年建立專業博士點。在李靈年、吳金華、趙生群等先生領導下，至今已招生十七屆本科生，共三百二十六人，招生碩士研究生一百餘人，博士生十四名，博士後三名。一九九七年，古文獻專業在全國四所高校中率先升格為文獻與信息學系。二〇〇一年被南京師範大學確定為首批品牌與特色專業之一，二〇〇三年成為江蘇省首批品牌專業建設點，二〇〇五年確認為首批品牌專業。

　　古文獻專業開辦二十二年來，為各級政府機關、高等院校、圖書館、新聞出版單位培養了大量優秀人才，為江蘇省的文化建設作出了自己的貢獻。二〇〇三年，

---

*　　方向東，南京師範大學文學院教授、博士生導師。

本專業已開始面向全國部分省份（江蘇、河南、河北、山東、安徽、陝西）招生，並將輪流向各省市招生。

專業優勢

一、在全國四家古典文獻專業中，具有頗為久遠的「章黃學派」的學術淵源，從章太炎、黃侃到徐復之後有一脈相承的師承關係；二、具有頗為堅實的學術基礎，本專業出版的學術著作，具有整體質量高、學術價值大的特點，不僅在四家專業中而且在全國高校中處於突出地位；三、該專業建設二十多年來，已形成了一支學術研究方向齊備，整體勢力強大的師資隊伍，學術成果豐富。現有教師十二名，其中教授五名（含特聘教授一名）、副教授二名、講師四名，另有資料員一名。91% 以上的教師具有博士學位。截至二○○五年止，承擔省部級以上科研項目十八項，已出版的成果獲江蘇省哲學社會科學優秀成果集體一等獎一項、江蘇省哲學社會科學優秀成果三等獎三項、國家社會科學基金項目優秀成果獎三等獎一項、全國古籍整理圖書獎一等獎一項、國家圖書獎提名獎一項、中國青年語言學家獎一等獎一項、江蘇省「五個一工程」獎一項。

教學特色

一、重視基礎知識和基本理論的訓練。開設的課程分為兩大系列：一是古文獻基礎知識系列，主要課程有：中國古典文獻學（包括目錄、版本、校勘、辨偽、輯佚、編纂等）、文字學、音韻學、訓詁學、詞彙學、語法學、文史要籍介紹、工具書使用法等。二是經史子集各類專書導讀系列，主要課程有：《論語》導讀、《孟子》導讀、《史記》導讀、《左傳》導讀、《老子》導讀、《莊子》導讀、《詩經》導讀、《楚辭》導讀等。此外，還開設與專業相關的各種選修課程以及中國文學史、中國文化史等中文專業的通修課程。二、注重學生的專業實踐。迄今為止，分別在南京圖書館設立了教學實習基地、在南京雲錦研究所設立了傳統文化教育基地、在揚州廣陵書社科研實習基地，並聘請了七名客座教授對學生進行教學科研方面的指導。三、實行師生對口聯繫和指導。本專業教師在先秦兩漢、魏晉南北朝、唐宋、元明清各個歷史時段都有各自的研究重點和專長，學生可以根據自己學習和

研究的興趣選擇教師進行對口指導。教師除對學生進行學習上的指導外，還給予學生心理上、生活上的關心和幫助。

　　本專業的學生除享受文學院其他專業學生享受的各種獎學助學金而外，還享受教育部古委會專項經費支持的下列學習待遇：

　　1.每年拿出一萬元專項經費，設立了中國古文獻獎學金普通獎學金（南京師範大學古文獻獎學金），並積極參加兩年一次的「中國古文獻獎學金」申報工作。在歷屆（至今共七屆）「中國古文獻獎學金」（本科生）評獎中，共評出一等獎四人次，南師古文獻專業獲得二項（另二項為北京大學古文獻專業獲得）佔獲獎總比例的 50%；二等獎九項，佔獲獎總比例的 25.92%；三等獎十六項，佔獲獎總比例的 28%；在各校中名列首位。

　　2.每屆學生在四年中外出考察一次，由專業提供一萬元專門經費。

　　3.每年撥出五千元專項經費，用於學生參加四六級考試、考研強化訓練和獎勵外語通過國家六級考試的學生。

資料建設

　　古文獻專業早在一九八三年就建立了專業資料室，由全國高校古委會下撥專項經費用於教學和資料建設；二〇〇一年以來，被南京師範大學確定為首批品牌與特色專業之一，並撥款進一步加強資料建設；在原來資料室的基礎上，升級為品牌與特色專業專用資料室，專供本專業本科生和研究生使用。該室擁有《中國古籍善本書目》、《北圖古籍珍本叢刊》、《筆記小說大觀》、《中文大辭典》、《道藏》、《藏外道書》、《古本小說集成》、《古今圖書集成》、《殷周金文集成》、《金石錄》、《歷史語言研究所集刊》、《天一閣藏明代方志選刊續編》、《中國古代孤本小說集成》、《殷周金文集成》等重要圖書，並備有《四庫全書》、《四部叢刊》等大型圖書的電子資料。另外添置了手提電腦一台、台式電腦一台、打印機一台、刻錄機一台、攝像機一部、數碼相機一部，用於教學和科研活動。

發展趨勢

　　古文獻專業目前領銜成立南京師範大學古文獻研究中心，下設經史文獻研究所、文學文獻研究所、出土文獻研究所、敦煌文獻研究所、文獻語言研究信息化研究所，在學校經費支持下開展工作，進一步加強文獻各方面的研究。

畢業去向

　　本專業著重培養學生進一步學習深造。到二○○五年止，本科畢業生中考上碩士的四十九人，比例為 20.3%，考上博士的十五人，比例為 6.3%。二○○二年至二○○四年碩士應屆錄取率逐年遞增 5%，二○○四年至二○○五年遞增 7.8%，分布在美國、澳大利亞、香港和北大、復旦等名牌高校以及其他高校。歷屆畢業生的職業分布主要在政府機關、學校教育、圖書出版、公司等。

經 學 研 究 論 叢
第 十 七 輯　　頁63〜74
臺灣學生書局　2009 年 12 月

潔靜精微之道
——黃壽祺教授的易學傳統與
福建師範大學易學研究所

張善文*

　　至若大雅君子，窮天人之際，通古今之變，揮斥百家，包掃一切，冥思獨運，卓然自樹，而成一家之言，上既無所依傍於前賢，而下且足以梯航乎後學，此乃所以論於成德達材，慮非如余者所能措意也。

　　　　　　　　　　　　　　　　　　　　　　　　　——六庵語

　　這是先師黃壽祺教授於民國二十九年（1940）在北平中國大學國學研究室作的學術講演之結語，講題為《論易學之門庭》❶，當年先師年僅二十八歲。末句「慮非」云云，固屬謙辭，然其抱負之遠大，學殖之淵深，氣度之閎博，由此數語即已可見一斑。時至今日，奉讀其遺文，仍然足以激起我們精研優秀古代文化，振興傳統國學的拳拳赤子之心。

---

*　　張善文，福建師範大學易學研究所所長。
❶　此文後來刊載於《福建師大學報》1980 年第 3 期，後又收入先師與我合編的《周易研究論文集》第一輯，北京師範大學出版社 1987 年 9 月出版。

　　先師字之六，號六庵，學者稱「六庵先生」，民國元年（1912）生，福建霞浦人。早歲求學北平，即被稱為「積學之士」。後執教北京、福建各高等學府達半個多世紀，晚年曾任福建師範大學副校長，公元一九九〇年卒於福州，享年七十九歲。先師畢生傳道授業，嘔心教壇，其學術成就廣涉群經、諸子、史地、歷代文學各領域，為中國的文化、教育、學術事業作出了顯著的貢獻。而在《周易》學說的研究方面，尤以精湛的理論與卓越的成果蜚聲海內外，享有當代「易學宗師」的美譽。❷

　　推究先師的易學成就，宜有少年時期秉承家學，及青年時期受業於北平中國大學諸大師的學術淵源所自，但更為重要的則是他數十年博覽群書、潛心研討所取得的各方面獨到創獲。正是這些創獲，成為引導後學之津梁，使先師為之服務了四十餘年的福建師範大學留下了易學研究的優秀傳統，培養了一批專業研究人才，並創立了享譽於當代學術界的福建師大易學研究所。❸

　　筆者是先師於一九七九年招收的首屆研究生，畢業後即留校任先師的學術助手，隨侍先師十有餘載，所受教誨既多，對先師易學研究的主要成就也稍有感悟。今不揣膚學淺受，謹就先師平生研治易學的學術傳統，以及福建師大易學研究所多年來沿承此傳統以開拓進取的過程，略擬數端，分述如次，庶可藉以緬懷先師德績，亦或可請益於學術界的同道學者。

一、苟非其人，道不虛行。

　　中國歷代優秀的知識份子皆十分注重學脈的承傳，因之，以傳道授業為宗旨的「師道」便成為中國學術界、教育界數千年綿延相承的優良傳統。可以說，中國古代文化的發展，始終貫穿著「尊師重道」這一主旋律。韓愈的《師說》講的即是這個道理。《周易》的〈繫辭傳〉稱「苟非其人，道不虛行」❹，意思是：若非那些

---

❷　先師於公元 1990 年 7 月 28 日上午 9 時 20 分辭歸道山，是年福建省政協組織編輯先師紀念集，北京師範大學啟功教授題寫書籤，以「易學宗師」稱譽之。

❸　福建師範大學易學研究所，初創於 1983 年，時稱「易學研究室」，1989 年擴建為「易學研究所」。

❹　〈易繫辭下傳〉云「《易》之為書也，不可遠。為道也屢遷，變動不居，周流六虛，上下無

道德文章十分高尚的睿智者的極力弘揚傳播，古代聖賢的精深思想絕難憑空虛行。所謂「其人」，從某種意義上言之，便是「師」的指稱——這無疑是中國悠久的歷史文化中的「學統」（亦可謂「道統」）之本質所在，或許也是整個人類文化得以不斷發展的本質所在。

　　先師一生在從事教育與學術活動的歷程中，最為強調「尊師重道」這一問題。根據他晚年的回憶，他十八歲即考取北平中國大學國學系，修業預科、本科凡六年，畢業後在北平謀職及回母校任教又六年，前後計十二個春秋，所從問業的有尚秉和、吳承仕、馬振彪、高步瀛、楊樹達、范毓桂、余嘉錫、孫人和、朱師轍、林義光、唐蘭、劉盼遂等先生❺，這些老師均是當時中國學術界的名流學者，均對先

常，剛柔相易，不可為典要，唯變所適。其出入以度，外內使知懼。又明於憂患與故，無有師保，如臨父母。初率其辭，而揆其方，既有典常。苟非其人，道不虛行。」於「苟非」八字，孔穎達《周易正義》曰：「言若聖人，則能循其文辭，揆其義理，知其典常，是易道得行也；若苟非通聖之人，則不曉達《易》之道理，則《易》之道不虛空得行也。言有人則《易》道行，若無人則《易》道不行。」

❺　據先師回憶，當年在北平中國大學國學系先後執教的著名專家學者，除系主任吳承仕先生親自主講《經典釋文序錄》、《尚書講疏》、《三禮名物》、《六書條例》、《說文講疏》、《小學概要》、《古籍校讀法》等課程外，還有尚秉和先生講授《周易》，林義光先生講授《詩經》，高步瀛先生講授《史記》、《文選學》、《散文源流》，楊樹達先生講授《漢書》、《高等國文法》，方兆鰲先生講授《後漢書》，柯昌泗先生講授《南北朝史》，朱師轍先生講授《商君書》、《清史藝文志》，余嘉錫先生講授《目錄學》、《校勘學》，林損先生講授《詩選》、《文論》，孫人和先生講授《詞學通論》、《詞選》、《國學書目舉要》，黃節先生講授《詩律》，邵瑞彭先生講授《宋詞》，倫明先生講授《唐宋文》，繆承金先生講授《莊子》，鄧高鏡先生講授《墨子》，范文瀾先生講授《文心雕龍》，駱鴻凱先生講授《駢文源流》，謝國楨先生講授《史學要略》，羅根澤先生講授《諸子概要》，陸和九先生講授《金石學》，陸宗達先生講授《說文》、《爾雅》、《文字音韻學》，曾浩然先生講授《等韻學》，周芷航先生講授《文字形義學》，唐蘭先生講授《古文字學導論》，嵇文甫先生講授《宋元學案》，周叔迦先生講授《佛教文學》，劉盼遂先生講授《論衡》，孫楷第先生講授《中國小說史》，齊燕銘先生講授《中國通史》，孫席珍先生講授《近代文藝思潮》，曹靖華先生講授《新俄文學選讀》，呂振羽先生講授《社會科學概論》等等。其間尚邀請章太炎、黃侃、魯迅諸先生來系作專題演講。此蓋系主任吳承仕先生學術聲望及人格魅力所致，乃有彼時中國大學國學系「群賢畢至，人才濟濟」的盛況。（詳先師舊作〈略述先師吳檢齋先生的學術成就〉，載《吳承仕同志誕生百週年紀念文集》（北京師範大學出版

師青年時代的學術成長起過十分重大的作用。其中影響先師學術思想最深刻的，當為尚秉和（1870－1950）、吳承仕（1884－1939）兩先生。尚先生諱秉和，字節之，晚號槐軒老人，河北行唐人，為曾國藩高足吳汝綸的入室弟子，當時任北平中國大學國學系教授，是國內著名的易學大師。先師曾長年學《易》於尚先生門下，頗受先生鍾愛、獎拔。❻尚先生在國學系開講《周易》選修課凡三學年，諸生因內容艱深，頗有畏難退選者，而先師乃每講必趨堂聆聽，逐年如是，反覆探研先生的學術精髓。他與尚先生質疑辯難的《論易三書》❼，即得到先生的高度評價，由先生親自推薦發表於北平《晨報》，在學術界產生了良好影響。他還協助尚先生整理《周易尚氏學》、《焦氏易詁》、《焦氏易林注》等書，並為《焦氏易詁》撰寫序言。吳先生諱承仕，字檢齋，安徽歙縣人，為章太炎的高足，是當時著名的禮學大師，時任北平中國大學國學系主任。先師當年也深受吳先生器重，吳先生曾每周抽出半天時間專門向他單獨面授《三禮》之學❽，使他的舊學造詣日趨深厚。後來在尚、吳兩先生的帶領下，先師以二十多歲的年資，即參與了為「北京人文科學研究所」主持的《續修四庫全書提要》館撰寫古籍提要稿的重要學術活動❾，撰成

社，1984 年 2 月），頁 122－123。）又，文中提及之范毓桂先生，字秋帆，福建建寧人，民國五年（1916）參與商務印書館《中國人名大辭典》的編撰，曾執教北平國立政法大學。先師北學燕京期間，以范先生為鄉前輩之故，常趨范府請益。范先生當年為先師書寫之「讀常見書齋」室名，及「家醞滿瓶書滿架，詞源如海筆如潮」聯語，筆者於先師生前在其書齋尚獲見之。

❻　先師在北平十餘載，尚先生視之如自家子弟。先師年輕時體弱，偶染小恙，尚先生即攜杖親臨，為之診脈、開方、抓藥、煎藥，並視其服藥畢才離去，師弟之情，儼如父子。北平遭日寇淪陷，先師南旋返閩，尚先生賦長歌、潑墨作《廬山圖》以贈，頗有「吾道南矣」之慨。

❼　詳筆者校理之《尚氏易學存稿》第一卷「附錄」，中國大百科全書出版社 2005 年 5 月出版。

❽　筆者嘗聞先師云，吳先生當時學術地位甚高，教務、公務繁忙，平日頗少會客，偶有未經約定者來訪，門房皆回以「老爺不在家」。唯先師每周趨府拜謁時，門房則曰「老爺在書房等您」，足見吳先生對優異弟子的器重程度。

❾　按民國十六年（1927）底，柯紹忞任總裁之「北京人文科學研究所」成立，曾以日本退還之部分庚子賠款為費用，倡議先行纂修《續修四庫全書總目提要》。此後，1931 年至 1945 年間，斯役正式施行，先後凡有七十一位知名學者參與撰寫提要稿。（詳《續修四庫全書總目提要經部》卷首，中華書局 1993 年版。）時尚、吳先生分別主撰《易》類、《禮》類提要，

《易》類提要一百二十餘篇、《禮》類提要六十多篇，並負責整理了《易類提要目錄》一冊，經受了嚴格而系統的學術磨鍊。此後，他在數十年的學術生涯中，所取得的豐富的學術成果，皆與早年師承這些老師宿儒所打下的學術根基息息相關。

先師一生不忘師門之恩，並以自己的老師為楷模，弘揚師道，努力培養出更多的學術事業的接班人。早在二十世紀三十年代後期，先師曾任母校北平中國大學國學系講師兼華北國醫學院國文教授，即以易學傳授學生。當時追隨先師甚密的有鄭光儀、段一凡、楊文園諸人，於《易》也頗有所得。後來先師南旋歸閩，歷任福建省立師專文史地科副教授、國立海疆學校師範科國文教授、福建師專教授兼國文科主任，一九四九年後任福建師範學院、福建師範大學教授兼中文系主任、福建師範大學副校長等職，所培養的學生日益眾多。晚年期間，先師雖身兼校內外多種職務，科研與公務至為繁忙，且年漸邁、體漸衰，但嘔心瀝血的育人美德老而彌篤。他晚年培養的研究生中，除筆者之外，如梅桐生、翁銀陶、楊際德、郭建勳等人，皆對《周易》有所研討，並各有易學專論發表。

先師對學生在學術上的關懷、提攜，往往達到無微不至的程度。這在筆者自身追隨先師研治《周易》的多年經歷中，尤有極深的感受。記得一九八〇年，我正隨從先師攻讀研究生課程，當時中國古代文學理論學會擬在武漢召開年會，向先師發來邀請書，先師知我剛完成了一篇讀《易》習作——〈「觀物取象」是藝術思維的濫觴〉，即命我送上文稿，親自加以刪潤，然後列印成冊，作為我與先師參加學術會議的論文。在作者署名項上，先師堅持把我署在前，他署在後，並以「此文頗多新觀點，恐將引起爭論，讓你在『前陣』替我擋擋駕」為辭說服我。這是我首次正式發表的《易》學論文❿，此中包涵著先師何其濃厚的關懷與培育後輩之心啊！數

先師即隨二先生加入撰稿行列，後來並擔負了頗重要的學術職責。又按，當年參與斯役的學者們所著錄提要的書籍約三萬多種，原打印稿今存中國科學院圖書館。臺灣商務印書館 1972 年印行的《續修四庫全書提要》，乃據日本京都大學人文科學研究所所藏的部分提要稿油印件副本編印的，僅佔全稿的三分之一。北京中華書局 1993 年出版的排印本《續修四庫全書總目提要》精裝二冊，只是全稿中的經部。惟江蘇古籍出版社與山東齊魯書社合作影印的《續修四庫全書總目提要》稿本，則是當年所撰成的續修提要稿之全部，頗可參考。

❿ 此文正式刊載於 1981 年 10 月出版之《古代文學理論研究》第 4 輯，中國古代文學理論學會

年後，我在學業上作出了一些成績，先師對我的要求愈加細密嚴格。某年，我的一位學友擔任《當代文藝探索》刊物的主編，向我約稿，我便撰寫了一篇題為〈夢的記載與文藝創作〉的短文以應之，並以「質之」的筆名發表。先師後來見到此文，聞知是我所撰，即召我至他府上，委婉地教諭我：「今後此類文章不妨少寫，人的精力有限，當以名山事業為重。」這是從心底深處對學生的呵護與關懷，是何等的語重心長啊！

　　　公元一九八三年前後，我畢業留校擔任先師的學術助手，上海古籍出版社派員來福州約先師撰寫《周易譯注》，先師慨然應允，隨即同我詳細討論了撰稿計劃，並囑我以數年前草創的一部《周易試譯》稿為基礎，全力投入撰寫工作。三年後，我把《周易譯注》十卷約五十二萬字的清稿複印本奉至先師案頭⓫，他不辭高齡，徹夜精批細審，全稿閱畢，至為興奮地對我說：「此部書稿學術質量甚佳，實出我預料之外，出版後有望成為傳世之作。」當書稿在出版社審校付排之際，先師又專就《周易譯注》的撰寫過程寫了一篇《學術鑒定書》⓬，指出此書稿的創作「正如宋代朱熹與其學生蔡元定合著《易學啟蒙》的關係相同」，以朱子門下之有蔡季通對自己的學生倍加褒揚，體現了一位老學者對後學成長的殷切期盼與濃郁溫情。後來，《周易譯注》榮獲福建省哲學社會科學「六五」重點項目優秀成果獎，一九八九年五月由上海古籍出版社出版，一年內重印四次，累計印數達七萬餘冊，受到國內外學術界的廣泛好評。一九九二年初，此書又獲「首屆全國古籍整理研究優秀圖書獎」，而先師已捐館一年有半矣！每思及此，筆者總不免黯然神傷而頓生追念先師之情。⓭

主辦。（按，此前曾先在內部發行之《福建師大學報》1981 年第 1 期及《福建論壇》1981 年第 2 期發表。）

⓫ 當時因出版時限緊迫，故先將清稿寄往出版社，而以複印本請先師審閱。

⓬ 先師寫此《鑒定書》，是為了我申報副教授職稱所用，原件現由筆者珍藏。

⓭ 二十世紀九十年代中，筆者曾被《續修四庫全書》編委會聘為「經部」特約編委，負責草擬入選該書的「易類」書目並撰寫提要。今全書已出版多年，而提要之撰寫工作仍未殺青。追懷先師之學術業績，吾輩實當進一步努力以繼承之矣。

二、從源溯流，強幹弱枝。

中國學者傳統的治學方法，有一項至為突出的特點：辨明源流宗派，探知學術本末，以創立治學之「門庭」。這種尋根究柢，嚴謹不苟，而又開拓新見，成一家言的學風，至今仍是我們所應當提倡的。

先師的治《易》思想，也是以此為出發點。他從《周易》研究的角度，特撰〈論易學之門庭〉一文（1940 年寫初稿，1980 年寫再稿，載《福建師大學報》1980 年第 3 期，詳前文首條注），指出「欲求《易》學之門庭」的最重要方法「蓋有兩端」：

> 一端，從源溯流。首須熟讀經傳本文，考明《春秋內外傳》諸占筮；其次，觀漢魏古注（李鼎祚《周易集解》所存最多）；其次，觀六朝隋唐諸家義疏（《孔疏》多本之六朝舊疏）；最後，參考宋、元以來各家之經說。（宋、元人經說，多存於《通志堂經解》中，清儒經說，《清經解》、《續清經解》中所收為最多。）不從古注入手者，是為迷不知本源。
>
> 二端，強幹弱枝。須知《周易》源本象數，發為義理，故當以象數、義理為主幹；其餘涉及天文、地理、樂律、兵法、韻學、算術，以逮方外爐火，禪家妙諦，與夫近世泰西科學者，皆其枝附。不由主幹而尋枝附者，是為渾不辨主客。

這裡所強調的「從源溯流」，是要求治《易》者當從最本初之《周易》經傳開始研讀，並全面熟悉歷代古注，才能打下堅實的《易》學基礎；又謂「強幹弱枝」，是要求抓住歷史上最主要的兩大《易》學流派──象數派與義理派作為研討的重點對象，而以其他旁支附流作為研討的次要對象。只有這樣，才能「知本源」、「辨主客」，使《周易》研究沿著扎實的方向深入拓展，並進而取得超越前人的《易》學創獲。

先師積年所撰《易》學著述，皆是在「知本源」、「辨主客」的學術宗旨的指導下創作的，故對學術界具有頗重大的影響。他早年的著作《漢易舉要》五卷、

《歷代易學書目考》一卷、《歷代易家考》五卷、《尚氏易要例》一卷，惜因「抗日戰爭」及「文化革命」之亂而散佚。❹但從曾被刊行而目前仍存的《孟氏易舉要》（《漢易舉要》之首卷，原載《福建師院學報》1961 年第 1 期）、《六庵易話》（載《福建師大學報》1981 年第 4 期、1982 年第 1 期）、《論易學之門庭》（見前引）、《易學群書平議》（北京師大出版社，1988 年出版）等論著中，實已有力地展示出一位老一輩學者渾厚的學術造詣，以及足以啟迪後學的治學方法。

　　先師晚年創建了福建師範大學易學研究室，這是當時大陸高校最早成立的一家易學研究機構，後來擴大為「易學研究所」，加強了教學與科研的組織建設。「從源溯流，強幹弱枝」，成為福建師大易學研究所長期堅持的學術思想，也是該研究所在不斷開拓學術成果的科研進程中始終傳承的學術傳統。

　　伴隨著這一學術傳統的發揚光大，福建師範大學易學研究所的科研成果也不斷為學術界所認可。筆者與先師合撰的《周易譯注》（上海古籍出版社，1989 年 5 月版），初版至今已十八年，發行量逐年遞增。二〇〇二年，此書由筆者再加修訂而重版，其學術影響繼續擴大。學界對此書曾作過這樣的評價：「《周易譯注》是新中國成立以來第一部全面翻譯《周易》經傳本文，並對其要理進行系統闡釋的高水準的專著。」（廖名春、康學偉、梁偉弦：《周易研究史》，湖南出版社，1991 年出版）

　　福建師大易學研究所歷年來推出的其他學術成果，如《周易研究論文集》（一至四輯）、《周易辭典》、《周易入門》、《周易漫談》、《象數與義理》、《玄妙的天書》、《周易與文學》、《歷代易家與易學要籍》等，無論是先師生前出版的，還是先師辭世後刊行的，均傾注著先師的學術心血，繼承著先師的學術傳統。其中《周易辭典》一書，為筆者以三年時間撰成的。記得一九九〇年初夏，當全書

---

❹　先師生前的學術著述散佚頗多，除上引諸稿之外，它如：1935 年前後自定《六庵文稿》一卷、《閩東風俗記》一冊，1938 年至 1941 年所撰《喪服淺說》四卷、《宋儒學說講稿》十四卷、《明儒學說講稿》七卷、《六庵讀書雜記》一百餘冊等。又，1939 年秋，吳承仕先生逝世（傳為日寇所害），先師在北平整理吳先生遺著凡 41 種，於 1941 年 11 月始畢，並撰成〈先師歐吳先生之著述〉一文，旋即南下返閩。此文後亦流失。其餘詩文作品，以及筆者所未能知曉之昔年論著，散軼者恐仍不少。

大致脫稿時，先師已經臥床不起，他聞知此訊，即欣然扶病為我寫定一篇〈周易辭典序〉，極力稱讚此書「詳探群籍，旁蒐博采」，將「有功于《易》學」。全書共一百二十一萬字，包括經傳要語、易學常識、易派易例、易辭衍用、治易名家、易學要籍等各類詞目凡四千六百零八條。書首列《周易》重要圖表二十九幅，書末附〈分類詞目表〉及〈詞目中文拼音索引〉。學者曾評曰：此書對《周易》學說「作非同凡響的經學基本工程建設」，「足可代表當代治經的學術水平」，「表現出很鮮明的學術的自治性」，「使得全書不愧為正宗的學術巨著，表現出中國經學正而不邪，博而不雜的優良風範。」（1993 年 7 月 15 日香港《新晚報》載孫紹振〈從經學的迷宮中走出新路〉）

三、不爲怪異，創新求實。

治學態度之純正與否，往往直接影響著學術發展方向的科學與否。故前代優秀的學者對此均頗為注重。先師亦常以此教導後學，他晚年所作《六庵易話》曾指出：

> 余少好讀《易》，老而未倦。嘗見歷代易家多詭奇好怪，意頗不謂然。蓋《易》之為書，世俗恒不免以神祕視之，益以易家好怪，則不獨其書神祕，將學《易》之人亦若帶有神祕性者，此大為易學之障礙者也。（《福建師大學報》，1981 年第 4 期）

《周易》學說具有自身的獨特性，且《易》本「為卜筮而作」（朱熹語），遂使其書帶有一定的神秘色彩，而歷代皆有冒《易》之名以自神其說者，直將一部聖人的經典、古老的哲學著作視同「怪力亂神」之書，或因其書之神奧而烘托治《易》者自身之奇異。❶❺此種現象，至今仍未能杜絕。先師之所言，顯然也是由此而發出的感歎。因此，他極力主張治《易》者務必要樹立起正確的治學態度，不為怪異，才

---

❶❺ 如三國時虞翻自稱陳桃夢其吞食三爻而知《易》（見《三國志・魏志》本傳），及近人杭辛齋自言在獄中得異人密傳遂深通易理（見《易楔》自序）。

能創新求實。

　　在這種思想的指導下，福建師大易學研究所始終把握著純正的研究方向，不斷完善學科建設，開拓新的研究領域，努力探索有特色的科研課題。筆者曾多年在先師指導下工作，除了與先師合撰《周易譯注》，合編《周易研究論文集》四輯（北京師大出版社，1987 年 9 月－1990 年 5 月）外，還與先師合寫了〈觀物取象是藝術思維的濫觴〉（載《古代文學理論研究》第四輯）、〈試論周易對文心雕龍的影響〉（載《文心雕龍學刊》第四輯）、〈周易對立、變化、創新思想中的美學意義〉（載《福建師大學報》1988 年第 3 期）等文，並點校了先師舊著《易學群書平議》。每完成一個項目，均獲先師的精心指導，對我的學業均是一次重大提高。先師辭世後，我擔負起主持易學研究所工作的重任，凡進行一項科研課題，撰寫一篇學術論文或一部學術著作，我總不忘先師的遺訓，總是思考著如何將學術的創新與求實緊緊地結合在一起，在當代易學研究的領域中邁出嚴謹紮實的步伐。

　　公元二〇〇七年，是福建師大易學研究所創立二十四周年。回顧二十四年來，我們認真完成了所承擔的國家社科基金項目「中國易學史」的研究及國家教委、全國高校古籍整理委員會、省教委等部門的各類科研項目研究。除深入展開傳統的《周易》經傳研討、易學古籍整理之外，還開闢了《周易》與文學、《周易》與美學、《周易》與道教等方面的研究課題，並衍擴出先秦兩漢經學與文學、唐前文獻等研究方向，為培養碩士與博士研究生拓展了科研領域。二十四年中，研究所成員共出版專著三十八種，發表學術論文二百多篇，產生了頗為良好的學術影響。在出版的科研成果中，均貫穿著「不為怪異，創新求實」的學術精神。其中，《周易譯注》（黃壽祺、張善文著）、《周易辭典》（張善文著）、《易學與道教文化》（詹石窗、連鎮標著）、《象數與義理》（張善文著）、《易學群書平議》（黃壽祺著、張善文點校）、《歷代易家與易學要籍》（張善文著）、《周易與文學》（張善文著）等書，在學術界留下的影響已較顯著。此外，一九九六年至一九九八年間由臺灣頂淵文化事業有限公司出版的《易經初階》（張善文著）、《十三經漫談》叢書十三種（張善文、馬重奇主編），在海外也有較好影響。而二〇〇二年初由花城出版社出版的《周易學說》（馬振彪遺著、張善文整理），刊行三個月間即重印兩次，推出平裝、精裝兩種版式，印數共達一萬三千多冊，影響面也在不斷擴

大。至於二○○五年推出的《尚氏易學存稿校理》（中國大百科全書出版社），則是筆者據先師之業師尚秉和先生的遺稿整理而成的。全書一百八十五萬字，包括《周易古筮考》十卷、《焦氏易詁》十一卷、《焦氏易林注》十六卷、《周易尚氏學》二十卷、《易說評議》十二卷，凡六十九卷（書後附錄吳承仕先生《檢齋讀易提要》一卷、先師《易學群書平議》七卷，合此二種計之，則共有七十七卷）。此書將尚氏最具創獲的易學著述集中整理出版，並作了精密嚴謹的校訂，已經博得學術界頗為良好的評價。

　　目前，福建師大易學研究所正承擔國家古籍整理規劃領導小組的重點項目《中國古籍總目提要·周易卷》的撰寫工作，及全國高校古委會古籍整理項目《周易注疏點校》，同時正積極籌備創辦《中國易學》學術刊物。《禮記·經解》引孔子曰：「潔靜精微，《易》之教也。」一語道及易學之精神。唐代孔穎達《禮記正義》對「潔靜精微」作了這樣的疏解：「《易》之於人，正則獲吉，邪則獲凶，不為淫濫，是潔靜；窮理盡性，言入秋毫，是精微。」❶我想，福建師大易學研究所在承傳先師黃壽祺教授學術傳統的科研過程中，事實上也是極力弘揚著「潔靜精微」的易學精神，弘揚著「純正謹嚴」、「窮理盡性」的治學風格。我們相信，只要繼續保持這種傳統，加上進一步的努力進取，福建師大易學研究所將會創造出更多的學術成果，為當代學術研究事業作出更大的奉獻。

二○○七年六月寫於福州

同年十月修訂於臺中

---

❶ 關於「潔靜精微」四字，筆者曾試為延伸其義曰：潔者，一塵不染，通體清澈，一片冰心在玉壺之謂也；靜者，涵詠沈潛，閒適樂天，萬物靜觀皆自得之謂也；精者，純粹不雜，堅確不移，爐火十年磨一劍之謂也；微者，洞識機玄，得失無度，別有天地非人間之謂也。總此四言，便是《易》之哲理內核，《易》之精神，《易》之智慧。福建師範大學易學研究所亦正欲沿此四字之精神而不斷拓展學術研究，惟世之君子同道其鞭策而勉勵之！

經 學 研 究 論 叢
第 十 七 輯　　頁75～86
臺灣學生書局　2009 年 12 月

曲阜師大孔子文化學院的
「大經學」研究與教學

宋立林[*]

　　遙想二千五百年前，孔子周遊列國，自衛返魯，退於洙泗之上，刪定六經、教授生徒，使儒家學派光大於九州。二千五百年後之今日，地處東方聖城、孔子故里的曲阜師範大學接續洙泗遺風，至今已走過了五十多年的風雨歷程。該校的儒學研究，尤其是經學研究同樣有了半個世紀的歷史。在這五十餘年的時間裡，被稱為「洙泗學人」的曲阜師範大學的學者們在「大經學」（儒家文獻）研究領域取得了令人矚目的成績，為承繼儒家文化、發展儒學思想奠定了堅實的基礎。而孔子文化學院的成立更是極大地推動了該校儒學尤其是經學的研究。現在總結這一研究傳統，有利於在前輩基礎上繼續前進，也有利於進行學術研究上的反思和創新。

　　一九五五年山東師範專科學校於山東濟南成立，翌年便遷址曲阜，更名為曲阜師範學院，一九八五年學校更名為曲阜師範大學。這是聖地的唯一一所高等學府，也是中國僅存的設於縣城的「農村大學」。雖然相對於大城市的繁華和便利，曲阜顯得有些落後和閉塞，但悠久的歷史文化積澱、濃郁的儒家文化遺風，對於從事學術研究的學者而言，可能反而是求之不得的佳妙環境。

　　曲阜師範大學的儒學研究之所以得以開展，離不開首任校長高贊非先生的鼎力支持和出色籌劃。高贊非先生，山東郯城人，是現代新儒家熊十力、梁漱溟的高足

---

*　宋立林，曲阜師範大學歷史（孔子）文化學院講師暨孔子與中國文化研究室主任。

弟子。其父礀莊先生曾師事熊十力、梁漱溟、歐陽竟無、呂澂諸大師，後遇倭寇難，為保大節自溺而亡，隨之者有其夫人及其次子。贊非先生與其弟皆從熊先生遊，聰慧有哲思。又嘗與梁漱溟先生從事鄉村建設運動。高先生掌校後，充分意識到曲阜師範學院設立之任務即在於推動全國之儒學研究。故隨即組織學者、教師成立孔子研究會，重點開展三項工作：一為《論語》研究；一為孔子和儒家教育思想研究；一為曲阜歷史文物資料的搜集與整理。開曲園儒學研究先河。今日之曲阜師大成為全國儒學文獻資料中心、洙泗學人儒學研究於國內學界佔一席之地，追其源頭，功在先生草創也。先生之文，著者有《孔子思想的核心──仁》（《文史哲》1962 年第 5 期）、《略論孔子的禮的思想》（《大眾日報》1962 年 11 月 3 日）二篇，其他不易見之。《十力語要》第四卷〈尊聞錄〉，乃自先生日記中錄出，可見先生於熊門之地位。

　　由於眾所周知的原因，這種正常的學術研究被打斷了將近十年之久。改革開放後的一九七九年一月二十四日，曲阜師範學院果斷地組建了孔子研究室，繼續開展儒學研究尤其是經學方面的研究。一九八三年三月擴建為孔子研究所，劉蔚華先生任首任所長。這是曲阜師範大學的儒家文獻研究新的里程碑。一九八六年開始招收專門史（儒學研究）研究生。一九九三年，孔子研究所擴建為孔子文化學院。同時，以李啟謙教授、郭克煜教授、駱承烈教授、黃立振教授、李毅夫教授、許凌雲教授等為代表的第二代「洙泗學人」，又重新開始了新的儒家文獻研究之路。他們在資料整理方面取得了非常大的成就。其中李啟謙教授等主編的《孔子資料匯編》、《孔門弟子資料匯編》兩部大書，至今澤被士林。

　　以儒家文獻研究為主的專門史學科被山東省確立為「八五」、「九五」、「十五」、「十一五」建設的重點學科，其中「十五」期間為強化建設重點學科。二〇〇〇年，山東省社科規劃辦設立的山東儒學研究基地掛靠孔子文化學院，成為山東省七個人文社科研究基地之一。二〇〇四年，知名儒家文獻專家楊朝明教授擔任孔子文化學院負責人，孔子文化學院開始了新的飛躍。二〇〇五年取得了「專門史」（儒學研究）的博士學位授予權和歷史文獻學碩士點，二〇〇六年取得山東省儒學研究「泰山學者」崗位（與孔子研究院合有），同年被山東省教育廳、財政廳聯合公布為山東省「十一五」強化建設的人文社會科學重點研究基地，二〇〇七年與濟

寧市政府聯合成立國際孔子文化節研究中心，重點開展以「釋奠禮」為核心的禮學研究。

以著名歷史學家、古文獻學家李學勤先生的兩位弟子楊朝明教授、黃懷信教授等為代表的第三代「洙泗學人」，在儒家文獻研究領域取得了更加豐碩的成果，贏得了學界的廣泛認可和讚譽，成為大陸經學研究的重鎮之一。先後主持了國家級和省部級的古籍整理以及社會科學基金項目十餘項，近年來出版了《周公事跡研究》、《儒家文獻與早期儒學研究》、《大戴禮記匯校集注》、《逸周書匯校集釋》、《孔子家語通解》、《新出簡帛文獻注釋論說》、《論語源流考辨》、《石頭上的儒家文獻——曲阜碑文錄》、《論語匯校集注》等專著數十部，另有相關論文匯集為「孔子文化論苑」叢書《儒家文獻研究》、《孔子及孔門弟子研究》、《中國儒學史研究》三大冊，在重要學術期刊發表相關學術論文二百餘篇。

在經學研究方面，楊朝明教授提出了「大經學」的理念，即廣義的經學概念，主張拓展傳統經學的研究領域，將一批重要的原始儒家文獻列入經學研究範圍，這就是所謂他提出的「十六經」的說法，即傳統的十二經之外，補入《孔子家語》、《大戴禮記》和《荀子》。這一新的經學研究理念，適應了出土文獻問世之後，學人對原始儒學的重新認識和估價的新形勢，有助於學人關注原來作為「偽書」或「別宗」而不被重視的儒家典籍之價值，也更加有利於完整系統理解原始儒學的思想價值。

同時，學者們在研究的同時，注意將研究成果及時傳播到學生中間，在學校為本科生開設了「《論語》研究」、「孔子智慧與文化中國」等一系列課程，在對研究生的教學中，開設「儒家文獻整理與研究」、「《論語》研究」、「中國經學史」、「簡帛文獻研究」等課程。至今，孔子文化學院已經培養了八十餘名儒學研究方面的研究生，有的已經在儒學研究領域頗有影響。

曲阜師大孔子文化學院的經學研究在楊朝明教授「大經學」理念的推動下，主要集中在對《論語》的研究、《孔子家語》的整理與研究、其他儒家經典以及儒家簡帛文獻的整理與研究。茲分別介紹洙泗學人在這三個領域所取得的成果。

一、《論語》研究

　　《論語》作為公認的研究孔子的最為權威的資料，自始即得到了曲阜師大學人的高度重視。特別是近年來，洙泗學人在《論語》學的研究領域更是取得了長足進展。以楊朝明教授、黃懷信教授、陳東教授等為代表的第三代當代「洙泗學人」，在前輩研究的基礎上，結合新近出土的文獻資料，繼續對《論語》的成書時間、「論語」二字的含義、《論語》的編纂、《論語》的文本和主旨、歷代《論語》注疏、《論語》類出土文獻、《論語》的義理、《論語》所體現的孔子思想核心等方面進行研究，為人們正確認識《論語》和孔子思想提出了一系列重大的學術創見，有力地推動了早期儒學研究和儒學現代轉換的步伐。

　　黃懷信先生等學者承擔了多項關於《論語》的國家級、省部級和國際合作交流項目課題。其中國家級課題三項：黃懷信教授承擔的國家古籍整理課題「《論語匯校集釋》」，單承彬博士承擔的國家社科基金項目「《論語》傳播史研究」，閆春新博士承擔國家社會科學基金青年項目「魏晉《論語》學研究」；省級課題三項：單承彬教授承擔的山東省社科規劃項目「《論語》傳播史」、山東省古籍整理項目「《論語》書錄」和山東省古籍整理項目「《論語》學史稿」；國際合作交流項目課題一項：陳東教授的中日合作交流項目課題「《論語》在日本」。出版了《論語源流考辨》（單承彬）、《論語新校釋》（黃懷信）、《論語匯校集釋》（黃懷信）等專著，楊朝明教授的《論語詮解》也正在編著之中。

　　另外，畢業於該校並曾在孔子研究所工作、現為中國社科院哲學所研究員的郭沂博士。對《論語》也進行了深入細緻的研究，並提出「論語類文獻」的概念，對於深入研究孔子和早期儒學意義重大；畢業於孔子文化學院的唐明貴博士也對《論語》史有深入研究，出版有《《論語》學的形成、發展與中衰——漢魏六朝隋唐《論語）學研究》（中國社會科學出版社 2005 年 2 月），在《論語》學歷史時期的劃分及漢魏六朝隋唐時期《論語》在政治、教育與法律等方面的作用的認識上有一定突破；同時，在黃懷信教授等的指導下，近年也有多位研究生致力於歷代名家的《論語》注疏研究。

　　綜合洙泗學人的《論語》學研究成果，我們扼要介紹其學術創見。

㈠關於《論語》的成書時間

關於《論語》成書時間的說法，清朝以前的多數學者認為《論語》結集的時間當在孔子去世後不久。但隨著近代疑古思潮興起，學者對此各逞己說，難有定論。可喜的是，隨著定州八角廊漢墓竹簡《論語》、郭店楚墓竹簡、上博竹簡等儒家文獻陸續問世，為人們重新認識《論語》的成書時間提供了新佐證。楊朝明教授在前人研究的基礎上結合新出土文獻，對《論語》的成書時間進行了新的考證。他在〈新出竹書與《論語》成書問題再認識〉（《中國哲學史》2003 年第 3 期）一文中認為，《論語》成書的具體時間可以限定在公元前四二八年至公元前四〇〇年間的二十幾年中。楊先生的這一結論，是迄今為止對《論語》成書時間最為確切的考證，是對近代以來的「疑古學派」最為有理有力的反擊，捍衛了《論語》對於研究孔子思想的價值。

㈡關於《論語》的編纂者

黃懷信教授對《論語》的編纂過程進行了詳盡的考證。他認為《論語》經歷了兩次編定，《論語》最初纂輯，是由眾弟子先各言所記、各述所知，然後就共知者進行討論確定，再由原憲、曾參等專人負責記錄下來的。討論的目的，自是為了避免失聖言之本真，達到「人人僉允」。至於經討論仍不能統一的，則各隨所述。第二次增訂大約在公元前四二五年，增訂者為曾子弟子，可能是樂正子春。

楊朝明教授則在將傳世文獻與新出土文獻比較後認為，《論語》是子思主持完成更為合理。子思為孔子裔孫、曾於弟子，在曾子去世後地位特殊，有儒家領袖風範。說《論語》出於子思，不僅與以前學界的論證相合之處較多，更重要的是符合《論語》記載所反映出來的信息，與孔子之後儒學傳承的實際比較吻合。

㈢關於《論語》的文本和主旨

《論語》各篇有無主旨?是否有精心比次?對此後人理解不同。皇侃認為每篇都有主旨，並為之一一說解。朱熹也這樣認為。但後世很多學者對此提出異議。

李啟謙在〈關於「學而時習之」章的解釋及其反映的孔子精神〉（《孔子研究》1996 年第 4 期）中，對《論語》首篇首章提出了新的見解。他認為傳統對「學而」章的注譯，無論從前後連貫的體例問題，還是開宗明義的要旨問題、孔子對學習的態度問題上都講不通。認為這裡的「學」不是動詞，而是名詞，指孔子的

「學說」。「時」不訓「時常」或「按時」，而應解作「時代」（可引伸為社會）。「習」不應作「溫習」講，而應作演習、採用講。

　　楊朝明先生也持「新解」說，並在〈《論語》首章與《孔子家語·屈節》篇——孔子政治命運悲劇的兩個詮釋〉（韓國溫知學會編：《溫知論叢》第 10 輯）一文中，從孔子的政治命運上進一步論證。他認為，這樣理解《論語》首章，與孔子一生的出處進退完全符合。孔門弟子當然了解孔子的苦悶，孔子與弟子常常談論世道人生，也一定較多地談論能否用世的態度。其孫子思更為了解孔子，他編排《論語》材料，綜合孔子的人生態度與政治命運，自然會將能夠貫穿和概括孔子政治生命的重要言論放在突出位置。他在〈新出竹書與《論語》成書問題再認識〉中進一步指出，《論語》與《孔子家語》相較，具有「正實而切事」的特徵。《論語》的所謂「正實」，可以理解為它十分符合孔子一貫的思想主張。《論語》所載孔子語，即使不是他常常說起，也一定可靠有據。所謂「切事」，就是《論語》注重做人、修月、為政等世間現實。新出土竹書材料證明《論語》有一定的思想主旨，有內在的嚴密邏輯。該書材料來自孔門眾多弟子，而由子思具體纂輯完成。《論語》首篇圍繞做人這一個中心問題展開，以下各篇分別談為政以德、守禮明禮、擇仁處仁等，層層剝離，依次展開。

㈣關於歷代《論語》注疏的研究

　　陳東博士對皇侃《論語義疏》等《論語》注釋文本的研究進行了總結。他在〈關於皇侃《論語義疏》的整理與研究〉（《古籍整理研究學刊》2002 年第 2 期）中認為，皇侃《論語義疏》是現存經籍注疏中義疏體代表作，集六朝玄學《論語》注釋之大成，在《論語》研究史上佔有獨特的地位。因此書流失國外千有餘年，有關整理研究相對滯後，流行本存在有不少問題。隨著有關研究的不斷深入，學術界需要並且也已經有條件重新整理出版新的皇侃《論語義疏》。

　　單承彬博士對鄭玄的《論語注》進行了探索性研究。單承彬在〈《論語》鄭義舉隅〉（《齊魯學刊》2001 年第 3 期）中，輯錄了部分鄭注條文，與傳本《論語》注疏比較參證，認為《論語》鄭義反映了漢代古文經學派《論語》的某些特徵。

㈤關於《論語》類出土文獻的研究

一九七三年，河北定州漢墓出土了漢抄本竹簡《論語》，關於這個現今所見最早的《論語》抄本的定性問題，學界有不同看法。

單承彬博士在〈定州漢墓竹簡《論語》版本性質考辨〉（《孔子研究》2002年第 2 期）中斷定其為《魯論》系統。陳東博士則在〈關於定州漢墓竹簡《論語》的幾個問題〉（《孔子研究》2003 年第 2 期）中認為，定州竹簡《論語》抄寫年代在漢高祖時期，當是《古論語》問世以前已經在漢代流傳的今文《論語》。他在〈歷代學者關於齊《論語》的探討〉（《齊魯學刊》2003 年第 2 期）一文中指出：歷史上所言《齊論》其實有戰國與漢代之分，兩者性質不盡相同。戰國《齊論》是《論語》形成時期的原始形態之一；漢代《齊論》則是產生於漢武帝時期的《論語》流派，主要在漢代齊國及其周圍地區流行，其所用《論語》正文與《古論》、《魯論》差異不大。

㈥關於《論語》義理的研究

對於《論語》的義理研究，也取得了不少成果。苗潤田教授在〈《論語》的形上研究〉（《齊魯學刊》2004 年第 6 期）一文中指出，《論語》中也蘊涵著孔子的許多形上思想。修建軍教授在〈釋讀《論語》之「和」〉（黃懷信、李景明主編：《儒家文獻研究》，齊魯書社，2004 年）一文中；對《論語》中「和」的思想進行分疏和整理，分析了孔子「和」的思想的歷史淵源，並對這一思想在孔子思想中的地位做了論述。劉厚琴教授在其〈《論語》中的道義主義快樂論〉（同上）一文中，分析了孔子和原始儒家的道義主義快樂論，認為這是代表中國古代人生哲學的主流、對中國古代社會產生了深遠影響的一種思想。

二、對《孔子家語》的開創性研究

《孔子家語》在中國學術史上處於十分尷尬的境地。它本是與《論語》性質相近的研究孔子思想的重要資料，然而卻被長期視為「偽書」的代表，打入另冊。所幸近幾十年來，出土文獻的大批問世，使人們對古書成書及其傳流、對早期學術史等都有了全新的認識，進而有學者也意識到《孔子家語》、《孔叢子》的特殊意義和價值。

　　一九八七年，黃懷信先生發表了《孔叢子的時代與作者》，打破了《孔叢子》偽書說的藩籬，肯定了該書的史料價值。後義對其中的《小爾雅》進行研究，出版了《小爾雅匯校集釋》、《古文獻與古史考論》等專著。

　　楊朝明教授則對《孔子家語》進行了系統的開創性研究，引起了學界的矚目。楊朝明教授長期研究儒家文獻及早期儒家文化，在《家語》的真偽及其研究價值方面，獲得的成果頗豐，二○○四年，楊朝明教授主持了山東省古籍整理項目「《孔子家語》綜合研究」，對該書進行正本清源式的研究。同年還主持了國家社科基金項目「六經之教與孔子遺說」，對現存大量孔子遺說以及孔子六經教化思想進行系統整理與研究，其重點之一就是對《孔子家語》的研究。撰有《儒家文獻與早期儒學研究》（齊魯書社，2002 年）、《孔子家語通解》（臺北萬卷樓，2005 年）、《出土簡帛與儒家文獻研究》（臺灣古籍出版社，2007 年）、《孔子家語簡注通說》（河南大學出版社，2008 年）等專著。發表相關研究論文多篇，如：〈「六經」之教和孔子遺說——略談孔子研究的資料問題〉（載《周秦社會與文化研究——紀念中國先秦史學會成立二十周年學術研討會論文集》，陝西師範大學出版社，2003 年 12 月）、〈《孔子家語·顏回》篇與「顏民之儒」〉（載《顏子研究論叢》，齊魯書社，2003 年）、〈《禮記·孔子閒居》與《孔子家語》〉（載謝維揚、朱淵清主編《新出土文獻與古代文明研究》，上海大學出版社，2004 年 4 月）、〈〈禮運〉成篇與學派屬性等問題〉（《中國文化研究》2005 年第 1 期；另見，韓國成均館大學校、東亞學術院儒教文化研究所：《儒教文化研究》第五輯，2005 年）、〈《論語》首章與《孔子家語·屈節》篇——孔子政治命運悲劇的兩個詮釋〉（龐樸主編：《儒林》第一輯，山東大學出版社，2005 年 8 月）、〈讀《孔子家語》札記〉（《文史哲》2006 年第 4 期）、〈《孔子家語·執轡》篇與孔子的治國思想〉（《中國文獻學叢刊》（第一輯），國際炎黃文化出版社，2003 年 3 月）等。

　　二○○七年十一月，楊朝明教授應邀赴臺灣參加由臺灣「故宮博物院」主辦的「再造與衍義——文獻學學術研討會」，提交論文《孔子家語的成書與可靠性研究》，並作大會演講，引起了學者的廣泛關注。

　　同時，在研究和教學過程中，楊朝明教授常常鼓勵自己的學生深入研究古籍，

尤其是被嚴重低估學術價值的《孔子家語》。在這方面也做出了不少的成績，例如，《孔子與老子關係研究——以《孔子家語》為中心》（作者孫海輝，畢業論文）、《清代《孔子家語》研究考述》（作者化濤，畢業論文）、《王肅《孔子家語注》研究》（作者王政之，畢業論文）、《《孔子家語》與孔子弟子研究——以《弟子行》和《七十二弟子解》為中心》（作者劉萍，畢業論文）等。

　　總括楊朝明教授等對於《孔子家語》的研究成果，可以分為以下幾個方面。

㈠《孔子家語》的成書問題

　　楊朝明教授經過對《孔子家語》與其他傳世文獻以及出土文獻的比較研究，發現流傳甚久的《孔子家語》偽書說站不住腳。他對歷代學者對《孔子家語》的研究做了系統梳理，對懷疑《家語》可靠性的論說一一駁正，提出了《孔子家語》孔安國序的可靠性，從而認為《孔子家語》乃是孔門弟子記錄的孔子言行，與《論語》同源。後經多次流傳，孔安國整理編次為四十四篇，作為家學傳流。魏王肅為之作注，使《家語》得以廣泛流布人間。

㈡《孔子家語》的價值

　　通過確立《孔子家語》的可靠性，楊朝明教授指出，《孔子家語》的價值不在《論語》之下，如果說《論語》是孔子語錄的話，《家語》則可稱為孔子的文選。《家語》內容豐富，而且可以與眾多傳世文獻、出土文獻相對照，雖然經過了弟子和後世的「潤色」，但不失夫子本旨，可稱「孔子文化第一書」。

㈢對《家語》的微觀研究

　　楊教授不僅從總體上研究了《家語》的成書與流傳，考察了歷代學者對《孔子家語》研究的得失，而且對其進行了單篇研究。比如，通過對比《家語》與《禮記》所有的〈禮運篇〉，發現《禮記·禮運》經過了漢儒的改造，不似《家語·禮運》保存了原貌。而所謂「小康」之說，在《家語》中根本不見蹤影。他在〈讀《孔子家語》札記〉一文中，通過與大小戴《禮記》的比較，發現了漢儒在編輯《禮記》時對《家語》材料的整合和改編，證實了《家語》具有更大的原始性和可靠性，價值不容低估。

㈣對《家語》的整理和譯注工作

　　鑑於《家語》重要學術價值和其整理注釋本不足之間的巨大反差，楊教授開始

主持《孔子家語》新的注釋本的編著工作。二○○五年，《孔子家語通解》在臺灣萬卷樓出版，這是一部在前人工作基礎上，從體例到內容都有極大創新的《家語》譯注本。本書簡體字本也將由齊魯書社於二○○八年出版。另外，應河南大學出版社之約，楊朝明教授又主編了《孔子家語簡注通說》，列入該社國學典籍普及文庫，以適應大陸上日益興盛的國學熱潮，同時也兆示著《孔子家語》開始擺脫「偽書」的命運，重新贏得越來越多的人們的認可。

三、其他儒家經典與出土文獻研究

洙泗學人不僅對於孔子研究資料十分重視，對於其他儒家經典的研究也格外關注，取得了可喜的成果。先後出版了《儒家文獻與早期儒學研究》、《尚書注訓》、《逸周書匯校集釋》《大戴禮記匯校集注》、《出土文獻與儒家學術研究》、《新出簡帛文獻注釋論說》第十餘部專著和近百篇相關學術論文。

結合出土文獻，對於傳世儒家經典研究，是孔子文化學院的儒家文獻研究的又一重點。黃懷信教授先後開展了對《尚書》、《大戴禮記》等的整理與研究，先後出版《尚書注訓》、《大戴禮記匯校集注》等，引起了文獻整理學界的重視。他還及時地開展了上博竹書《孔子詩論》的研究，出版了《上海博物館藏戰國楚竹書《孔子詩論》解義》一書，引起了較大反響。

楊朝明教授對於《尚書》、《詩經》、《中庸》等經典進行了深入研究。楊教授的《尚書》、《詩經》研究，是與其魯國文化史的研究、周公事跡研究密不可分的。對於《尚書》的研究主要涉及《周書》諸篇與周公事跡、與魯國歷史文化以及對原始儒家的影響等。楊教授的《詩經》的進路是歷史的而非文學的，主要考察了《詩經》與魯國歷史文化、禮樂制度等的關係。他對《中庸》的構成提出了「四分」新說，認為應當分為四部分，使得對《中庸》的成書與流傳的認識更加深入。

一些青年學者對儒家經典也進行了新的探索。在楊朝明教授指導下，一批青年學者和研究生對新近出土的郭店簡和上博竹書的有關儒簡如〈成之聞之〉、〈五行〉、〈內禮〉、〈曹沫之陣〉（多數學者以為乃兵家，但經過考證，我們認為乃儒家作品）等進行了研究，匯集為《新出簡帛文獻注釋論說》，由臺灣古籍出版社於二○○八年出版。劉彬、宋立林、侯乃峰等青年學者則對《周易》進行了研究，

分別從象數學、義理學和文字學的角度，研究了帛書《易傳》、孔子與《易》的關係、孔子的易教思想、簡帛等各種《周易》的版本以及文字等問題。趙滿海博士則從比較研究的角度對《孟子》開展了新的研究，比較了孟子與亞里士多德的倫理學異同。王紅霞博士對《左傳》和左丘明進行了系統研究，肯定了左丘明對於《左傳》的著作權和一代大儒的地位。她還對子夏傳經的歷史公案進行了考證。孔德立博士則對《子思子》和《禮記》進行了深入探討，從而對思孟學派的形成及其主要思想進行了系統研究。

尤其值得注意的是對《逸周書》的研究。其中黃懷信、楊朝明教授的研究得到了學界的極大關注。黃懷信先生曾對《逸周書》進行系統整理與研究，先後出版《逸周書匯校集釋》（合著），得到了李學勤先生的高度贊譽，又出版了《逸周書校補注譯》等書，填補了研究空白，被學者譽為「周書研究第一人」。楊朝明教授以其特有的學術敏感力，發現了《逸周書》的思想價值。他對該書進行看來單篇研究，是與其儒學研究密不可分的。如通過對「三訓」的研究，分析了該書思想對於孔子及原始儒家思想的極大影響。他指出《逸周書》與《尚書》一樣，是儒家思想的淵源。

綜合曲阜師範大學孔子文化學院諸位學者的儒家文獻研究，可以發現，他們對於儒家經典文獻以及其他傳世文獻的研究，基本上遵循了王國維先生提出的「二重證據法」的研究範式，將出土文獻與傳世文獻相結合，自覺走出「疑古時代」所帶來的迷霧，以正本清源為鵠的。一方面繼承了前輩學人的踏實嚴謹學風，一方面又跳出了傳統思維的束縛，對歷代儒家文獻研究成果進行了反思，從而走出了一條獨具特色的儒家文獻——「大經學」研究之路。

經 學 研 究 論 叢
第 十 七 輯　　頁87～118
臺灣學生書局　2009 年 12 月

《審核古文《尚書》案》*述評
——兼談古文《尚書》之眞僞問題

何銘鴻**

一、前言

　　晚清《尚書》大家皮錫瑞嘗云：「《尚書》有今、古文之分，人皆知之，而未有一人能分別不誤者。」❶《尚書》今古文問題之所以如此撲朔迷離，千載難明者，其根本原因在於缺乏眞《古文尚書》的直接資料，加上漢朝史料之記載又不十分明確，因此，言人人殊，治絲益棼，然而，此一迷團，卻也成為後代學者亟欲解決的一個重要學術課題。

　　關於古文《尚書》之文獻記載，現存最早者為《史記・儒林傳》：「孔氏有古文《尚書》，而安國以今文讀之，因以起其家，逸《書》得十餘篇，蓋《尚書》滋多於是矣。」其次為《漢書・儒林傳》：「孔氏有古文《尚書》，孔安國以今文字

---

* 　張岩：《審核古文《尚書》案》（北京市：中華書局，2006 年 12 月）。據書頁所載：作者張岩，1954 年生於北京，現就職北京市藝術研究所，撰有〈簡論漢代以來詩經學中的誤解〉、〈對孟姜女傳說的再認識〉、〈《國》、《左》文體與王官之學〉、〈外婚制與人類社會起源〉、《圖騰制與原始文明》、《《山海經》與古代社會》、《從部落文明到禮樂制度》等。以下為行文方便，皆以《審核古文》一書簡稱張氏此書。

** 何銘鴻，臺南縣南安國小教師兼資訊（註冊）組組長，臺北市立教育大學中國語文學系博士生。

❶ 皮錫瑞：《經學通論・書經》（臺北市：臺灣商務印書館，1989 年 10 月臺五版），頁 59。

讀之，因以起其家，逸《書》得十餘篇，蓋《尚書》茲多於是矣。……安國為諫大夫，授都尉朝；而司馬遷亦從安國問故，遷書載〈堯典〉、〈禹貢〉、〈洪範〉、〈微子〉、〈金縢〉諸篇，多古文說；都尉朝授膠東庸生，庸生授清河胡常少子，以明《穀梁春秋》為博士、部刺史，又傳《左氏》；常授虢徐敖；敖為右扶風掾，又傳《毛詩》，授王璜平陵、涂惲子真；子真授河南桑欽君長。王莽時諸學皆立，劉歆為國師，璜、惲等皆貴顯。」此外，尚有《漢書‧楚元王傳》：「魯恭王壞孔子宅，欲以為宮，而得古文於壞壁之中，……《書》十六篇。天漢之後，孔安國獻之，遭巫蠱倉促之念，未及施行。」（劉歆〈移太常博士書〉）及《漢書‧藝文志》所載：「劉向以中古文校歐陽、大小夏侯三家經文。」皆未提及孔安國為古文《尚書》作傳一事，由文獻之記載所見，最多僅提及有古文《尚書》「經文」流傳一事，孔安國嘗以漢代今文讀之，並未有孔安國為古文《尚書》作傳。又，歷經秦火與統一文字之影響，漢代傳經特重「師法」之傳承，古文《尚書》因孔安國不作傳，沒有「師法」之傳授，且安國又為「今文博士」，所傳授者僅漢代之今文《尚書》，故，即使到了東漢以傳授古文《尚書》著名之馬融、鄭玄之時，雖古文《尚書》文本仍在，卻不見馬、鄭等大儒為與今文《尚書》所無的十六篇作注，可知孔安國當無為古文《尚書》作傳之事明矣。直至東晉時豫章內史梅賾獻上一部古文《尚書》，其篇數正好符合劉向、鄭玄所說古文五十八篇之數，並且內有孔安國所作的〈傳〉和〈序〉，由於它的「經文」完整，注釋簡明易懂，甚得當時士人之喜愛，遂取代了以往所有的《尚書》著作，流傳到後代近八百年之久，直到宋代，方有學者針對其中頗多可疑之處加以質疑，開啟了古文《尚書》辨偽的工作。

　　自宋代開始懷疑古文《尚書》真偽之後，歷來對古文《尚書》的研究不乏其人，據林師慶彰的研究，自宋朝吳棫（才老）疑古文《尚書》始，計有宋元學者的考辨六家；明代學者的考辨八家；清代學者的考辨十一家（含維護古文《尚書》之學者毛奇齡等）。❷其中成就最大者，當屬閻若璩一家。故後來研究古文《尚書》

---

❷　案：林師慶彰於《清初的群經辨偽學》，〈與閻氏同時考辨《古文尚書》諸家〉一節開頭即云：「當時論辨《古文尚書》既已形成一股學術風氣，研究經學的學者，於《古文尚書》的真偽幾乎皆有所論辨。」（臺北市：文津出版社，1990 年 3 月，頁 185）故文中所列之學

真偽之學者，不論其意見為何，無不論及閻氏《尚書古文疏證》之考辨內容。本文所論《審核古文《尚書》案》一書，即是針對駁閻氏《尚書古文疏證》而來，可說是自清代學者毛奇齡以下，以新的觀點、方法，為維護孔安國傳之古文《尚書》，所做的較完整而有體系的論述，惟其中仍不乏見解有誤，亟待商榷之處。以下本文先對《審核古文《尚書》案》一書的要點做一梳理，其次再提出筆者之意見，最後作一簡要之結論。

二、《審核古文《尚書》案》述要

　　張氏《審核古文《尚書》案》一書，共分為十章，首章「引論」，敘述本書之所以選擇閻若璩《尚書古文疏證》並加以重新審核的理由，蓋閻氏乃清初疑古學派暨考據學之大家，其考證孔安國傳之古文《尚書》為偽書，幾乎已成為學術界之定論，故張氏以為：「對《疏證》的分析實際上就是對宋元明清四代學人古文《尚書》『定案』依據和方法的正面考察，同時也是對清代考據學是否存在問題及存在多大問題的一次檢驗。」[3]因此全書皆環繞閻若璩《尚書古文疏證》之上，其結論則是：「閻若璩的研究遠遠不足以支撐其結論。不僅如此，閻氏書中還包括許多刻意捏造的偽證。」[4]聽來頗為聳動駭人！

　　第二、三、四章「文獻流傳篇」，共分為上、中、下三個部分來呈現，包括今古文《尚書》傳本的源起、篇目的分合等情況，是本書的根柢部分，張氏的意見認為唯有在源頭先肯定偽孔傳古文《尚書》不偽，其下的論證方有了立足之地。今整理其重點如下：

　　㈠直接引孔安國〈書大傳〉為證，說明孔安國有「承詔為五十九篇作傳」之事。

　　㈡認為伏生傳授《尚書》原本僅有《尚書大傳》而沒有章句類教材，《尚書大傳》據後人輯本觀之，其體制內容與《韓詩外傳》類似，講了一些不一定可靠的小

者，蓋取其大家而言。

[3]　見張氏：《審核古文》，頁2。

[4]　見張氏：《審核古文·序言》，頁1。

故事，並非章句類教材。其章句教材乃是鼂錯奉詔「往讀」，與伏生「使其女傳言教錯」，「錯所不知者凡十二三」所得的「師說」，解讀質量較差。❺

　　㈢因今文《尚書》鼂錯傳本解讀質量差，且伏生孫「以《尚書》徵，不能明也。」（《史記・儒林傳》），故方有《歐陽章句》、《歐陽說義》、大小《夏侯章句》、大小《夏侯解故》的產生。❻

　　㈣以《漢書・儒林傳》記載「孔氏有古文《尚書》，孔安國以今文字讀之」解釋為孔安國「承詔作傳」。❼

　　㈤關於孔安國是否蚤卒的問題，張氏引蔣善國《尚書綜述》的說法，認為孔安國未「蚤卒」，其「獻《書》在天漢以後」和「遭巫蠱之難，未及施行」二事，均是事實。❽

　　㈥東漢杜林本古文《尚書》非孔安國舊本

　　案：《後漢書・杜林傳》：「林前於西州得漆書古文《尚書》一卷，常寶愛之，雖遭難困，握持不離身。出以示宏等曰：『林流離兵亂，常恐斯經將絕。何意東海衛子、濟南徐生復能傳之，是道竟不墜於地也。古文雖不合時務，然願諸生無悔所學。』宏、巡益重之，於是古文遂行。」又《後漢書・儒林傳》云：「扶風杜林傳古文《尚書》，林同郡賈逵為之作訓，馬融作傳，鄭玄注解，由是古文《尚書》遂顯於世。」歷來學者皆以為此「杜林本」雖僅有一卷，且賈、馬、鄭、王皆曾為作注解，為「真」古文《尚書》無疑，然張氏以《隋書・經籍志》與陸德明《經典釋文》之語為證，認為「今馬、鄭所注，並伏生所誦，非古文也。」❾張氏云：「《隋書・經籍志》：『後漢扶風杜林傳古文《尚書》……然其所傳，唯二十

---

❺　見張氏：《審核古文》，頁 12－13。

❻　見張氏：《審核古文》，頁 13。

❼　張氏云：「《漢書・儒林傳》所謂『孔安國以今字讀之』，指安國為古文《尚書》作章句訓詁，也就是撰寫孔《傳》；所謂『因以起其家』，指『起』其孔氏『《尚書》古文學』的『師說』、『家法』。因此，《漢紀》『孔安國家獻之』，實指安國完成以學名『家』訓傳之後的第二次獻書。此即荀悅《漢紀》增一家字的原因及意義。」（見張氏：《審核古文》，頁 19）

❽　見張氏：《審核古文》，頁 17－18。

❾　見張氏：《審核古文》，頁 24。

九篇，又雜以今文，非孔舊本，自餘絕無師說。』《隋書・經籍志》成書於唐太宗、高宗之間（641－656），當時馬、鄭、王三家所注『杜林本』尚存；《尚書》漢魏《石經》在唐貞觀初雖已『十不存一』，但其相承傳拓之本，猶在秘府。……歷陳隋唐『三朝大儒』陸德明（約 550－630）撰《經典釋文》早於《隋書・經籍志》的成書，因此他（陸德明）的文獻考察結論更加可靠：『今馬、鄭所注，並伏生所誦 ，非古文也。』」❿

　　至於杜林本的內容篇目，張氏引孔穎達《尚書正義・書序》：「以伏生本二十八篇，〈盤庚〉出二篇，加〈舜典〉、〈益稷〉、〈康王之誥〉凡五篇，為三十三篇。」其後引《尚書正義・堯典》孔〈疏〉與《尚書正義・堯典》引鄭玄《書贊》：「自世祖興後漢，衛、賈、馬二三君子之業是也，所得傳者三十三篇古經，亦無其五十八篇，及傳說絕無傳者。」斷定「杜林本與孔傳古文《尚書》有淵源關係（所得傳者三十三篇古經）」並且「杜林本在『逐顯於世』以後，其原有情況已發生改變」即：(1)沒有孔《傳》（及傳說絕無傳者）；(2)篇數與今文《尚書》相同（亦無其五十八篇）；(3)《書序》總為一卷，篇次也不同於孔傳本；(4)經文中「又雜以今文」。故陸德明、《隋書・經籍志》皆說它「非古文」、「非孔舊本」。⓫要之，張氏認為「杜林本」已非孔安國作《傳》之真古文《尚書》傳本。

　　㈦以現代語言學研究中使用的「字頻統計法」證明偽古文《尚書》「『作偽』難度太高，高到不可能實現的程度」。⓬

　　張氏自《尚書》與先秦兩漢二十餘種參照文獻：《詩經》、《逸周書》、《周

---

❿　見張氏：《審核古文》，頁 23－24。

⓫　以上見《審核古文》，頁 24－25。又張氏於 25 頁注 1 云：「按後世研究者多以為杜林漆書『一卷』篇幅裝不下賈、馬、鄭本內容。《後漢書・儒林傳》記『董卓移都之際』皇家藏書『典策文章』散亂流失情況：『其縑帛圖書，大則連為帷蓋，小乃製為滕囊。』杜林所得漆書一卷如果是可以『連為帷蓋』之大者，其容量裝下賈、馬、鄭本內容綽綽有餘。」按：如張氏所言杜林本有古經三十三篇，即使僅就「經文」本身之文字量而言，依筆者以今本加以統計，約有 17,540 字左右，如加上孔安國之《傳》，其字數恐逾一倍以上，又以清人所輯殘缺之《尚書大傳》與之相較，亦可知杜林本「一卷」即使在「未顯於世」時，恐亦難以容納三十三篇量。

⓬　見《審核古文》，頁 33。

易》、《周禮》、《國語》、《左傳》、《論語》、《孟子》、《荀子》、《禮記》、《管子》、《晏子春秋》、《墨子》、《老子》、《列子》、《莊子》、《鶡冠子》、《韓非子》、《呂氏春秋》、《春秋繁露》、《淮南子》、《新書》、《說苑》、《論衡》、《史記》、《漢書》等，其「萬字含量」明顯不同的一百零八字（稱為「《尚書》用字量特徵群」），在今文和古文篇章之間進行比對，發現這一百零八字在兩者間的平均萬字含量基本一致（今文 47%：古文 53%）。因此，張氏認為：一是作偽者刻意實現了這種「天衣無縫」的作偽效果；二是今古文篇章都是真文獻，故用字量特徵相同。❸並進一步排除了第一種可能性。❹

⑻肯定唐人選擇孔傳古文《尚書》的學術能力

　　張氏云：「閻氏『證偽』第一對手是唐人義疏的文本選擇。《疏證》第四：『唐貞觀中詔諸群臣撰《五經義訓》，而一時群臣不加詳考，猥以晚晉梅氏之《書》為正。』唐太宗命孔穎達主持撰寫《五經正義》，是對南北朝以來義疏之學的規範和統一，是李氏盛唐國策中一件大事，完全不存在『一時不加詳考』的問題。陸德明於隋、唐間撰《經典釋文》，確認了孔傳古文《尚書》的文獻優勢。……唐太宗詔令顏師古（581－645）考定《五經》文字，顏氏已初步確定唐代官定本《五經》中《尚書》文本的選擇（孔傳古文《尚書》）……孔穎達（574－648）……在奉詔與顏師古等人撰寫《五經正義》過程中，最終在陸德明和顏師古的基礎上選擇孔氏『古文經』和孔《傳》。」❺張氏認為：實際上孔穎達《尚書正義》中仍保留了不少賈、馬、鄭、王的注釋內容乃至一些鄭氏注本的異字。他可以直接看到《漢石經》、《魏石經》的拓本，賈、馬、鄭、王注本盡在眼底。在文獻條件具備的情況下，作出「真古文」、「偽古文」的分辨並不困難。《隋書·經籍志》是他主持撰寫《五經正義》資料庫的清單，他的文獻條件與清人治學不同年而語。❻因此張氏十分肯定孔穎達的選本乃真古文《尚書》無誤。

---

❸　見《審核古文》，頁 31。

❹　見《審核古文》第二章第四節〈誰是作偽者〉（頁 27－35）與〈附錄二〉：《尚書》字頻特色分析（頁 322－341）。

❺　見《審核古文》，頁 35－36。

❻　以上見《審核古文》，頁 37。

㈨駁閻氏「根柢」與古文版本問題

　　閻氏《尚書古文疏證》嘗云：「予之辨偽古文，吃緊在孔壁原有真古文，為〈舜典〉…… 等二十四篇，……孔安國以下馬、鄭以上，傳習盡在於是。〈大禹謨〉……等二十五篇，則晚出魏晉間，假託安國之名者。此根柢也。得此根柢在手，然後以攻二十五篇，其文理之疏脫，依傍之分明，節節皆迎刃而解矣。」（《尚書古文疏證》第一百十三條）閻氏認為馬、鄭、王三家親見古文《尚書》，所注乃真古文《尚書》，晚出之二十五篇，則假託安國名之偽書也。且就篇目言，鄭注〈書序〉所言與偽古文《尚書》亦有明顯不同，二者相同者計有〈大禹謨〉、〈五子之歌〉、〈胤征〉、〈湯誥〉、〈伊訓〉、〈咸有一德〉、〈武成〉、〈旅獒〉、〈冏命〉九篇；其不同者，鄭注〈書序〉為〈舜典〉、〈汩作〉、〈九共〉（九篇）、〈棄稷〉、〈典寶〉、〈肆命〉、〈原命〉十五篇。偽孔本為〈仲虺之誥〉、〈太甲〉（三篇）、〈說命〉（三篇）、〈泰誓〉（三篇）、〈微子之命〉、〈蔡仲之命〉、〈周官〉、〈君陳〉、〈畢命〉、〈君牙〉十六篇。「鄭康成注〈書序〉，于今安國傳所見存者〈仲虺之誥〉、〈太甲〉（三篇）、〈說命〉（三篇）、〈微子之命〉、〈蔡仲之命〉、〈周官〉、〈君陳〉、〈畢命〉、〈君牙〉十三篇皆注曰亡，于今安國傳所絕無者〈汩作〉、〈九共〉九篇、〈典寶〉、〈肆命〉、〈原命〉十三篇皆注曰逸……是孔、鄭之古文，不獨篇名不合者其文辭不可得而同，即篇名之適相符者，其文辭亦豈可得而盡同哉？」（《疏證》第三條案語，卷一頁七）

　　張氏則認為：「閻氏『真古文』的判斷並沒有充分證據。他在《疏證》另一個地方有一個完全相反的見解。針對《舊唐書・經籍志》（古文《尚書》十卷，王肅注）和《新唐書・藝文志》（鄭康成注，古文《尚書》九卷）的相關內容，他認為東漢賈、馬、鄭以及三國時期王肅所注『古文』是『伏生二十九篇以古文字寫之者』。既然如此，它就是『真今文』，而不是『真古文』。」❶既然閻氏所云已有前後矛盾之處，則其言自不可信。張氏進一步說：「魏《三字石經》是賈、馬、鄭、王注本，三字排序古文居首，次篆，次隸。另一方面，三字之中隸字筆畫最

---

❶　見《審核古文》，頁46。

粗，最為醒目。因此，賈、馬、鄭、王注本既有『古文《尚書》』屬性，也有『今文《尚書》』屬性。但在具體字詞語句內容中，它在一定程度上『離開』孔傳本而『接近』伏生本。」❸因此，張氏基本上即不認為賈、馬、鄭、王之注本為真古文，那麼，那個文本才是比較可靠的呢？張氏云：「孔傳古文《尚書》具有十分明顯的文獻優勢，今文《尚書》版本質量最差，賈、馬、鄭、王注本介於兩者之間。……這裡有必要再次強調陸德明的文獻條件：三個《尚書》版本他都可以看到。陸德明於陳、隋兩朝為國子監助教、秘書省學士、太學博士，唐初李世民任命他為秦王府文學館學士（與孔穎達同為歷史上著名的『秦府十八學士』），後授太學博士，貞觀初拜國子博士。陸德明《經典釋文》遍注群經音義，兼及《老》、《莊》。版本比較是文字音義訓注的基礎功夫，……所以《隋書·經籍志》所錄隋唐皇家藏書都在他版本比較的視野之中。……與陸德明相比，清代學術的文獻條件管窺蠡測而已。所以，陸德明的比較和選擇過程十分重要，絕對不可以忽視。今天的《尚書》學研究者不妨認真掂量一下陸德明關於今文《尚書》『闕謬處多』的學術份量，及其與劉歆『保殘守闕，挾恐見破之私意』聯繫起來作為證據的重要程度。」❹也就是，張氏認為陸德明對於《尚書》諸版本的具體比較之後，所選擇了流傳至今的孔傳本即為最佳版本。

　　㈩從「《史記》多古文說」證司馬遷用孔《傳》

　　《漢書·儒林傳》云：「司馬遷亦從孔安國問故。遷書載〈堯典〉、〈禹貢〉、〈洪範〉、〈微子〉、〈金縢〉多古文說。」張氏認為：「上述〈堯典〉等五篇都是今古文《尚書》共有的篇章，因此，班固所說『古文說』是指孔氏『《尚書》古文學』的『師說』、『家法』，也就是孔《傳》的內容……在他（司馬遷）撰寫《史記》期間，博士學官只有鼂錯傳本。……由於鼂錯傳本「師說」解讀質量較差，故司馬遷為撰寫《史記》求教於正在整理和注解孔壁本古文《尚書》的孔安國，並在《史記》中採用一部份孔氏『古文說』。」❺也就是在《尚書》原文和

---

❸　見《審核古文》，頁 51。
❹　見《審核古文》，頁 54、55。
❺　見《審核古文》，頁 74－75。

《史記》引文之間，孔《傳》是兩者過渡的「橋樑」，司馬遷所引的「古文說」正是孔安國為古文《尚書》所做的《注》。為了進一步證明其說法，張氏「著手進行《尚書》原文、孔《傳》注解內容和《史記》引文三者之間進行比較，先是在閻氏「備錄」❷五篇範圍內，進而比較《史記》引《尚書》全部內容，比較結果令人十分震驚：在《尚書》原文與《史記》引文的過渡環節上，司馬遷大量採用孔氏「古文說」，也就是孔《傳》的注解。」❷並在後文將其比較結果計 100 條以表格方式，依「《尚書》原文」、「孔《傳》注解」、「《史記》引文」次序羅列於後。

　　以上二～四章，是張氏從文獻流傳上論述孔安國有為古文《尚書》作《傳》一事，而此一孔安國傳的古文《尚書》也一直流傳了下來，因此並不承認「偽書」一說，此亦張氏一書論述之根砥。

　　第五章為「史地篇」，主要是為了反駁幾個在史料文獻記載上，被閻氏提出以證明孔《傳》作偽的史地沿革問題，包括：「金城問題」、「瀍水、孟津、駒驪問題」、「濟瀆改道」、「孔《傳》注〈禹貢〉三江」等四大問題。「金城問題」因為閻氏《疏證・卷八十七》有專論，是著名的「作偽證據」之一，故張氏對此提出反證，張氏的反證要旨為❷：

　　㈠《漢書・地理志》記金城郡屬下十三縣，其中包括金城縣❷。《史記》和孔《傳》的「金城」都是指「金城縣」。《漢書・昭帝紀》中記載「天水、隴西、張掖郡各二縣置金城郡」的六縣中便有金城縣❷，金城郡名因金城縣而來，金城郡設

---

❷ 按：閻氏《古文尚書疏證》第二十四條【言《史記》多古文說今異】下云：「遷書載〈堯典〉、〈禹貢〉……多古文說，余嘗取遷書所載諸篇讀之，雖文有增損，字有通假，義有補綴，及或隨筆竄易以就成己一家言，而要班固曰『多古文說』，則必出於古文，而非後託名古文者所可並也。於故備錄之以俟好古者擇焉。」以下對於《史記》引文做了大篇幅的輯錄。

❷ 見《審核古文》，頁 75。

❷ 以下論述見《審核古文》，頁 123－125。

❷ 《漢書・地理志》云：「金城郡，昭帝始元六年置。莽曰西海。……縣十三：允吾，……，浩……，令居……，枝陽、金城……，榆中、枹罕、白石……，河關……，破羌……，安夷、允街……臨羌……。」故張氏認為置金城郡時，金城縣已然存在。

❷ 張氏自云：「漢昭帝以六縣置金城郡（此後屬縣有所增加），沒有具體提到縣名。」（頁

置以後，金城縣為其屬縣。

　　㈡在設金城郡之前，金城縣是漢帝國邊塞。故安國以金城縣為確定積石山方位的座標點。金城郡設立之後，漢帝國邊界向西方擴展，金城縣以西新設允吾、河關等縣，邊界推至河關縣西界。因此，《漢書‧地理志》改以河關縣為確定積石山方位的座標點，將積石山「繫河關縣下」。變動前只有「金城縣」，沒有「金城郡」，以此情況「證明」孔《傳》所說的「金城」是「金城縣」。

　　㈢金城郡置於漢昭帝時，此時孔安國已經故去，《史記‧大宛列傳》記漢武帝元狩二年（前 121）已經有「金城」地名❷❻，此時距巫蠱事起（前 92）還有三十年，孔安國在世，孔《傳》提到的「金城」不是「金城郡」，因此，孔《傳》提到「金城」不存在作偽問題。

　　其次「濟瀆改道」的問題，也是閻氏「三百年來無人質疑的鐵證之一」❷❼，而張氏反駁的理由，主要是：⑴閻氏所引「張湛注《列子》濟水文並同」一條，經查乃《列字集釋‧湯問》中之釋文，為唐人殷敬順所纂，宋人陳景文所補，非張湛之注文，蓋張湛乃東晉人，酈道元乃北魏人，兩人相差百多年。「這是明顯的作弊」❷❽亦即不能當為孔安國作偽的證據。⑵孔安國原文（濟水入河，並流數十里，而南截河。又並流數里，溢為滎澤，在敖倉東南）與閻氏所謂「祇當曰」的「正確答案」（濟水入河，並流數十里，溢為滎澤，在敖倉東南）基本上是大同小異。⑶孔安國注〈禹貢〉內容毫無問題，正是濟水「改流新道」前的原有情況……如果「證以塞為平地之故迹」只能證明閻氏自己論證的不能成立。❷❾

　　第六章「史實篇」主要提出了「〈大禹謨〉不讓稷契」、「太康失國其母存

123），惟據前述《漢書‧地理志》的記載與後文《史記‧大宛列傳》的記載，認定金城縣早存在於孔安國之時。

❷❻　案：《史記‧大宛列傳》云：「其明年（元狩二年），渾邪王率其民降漢，而金城、河西西並南山至鹽澤空無匈奴。」張氏以為金城郡既於漢昭帝之時方成立，則此處所載必為「金城縣」無疑。

❷❼　《審核古文》，頁 129。

❷❽　《審核古文》，頁 133。

❷❾　《審核古文》，頁 135。

否」、「〈太甲〉三年、六年」、「〈太誓〉聲討之罪」、「血流漂杵與孟子不信《書》」、「孔《疏》注〈武成〉式商容閭」、「六師、太保是否追書」、「〈書序〉西旅獻獒」等八個問題，其所論篇章幾乎都從古文《尚書》各篇中閻氏所論作偽之論證加以反駁，認為閻氏所言「不足以證明」孔安國有作偽之事，甚至是閻氏「誣陷」之結果。如「太康失國其母存否」一節，張氏以為「閻氏為實現其『證偽』目的，先將太康及其兄弟之母的出生時間盡量提前，再將五子作歌一事的發生時間盡可能推後」。又「比如他（閻）說『蓋禹自堯七十二載乙卯受命平水土』，按『伯禹作司空』及其『平水土』在『帝（堯）乃殂落』三載之後，閻氏之說是對史料的悍然竄改」❸張氏此言可說是對閻氏辨偽論述相當嚴厲的批評。其次，在「血流漂杵與孟子不信《書》」一節，張氏對於閻氏《疏證》第一百十九條共兩千餘字，引《孟子》以論〈武成〉「血流漂杵」之問題，提出意見認為：⑴孟子曰：「盡信《書》則不如無《書》。」歷來學者將都將孟子作為疑古學派「科學的」懷疑精神的先驅者。這是對這段話含義的嚴重誤解。孟子的意思是：凡不符合我所崇信的道理，我一概不信。而閻若璩是故意誤解。在近世引用「盡信《書》則不如無《書》」者，至少大多數是真的誤解。⑵《孟子》「而何其血之流杵也」不是以引文方式提出，而是以設問方式非難〈武成〉篇相關內容。在這種情況下，其言語與原文有所不同是很正常的現象。「血流杵」與「血流漂杵」，當然後者語句更加完整，更可能是原文。……更可能是趙岐在注《孟子》時提到「逸《書》」〈武成〉原文「孟子言……何乃至於「血流漂杵」乎」。《戰國策》、《新書》等文獻中有「血流飄滷」語。……這些都是〈武成〉原文作「血流漂杵」的重要證據。❸

此外，張氏還提出了閻氏論證的缺失尚有：「主觀誇張」❷、「故意遺漏」❸、「刻意捏造的偽證」❸、「無事生非」❸等問題。要皆認為閻氏所論「無法成

---

❸　張氏自注云：「見〈尚書・堯典〉，〈史記・夏本紀〉同。」以上引文見張氏：《審核古文》，頁 144。

❸　以上見《審核古文》，頁 154。

❷　《審核古文》，頁 149。

❸　《審核古文》，頁 158。

❸　《審核古文》，頁 162。

立」。

　　第七章「曆法篇」，主要針對〈武成〉篇日月書法、〈胤征〉篇日食曆法來論證古文《尚書》之記載當可據信。和以往學者不同之處，在於張氏引用了現代學者李勇、吳守賢❸❻、趙恩語❸❼、李學勤❸❽等人的研究，認為在《疏證》第八十一條「閻氏僅僅給出他的推算結果，以證明古文《尚書》為偽作，其證據是不充分的，……同時，就定朔而言，閻氏的推算還存有不同程度的錯誤。」❸❾因此，張氏認為：「即使閻氏沒有計算錯誤，以當時曆法推步的準確程度，這種方法根本不能作為甄別文獻真偽的可靠手段。」❹❶其次，對於「仲康日食」發生於夏曆四月朔（周正六月）或夏曆九月（季秋）朔，兩者時間點究竟矛不矛盾❹❶？張氏引趙恩語和李學勤的說法：⑴孟夏和季秋（四月和九月）都在「日過分而未至」的位置上。⑵李學勤先生指出：「魯用周正，周正六月相當夏正四月孟夏，這是講魯昭公十七年日食，不是《夏書》的日食。前人以《夏書》日食為孟夏的推算，均係誤解，宜予排除。」因此，張氏的結論為：「周正六月是夏正四月，是孟夏。孟夏朔和季秋朔有一個共通點：『日過分而未至。』……魯太史『日過分而未至。』至少包含四個月，夏正四月和九月都在其中。因此，四月和九月之間不存在矛盾。」❹❷也就是說《尚書‧胤征》所述無誤，並無作偽之實。

　　第八章「制度篇」共舉出「太甲稽首，伊尹稱字」、「古未有夷族之刑」、

---

❸❺　《審核古文》，頁 163。

❸❻　李勇、吳守賢：〈仲康日食古代推算結果的復原〉（《自然科學史研究》，第 18 卷第 3 期）。

❸❼　趙恩語：〈仲康日食的認證〉（《安徽史學》，1997 年第 1 期）。

❸❽　李學勤：〈仲康日食的文獻學研究〉（《煙台師範學院學報‧哲學社會科學版》，第 17 卷第 1 期）。

❸❾　《審核古文》，頁 169。

❹❶　《審核古文》，頁 170。

❹❶　閻氏《疏證》第八條引〈左傳‧昭公十七年〉六月朔日食之事，認為魯太史所言夏代和周代日食之事發生在同一月，即周正六月，夏正四月。而作偽者將此事置於九月（季秋），是因為「徒知曆法而未知夏之典禮也」。

❹❷　《審核古文》，頁 179。

「誥誓不及五帝」、「《武成》商郊牧野」、「孔《傳》解官制大馭、太僕」等五個問題，試圖從典章制度上去替古文《尚書》尋找證據，代為「說項」，大底不出前人所論者，無甚卓見，讀者可參看張氏原書，茲不贅論。第九章「引文篇」張氏首先嘗試為先秦乃至漢代文獻引《書》者，先定義出「引文」與「用文」❹兩種情況，然後說：

> 古文篇章「引文」、「用文」的種種情況今文篇章同樣存在。在今文篇章，人們知道這是原文和「引文」、「用文」關係，這一現象恰可證明原文的存在和影響；同樣的現象對古文篇章也應具有相同的證明意義。相同的素材和思路不應得出相反結論。這一證偽途徑存在明顯邏輯錯誤，不能構成有效證偽依據。❹

張氏企圖將閻氏用以辨偽的重要方法，一概予以否決。其所論者，計有「九夷八蠻與引文問題」、「虞廷十六字」、「《左傳》德乃降」、「《史記・河渠書》引《夏書》」、「《尚書》為山九仞四語」、「《泰誓》于湯有光語出何人」、「《孟子》引《書》天降下民二語」、「《論語》孝乎惟孝」等九項。第十章「結語」則統計其前所論之例證並加以整理，共得三十八例。其次，復舉出乾嘉學人翹楚「南錢（錢大昕）北紀（紀昀）」論偽古文之說予以駁斥；最後，再以張蔭麟與胡適之說作結，認為自乾嘉以下至古史辨運動時期，其所用的考證方法是不嚴謹的，其中存在了「主觀臆斷傾向」❹，也因此其結論往往有很大的問題。

　　以上為張氏全書之大要，另外，書後另有重要附錄三篇：附錄一：〈大禹謨〉

---

❹　張氏所謂「引文」的定義是：「一字不差引用原文者……在原文與引文間有所不同，包括字句缺省、語句顛倒錯亂和對原文意思的概述；這與「借字」情況相似（提筆忘字，手頭沒有字典，只好寫個錯別字）。」而「用文」的定義是：「一些不以『書曰』等方式正面引用，或行文用其詞語，或以《尚書》中的一些觀念、禮制為本展開論說。」（見《審核古文》，頁 207）

❹　同註❹。

❹　《審核古文》，頁 312。

引文、用文示例；附錄二：《尚書》字頻特徵分析；附錄三：評戴震考據「光被四表」。其中，附錄一為張氏將《尚書》原文與引文、用文之間進行比較分析的示例；附錄二為《尚書》與先秦兩漢文獻用字特徵的比較分析。這兩者應該是該書最大的特色，也是有別於以往學者的論述，亦即張氏以「新方法」對於「舊問題」所提出的「結論」。

三、《審核古文《尚書》案》辨正

　　如前所述，張氏該書許多的論述相較於以往「支持孔安國傳《尚書》非偽書」的論點並無太大的不同，有的只是張氏加強了他的邏輯推理，企圖從閻氏論述不嚴謹之處加以「反駁」，用舊的「材料」給與不同的「新解釋」，基本上筆者並不否認閻氏論證的嚴謹度以現今的學術眼光來看，確實有所不足，但其論述之方向與內容，大抵無誤，如張氏所云：「相同的素材和思路不應得出相反結論。」[46]，則張氏所論似亦不足以服人。清末大儒王國維先生嘗云：「吾輩生於今日，幸於紙於材料之外，更得地下之新材料。由此種種材料，我輩因得據以補正紙上之材料，亦得證明古書之某部分全為實錄，即百家不雅馴之言，亦無不表示一面之事實。此二重證據法，惟在今始得為之。」[47]自一九七三年湖南長沙馬王堆三號漢墓出土了大批帛書，一九九三年十月湖北省荊門市郭店一號楚墓出土了八百零四枚楚簡之後，乃至一九九四年春在香港古玩市場出現的戰國時代楚國竹簡等，王氏「二重證據法」在解決過去許多難解的學術問題上，益顯其價值。張氏本書自二〇〇三年初執筆至二〇〇六年十月二十六日完稿，歷時三年餘，已遠在於帛書、楚簡出土之後，惜未見引用相關論著，以致所論之材料、論點，仍在原地打轉，殊為可惜。此處筆者不擬對張氏一書所論逐條陳述意見，僅就張氏此書所使用之「新方法」（字頻統計法）、「觀點」與引據失當處，提出個人見解，並輔以「出土文獻」之證明，以得出筆者之結論。

㈠字頻統計法的使用失當

---

[46]　《審核古文》，頁 207。
[47]　孫敦恒：《王國維年譜新編》（北京市：中國文史出版社，1991 年），頁 162。

　　與過去相關論點的著作相較，張氏一書最大之不同在於該書用了一個新的方法對於過去的文獻作了一個新的驗證：「第一，先將先秦兩漢文獻中的《尚書》引文、用文全部輯錄下來，在《尚書》原文與引文、用文之間進行比較分析。第二，字頻分析：今古文《尚書》約二萬四千六百字，去其重複，約使用一千九百餘字。某些字在不同時代和文獻中的用字量（現代語言學研究中所謂「字頻」）明顯不同，這與不同時期、不同文獻、的具體內容、語法習慣和撰寫風格有關。」❹也就是如果比較、統計的結果《尚書》與先秦文獻用字情形大抵相同，則此本《尚書》即不是「偽作」。其論述過程見於該書第二章第四節與附錄一、附錄二之中。張氏的結論是：「《尚書》與先秦兩漢另外二十餘種參照文獻相比較，它具有迥異於後者的極為鮮明的「字頻特徵」；在《尚書》內部的『二十五篇』與『三十三篇』之間，其『字頻特徵』基本一致。……這樣的『作偽』難度，已經達到不可能實現的程度。」❹

　　關於「字頻統計法」的使用，筆者引述曾榮汾先生對於字頻統計法的見解認為：「語言是一個有機體，隨著環境變遷，語言也會隨之產生變化。新的環境提供新的刺激、新的意念，於是原有的語義會轉化，新的語詞會孳生。這種變化的存在，正是語言代見更迭的因素。因此，若想對某一時空的語言狀況作了解，統計學觀念的運用是必要的。字詞頻率的統計法即是在此需求下發展出來。」❺這是現代字頻統計法發展的學術條件。再者，一種研究法所能獲得的學術利益往往　是唯一，字頻統計法亦是如此。「透過此法，可作語言與社會環境變遷的結合研究，可作辭書編輯斷代標準的掌握，可作某一作家或作品的用字風格研究，可作某一時空中語言特徵的觀察等等，甚至於統計過程中可順便將每一種樣本書籍的檢字索引建立起來。」❺現代字頻統計法之發展與利用，原是自此而來，其目的在於「異中求同」，而非「同中求異」，因此，要判斷一部作品是否「偽作」，恐怕不能從「異中求同」而來，而應該從「同中求異」而去，也就是在偽作、仿作（「同中」）的

---

❹　《審核古文》，頁 299。

❹　同註❹，頁 300。

❺　曾榮汾：〈字頻統計法及學術利用〉，《警學叢刊》，25 卷 2 期（1994 年 12 月），頁 133。

❺　同註❺，頁 145。

作品之中，去尋得「作偽」的證據（「求異」），這是「方法學」使用限制的問題，一旦用錯方法，則所得之結論如何可信？蓋作偽之法，乃在於「求同」，仿作之作品，莫不設法模仿的維妙維肖，讓人莫辨真偽。❷歷史上關於仿作之例證甚多，如果研究者欲辨其真偽，僅從兩樣作品之相似度或與當代（欲偽作之時代）文獻之字頻特徵來看，恐難以正確論斷，其關鍵之處，莫不在於那「同中求異」的細微差距，故筆者以為張氏雖然頗得意於引用新式的「字頻統計法」以為論斷的依據，並云：「如果當代疑古學派傳人仍然認為古文《尚書》是『偽造』的產物，不妨以本書附錄一為模本，參照本書附錄二的數據要求，嘗試『造』出一部七千六百字二十五篇古文《尚書》。由此自行驗證『偽造』的不可能。」❸然「辨偽學」的成立自有一套嚴謹的方法論，而「字頻統計法」亦有其使用的「條件限制」，用對方法，論斷明確，縱非「直接證據」，其結果自能獲得認同，有其正面的參考的價值，以「所有辨偽者是否能仿作出一模一樣的偽作品」，這樣的條件要求，來反駁別人研究成果的正確與否恐怕是不適當的。

㈡法律上「無罪推定原則」之適用與否

　　其次，張氏一書的另一「特點」，在於其書中不斷強調及引用了現代法學觀念裡面的「證據法則」與「無罪推定原則」來推定古文《尚書》不應該是偽書。關於法學觀念裡面所談到的名詞、定義，是否能適用於學術問題的處理，在整體學術領域尚未形成共識之前，恐怕仍有討論的空間，因為兩者所處理的「對象」不同，用於處理「人」的方法恐怕無法一體適用於處理「事」的方面。「無罪推定」原則用於法律上則可，而用於學術問題之討論，恐有其適用上的問題。證據的充分與否固然足以決定最後的法律判決，而懷疑的精神，卻是一切學術發展的開端，沒有「懷疑」的精神，便無法導引出「求證」的動機，如將一切能引起學術研究、討論的地方，皆視為自然而然，都以「無罪推定」視之，則一切學術問題都將無立足之地，這是一個非常嚴重的問題。因此，筆者認為與其說閻若璩是「法官」的角色，倒不如說他是「檢察官」來的適切一些，而你、我則可以嘗試擔任法官的角色，就檢察

---

❷　如閻氏《疏證》第七十二條：言白居易《補湯征書》久可亂真。

❸　見《審核古文》，頁 341。

官所起訴之證據作一合法與否的論斷，或者也可擔任檢察官或是反方律師，繼續就已起訴之事實提出補強（反方）的證據。因為，孔安國傳古文《尚書》一事，確實值得懷疑，其「立案條件」已然成立，也就是古文《尚書》已具備「犯罪嫌疑人」的身份，剩下的，就是法官就正反雙方所提的「推論」與「證據」作最後的「裁決」，並非如張氏所言，連立案的條件都無法成立。

㈢引據失當

　　張氏於〈《說文》引《尚書》異字〉一節，嘗引今人錢宗武〈《說文》引《書》異文研究〉❺④一文的研究來與閻若璩《古文尚書疏證・第二十五條》的論述對舉，並對於閻氏所列二十四條異字情況，逐一加以駁斥，以證閻氏所引之例，「與作偽無關」。❺⑤然張氏此文對於閻氏、錢氏之文章內容，顯有理解錯誤，引據失當之處。以下說明之：

　　1.閻氏《疏證》第二十五條【言說文皆古文今異】其下云：

　　　　其不同於古文，又不特如前所列而已也。許慎《說文解字・序》云：「其稱
　　　　《易》孟氏、《書》孔氏、《詩》毛氏、《禮》周官、《春秋》左氏、《論
　　　　語》《孝經》，皆古文也。」慎子沖上書安帝云：「臣父本從賈逵受古學，
　　　　考之於逵，作《說文》。」是《說文》所引《書》正東漢時盛行之古文，而
　　　　非今古文可比。余嘗取之以相校，除字異而音同者不錄，錄其俱異者如左。
　　　　（下引二十四例，今略）❺⑥

　　《說文》引《書》之內容，就其篇目而言大抵皆在伏生今文《尚書》之中，張氏詳列閻氏所云二十四例之篇目為：〈堯典〉、〈舜典〉（張氏認為梅賾所上之孔傳古文《尚書》無〈舜典〉，乃姚方興本）、〈益稷〉、〈禹貢〉、〈說命〉、

---

❺④　錢宗武：〈《說文》引《書》異文研究〉，《益陽師專學報》，1996 年第 3 期（總 17 卷），
　　　頁 40—44。

❺⑤　見《審核古文》，頁 90—95。

❺⑥　見閻氏：《疏證》，頁 224。

〈西伯戡黎〉、〈顧命〉、〈召誥〉、〈梓材〉、〈立政〉、〈康誥〉、〈酒誥〉、〈呂刑〉、〈費誓〉。❼此閻氏例證之所出,其篇目今古文皆同,並無二致,惟《說文》所引之「字」,乃出自真古文《尚書》,「而非今古文可比」,閻氏云:「余向謂《說文》皆古文今異者,亦只字句間然。」❽故「嘗取之以相校」,發現今本偽《孔傳》所錄,即便是出自今文《尚書》之內容,然與《說文》所載真古文《尚書》之用字、用辭皆有所不同,故疑其為「作偽」所致。

　　2.錢宗武先生〈《說文》引《書》異文研究〉一文,乃針對《說文》引《書》之處與今本《尚書》所載(包含今古文),兩者間之異同,作一對比研究,並歸納《說文》引《書》之類例為二大類,每類又各轄若干小類。其一:《說文》引《書》書名經文歧異例。此類主要例舉《說文》引《書》之類型,或有誤引書名者、以大名概小名者、增字引用者、減字引用者⋯⋯。❾其二:《說文》引《書》文字歧異例。此類主要例舉《說文》引《書》之類型,有「古字易今字例」、「本字易借字例」、「借字易本字例」、「借字易借字例」等 14 小類❿,錢氏於每小類例舉《說文》引書之文字,以明《說文》所載《尚書》古字作某,今本《尚書》文字作某;或《說文》所載《尚書》本字作某,今本《尚書》文字所載借字作某⋯⋯。要皆在於呈現《說文》引《尚書》之情形,及與今本《尚書》所載之異同。故,錢氏云:「《說文》引《書》與今本《尚書》的異同對比研究,不僅幫助我們全面認識《說文》引《書》的體式及其動因,而且可以幫助我們尋繹《尚書》

---

❼ 以上篇目見《審核古文》所列,同註❸。

❽ 見閻氏:〈疏證・第七十八〉,頁 224。

❾ 如錢氏於「誤引書名例」下云:「《刀部》:剿,絕也。《周書》曰:『天用剿絕其命。』按:語見〈夏書・甘誓〉」;又,「大名概小名例」下云:「《音部》:韶,虞舜樂也。《書》曰:『蕭韶九成,鳳凰來儀。』按:引文語出〈虞夏書・皐陶謨〉。」錢文此類所引,共十類二十九例。詳見錢文,頁 40-41。

❿ 如錢氏於「古字易今字例」下云:「《攴》:戰,止也。《周書》曰:『戰我于艱。』按:今本〈周書・文侯之命〉「戰」作「扞」。戰:古字;扞:今字。」;又,「本字易借字例」下云:「《辵部》:逑,斂聚也。《虞書》云:『旁逑僝功。』按:今〈虞夏書・堯典〉「逑」作「鳩」。鳩,本鳥名。逑,本字;鳩,借字。」錢文此類所引,共十四類四十七例。詳見錢文,頁 41-44。

的歷代演變及其文字歧異的大致情況，為正確評估今本《尚書》的語料價值和史料價值提供重要的佐證。」❻

又，錢氏云：「許慎《說文解字》所引，有孔安國壁中古文者，有歐陽高、夏侯勝和夏侯建三家今文者，亦有在不同字條下引用同一經文，一取古文一取今文者。……《說文》實際引用今古文《尚書》149 例，多取今文《尚書》，凡 144 例，僅 5 例引自古文《尚書》的〈大禹謨〉、〈泰誓〉、〈冏命〉經文和〈說命上〉之書序。比較《說文》的引文和今文《尚書》經文，有同有異，同者少，約 36 例；異者多，有 113 例。」❻案，錢氏於此處並未說明詳細之異同情形，乍看之下會認為《說文》引《書》之處不同於今文《尚書》，然而錢氏詳細之敘述在其結論之第一點，錢氏云：「《說文》引《書》和今文《尚書》經文對比分析，證明兩者書名經文完全相同的有 36 例；誤引書名，經文相同的有 3 例；書名大名概小名，經文相同的 2 例；注釋誤入正文，經文相同的有 1 例，實際經文完全相同者有 42 例，……實際經文歧異的僅 11 例，……餘皆為文字上之歧異」（頁 44）亦即錢氏在結論時歸納「實際經文完全相同者有 42 例」而「實際經文歧異的僅 11 例」，此外則是文字上有些許不同者，並非經文完全歧異，亦即廣義的來說，大抵是相同的，只是用字上有少許差異。而前文所云「36 例」是指「書名經文完全相同」者，此外皆歸為「有異」之 113 例，錢氏自身在歸類定義上並不十分清楚而完整，如果讀者未仔細查閱原文，便容易產生「斷章取義」的情況。因此，錢氏的結論云：「《說文》引《書》和今文《尚書》經文內容的歧異還是比較小的」（頁 44）也就是就經文的內容而言，錢氏認為今文《尚書》的經文在內容上與《說文》的「真古文」是「大致相同」的，如果用比較嚴格的角度來看，除去「兩者書名經文完全相同的有 36 例」之外，皆歸為「有異」的 113 例，此與上文閻氏所云之結論，並無衝突之處。蓋閻氏以為許慎《說文》所引《尚書》乃真古文，今本《尚書》中與《說文》引《書》在內容上大抵無異，其用字不同之處乃作偽所致；而錢氏認為許慎引《書》與今文《尚書》之「經文內容的歧異還是比較小的」，亦即大

---

❻　見錢文，頁 40。

❻　同註❻。

抵是相同的，至於其用字不同之處是否作偽所致，則不在錢氏論述範圍之內。

而張氏云：「這裡出現一個很有趣的問題：錢宗武與閻若璩的見解有同有異。他們都認為梅賾所獻是『偽孔傳本』。其中與伏生本相重合的 33 篇，錢宗武認為是『今文《尚書》』，且『經文大多可信』；閻若璩則認為 33 篇中包含作偽者的改動成分。……錢宗武先生的比較過程相當細緻，他的結論與閻若璩相反。」❻也就是張氏企圖以錢、閻二氏所論之「衝突之處」，以為自己立論之張本。然而張氏此處顯然誤解了錢宗武先生的意思，如前述，錢氏的結論認為：就經文的內容而言「許慎引《書》與今文《尚書》」的歧異不大，如就用字、用詞之差異也計算在內，則差異之處則有 113 例，此即閻氏所云：「余向謂《說文》皆古文今異者，亦只字句間然。」至于此差異之處，是否為「偽作」使然，錢氏並未深究，而張氏卻據以為批評閻氏所論不確之證據，此張氏於錢氏一文所述，恐有未加以細察之處，以致引喻失義。事實上，閻氏所論之二十四條例子，錢文中討論到的僅有 5 處，就數量上，也不足以作為推翻閻氏所論之證據。❻

㈣出土文獻之佐證

依《史記・儒林傳》、《漢書・儒林傳》之記載，除伏生所傳之今文《尚書》外，在漢代當有另一古文《尚書》文本之存在，惟孔安國是否為古文《尚書》作〈傳〉，因無積極證據證明，故歷來為學者所疑，又西漢傳經之始，因文本解讀之問題，特重「師法」之傳授，師所授弟子一字毋敢出入，故所傳僅為今文《尚書》，古文《尚書》既無師法傳授，此一文本即不在漢代學官傳授之列，故自漢代以來，其文本流傳之情形，便顯得撲朔迷離，至東晉時，豫章內史梅賾獻上一部古文《尚書》，其篇數正好符合劉向、鄭玄所說古文五十八篇之數，其內並有孔安國所作的〈傳〉和〈序〉，遂以為真古文《尚書》文本傳世，而用以取代伏生所傳下來的今文《尚書》。

伏生為秦博士，其所傳《尚書》之原始文本，當自戰國時期而來，復經伏生傳予張生、歐陽生之徒，而古文《尚書》既稱為古文，其文本理當亦出自戰國（或更

---

❻　見《審核古文》，頁 88。

❻　見錢氏：〈《說文》引《書》異文研究〉，頁 40－44；張氏：《審核古文》，頁 90－95。

早）時期，與漢代所編定之書籍必定不同。自《郭店楚墓竹簡》、《上海博物館藏戰國楚竹書》❻二書將出土文物予以刊行後，對於以往傳世文獻無法解決的問題，提供了非常好的素材，以《尚書》為例，今本孔安國傳之《尚書》，除與今文《尚書》相同之篇章外，即所謂「真」古文《尚書》者，如其真自戰國時代所傳下，理當與戰國時期文本所載之文字相同，抑或十分接近，否則，如為漢代或漢代以後才編定（作偽）者，其文字必定與戰國楚簡之文字不同。今出土楚簡中有一些引用《尚書》之文字，如將之與傳世本《禮記・緇衣》❻所引《尚書》文字以及今孔傳《尚書》之篇章文字予以分析對照，當可知《尚書》文本流傳之情況，並藉以推知古文《尚書》之真偽。

　　1.〈尹誥〉（〈咸有一德〉）

　　◎《郭店楚墓竹簡・緇衣》引《尚書》：〈尹䛝〉員：「隹尹躬及湯，咸又一悳。」

　　◎《上海博物館藏戰國楚竹書・緇衣》引《尚書》：〈尹䛝〉員：「隹尹夋及康，咸又一悳。」

　　◎《禮記・緇衣》：「〈尹吉〉曰：『惟尹躬及湯，咸有壹德。』」

　　◎古文《尚書・咸有一德》：「惟尹躬暨湯，咸有一德。」

　　案：簡文中，「䛝」字今學界一般皆釋作「誥」❻，「員」字釋作「云」。依《上海博物館藏戰國楚竹書》、《郭店楚墓竹簡》之文字資料顯示，凡簡文引《書》之例，皆為〈尹䛝〉員、〈邵㞷〉員、〈君𡥀〉員……，故知《尚書》原典

---

❻　荊門市博物館編：《郭店楚墓竹簡》（北京市：文物出版社，1998 年），以下簡稱《郭店簡》，凡引《郭店簡》釋文、注釋皆出自此書，不另加注；馬承源主編：《上海博物館藏戰國楚竹書（一）》（上海市：上海古籍出版社，2001 年），以下簡稱《上博簡》，凡引《上博簡》釋文、注釋皆出自此書，不另加注。

❻　今所見傳世本之《禮記》，是經過後人所整理的，並非先秦原本，據《隋書・經籍志》所載：「《禮記》二十卷，漢九江太守戴聖撰，鄭玄注。」故今傳世本《禮記・緇衣》所引古文《尚書》之文字，當是漢代編纂者所定。

❻　如《郭店簡》，頁 132；《上博簡》，頁 177；容庚編著：《金文編》（北京市：中華書局，2004 年 8 月），頁 163；唐蘭：〈史臣舌簋銘考釋〉，《考古》，1972 年第 5 期，頁 47；季旭昇：《說文新證》（臺北市：藝文印書館，2004 年 10 月），上冊，頁 82－83。

中當有〈尹吉〉一篇，應是伊尹告太甲之言，而《禮記・緇衣》誤「吉」為「吉」，鄭玄注云：「吉當為告，告古文誥字之誤也。〈尹告〉，伊尹之誥也，〈書序〉以為〈咸有一德〉，今亡。」從出土楚簡來看，鄭玄所言是可信的，而古文《尚書》之編纂者，未知「尹吉」為何，迯抄入「惟尹躳暨湯，咸有一德。」並以「咸有一德」為篇名。

「躳」字，《郭店簡》原作「[字]」，《上博簡》原作「[字]」，皆從吕從身，《郭店簡》釋文作「躳」，《上博簡》釋文作「妟」，裘錫圭先生於《郭店楚墓竹簡》注云：「躳可能是允之繁文。長沙楚帛書有此字，舊釋『妟』，『妟』從『允』聲。」（頁 132）季旭昇釋《上博簡》云：「本簡「尹躳」之「躳」從「身」（審紐真部）、「吕」（喻紐之部）聲，「身」、「躳」二字韻為旁對轉，聲同屬舌頭，其實即「身」字加聲符，字亦可釋「允」……楚文字「身（或躳）」字與「躳」互用……今本〈緇衣〉又云：『〈尹吉〉曰：「惟尹躳天（先）見于西邑夏，自周有終，相亦惟終。」』……兩段引文都稱伊尹為「尹躳」，則尹躳（躳）即「伊尹」，應無可疑。」❻❽季氏之意認為「躳」字為「身」加聲符「吕」，亦可釋作「允」，與「躳」互用，而陳一綾認為：「『身』（即躳）字又見於長沙子彈庫楚帛書甲篇，從文例『日月身生』看來，『身』為『允』之異構無疑；又，《中山王𧊕壺》：『余智其忠訐施』，『訐』義如信，可證『身』、『人』偏旁可互為代換。『身』字今本《尚書》作『躳』當為『訛』字，因此由『躳』訓解作『自身』之意者，恐非『身』字原意。」❻❾亦即「尹躳」當作「尹身（躳）」或「尹允」，其訓解作「伊尹」。

至於「湯」、「康」二字，《上博簡》原釋文：「康、湯經籍通用。」陳一綾以為：「湯為商代直系先王大乙之專名，卜辭、金文中作『唐』，傳世典籍中則作『湯』。……郭店簡中凡稱大乙之名均作『湯』……上博簡大乙之名作『康』……

❻❽　季旭昇主編：《上海博物館藏戰國楚竹書（一）讀本》（臺北市：萬卷樓圖書公司，2004 年 7 月），頁 88－89。

❻❾　陳一綾：《戰國楚竹書引《書》研究》（臺南市：成功大學中國語文學系碩士論文，2008 年 6 月），頁 82。

簡文中『康』應視為『唐』之假借字。『康』與『唐』在傳世文獻中雖無假借之例，不過二字同為『庚』聲字，可通假無疑。」❼比較特別的是，對於「惟尹躬暨湯，咸有一德」的斷句上，陳一綾引用日籍學者島邦男與蔡哲茂先生、張秉權先生對卜辭的研究指出：卜辭中的「咸」亦是大乙之名（蔡哲茂），「唐」是大乙的另一名（島邦男），「咸」即是「唐」（張秉權）。並依張秉權之意見，將此段文字隸定為：〈尹彝〉員：「隹尹躬及湯咸，又一悳。」另引蔡哲茂先生之論述指出：《尚書・酒誥》「自成湯咸至於帝乙」句中的「咸」字，亦應作「成湯」之名解，如此語意才不至於重複❼，也就是將「湯咸」合為一詞，而歸上讀。此與一般學者的解讀是不大相同的，對於〈尹彝〉被誤為〈咸有一德〉也可說是提供了一個新的論證。

2.〈君陳〉

◎《郭店楚墓竹簡・緇衣》引《尚書》：〈君迪〉員：「未見聖，如亓弗克見，我既見，我弗迪聖。」

◎《上海博物館藏戰國楚竹書・緇衣》引《尚書》：〈君緟〉員：「未見耶（聖），女（如）亓（其）□弗克見，我既見，我弗貴耶（聖）。」

◎《禮記・緇衣》：「〈君陳〉曰：『未見聖，若己弗克見；既見聖，亦不克由聖。』」

◎古文《尚書・君陳》：「凡人未見聖，若不克見，既見聖，亦不克由聖。」

案：〈君陳〉，《郭店簡》原釋文：「《尚書》篇名，已佚，今本《尚書》中之〈君陳〉為偽古文。」《上博簡》原釋文：「緟，從糸，從申。《說文》所無。《禮記・緇衣》『〈君陳〉曰』陸德明釋文：『陳，本亦作古字。』《說文》：『陣，古文陳』，段玉裁注：『古文從申不從木。』郭店簡作『迪』，今本作

---

❼ 同註❼，頁 82—83。

❼ 同註❼引書，頁 82~85。又，蔡哲茂先生的論述是：〈酒誥〉中的「咸」字若作為「皆」、「悉」之意，則不合合文法規則，因為「咸」常用於動謂前，用以表示主語的全體……況且《書》中亦有同類的句型如：〈多士〉「自成湯至于帝乙」、〈多方〉「乃惟成湯……以至于帝乙，罔不明德慎罰。」〈詩・魯頌・閟宮〉「至于文武，纘大王之緒」傳達「自某王朝至某王朝」起迄之意完整，沒有加上「咸」字之例。（頁 84）

『陳』。」可從。「二」二短橫符號，陳一綾統整學者之意見以為：表示增添，插入在「女」字下方，似可視為「符號與文字並用」之情況。❼❷「我弗貴聖」之「貴」字，上博簡原字作「　」，原釋文作「貴」，劉釗先生以為：「有誤，該字從『由』，從『目』，乃古文『冑』字，『冑』本從『由』得聲。」❼❸其後白於藍、鄒濬智、陳一綾❼❹亦從此說，陳一綾並以「冑」、「迪」、「由」三者音近可通，其說可從。

　　以上《郭店簡》、《上博簡》所引〈君陳〉之經文大抵相同，與古文《尚書·君陳》、《禮記·緇衣》所引〈君陳〉仔細相較，可以看出古文《尚書·君陳》明顯經後人改編之痕跡：

　　⑴古文《尚書·君陳》有「凡人」二字，而《郭店簡》、《上博簡》乃至《禮記·緇衣》所引〈君陳〉皆無；又，《郭店簡》、《上博簡》「我既見，我弗冑（迪）聖」皆有「我」字，而《禮記·緇衣》、古文《尚書·君陳》皆無，但多一「亦」字。就簡文觀之，兩稱「我」字，顯然是「第一人稱」，而《禮記·緇衣》以「己」代「我」，其義相同，故後文「既見聖，亦不克由聖。」省略「己」字，而代以「亦」字。對照古文《尚書·君陳》，其前既以「凡人」開頭，顯然是第三人稱，故其後文便不能有「我」、「己」之文字以符合行文之語氣，故刪去「己」字，而成為「若不克見」。

　　⑵就以上文本之演變看來，簡本似乎是成王自身告誡君陳的現身說法，而古文《尚書·君陳》明顯的襲自《禮記·緇衣》，並將語氣自「第一人稱」轉變為人人可用之「第三人稱」，廖名春先生云：「晚書〈君陳〉篇中，此為成王批評常人、訓誡君陳之語，已是第三人稱。……如稱『我』或『己』，不但與稱『人』矛盾，

---

❼❷　同註❻❾引書，頁96。

❼❸　劉釗：《讀《上海博物館藏戰國楚竹書（一）》劄記》，《上海博物館藏戰國楚竹書研究》（上海市：上海古籍出版社，2002年），頁291。

❼❹　白於藍：〈《上海博物館藏戰國楚竹書（一）》釋注商榷〉，《中國文字》新28期（2002年12月），頁133－142；鄒濬智：《上海博物館藏戰國楚竹書（一）·緇衣》研究〉（臺北縣：花木蘭出版社，2006年），頁111；陳一綾：《戰國楚竹書引《書》研究》，頁96－97。

而且下文『爾其戒哉』，也難以解釋。楚簡所引，不稱『人』而稱「我」，置於晚書〈君陳〉篇中，上下文意就會杆格不通。楚簡所引，反映的當是戰國中期以前人所見到的《尚書・君陳》篇的原貌，它與晚書〈君陳〉篇的上下文不合，說明晚書〈君陳〉篇並非戰國中期以前人所見之《尚書・君陳》篇之舊，說它是後人摘錄《禮記・緇衣》篇等所引加以編造而成，是有道理的。」❼❺

3. 〈君陳〉之二

◎《郭店楚墓竹簡・緇衣》引《尚書》：〈君連〉員：「出內（入）自尔币（師）于，庶言同。」

◎《上海博物館藏戰國楚竹書・緇衣》引《尚書》：〈君緁〉員：「出內（入）自尒（爾）币（師）雨，庶言同。」

◎《禮記・緇衣》：「〈君陳〉曰：『出入自爾師虞，庶言同。』」詩云：『淑人君子，其儀一也。』」

◎古文《尚書・君陳》：「出入自爾師虞，庶言同則繹。」

案：此例《郭店簡》、《上博簡》隸定之字大抵相同，與《禮記・緇衣》相較亦無甚差異，惟古文《尚書・君陳》多出「則繹」二字，從文本的語意上來看，與上例相同，皆呈現出較楚簡本「文從字順」的情況，而在用字的情況上，也較楚簡本成熟而穩定，可看出古文《尚書》引自《禮記・緇衣》並加以修飾的痕跡，至少也可以證明古文《尚書》並非「真」「先秦古本」無疑。

4. 〈君牙〉

◎《郭店楚墓竹簡・緇衣》引《尚書》：〈君舀〉員：「日俗雨，少（小）民隹曰惜；晉冬旨滄（寒），少民亦隹（惟）曰惜。」

◎《上海博物館藏戰國楚竹書・緇衣》引《尚書》：〈君舀〉員：「日俣雨，小民隹曰命，晉各耆寒，小民亦惟曰令。」

◎《禮記・緇衣》：「〈君雅〉曰：『夏日暑雨，小民惟曰怨；資冬祁寒，小民亦惟曰怨。』」

---

❼❺　廖名春：〈從郭店楚簡和馬王堆帛書論「晚書」的真偽〉，《北方論叢》2001 年第 1 期，頁122。

◎古文《尚書・君牙》：「夏暑雨，小民惟曰怨咨；冬祁寒，小民亦惟曰怨咨。」

案：「䛒」字釋作「牙」，一般學者皆無異議；「㝒」字《郭店簡》釋文注釋云：「簡文右旁與《汗簡》『容』字作者形同。「㝒」，讀作「溶」。《說文》：『溶，水盛貌。』溶雨，雨盛。此句今本作『夏日暑雨』。」另，《上博簡》釋文云：「『倶』字待考。郭店簡作『日㝒雨』。今本作『夏日暑雨』。」袁國華先生認為《郭店簡》「㝒」字從「尸」從「𠔌」，為「處」字的繁體異構，可讀作「暑」[76]，黃德寬、徐在國先生認為應隸作「凥」，釋為「處」，可讀為「暑」[77]；李家浩先生認為此字應隸作「㞐」，即「凥」字[78]，而「凥」字上古音屬初紐魚部，「暑」字屬書紐魚部，二字韻同聲近，可以通假；此字《郭店簡》作「」《上博簡》作「」，白於藍先生以為所不同者，僅是將所從之「日」旁移至右上而已[79]，故依上述學者之意見兩字可視為一字，而從聲韻上來說，與「暑」字當有聲韻上通假之關係。

「日」字，《郭店簡》釋作「日」，《上博簡》釋作「曰」，劉釗先生以為《上博簡》日、曰二字區別非常明顯，當釋作「日」而非「曰」[80]，筆者檢視《郭店簡》、《上博簡》「日」字作「」或「」，而「曰」字作「」或「」故此處應釋作「日」，釋作「曰」應是《上博簡》誤釋所致。又，《上博簡》釋為「命」、「令」之二字，學者多已指出原釋文有誤[81]，李零先生以為二字

---

[76] 袁國華：〈郭店楚簡文字考釋十一則〉，《中國文字》新 24 期（1998 年 12 月），頁 140－141。

[77] 黃德寬、徐在國：〈郭店楚簡文字考釋〉，《吉林大學古籍整理研究所建所十五週年紀念論文集》（長春市：吉林大學出版社，1998 年 12 月），頁 101－102。

[78] 李家浩：〈讀《郭店楚墓竹簡》瑣議〉，《郭店楚簡研究》（《中國哲學》第 20 輯，1999 年 1 月），頁 347－348。

[79] 白於藍：〈《上海博物館藏戰國楚竹書（一）》釋注商榷〉（《中國文字》新 28 期，2002 年 12 月），頁 134。

[80] 劉釗：《讀《上海博物館藏戰國楚竹書（一）》劄記》，頁 291。

[81] 如李零：《上博楚簡三篇校讀記》（臺北市：萬卷樓圖書公司，2002 年 3 月），頁 51；黃德寬、徐在國：〈《上海博物館藏戰國楚竹書（一）・緇衣、性情論》釋文補正〉（《古籍整

都是假「宛」字為之❷，陳一綾以為《上博簡》「𡗉」下部所從與「夗」形相近，即「夕」、「卩」由平置書寫成疊置之形，而「夕」已演變為「𠃊」形，故可隸定作「宛」，從「宛」之字，與「怨」字亦可相通假。❸

　　從用字上看來，古文《尚書・君牙》與《禮記・緇衣》所引基本上相同，而與簡文所引之字則不同，雖然就文意的解讀上看來，四者差距似乎不大，然而從斷句的不同與用字的差異上看來，古文《尚書・君牙》明顯的出自於後人之手，廖名春先生以為：「晚書〈君牙〉篇其字作『咨』，乃由『資』字而來；其歸上讀，『怨咨』連言，更是望文生義。依晚書〈君牙〉篇『夏日暑雨』句去掉一個『日』字，以與『冬祈寒』相對；『咨』歸上讀，故下句『怨』後也得增一『咨』字，方能與上句相稱。這一調整，實際是沒有認清『資』字的本義是至、到。楚簡作『𣈆（晉）』，說明晚書〈君牙〉篇以『咨』歸上讀，下句『怨』後增一『咨』字是完全錯誤的。由此可見，晚書〈君牙〉篇此句並非出於先秦古文，而用襲用《禮記・緇衣》引文並加以變通而成。」❹此語甚確，可據。

　　以上所論篇章皆為古文《尚書》所有者，與楚簡所引《尚書》文字相較，可以明顯看出其相異之處，而與漢代編成之《禮記・緇衣》相較，則是比較接近的，此處已可證明主張古文《尚書》為「真古文」者，恐怕已站不住腳。以下再引今本《尚書》中屬於今文《尚書》之篇章文句與楚簡、《禮記・緇衣》相較，當可見自伏生傳下之今文《尚書》，其文字雖已經伏生「轉化」為漢代的「今文」，依然可

理研究學刊》，2002 年 2 期），頁 2；趙平安：〈戰國文字中的「宛」及其相關問題研究——以與縣有關的資料為中心〉（《第四屆國際中國古文字學研討會論文集》，香港：香港中文大學中國語文及文學系，2003 年 10 月），頁 529－540；馮勝君：〈釋戰國文字中的「怨」〉（《古文字研究》第 25 輯，北京市：中華書局，2004 年 10 月），頁 281－285：季旭昇：〈由上博詩論「小宛」談楚簡幾個特殊的從悁的字〉（《漢學研究》第 20 卷第 2 期，2002 年 12 月），頁 377－397。

❷　同註❶引書。

❸　陳一綾：《戰國楚竹書引《書》研究》，頁 90。

❹　廖名春：〈從郭店楚簡和馬王堆帛書論「晚書」的真偽〉（《北方論叢》2001 年第 1 期），頁 122。廖氏文中並引用馬王堆帛書《易經》、帛書易傳《昭力》第 13 條與鄭玄注、《說文》等資料論證「資」字之義為「至」、「到」。

見其斷句、用字，是比較符合於先秦古本的。❽

1. 〈呂刑〉之一

◎《上海博物館藏戰國楚竹書・緇衣》引《尚書》：〈呂□（刑）〉員（云）：「一人又□（慶），□（萬）□（民）□訧（賴）止（之）。」

◎《郭店楚墓竹簡・緇衣》引《尚書》：〈邵（呂）坙（刑）〉員（云）：「一有人慶，墒（萬）民購（賴）之。」

◎《禮記・緇衣》：「〈甫刑〉曰：『一人有慶，兆民賴之。』」

◎今文《尚書・呂刑》：「一人有慶，兆民賴之。」❽

2. 〈呂刑〉之二

◎《上海博物館藏戰國楚竹書・緇衣》引《尚書》：〈呂刑〉員：「□（苗）□（民）非甬（用）□（靈），制以刑，惟作五虐之刑曰法。」

◎《郭店楚墓竹簡・緇衣》引《尚書》：〈呂刑〉員：「非甬（用）䀠，折（制）以型（刑），隹（惟）作五虐之刑曰法。」

◎《禮記・緇衣》：「〈甫刑〉曰：『苗民匪用命，制以刑，惟作五虐之刑，曰法。』」

◎今文《尚書・呂刑》：「苗民弗用靈，制以刑，惟作五虐之刑，曰法。」

3. 〈呂刑〉之三

◎《上海博物館藏戰國楚竹書・緇衣》引《尚書》：〈康誥〉員：「敬明乃罰。」〈呂刑〉員：「□（播）刑之迪。」

◎《郭店楚墓竹簡・緇衣》引《尚書》：〈康誥〉員：「敬明乃罰。」〈呂刑〉員：「翻（播）刑之由（迪）。」

---

❽ 以下楚簡之文字隸定，皆參考自季旭昇主編：《《上海博物館藏戰國楚竹書（一）》讀本・緇衣譯釋》與陳一綾：《戰國楚竹書引《書》研究》，頁 78–113。為免繁瑣，不再據引出處，如非出自二書，則另出注。

❽ 皮錫瑞引〈大戴禮・保傳篇〉、〈淮南・主術訓〉、〈後漢書・安帝紀〉、〈漢書・刑法志〉作「一人有慶，萬民賴之」，並云「今文一作「萬民賴之」（見氏著：《今文尚書考證》，頁 449。）

◎《禮記・緇衣》：「〈康誥〉曰：『敬明乃罰。』〈甫刑〉曰：『播刑之不
　　迪。』」

◎今文《尚書・呂刑》：「播刑之迪。」

　　從以上文本可見今文《尚書・呂刑》與《上博簡》、《郭店簡》文字大抵相
同，可見今文《尚書》之用字合於先秦古本，伏生所傳之今文《尚書》來自於先秦
古本應該是確信無疑的。此處所引小異者有二：一為「萬民」與「兆民」之別；一
為《禮記・緇衣》：「播刑之不迪」，多一「不」字，從楚簡本文字皆無「不」字
來看，疑《禮記・緇衣》「不」字乃衍文。整體來看今文《尚書》合於先秦古本是
可信的。

　　4.〈君奭〉

◎《上海博物館藏戰國楚竹書・緇衣》引《尚書》：〈君奭〉員：「（前闕
　　文）……集大命於氏身。」

◎《郭店楚墓竹簡・緇衣》引《尚書》：〈君奭〉員：「昔才上帝，割紳觀文
　　王德，其集大命於氏身。」

◎《禮記・緇衣》：「〈君奭〉曰：『在昔上帝，周（割）田（申）觀文王之
　　德，其集大命于厥躬。』」

◎今本《尚書・君奭》：「在昔上帝，割申勸（觀）寧（文）王之德，其集大
　　命于厥躬。」

　　案：〈君奭〉乃今古文共有之篇章，「周」作「割」，「田」作「申」，
「勸」作「觀」，「寧」作「文」，應是「形近致誤」。**❽**此段之文字今本《尚
書》採用古文而非漢今文博士之說**❽**，乃因梅賾本（今本）編纂之時，即自《禮
記・緇衣》中採用了鄭玄之說法，以顯示自己為真古文版本，《禮記・緇衣》鄭玄
注云：「古文『周田觀文王之德』為『割申勸寧王之德』，今博士讀為『厥亂勸寧
王之德』。三者皆異，古文似近之。」而從《郭店簡》之出土文字，正可證鄭玄所

---

❽　見季氏書，頁 134－135；陳氏書，頁 143。

❽　此處隸定文字之解說，參考姜廣輝：〈《尚書》今古文真偽新證〉，《中國經學思想史（第
　　二卷）》（北京市：中國社會科學出版社，2003 年 9 月），頁 191－192。

言大致不差。清末今文《尚書》學家皮錫瑞嘗云：「字體或依古本」、「今文有譌俗，不妨以古文參考」❽，此處文字雖與皮氏今文家說不同，卻恰好是修正其說之最佳寫照。

四、結論

　　從宋朝以來，便開始有學者論斷今傳古文《尚書》二十五篇乃後人所編造，自吳棫、朱熹始，至明代梅鷟幾乎已將古文《尚書》之破綻予以尋出，至閻若璩《尚書古文疏證》出，其論證更為詳密精贍，大抵已為學術界所公認，今張氏《審核古文《尚書》案》出，無非是要對這已被「定案」的老案子，重新予以「翻案」。然觀張氏全書之內容，多半自閻氏原書所論之內容、材料，從另一角度與較嚴密的邏輯推論，予以重新「詮釋」，並引現今法學概念裡的「無罪推定原則」予以重新解讀，就「新材料」的引用上，並未有令人驚訝的發現，即使在日食、曆法上張氏引用現代學者李勇、吳守賢以現代科學方法進行『復算』的推論❾，企圖推翻閻氏的推算，但是李（勇）、吳（守賢）二氏對其研究本身即作了「不精確」的案語：「雖然計算方法一直在改進，精度一直在提高，但是到目前為止仍然存在一些尚無法準確實現的參數改正問題」「這個問題還遠遠沒有解決」❾❶，也就是即使閻氏的論證不可信，張氏所引用的「證據」依然未到「確然可信」的地步，張氏一樣引用了無效的證據，但是，無論是閻氏所使用的方法，或是李、吳二氏所使用的推算方式，在方法的使用上並無「不當」，張氏對閻氏的批評云：「這種方法根本不能作為甄別文獻真偽的可靠手段……給當時和其後的人們開了一個天大的『科學玩笑』。」❾❷可說是犯了典型的「以今笑古」的毛病，張氏全書之推論亦處處可見其主觀與臆斷之處。

　　全書比較特別的是張氏所引以為傲的新方法——「字頻統計法」的使用，但是

---

❽　皮錫瑞：〈今文尚書考證・凡例〉（北京市：中華書局，1989 年 12 月），頁 5。

❾　張氏：《審核古文》，頁 169－170。

❾❶　吳守賢：〈夏仲康日食年代確定的研究史略〉，《自然科學史研究》第 19 卷 2 期（2000 年 1月），頁 114－123。

❾❷　張氏：《審核古文》，頁 170。

此方法之使用，如筆者前文所述，其本意在於「異中求同」，是在找出同一時代、同類文獻中，出現頻率較高的一些字、辭，以供學者研究、編纂辭書、教學以及瞭解當代常用字、辭情況之參考，近似於一種「歸納法」的使用，張氏很辛苦的利用此法去找出「《尚書》用字量特徵字群」❾❸共一百零八字，「並在今文篇章和古文篇章之間進行對比，這一百零八個字在兩者間的平均萬字含量基本一致（今文47%：53% 古文）❾❹。因此，其結論是：「『作偽』難度太高，高到不可能的程度。」❾❺但是，正如同閻氏所云：「蓋作偽書者，不能張空拳，冒白刃，與直自吐其中之所有。故必依託往籍以為之主，摹擬聲口以為役，而後足以售吾之欺也。不然，此書出於魏、晉之間，去康成未遠，而康成所注百篇〈書序〉，明云某篇亡，某篇逸，彼豈無目者，而乃故與之抵梧哉？」❾❻張氏此處可說是錯用了方法，其結果自然不能據信。

故今之可據者，唯有以「真」「先秦古本」來檢驗何者符合「先秦古本」所載。本文引用《郭店楚墓竹簡》、《上海博物館藏戰國楚竹書》二出土戰國文獻所載文字與今本《尚書》文字對比，確信古文《尚書》並非「先秦古本」，就其文字（句）的使用、文意敘述與修辭上來看，應該是出自於後人（不得早於漢代）之手，而今文《尚書》與簡本之間的異文，極有可能是在「古本今讀」的過程中，經過孔安國、劉向等人的讀、校之間而產生的，至於孔安國是否有為《尚書》作《傳》之事，由於當代史無明載，徒以後代文獻推論其有作《傳》之事，恐怕未足以採信，故今闕疑可也。至若有今本《尚書》皆無者（如《禮記・緇衣》、《逸周書》、《郭店簡》、《上博簡》所載〈葉公之顧命〉（或稱〈祭公〉、〈祭公之顧命〉）；《郭店簡》之《唐虞之道》、《成之聞之》內所引之〈吳陟〉、〈大禹曰〉、〈詔命〉），應為先秦《尚書》之逸篇、逸文無疑，古文《尚書》既非「真先秦古本」，當然不會有這些逸篇、逸文的記載。

---

❾❸ 張氏：《審核古文》，頁 30。

❾❹ 同註❾❸。

❾❺ 同註❾❸，頁 33。

❾❻ 閻若璩：《尚書古文疏證（上）》（上海市：上海古籍出版社，1989 年），頁 86。

經 學 研 究 論 叢
第 十 七 輯　頁119〜144
臺灣學生書局　2009 年 12 月

唐人對《風》《騷》精神之評說

李金坤*

　　唐代詩人對《風》《騷》精神承傳與宏揚的情形，頗有所側重。就《詩經》而言，主要重視它的詩教功能，亦即重視詩歌的現實內涵與社會意義，此外便是展開對《詩經》「六義」的探討，尤其是賦、比、興等表現手法的探討。在整個唐代，大凡詩歌創作出現重形式、輕內容、吟風弄月、遠離現實的不良傾向時，有識之士便自覺高舉風雅比興之大旗，竭力宣導「興象」與「風骨」並舉的詩歌，為治國安邦服務，為社會現實服務。由陳子昂至白居易、元稹，再至皮日休，終唐之世，概莫例外。而這，與唐初大儒孔穎達奉太宗詔主撰的《毛詩正義》頒行全國之政治策略關係甚密。《毛詩正義》對〈詩大序〉中有關「詩教」與「六義」諸問題之闡釋尤為詳盡。關於「詩教」，〈詩大序〉云：「風之始也，所以風天下，而正夫婦也，故用之鄉人焉，用之邦國焉。風，風也，教也，風以動之，教以化之」。《正義》曰：

> 言文王行化，始于其妻，故用此為風教之始，所以風化天下之民，而使之皆正夫婦焉。周公制禮作樂，用之鄉人焉，今鄉大夫以之教其民也；又用之邦國焉，今天下諸侯以之教其臣也。欲使天子至於庶民，悉知此詩皆正夫婦也。……施化之法，自上而下，當天子教諸侯，教大夫，大夫教其民。今此先言風天下而正夫婦焉，既言化及於民，遂從民而廣之，故先鄉人而後邦國

---

*　李金坤，江蘇大學人文社會科學學院教授。

也。❶

《詩大序》又云：「故止得失，動天地，感鬼神，莫近於詩。」《正義》曰：

由詩為樂章之故，正人得失之行，變動天地之靈，感致鬼神之意，無有近於詩者。言詩最近之，余事莫之先也。❷

關於「六義」，《詩大序》云：「故詩有六義焉：一曰風，二曰賦，三曰比，四曰興，五曰雅，六曰頌。」《正義》對「六義」之名解釋後，接著對「六義」排序問題作了說明：「六義」次第如此者，以詩之四始，以風為先，故曰「風」。風之所用，以賦、比、興為之辭，故於風之下即次賦、比、興，然後次雅、頌。雅、頌亦以賦、比、興為之，既見賦、比、興於風之下，明雅、頌亦同之」。「賦、比、興如此次者，言事之道，直陳為正，故《詩經》多賦在比、興之先。比之於興，雖同是附托外物，比顯而興隱。當先顯後隱，故比居興先也。毛傳特言興也，為其理隱故也。」《正義》又對「六義」之說提出了自己的新見，即「三體三用」說。其曰：「然則風、雅、頌者，詩篇之異體；賦、比、興者，詩文之異辭耳，大小不同，而得並為六義者，賦、比、興是詩之所用，風、雅、頌是詩之成形，用彼三事，成此三事，是故同稱為義，非別有篇卷也。」❸可以這樣說，唐代詩人們主要是圍繞孔穎達《毛詩正義》所釋「詩教」功能與「六義」特徵諸問題來發表對《詩經》的具體意見的。換言之，唐代詩人們是以帝王下詔頒行的通用讀本《毛詩正義》為詩歌創作的指導綱領的。故終唐之世，《詩經》之命運始終隆達不替。

　　至於以屈原為代表的《楚辭》，其命運在唐代就並非一帆風順了。它經歷了一個由被誤解、理解和欽慕的變化過程。由於《楚辭》具有瑰麗浪漫的豐富想像與驚采絕豔的語言風格特徵，初唐時部分詩人曾將它歸為齊梁浮豔華靡詩歌遺風一類而

---

❶　孔穎達：《毛詩正義》卷 1，頁 5。
❷　孔穎達：《毛詩正義》卷 1，頁 10。
❸　孔穎達：《毛詩正義》卷 1，頁 11－13。

予以輕視或排斥。不過，屈原光輝峻潔的人格魅力，「發憤以抒情」的表現特徵，「香草美人」的象徵手法，以及浪漫主義的藝術風格等，則頗受唐代詩人們的青睞，尤其是對唐代大量的貶謫詩人來說，屈、宋其人其辭則更是成為追慕的偶象與楷模，所謂「投跡山水地，放情詠《離騷》」（柳宗元〈游南亭夜還敘志七十韻〉）是也。貶謫詩人以其悲慘之命運、哀怨之心緒發抒一已孤憂憤懣之情懷，與千年前的屈子產生心靈的共鳴。故屈原的形象、地位與影響在貶謫詩人群中是極為突出而鮮明的，在他們的作品中，我們所感受到的大多是逐臣們充溢滿紙的「騷怨」之氣。

一、初唐《風》《騷》精神之評議

魏徵指出：

> 梁自大同之後，雅道淪缺，漸乖典則，爭馳新巧。簡文、湘東，啟其淫放；徐陵、庾信，分路揚鑣。其意淺而繁，其文匿而彩，詞尚輕險，情多哀思。格以延陵之聽，蓋亦亡國之音乎！周氏吞併梁、荊，此風扇于關右，狂簡斐然成俗，流宕忘反，無所取裁。高祖初統萬機，每念斲雕為樸，發號施令，咸去浮華。然時俗詞藻，猶多淫麗，故憲台執法，屢飛霜簡。❹

不過，魏徵畢竟是具有文學藝術眼光與政治思想覺悟的朝廷重臣，儘管對齊梁詩風持批判態度，但沒有因此而否定詩歌的聲辭之美，進而將其與「詞義貞剛，重乎氣質」的河朔文風相結合，形成「文質斌斌」的文學新品種，這是一個了不起的文學主張，是一幅促使唐代文學健康發展的藍圖，事實也正是這樣。在半個多世紀之後，南北合流的「文質斌斌」的唐代文學新局面便生機勃勃的展現在人們的面前。魏徵是這樣描繪文學發展宏偉藍圖的：

> 江左宮商發越，貴於清綺，河朔詞義貞剛，重乎氣質。氣質則理勝其詞，清

---

❹ 魏徵：〈文學傳序〉，《隋書》（北京市：中華書局，1975 年）卷 76。

綺則文過其意。理深者便於時用，文華者宜於詠歌。此其南北詞人得失之大
較也。若能掇彼清音，簡茲累句，各去所短，合其兩長，則文質斌斌，盡善
盡美矣。❺

初唐四傑作為文學革新的先驅，他們批判宮廷文學中的齊梁浮豔文風是頗具自覺意
識的，不過，他們是建立在儒家宗經的詩教觀的基礎上來反對齊梁浮豔文風的，而
對於「《雅》《頌》之博徒，而詞賦之英傑」的「驚采絕豔，難與並能」❻的《楚
辭》，則視其為齊梁浮豔文風的源頭，連累而及，故初唐四傑在反對齊梁文風的同
時，亦就難免對屈騷之批判。王勃〈上吏部裴侍郎啟〉云：「自微言既絕，斯文不
振，屈宋導澆源於前，枚馬張淫風于後，談人主者以宮室苑囿為雄，敘名流者以沉
酗驕奢為達。故魏文用之而中國衰，宋武貴之而江東亂」。❼王勃將華豔之文與國
家之亡掛起鉤來，批判之嚴酷不言而喻。楊炯〈王勃集序〉云：「仲尼既沒，游、
夏光洙泗之風；屈平自沉，唐、宋宏汨羅之跡，文儒於焉異術，詞賦所以殊源」。
❽批判語氣雖較王勃婉轉，但卻把屈宋辭賦與孔子儒家學派完全對立起來，將其劃
出中國士人宗經尊儒的文化視閾之外，仍給人以另類之感。盧照鄰〈駙馬都尉喬君
集序〉亦云：「昔文王既沒，道不在於茲乎！尼父克生，禮盡歸於是矣。其後荀
卿、孟子，服儒者之褒衣；屈平、宋玉，弄詞人之柔翰。禮樂之道，已顛墜於斯
文；雅頌之風，猶綿連于季葉。」❾盧藏用亦有相似的觀點，其云：「昔孔宣父以
天縱之才自衛返魯，乃刪《詩》《書》，述《易》道而修《春秋》，數千百年，文
章燦爛可觀也。孔子歿二百歲而騷人作，於是婉麗浮侈之法行焉。」❿從上所引初
唐四傑評騷言論可知，他們總是先列孔聖，而後再貶屈騷，認為屈騷不但開啟後世
華豔浮靡之文風，而且與孔門儒教格格不入，並有礙于儒學傳統的承傳，說到底，

---

❺　同註❹。

❻　劉勰：〈文心雕龍·辨騷〉，見周振甫《文心雕龍今譯》（北京市：中華書局），頁44－45。

❼　王勃：〈上吏部裴侍郎啟〉，《全唐文》，卷180。

❽　楊炯：〈王勃集序〉，《全唐文》，卷191。

❾　盧照鄰：〈附馬都尉喬君集序〉，《全唐文》，卷166。

❿　盧藏用：〈右拾遺陳子昂文集序〉，《全唐文》，卷238。

這完全是宗經尊儒詩教觀的體現。

在初唐詩壇上，真正高舉反對齊梁浮豔文風、宣導風雅精神與「興寄」、「風骨」的是陳子昂。其文學革新主張主要體現於他的〈與東方左史虬修竹篇序〉（簡稱〈修竹篇序〉）中：

> 文章道弊五百年矣。漢魏風骨，晉宋莫傳，然而文獻有可征者。僕嘗暇時觀齊梁間詩，彩麗競繁，而興寄都絕，每以詠歎。思古人常恐逶迤頹靡，風雅不作，以耿耿也。一昨于解三處見明公《詠孤桐篇》，骨氣端翔，音情頓挫，光英朗練，有金石聲。遂用洗心飾視，發揮幽鬱，不圖正始之音，復睹於茲，可使建安作者相視而笑。❶

此序乃陳子昂詩歌革新理論的一個總綱領，它第一次將漢魏風骨與風雅興寄聯繫起來。所謂「風骨」，就是健康真切的內容與生動有力的語言形式有機統一；所謂「興寄」，就是托物起興、借物言志的表現方法，此二者則是《詩三百》至正始詩歌優良傳統之所在。陳子昂的詩歌理論與〈修竹篇〉、〈感遇〉（三八首）等卓有成效的創作實踐，與魏徵所構想的「文質斌斌，盡善盡美」的詩歌創作模式具有異曲同工之妙。陳子昂的這一艱辛之探究，揭示了唐詩健康發展的方向，由此而成為氤氳「盛唐氣象」的序曲。

二、盛唐《風》《騷》精神之評述

《風》《騷》精神在盛唐詩壇頗為盛行，對於《風》《騷》的價值與意義，詩人們都有程度不同的體會與感受。茲舉孟浩然、王維、李白、杜甫、殷璠、王昌齡諸家試論之。

孟浩然，人們只知其為盛唐山水田園詩派的代表作家之一，但其心靈深處卻有很深的《風》《騷》情結。他有一首著名的具有自傳性質的〈書懷貽京邑故人〉詩云：

---

❶　陳子昂：〈與東方左史虬修竹篇序〉，《陳伯玉文集》（四部叢刊本），卷1。

> 惟先自鄒魯，家世重儒風。詩禮襲遺訓，趨庭紹末躬。盡夜常自強，詞賦頗
> 亦工。三十既成立，嗟籲命不通。茲親向贏老，喜懼在深衷。甘脆朝不足，
> 華瓢夕屢空。執鞭慕夫子，捧檄懷毛公。感激遂彈冠，安能守故窮？

孟浩然自稱為孟子的後裔，所以「重儒風」便成了其世代承傳的優良傳統。在尊崇儒家的同時，他也認真學習《楚辭》「詞賦頗亦工」是也。孟浩然是襄陽（今屬湖北）人，襄陽則是屈原所在之楚國，因此，他對屈原這位偉大的故鄉詩人，亦就自然多了一份敬重、追慕與懷念。他曾作過〈經七里灘〉、〈泛舟經湖海〉等多首憑弔與追念屈原的詩歌。以此表達同病相憐、懷才不遇之無限感慨。孟浩然之友人王迴〈同孟浩然宴賦〉曾以「屈宋英聲今止已」來評價孟浩然詩中的屈騷精神，語雖誇飾，但卻表明孟浩然詩歌明顯受屈騷之影響則是無可置疑的事實。

　　孟浩然的好友王維，對《風》《騷》精神亦是情有獨鐘，尤其是屈騷，摩詰受其影響則更大。唐代宗批答王縉〈進王右丞集表〉之手敕評價王維的詩是「抗行周雅，長揖楚辭」。將其詩放在可與《詩經》、《楚辭》相媲美的重要位置上，此評之高，難與並能。王維曾經稱讚友人是「目視六籍，口誦九歌」（〈京兆尹張公德政碑〉），實際上則是他自己的真實寫照。

　　竭力宣導《風》《騷》精神者當推李白。〈古風〉（其一）為代表作，詩云：

> 大雅久不作，吾衰竟誰陳？王風委蔓草，戰國多荊榛。龍虎相啖食，兵戈逮
> 狂秦。正聲何微茫，哀怨起騷人。揚馬激頹波，開流蕩無垠。廢興雖萬變，
> 憲章亦已淪。自從建安來，綺麗不足珍。聖代復元古，垂衣貴清真。群才屬
> 休明，乘運共躍鱗。文質相炳煥，眾顯羅秋旻。我志在刪述，垂輝映千春。
> 希聖如有立，絕筆於獲麟。

李白此詩與陳子昂〈修竹篇序〉以復古為革新的精神是一脈相承的。詩人那種力求恢復《詩經》「興、觀、群、怨」之「正聲」與「騷人」抒發「哀怨」之優良傳統「舍我其誰」的強大的責任感，震撼人心，鼓舞士氣。詩人有感于六朝浮豔華靡文風依然流行的現狀，為「憲章亦已淪」的事實而擔憂，遂振臂呼喚恢復《風》

《騷》優良傳統，這是時代的召喚，也是詩人革新精神的有力體現。孟棨〈本事詩〉中曾論述與此詩有關之事云：「其論詩云：『梁陳以來，豔薄斯極。沈休文又尚以聲律，將復古道，非我而誰歟？』**⑫**葛立方則從詩歌源流的角度，肯定了李白詩歌中所含有的《詩經》精神實質，其云：「李云：『大雅久不作，吾衰竟誰陳？王風委蔓草，戰國多荊榛』。則知李之所得在《雅》。」**⑬**由此可見，李白呼喚恢復《風》《騷》傳統，並非口頭語而已，他是實實在在付諸自己的詩歌創作中去了。其《古風》五十九首詩，正是他詩歌理論的一次甚為成功的藝術實踐。陳子昂以「大雅不作，興寄都絕」來批判初唐時宮廷流行的浮靡詩風，李白所主張的恢復《風》《騷》傳統，即要求恢復詩歌的「美」「刺」功能，對現實政治進行褒貶，把詩歌引向廣闊的社會與人生，其精神內脈與陳子昂是頗為相通的。

李白一生念念不忘恢復《風》《騷》傳統，《古風》（其三十五）又云：「《大雅》思文王，頌聲久崩淪，安得郢中質，一揮成風斤。」正由於《風》《騷》精神的滋養，才成就了李白的獨異的詩歌天才。明末清初詩人屈大均，稱說李白「樂府篇篇是楚辭，湘累之後汝為師」（〈採石題太白祠〉之四），也看到了李白與屈原的深刻聯繫。

李白對於宋玉，也頗為推崇。其〈贈溧陽宋少府陟〉云：「宋玉事襄王，能為高唐賦」。〈感遇四首〉之四又云：「宋玉事楚王，立身本高潔。巫山賦彩雲，郢路歌白雪。舉國莫能知，巴人皆捲舌」。對於宋玉的高潔品格與辭賦才華給予了極高的評價。李白〈清平調詞三首〉、〈宮中行樂詞八首〉等詩明顯烙有宋玉《高唐賦》、《神女賦》等縹緲綺麗、神遊夢幻的風格印記，這與他對宋玉的崇拜是分不開的。

杜甫也非常推崇《風》《騷》精神。鑒於深受「奉儒守官，未墜素業」（杜甫〈進雕賦表〉家庭崇儒優良傳統的影響，杜甫對《詩經》精神的宣導與實踐則更為突出。杜甫〈戲為六絕句〉之三云：「縱使盧王操翰墨，劣于漢魏近《風》

---

⑫ 孟棨：〈本事詩・高逸第三〉，丁福保輯《歷代詩話續編》（北京市：中華書局，1983 年）上冊，頁 14。

⑬ 葛立方：《韻語陽秋》，何文煥輯《歷代詩話》（北京市：中華書局，1981 年）下冊，卷 3，頁 502。

《騷》。」〈戲為六絕句〉之五云：「不薄今人愛古人，清詞麗句必為鄰。竊攀屈宋宜方架，恐與齊梁作後塵。」之六云：「未及前賢更勿疑，遞相祖述復先誰？別裁偽體親風雅，轉益多師是汝師。」這些詩都涉及如何向《風》《騷》學習的問題，是詩人針對當時詩壇彌滿齊梁浮豔遺風的一些不良傾向而發出的中肯之論。

　　杜甫對宋玉的遭遇及其悲涼之辭賦頗具深摯之同情，並徑稱其為「吾師」。其〈詠懷古跡〉五首之二云：「搖落深知宋玉悲，風流儒雅亦吾師。悵望千秋一灑淚，蕭條異代不同時。江山故宅空文藻，雲雨荒台豈夢思。最是楚宮俱泯滅，舟人指點到今疑」。這是一首就地取材、巧用典故與意象來憑弔宋玉的傑作。在杜甫的心目中，宋玉是詞人，但更是一位志士。不過，他生前身後都只被世人當作詞人，其政治上失志不遇，屢遭誤解，甚至於曲解。這是宋玉一生遭遇最可悲哀處，也是杜甫自己一生遭際的傷心處，因此對宋玉才能深懷「蕭條異代」而「悵望灑淚」的無限悲憫之情。他在〈送覃二判官〉中又云：「遲遲戀屈宋。」杜甫愛宋玉，愛宋玉之作品，尤其喜用其作品中的某些關鍵字，如《九辨》「蕭瑟兮，草木搖落而變衰中「蕭瑟」與「搖落」二詞。在其詩集中使用「蕭瑟」或與之相近的「蕭蕭」、「蕭條」等近五十處；使用「搖落」者亦有多處，甚或徑以《搖落》為題。詩云：「搖落巫山暮，寒江東北流。煙塵多戰鼓，風浪少行舟。」短短二十字，極寫自然之秋與社會之秋的蕭瑟悲涼，同時亦隱含詩人心靈之秋的悲涼。詩人累累喜用充滿衰颯、落寞、凄切意緒的「蕭瑟」，「搖落」等詞，其意正在於此。如此同情、熱愛並敬仰宋玉甚至拜為「吾師」者，杜甫堪稱古今第一人。

　　屈原《惜誦》中「發憤以抒情」的發憤說，對後來中國士人的影響甚大，王昌齡，便是深受影響者之一。他對屈原「發憤以抒情」的體會尤為深刻：

　　　　是以詩者，書身心之行李，序當時之憤氣。氣來不適，心事不達，或以刺
　　　　上，或以化下，或以申心，或以序事，皆為中心不快，眾不我知。由是言
　　　　之，方識古人之本也。❶❹

---

❶❹　遍照金剛：〈論文意〉，《文鏡秘府論》（北京市：人民文學出版社，1980 年），南卷，頁131－132。

這段話的中心，旨在說明詩乃抒發憤懣怨氣之作。由於「中心不快，眾不我知」，因此，更需要詩歌用強烈的藝術力量表現之，這也就是孔子所說的「詩可以怨」（《論語・陽貨》）的意思。屈原的《離騷》，就是一部典理的遭遇不幸而憂憤無限的悲憤之書。王昌齡的詩歌「憤氣」說，正是由《詩經》、《楚辭》的「可以怨」、「發憤以抒情」詩學觀承繼而來，同時又為後來韓愈「不平則鳴」說的誕生提供了適度的詩學思想之溫床。

三、中唐《風》《騷》精神之評說

中唐時期《風》《騷》盛行，直臻全唐之巔峰。安史之亂前後，唐代社會面臨著嚴重的政治與經濟問題，尤其是安史之亂之後，整個社會更是元氣大傷，一蹶不振。面對如此瀕危臨亡的飄搖局勢，許多地主階級知識份子已經從當初大亂突來而不知所措的心境中擺脫出來，重振精神，謀圖改革出路。於是，貞元末至元和年間，便出現了渴望唐室中興的變革思潮，散文方面的古文運動，詩歌方面的新樂府創作，便是直接為政治改革服務的兩大文學主流，故中唐文學中充滿著濃郁而鮮明的革新精神，而這一文學革新之氣象，正是《詩經》風雅比興精神放射出的最為燦爛奪目之光輝。

中唐詩歌宏揚《詩經》古道者，當先從古文運動先驅者之一的元結說起。他的詩歌創作精神直接受杜甫「即事名篇，無復依傍」的新樂府的影響，他還得到過杜甫的讚揚與鼓勵。他一貫主張詩文應對政治、社會進行規諷，有補於世，並以自己的創作努力實現這一主張。他的《二風詩》（即《治風詩》、《亂風詩》）、《二風詩論》，其中「風」之寓意甚明，就是要繼承與發揚《詩經》的現實主精神，努力反映現實，為治國安邦服務。詩人任道州刺史時，有感于政府不顧百姓的艱難貧困仍然急迫催征賦稅的慘狀，憤然作〈春陵行〉、〈賊退示官吏〉二詩進行規諷。〈春陵行〉末尾云：「何人采國風，吾欲獻此辭」。直接把自己的詩歌稱為《國風》。元結崇尚《詩經》風雅「美刺」比興傳統的觀點，在所編〈篋中集序〉中表述得更為鮮明而突出，其云：

　　元結作《篋中集》，或問曰：「公所集之詩，何以訂之？」對曰：「風雅不

興，幾及千載，溺于時者，世無人哉！嗚呼！有名位不顯，年壽不將，獨無知音，不見稱顯，死而已矣，誰云無之？近世作者，更相沿襲，拘限聲病，喜尚形似，且以流易為詞，不知傷於雅正，然哉！彼則指詠時物，會諧絲竹，與歌兒舞女生汗惑之聲於私室可矣。若令方直之士，大雅君子，聽而誦之，則未見其可矣。吳興沈千運，獨挺於流俗之中，強攘於已溺之後，窮老不惑，五十餘年，凡所為文，皆與時異。故朋友後生，稍見師效，能侶類者有五六人。嗚呼，自沈公及二三子，皆以正直而無祿位，皆以忠信而久貧賤，皆以仁讓而至喪亡。異於是者，顯榮當世。誰為辯士，吾欲問之。❶

元結通過對流連光景、浮豔雕飾之作的批判，對沈千運有異時俗的風雅古調之作的推崇，進一步突出宣導《詩經》風雅「美刺」比興傳統的重要性。元結這種思想是一貫的。他早期的《二風詩論》就自述作《二風詩》之目的是「極帝王理亂之道，系古人規諷之流」。❶其後在《系樂府十二首序》中又表明作詩動機是「盡歡怨之聲者，可以上感於上，下化於下」。❶元結所論，正與孔穎達《毛詩正義》所謂「臣下作詩，所以諫君，君又用之教化，故又言上下皆用此六義之意。在上，人君用此六義風動教化；在下，人臣用此六義以風喻箴刺君上」❶之內涵正相吻合，是正統儒家詩教觀的有力體現。元結所強調的繼承《詩經》緊密聯繫現實、婉而多諷的優秀傳統，到了創作新樂府的寫實派、通俗派白居易、元稹那裏，則更是得到了前所未有的推尊和實踐。

　　白居易有關繼承《詩經》風雅「美刺」比興的詩學觀主要集中於〈與元九書〉，其云：

　　　夫文尚矣，三才各有文：天之文，三光首之；地之文，五材首之；人之文，

---

❶　元結：〈篋中集序〉，肖占鵬主編《隋唐五代文藝理論彙編評注》（天津市：南開大學出版社，2002 年），上冊，頁 472－473。

❶　元結：《二風詩論》，肖占鵬主編《隋唐五代文藝理論彙編評注》，上冊，頁 474。

❶　元結：〈系樂府十二首序〉，肖占鵬《隋唐五代文藝理論彙編評注》，上冊，頁 475。

❶　孔穎達：《毛詩正義》，卷 1，頁 13。

六經首之。就六經言，《詩》又首之。何者？聖人感人心而天下和平。感人心者，莫先乎情，莫始乎言，莫切乎聲，莫深乎義。詩者：根情，苗言，華聲，實義。上自聖賢，下至愚呆，微及豚魚，幽及鬼神，群分而氣同，形異而情一，未有聲入而不應，情交而不感者。

……洎周衰秦興，采詩官廢，上不以詩補察時政，下不以歌泄導人情。乃至於謠成之風動，救失之道缺。于時六義刓矣。

國風變為騷辭，五言始于蘇、李。蘇、李，騷人，皆不遇者，各系其志，發而為文。故河梁之句，止於傷別；澤畔之吟，歸於怨思。彷徨抑鬱，不暇及他耳，然去《詩》未遠，梗概尚存。故興離別則引雙鳧一雁為喻，諷君子小人則引香草惡鳥為比，雖義類不具，猶得風人之什二三焉。于時六義始缺矣。

晉、宋以還，得者蓋寡。……于時六義寖微矣，陵夷矣。

至於梁、陳間，率不過嘲風雪，弄花草而寢已。……于時六義盡去矣。

唐興二百年，其間詩人不可勝數。所可舉者，陳子昂有《感遇詩》二十首，鮑防有《感興詩》十五首。又詩之豪者，世稱李、杜。李之作，才矣奇矣，人不逮矣，索其風雅比興，十無一焉。杜詩最多，可傳者千餘首，至於貫穿今古，覙縷格律，盡工盡美，又過於李。然撮其《新安吏》、《石壕吏》、《潼關吏》、《塞蘆子》、《留花門》之章，「朱門酒肉臭，路有凍死骨」之句，亦不過三四十首。杜尚如此，況不逮杜者乎！

僕常痛詩道崩壞、忽忽憤發，或食輟哺、夜輟席，不量才力，欲扶起之。**⓳**

以上所引，簡直就是一篇《詩經》「六義」衰亡簡史。在這一千多年的詩史進程中，詩人眼看著「六義始刓矣」、「六義始缺矣」、「六義寖微矣，陵夷矣」，直到「六義盡去矣」，對於如此每況愈下的「詩道崩壞」，詩人痛心不已，「忽忽憤發」，已臻寢食不安萬分焦慮之地步。詩人這般倡六義、復詩道的高度責任感，委實「兼濟天下」宏願之體現。

⓳　白居易：〈與元九書〉，《白氏長慶集》（文學古籍刊行社影宋本），卷45。

　　白居易結合儒家傳統的詩教觀，每每針對《詩經》具體篇章之分析，來凸現詩教的重要意義。其《策林六十九》云：

> 大凡人之感於事，則必動於情，然後興於嗟歎，發於吟詠，而形於歌詩矣。故聞〈蓼蕭〉之詩，則知澤及四海也；聞〈華黍〉之詠，則知時和歲豐也；聞〈北風〉之言，則知威虐及人也；聞〈碩鼠〉之刺，則知重斂於下也；……故國風之盛衰，由斯而見也；王政之得失，由斯而聞也；人情之哀樂，由斯而知也。然後君臣親覽而斟酌焉，政之廢者修之，闕者補之；人之憂者樂之，勞者逸之。所謂善防川者，決之使導；善理人者，宣之使言」。[20]

　　正因為白居易對《詩經》具有如此全面而深入的學習與理解，同時又深深體察到《詩經》無可替代的詩教功能，所以，他便竭力宣導學習《詩經》，大力弘揚《詩經》傳統。同時也可以證明，他與好友元稹等人以恢復《詩經》風雅「美刺」比興優良傳統為主要職能的新樂府詩之創作，有較為深廣的理論作為支撐。
　　元稹的論主張與白居易大體相似，只是元稹不及白居易之系統全面，亦無超越白居易之上的精闢觀點，但就與白居易詩學觀聲氣相投、形成合力而言，亦足以書而彰之也。其〈樂府古題序〉云：

> 《詩》訖于周，《離騷》訖于楚。是後詩之流為二十四名：賦、頌、銘、贊、文、誄、箴、詩、行、詠、吟、題、怨、歎、章、篇、操、引、謠、謳、歌、曲、詞、調，皆詩人六義之余，而作者之旨。[21]

　　對《風》《騷》文體的衍生發展概況作了比較客觀的說明，這是符合中國文體演變規律的。他充分肯定了《詩經》風雅「美刺」比興的詩教作用，認為：

---

[20]　白居易：〈策林六十九〉，《白氏長慶集》，卷48。
[21]　元稹：〈樂府古題序〉，《元氏長慶集》（四部叢刊本），卷23。

況自風雅至於樂流，莫非諷興當時之事，以貽後代之人，沿襲古題，唱和重複。文或有短長，於義咸為贅剩，尚不如寓意古題，刺美見事，猶有詩人引古以諷之義焉，曹、劉、沈、鮑之徒，時得如此，亦復稀少。近代唯詩人杜甫〈悲陳陶〉、〈哀江頭〉、〈兵車〉、〈麗人〉等，凡所歌行，率皆即事名篇，無復倚傍。予少時與友人樂天，李公垂輩謂是為當，遂不復擬賦古題。㉒

這裏，元稹特別凸出了杜甫自行創作的「即事名篇，無復倚傍」的新樂府詩，肯定它與《詩經》風雅「美刺」比興傳統的淵源關係，是一種反映現實、為政治服務的好詩體，值得仿效。

「文起八代之衰，實集八代之成」㉓中唐古文運動的領袖韓愈、柳宗元，由於他們的「文以載道」、「文以貫道」、「文以明道」的文學主張是建立在把古文運動與儒學復興運動相結合的基礎之上的，因此，他們給《詩經》以很高的評價，宣導學習《詩經》，並以此來指導自己的詩文創作。

韓愈認為，要使文道合一，必須學習儒家的經典，「行之乎仁之途，遊之乎《詩》《書》之源，無迷其途，無絕其源。」㉔承《詩》《書》中的思想，作為立行、立言的根本，這樣就能做到「本深而末茂，形大而聲宏，行峻而言厲，心醇而氣和，昭晰者無疑，優遊者有餘」。㉕《進學解》中，韓愈亦有類似的意見，其云：

沉浸醲郁，含英咀華，作為文章，其書滿家。上規姚姒，渾渾無涯；周誥、殷盤，佶屈聱牙；《春秋》謹嚴，《左氏》浮誇；《易》奇而法，《詩》正而葩；下逮《莊》《騷》，太史所錄，子雲、相如，同工異曲；先生之于

㉒　元稹：〈樂府古題序〉，《元氏長慶集》，卷23。
㉓　劉熙載：《藝概》卷1，《文概》，頁20。
㉔　韓愈：〈答李翊書〉，《昌黎先生集》（蟬隱廬影宋世彩堂本），卷16。
㉕　韓愈：〈答慰遲生書〉，《昌黎先生集》，卷15。

文，可謂閎其中而肆於其外矣。❷⑥

在這段話中，可特別注意對《詩經》的評價。韓愈「《詩》正而葩」之四字評，從
《詩經》雅正康健的思想內容與鮮明優美的藝術形式兩個方面給予了高度評價，而
《詩經》之「正」與「葩」又是如此完善地結合在一起，在歷代發揮著重要的詩教
作用。特別是鮮美可愛之「葩」的精妙比喻，體現了韓愈對《詩經》的極其崇愛之
深情。韓愈「《詩》正而葩」的評價，恰恰是其「文以載道」、文道合一文學主張
的生動體現，也正是韓愈所汲汲追求的古文創作之理想境界。既然有「正而葩」的
《詩經》典範樹立於前，那麼，又何不「取於心而注於手」，「養其根而俟其實，
加其膏而希其光。根之茂者其實遂，膏之沃者其光曄」，❷⑦這樣就能達到以復古為
革新的真正目的。自韓愈「詩正而葩」一出，人們便徑稱《詩經》為「葩經」，由
此可見《詩經》在時人心目中的地位和形象了。

　　韓愈的〈薦士詩〉是一首論述從《詩經》到孟郊的詩歌發展史的詩，開頭四句
論《詩經》云：「周詩三百篇，雅麗理訓誥。曾經聖人手，議論安敢到？」前二句
實即「《詩》正而葩」的意思。「雅」者，正也；「麗」者，美也，即葩也。「訓
誥」，即典範，法式。其意謂：《詩經》從內容到形式，都是後世詩人學習的典
範。後二句是說，因《詩經》經過孔子的刪述，它的雅正純美已　毋庸後人置喙，
突出了《詩經》崇高的地位。

　　宣導「文以明道」的柳宗元，十分注重文學作品對現關社會的褒貶和諷諭作
用，這與孔穎達《毛詩正義》所強調的風雅「美刺」比興的詩教功用是甚相呼應
的。其〈楊評事文集後序〉云：「文有二道，辭令褒貶，本乎著述者也；導揚諷
諭，本乎比興者也。……比興者流，蓋出於虞、夏之詠歌；殷、周之《風》
《雅》，其要在於麗則清越，言暢而意美，謂宜流於謠誦也。」❷⑧柳宗元對《詩

---

❷⑥　韓愈：〈進學解〉，《昌黎先生集》，卷 12。

❷⑦　韓愈：〈答李翊書〉，《昌黎先生集》，卷 16。

❷⑧　柳宗元：〈楊評事文集後序〉，《柳河東集》（上海市：上海人民出版社，1974 年 5 月），
　　卷 21。

經》風雅「美刺」比興的優良傳統給予了充分的肯定，同時著重指出《詩經》「導揚諷喻」是通過「麗則清越」、「言暢意美」、「宜於謠誦」的形式來實現的，這是後世「罕有兼者」的，「雖古文雅之盛世，不能並肩而生」。如此評價雖難免溢美之嫌，但卻表明他對於作品藝術性的高度重視。因為在柳宗元看來，「辭令褒貶」，如果「闕其文采，固不足以竦動時聽，誇示後學，立言而朽，君子不由也。」❷柳宗元所論於注重內容的基礎上注重文采的觀點，與孔子「言之無文，行之不遠」，杜甫「清詞麗句必為鄰」的主張是聲氣貫通的，在中國文藝思想史上都是應當值得肯定的。

韓、柳等人對屈宋及其作品的評價與推崇，主要表現在以下幾個方面：

其一，對屈原「發憤以抒情」說的承繼與發展。「發憤以抒情」一語見於屈原《九章·惜誦》。其開頭兩句云：「惜誦以致湣兮，發憤以抒情。所作忠而言之兮，指蒼天以為正。」詩人那種以蒼天作證的一腔忠誠，卻不為楚王所理解，反而「紛逢尤而離謗」，如此怨憤，焉能不發？屈原的「發憤以抒情」，不僅是一種情感表現，而且是屈騷感情的總體特徵，它已成為處於逆境中的人們之所以創作詩歌的帶有普遍性的理論概括。而屈原「發情以抒情」說的誕生，則是在先秦文學「發憤」氛圍影響下的一次集中而鮮明的體現。司馬遷云：

> 蓋西伯拘而演《周易》，仲尼厄而作《春秋》，屈原放逐，乃賦《離騷》，左丘失明，厥有《國語》，孫子臏腳，《兵法》修列，不韋遷蜀，世傳《呂覽》，韓非囚秦，《說難》《孤憤》，《詩》三百篇，大抵賢聖發憤之所為作也。此人皆意有所鬱結，不得通其道，故述往事，思來者。❸

加之司馬遷本人因李陵事件慘遭宮刑而發憤著《史記》，所有這些，皆形成了我國文人雅士「發憤以抒情」的「發憤說」的優良傳統。而韓愈則是在《詩經》、屈原《離騷》等「發憤說」的基礎上，又進一步提出了「不平則鳴」的「發憤說」，拓

---

❷　柳宗元：〈楊評事文集後序〉，《柳河東集》，卷21。

❸　司馬遷：〈太史公自序〉，《史記》，卷130。

展與豐富了屈原「發憤以抒情」的深刻內涵。其〈送孟東野序〉云：

> 大凡物不得其平則鳴，草木之無聲，風撓之鳴，水之無聲，風蕩之鳴，其躍也或激之，其趨也或梗之，其沸也或炙之。金石之無聲，或擊之鳴。人之於言也亦然，有不得已者而後言，其歌也有思，其哭也有懷。凡出乎口而為聲者，其皆有弗乎者乎！……凡載於《詩》《書》六藝，皆鳴之善者也。周之衰，孔子之徒鳴之，其聲大而遠。……其末也，莊周以其荒唐之辭鳴。楚，大國也，其亡也，以屈原鳴。……秦之興，李斯鳴之。漢之時，司馬遷、相如、揚雄，最其善鳴者也。**㉛**

在韓愈看來，那些「自鳴其不平」的作品，才是「善鳴者」，才是真文學。韓愈的好友柳宗元亦有類似「不平則鳴」的詩學觀，其云：

> 君子遭世之理，則呻呼踴躍以求知於世，而遁隱之志息焉。於是感激憤悱，思奮其志略以效於當世。故形于文字，伸於歌詠，是故有其具而未得行其道之為之也。婁君志乎道，而遭乎理之世，其道宜行，而其術未用，故為文而歌之。……余既困辱，不得預睹世之光明，而幽乎楚越之間，故合文士以申其致，將俟乎木鐸以間于金石。大凡編辭於斯者，皆太平之不遇人也。**㉜**

此段文字與韓愈〈送孟東野序〉、〈荊潭唱和詩序〉等文情意脈，前後相連，深化了韓愈「不平之鳴」、「愁思之聲」的觀點，也更強化了詩的審美怡情之作用。此外，柳宗元更以屈原之哀怨自比，訴說自身遭遇，則曰「哀如屈原」教人作文，也念念不忘要「參之《離騷》以致其幽」。這裏，柳宗元以一「哀」字，便概括了《楚辭》的基本內容；又以一「幽」字，濃縮了《楚辭》的藝術特徵。「哀」「幽」合而觀之，恰可作為韓愈「不平則鳴」以及他自己所說的「感激憤悱」的代

㉛ 韓愈：〈送孟東野序〉，《昌黎先生集》，卷 19。

㉜ 柳宗元：〈婁二十四秀才花下對酒唱和詩序〉，《柳河東全集》（四部備要本）。

名詞。柳宗元拈出「哀」、「幽」二字來評價屈騷，其藝術眼光之敏銳，語言概括之精當，足見於屈騷深愛與嫻熟到相當之程度。❸

　　其二，稱譽屈原為文章豪傑之士。韓愈曾經批評時下文章說：「夫所謂博學者，豈今之所謂者乎？夫所謂宏辭者，豈今之所謂者乎？誠使古之豪傑之士若屈原、孟軻、司馬遷、相如、揚雄之徒進於是選，必知其懷慚乃不自進而已耳」。❸柳宗元在〈吊屈原文〉中，不僅讚頌屈原「惟道是就」，「服道以守義」，而且非常推崇屈騷：「先生之貌不可得兮，猶仿佛其文章；托遺稿而歎喟兮，渙余涕之盈眶。」❸對屈原之人品與文品都極為推崇。

　　其三，充分肯定屈騷的文辭之美並仿效之。韓愈、柳宗元在論述學習為文時，都主張博取眾家，不遺《莊》《騷》。如韓愈《進學解》曰：「下逮《莊》《騷》，太史所錄，子雲、相如，同工異曲。」❸柳宗元亦云：「大都文以行為本，在先誠其中。其外者當先讀六經，次《論語》、孟軻書，皆經言；《左氏》、《國語》、莊周、屈原之辭，稍採取之」。❸柳宗元貶謫期間，他還不厭其煩地反復誦讀《離騷》作品，所謂「投跡山水地，放情詠《離騷》」（〈游南亭夜還敘志七十韻〉）是也。他還擬屈原之《天問》而作《天對》，在柳宗元貶謫永州、柳州期間，對屈騷更是追慕仿作不已。《舊唐書》本傳云：「宗元少聰警絕眾，尤精西漢

---

❸ 在中國文學「發憤說」傳統的鏈條上，韓愈的「不平則鳴」說，對於屈原的「發憤以抒情」詩學主張具有承前啟後、繼往開來的重要意義。宋代歐陽修的「詩窮而後工」的理論主張則又是對韓愈「不平則鳴」說的深化與發展。至於「詩能窮人窮者工」（袁宏道《贈陳正夫》）與「國家不幸詩家幸」（趙翼《題元遺山集》）的詩學觀，以及劉鶚所說的「《離騷》為屈大夫之哭泣，《莊子》為蒙叟之哭泣，《史記》為太史公之哭泣，《草堂詩集》為杜工部之哭泣；李後主以詞哭，八大山人以畫哭；王實甫寄哭泣於《西廂》，曹雪芹寄哭泣於《紅樓夢》」的詩文「哭泣論」等等，無疑又是歐陽修「詩窮而後工」理論主張在不同時代的思想折光。

❸ 韓愈：〈答崔立之書〉，《昌黎先生集》，卷16。

❸ 柳宗元：〈吊屈原文〉，《柳河東集》（上海市：上海人民出版社，1974年），卷19。

❸ 韓愈：〈進學解〉，《昌黎先生集》，卷12。

❸ 柳宗元：〈報袁君陳秀才避師名書〉，《柳河東集》，卷34。

《詩》《騷》，下筆構思與古為侔，精裁密緻，燦若珠貝，當時流輩咸推之。」**㊳**
柳宗元如此認真地仿作騷體，一則愛慕屈原節操之峻潔與屈騷文體之華美；二則借
助於哀怨悱惻、唱歎往復、易於抒情的騷體之文以抒發自己壓抑憤懣之情；三則受
楚人好作楚辭、喜吟楚歌的地方文化傳統之影響，故柳宗元所仿騷體詩遂多矣。

　　被杜牧稱之為「騷之苗裔」**㊴**李賀，在唐代詩人中堪列于「祖騷」之冠，他的
崇騷情結甚為濃厚，對優美哀豔的《楚辭》極為崇慕，並竭力仿效之。其〈傷心
行〉云：「咽咽學楚吟，病骨傷幽素。」〈南園〉云：「坐泛楚奏吟招魂。」甚至
連出行也要「楚辭系肘後」。（〈贈陳商〉）由於他對《楚辭》是如此之鍾愛，仿
作是如此之眾多，因此，他乾脆稱其詩乃是「斫取清光寫楚辭」（〈昌穀北園新
筍〉其二）。此外，李賀對《楚辭》多有精到的贊評，稱《九章》云：「其意悽
愴，其詞瓌瑰，其氣激烈」。**㊵**正如葉蔥奇所稱譽的那樣：「綜合唐代最傑出的詩
人來說，不管所謂『初唐』的大名家如陳子昂、張九齡等，或是『盛唐』的李白、
杜甫等，以及其餘許多名詩人，他們的作品有摹擬古歌謠、古樂府的，有仿效漢、
魏兼及陶（潛）、謝（靈運）、庾（信）、鮑（照）的，而專學『楚辭』，真能吸
取它們精華，獲得它的神髓的，卻只有李賀」。**㊶**的確如此。

　　要之，中唐詩人元、白等寫實派、通俗派作家多崇尚《詩經》，古文運動的領
袖人物韓、柳等《風》《騷》並重，多提倡風雅「美刺」比興，而作為貶謫詩人
韓、柳，崇《騷》之情則更為濃郁。由於受漢儒以「經」評「騷」的思維模式之影
響與本身理解之偏差，古文運動的先驅者柳冕等則將「驚采絕豔」的《楚辭》視為
齊梁浮豔遺風的根源而力加擯棄；至於孟郊等人，則又對屈原的德操產生了懷疑並
嚴加批判，此乃中唐詩人承傳《風》《騷》大合唱中的別調，從中略可窺探《風》
《騷》在中唐詩壇承傳的全面而真實的狀況。

㊳　劉煦：《舊唐書》，卷 160。

㊴　杜牧：〈李賀集序〉，《樊川文集》（四部叢刊本），卷 10。

㊵　蔣之翹：《七十二家評楚辭》，見馬茂元主編：《楚辭評論資料選》（武漢市：湖北人民出
　　版社，1985 年），頁 435。

㊶　葉蔥奇編訂：《李賀詩集》，〈李賀詩集‧後記〉（北京市：人民文學出版社，1959 年），
　　頁 394－395。

四、晚唐《風》《騷》精神之評價

中晚之際，藩鎮跋扈，戰亂頻仍，民生凋敝；朝廷內部，南司北司與朝臣黨爭複雜激烈，唐王朝政局險象環生，日薄西山。尤其是晚唐後期至五代時期，由於農民大起義和藩鎮叛亂紛爭加劇等因素，唐朝國勢已瀕臨崩潰之地。不少有良心、有責任、有識見的文人，關心國計民生，憂心忡忡，他們似乎比以往任何時候都更注重詩文要諷諭社會、發揮救時濟世的積極作用。因此，《風》《騷》的風雅精神和「美刺」比興之手法尤受重視。

李德裕對《風》《騷》感情頗深，曾將《風》《騷》喻之為「靈物」，其《文章論》云：

> 世有非文章者曰：辭不出於風雅，思不越於《離騷》，摸寫古人，何足貴也？余曰：譬諸日月，雖終古常見，而光景常新，此所以為靈物也。❷

這裡揭示出一個重要的為文之道，即：要善於學習《風》《騷》精神，既要「入乎其內」，又要「出乎其外」，與時俱進，融入自己，常學常新，如此文章，方能成為像《風》《騷》那樣的真正之「靈物」。此真乃善學《風》《騷》者也。

杜牧一生抱負很大，但壯志難酬，其遭遇與屈原頗為相似，情感上甚易與屈原產生共鳴，其〈題武關〉詩云：

> 碧溪留我武關東，一笑懷王跡自窮。
> 鄭袖妖嬈酣似醉，屈原憔悴去如蓬。
> 山牆谷塹依然在，弱吐強吞盡已空。
> 今日聖神家四海，戍旗長卷夕陽中。

通過史實之比較，對楚懷王昏聵無能聽信鄭袖、不顧屈原之勸告而最終導致國破身

---

❷　李德裕：〈文章論〉，《李文饒文集外集》（四部叢刊本），卷3。

亡之事，給予了強烈的諷刺，而對於屈原的遭遇，則深表同情。他十分注重向屈宋學習，所謂「高摘屈宋豔，濃薰班馬香」。（〈冬至日寄小侄阿宜詩〉）對於屈原的代表作《離騷》之作用與價值，杜牧體會尤深，云：「《騷》有感怨刺懟，言及君臣理亂，時有以激發人意」。❹充分肯定了《離騷》有助於「君臣理亂」、「激發人意」的重要意義，評價極高。他還通過對李白、杜甫詩歌的稱頌來強調《風》《騷》精神對李、杜詩歌的沾溉之功，其《雪晴訪趙嘏街西所居》云：「命代風騷將，誰登李杜壇。少陵鯨海動，翰苑鶴天寒」。杜牧崇尚李、杜，更崇尚李、杜承繼《風》《騷》而善於學習的可貴精神，可見，《風》《騷》在杜牧心目中地位之重要。

對於《風》《騷》精神，李商隱多有推崇者。其云：

> 況屬詞之工，言志為最，自魯毛兆軌，蘇李揚聲，代有遺音，時無絕響，雖古今異制，而律呂同歸。……某比興非工，顓蒙有素，然早聞長者之論，夙托詞人之末，淹翔下位，欣托知音。❹

李商隱甚重「詩言志」的詩學綱領與傳統，而最早最集中體現「詩言志」優良傳統者則是《詩經》，即所謂「魯毛兆軌」是也。「魯毛」，即《魯詩》、《毛詩》，在這裏代指《詩經》。從《詩經》代代承傳的歷史事實中，詩人看到了它的思想價值與文學魅力，並慶倖自己學習《詩經》比興手法而大有「欣托知音」之感。李商隱是十分善於向前人學習的優秀詩人。屈原、杜甫、李賀乃至徐（陵）、庾（信）等都是他仰慕的對象，而宋玉對他的影響較之屈原則更為重要而直接。在李商隱的詩作中，常常提及宋玉，且每每暗喻自己。如〈席上作〉：「淡雲微雨拂高唐，玉殿秋來夜正長。料得也應憐宋玉，一生唯事楚襄王」。〈有感〉：「非關宋玉有微辭，卻是襄王夢覺遲。一自『高唐』賦成後，楚天雲雨盡堪疑。」〈楚吟〉：「山上離宮宮上樓，樓前宮畔暮江流。楚天長短黃昏雨，宋玉無愁亦自愁。」其中的宋

---

❹　杜牧：〈李賀集序〉，《樊川文集》，卷10。
❹　李商隱：〈獻侍郎巨鹿公啟〉，《樊南文集評注》（德聚堂重校本），卷3。

玉，實即詩人自謂也。李商隱推崇宋玉並自比，則是因為他能作賦對楚襄王進行諷諫。在宋玉微辭托諷創作手法的影響下，李商隱亦寫了不少類似的詩歌，如〈富平少侯〉、〈陳後宮〉、〈齊宮詞〉、〈隋宮〉、〈賈生〉、〈宮妓〉、〈夢澤〉等等。沈德潛在評價此此類詩歌時說：「襞績重重，長於諷喻。中多借題擫抱，遭時之變，不得不隱也」。❹所論極是。

　　晚唐詩人多強調詩歌創作的詩教功能，突出風雅「美刺」比興之作用。與杜牧、李商隱同時的顧陶所輯《唐詩類選》「自序」云：

> 在昔樂官采詩而陳于國者，以察風俗之邪正，以審王化之興廢，得芻蕘而上達，萌治亂而先覺，詩之義也，大矣遠矣。肇自宗周，降及漢魏，莫不由政治以諷諭，系國家之盛衰，作之者有犯而無諱，聞之者傷懼而鑒誡，寧同嘲戲風月，取歡流俗而已哉！❻

這些強調詩教功能的主張，由《禮記·樂記》、《毛詩序》以及白居易〈與元九書〉所宣導的「風上化下」之思想遙相呼應，體現了《詩》六義「大矣遠矣」之詩教功能在晚唐詩壇的重要性。

　　在晚唐詩人中，全面認識與竭誠推崇屈原及共作品者，當推皮日休。他充分肯定屈原的愛國主義精神，其〈悼賈序〉云：

> （賈誼）辭曰：「瞜九州而相君兮，何必懷此故都？」噫！余釋生之意矣。當戰國時，屈平不用於荊，則有齊、趙、秦、魏矣，何不舍荊而相他國乎？余謂平雖遭靳尚、子蘭之讒，不忍舍同姓之邦，為他國之相，宜矣。❼

---

❹　沈德潛：《說詩晬語》（青照堂叢書本），卷上。

❻　顧陶：《唐朝詩類選》〈自序〉，《全唐文》（上海市：上海古籍出版社，1990 年縮印本），卷 765。

❼　皮日休：〈悼賈序〉，《皮子文藪》（四部叢刊本），卷 2。

對屈原不忍離開楚國之原因的分析頗合情理，對屈原的愛國主義精神給予了極高的評價，這些意見，為後來的楚辭學者洪興祖等人所重視。由於屈原愛國戀鄉而遭受讒諂，因此皮日休評價《離騷》則與主怨派一脈相承。〈九諷系述序〉云：

> 在昔屈平既放，作《離騷經》，正詭俗而為《九歌》，辨窮愁而為《九章》。是後詞人摭而為之，皆所以嗜其麗詞，撢其逸藻者也。至若宋玉之《九辨》、王褒之《九懷》、劉向之《九歎》、王逸之《九思》，其為清怨素豔，幽抉古秀，皆得芝蘭之芬芳，鸞鳳之毛羽也。然自屈原以降，繼而作者，皆相去數百祀，足知其文難述，其詞罕繼者矣。
>
> 大凡有文人不擇難易，皆出於毫端者，乃大作者也。揚雄之文，丘、軻乎？而有《廣騷》也；梁竦之詞，班、馬乎？而有《悼騷》也。又不知王逸奚罪其文，不以二家之述為《離騷》之兩派也。昔者聖賢不偶命，必著書以見志，況斯文之怨抑歟？**㊽**

詩人把「不偶名」而著《離騷》的屈原尊為「聖賢」，完全認同屈原「發憤以抒情」的詩學主張，這是對屈原《楚辭》哀怨精神的充分肯定，詩人實乃屈原千古知音。

　　晚唐詩人大多以屈、杜並稱，這一現象頗值得注意。徐介〈耒陽杜工部祠堂〉云：「手接汨羅水，天心知所存。固教工部死，來伴大夫魂。流落同千古，風騷共一源、消疑傷往事，斜日隱頹垣。」裴說〈經杜工部墳〉云：「騷人久不出，安得國風清？擬掘孤墳破，重教大雅生。皇天高莫問，白酒恨難平。悒怏寒江上，誰人知此情？」晚唐詩人往往屈、杜並稱致以敬慕的原因大致有四：第一，屈、杜所處的政治形勢有相似之處。屈原所在的楚懷王、楚襄王時期，昏君佞臣，沆瀣一氣，朝綱敗壞，內憂外患，危在旦夕。一旦楚國都城郢為秦攻破之後，詩人哀痛欲絕，悲悼萬分，為國破家亡而痛灑愛國之淚；杜甫處在唐代由盛轉衰的緊要關頭，君臣腐敗，危機四伏，詩人憂心如焚，寢食不安。杜甫「窮年憂黎元，歎息腸中熱」的

㊽　皮日休：〈九諷系述序〉，見《皮子文藪》，卷2。

詩歌精神與屈原「哀民生之多艱」的「憂愁幽思」情懷甚相一致。第二，晚唐詩人
所處時代之昏暗衰敗景象與屈、杜所處時代之狀況頗多相似之處，許多有識之士自
然懷有深厚的愛國情愫，因此，很容易與屈、杜的愛國精神產生共鳴。第三，屈原
自投于汨羅，杜甫安葬于耒陽，兩地相距較近，由地域關係觀之，很容易使人將
屈、杜聯繫起來加以追念與推崇。第四，杜甫生前非常推重屈原的人格精神與「驚
采絕豔」的辭賦創作，所謂「縱使盧王操翰墨，劣于漢魏近風騷」（〈戲為六絕
句〉之三）、「竊攀屈宋宜方駕，恐與齊梁作後塵」（〈戲為六絕句〉之五）是
也。總之，是晚唐社會風雨飄搖的政治形勢與晚唐詩人憂國憂民的愛國情愫，激發
起他們對屈、杜多所追懷並共所敬仰的深厚感情。

　　晚唐時期除出現屈、杜並稱的現象之外，增修屈原祠堂並題寫銘、記的現象也
普遍產生，屈原的地位迅速提高。李商隱的岳父王茂元於南方作官時曾增修屈原祠
堂，並作〈楚三閭大夫屈先生祠堂銘〉，稱頌屈原「義特百夫，文橫千古，其忠可
以激俗，其清可以厲貪」。[49]此銘僅二十字，就把屈原之道義、文采、忠誠、清廉
等德才兼備之優秀傳統概括殆盡，崇仰之情，溢於言表。蔣防《汨羅廟記》云：
「三閭懷沙，良可痛哉！然三閭者以大忠而揭大文，沉吟楚澤，哀鬱自贊，爰興褒
貶，六經同風。」[50]這裏，已堂堂正正地將屈騷等同於六經的地位了，屈騷之身價
陡然增高。陸龜蒙亦將屈宋辭賦與「風雅」共美之，其云：「《離騷》既日月，
《九辯》即列宿。卓哉悲秋辭，合在風雅右」。（〈讀襄陽耆舊傳因作詩五百言寄
皮襲美〉）與此前人們對屈騷褒貶參半的是非論爭相比，此時的屈騷所獲得的幾乎
是異口同聲的讚美之辭了。天佑元年（904）九月二十九日，唐哀帝李柷詔封屈原
云：

　　　楚三閭大夫屈原，正直事君，文章飾已。當椒蘭之是佞，俾蕙茝之不香；顯
　　　比干之赤心，躡彭咸于綠水。雖楚煙荊雨，隨強魄於故鄉，而福善禍淫，播
　　　明靈於巨屏。名早流於竹素，功有蓋於州閭。爰表厥封，用旌良美，宜封為

---

[49]　王茂元：〈楚三閭大夫屈先生祠堂銘〉，《全唐文》，卷684。
[50]　蔣防：《汨羅廟記》，《全唐文》，卷719。

昭靈侯。❺⓵

哀帝下詔勒封屈原為昭靈侯，旨在激發朝臣忠君愛國之精神，並藉以號召四方諸侯同心協力以抗擊朱溫，然而唐王朝大勢已去，狂瀾既倒，無力挽回。三年之後，唐朝覆亡。儘管如此，哀帝勒封屈原為昭靈侯之事，畢竟是晚唐屈騷接受的一個頗為亮麗的句號，也是有唐一代屈騷論爭的一個頗為圓滿的小結。

回望唐代初、盛、中、晚四個時期詩壇評說《風》《騷》精神的歷程，考察有唐一代政治形勢與文學思潮的起伏變動之況，我們大致可勾勒出唐代四期《風》《騷》命運狀況圖：

分期 詩別	初唐	盛唐	中唐	晚唐
《風》	宣導風雅興寄（陳子昂最力）	別裁偽體親風雅（李杜代表）	《詩》正而葩（韓愈），本乎比興（柳宗元）。	頌美風刺（吳融）；潤國風，廣王澤（杜荀鶴）。
《騷》	四傑貶《騷》，以為齊梁浮豔遺風之源。	屈宋方駕（杜甫）；屈平詞賦懸日月（李白）；「投汨笑古人」之偏見（李白）	由屈原「發憤以抒情」到韓愈「不平則鳴」；文章豪傑之士；文辭之美。	風騷共一源（徐介）；哀帝封屈原為昭靈侯。

由上列《風》《騷》命運圖可知，《詩經》由於具有光耀千秋、萬世不滅的政治光環，其命運在整個唐代都是幸運的，它始終被人們作為對抗齊梁浮豔詩文與形式主義創作傾向的正面形象而加以宣導和推崇的。他已成為反映社會現實、關心民生疾苦、化下風上、實現詩教功用的方向盤和指路燈，從初唐陳子昂詩歌革新「風雅興寄」的吶喊，盛唐杜甫「別裁偽體親風雅」的創作實踐，中唐元稹、白居易寫實派、古文運動領袖韓愈、柳宗元風雅「美刺」比興的積極宣導，直到晚唐皮日休，陸龜蒙等人「頌美諷刺」的文學主張，《詩經》一路氣宇軒昂，倍受人們的青

---

❺⓵　李枕：《封屈原勒》，《全唐文》，卷93。

睞與追慕。而屈宋及其《楚辭》作品，在唐詩的進程中，其命運並非像《詩經》那樣一路綠燈，在初唐四傑與中唐古文運動的先驅者李華、柳冕等眼裏，「精采絕豔」的屈騷則成了必須摒棄的齊梁浮豔詩風的罪惡之源，乃至是「亡國之音」，就連李白在稱頌「屈平詞賦懸日月」的同時，對屈原的自沉汨羅的壯舉亦扔持有「投汨笑古人」之偏見。不過，儘管在唐詩的進程中不時聽到批判、斥責屈宋之聲，但是，我們亦仍然清晰可聞杜甫「竊攀屈宋宜方駕」以及「不平則鳴」的屈騷遺音。直到晚唐屈宋及其屈騷才得到人們異口同聲的稱頌與讚美，並取得「風騷共一源」的認同，尤其是屈原為唐哀帝詔封為昭靈候之後，屈原形象之高大，則更是達到了空前的地步。

經 學 研 究 論 叢
第 十 七 輯　頁145～168
臺灣學生書局　2009 年 12 月

《詩經》之域外英譯
——以《國風‧邶風‧靜女》的
四種譯本為例

鄭惠雯*

　　本文嘗試對《詩經》的域外譯介現象作一初步介紹，試圖勾勒《詩經》外譯輪廓，主要關注的問題為原作與譯作之間呈現何種對話關係，因為此譯介活動牽動中國的經學詮釋系統與西方的文史哲傳統。然因閱歷及語言所限，難以盡觀，故此處仍以英譯為評述重心，此處討論的四個英譯本依出版年代先後，分別出自理雅各（James Legge）❶、韋利（Arthur Waley）❷、高本漢（Bernhard Karlgren）❸及龐德（Ezra Pound）❹之手筆。

　　此四人皆為西方所熟知的《詩經》英譯者，將《詩經》三百零五首介紹給西方

＊　鄭惠雯，臺灣大學外國語文學系博士生。

❶　James Legge, *The She King. The Chinese Classics*, Vol.4. (Hong Kong: Hong Kong University Press, 1960).

❷　Arthur Waley, *The Book of Songs* (New York: Grove Press, 1960).

❸　Bernhard Karlgren, "The Book of Odes: Kuo feng and Siao ya," *Bulletin of the Museum of Far Eastern Antiquities*, Vol.16 (1944):171-256.

❹　Ezra Pound, *Shih-ching: the Classie Anthology Defined by Confucius* (Massachusetts: Harvard University Press, 1976).

讀者，譯本各有特色。大陸學者馬祖毅的《漢籍外譯史》❺以及英國學者彼得・法蘭斯（Peter France）主編之《牛津英語翻譯文學指南》❻均對《詩經》歷來英譯本提供綜合介紹，也都肯定四人於詩經譯介過程扮演重要角色。香港學者黃兆傑與李家樹則從《詩經》原文傳統出發，比較理雅各、韋利以及高本漢三人譯本，聚焦於譯者翻譯策略是否符合原文特色。❼本文嘗試整合外部研究與文本研究，因此除了譯文討論之外，四名譯者將《詩經》移植到異時空、異文化的歷史背景、產生何種效果等亦為討論重點。第一部分為《詩經》域外英譯梗概介紹，第二部分探討四個英譯本的整體特色，包括譯者為何翻譯《詩經》、如何翻譯、譯作在譯語文化裡引起何種迴響等。第三部分回溯中國經學詮釋傳統中〈靜女〉的題旨、字義、名物之訓釋，以求綜合，作為譯文與原文的比較基礎。最後再以《國風・邶風・靜女》一詩為例，評述譯者的詮釋異同，驗證譯本特色。

一、《詩經》域外英譯概述

　　《詩經》的西傳與明末清初耶穌會來華傳教有密切關係，耶穌會士在中國協助修曆法，帶來西方的科學，也帶回中國的古典經籍，《詩經》也是首批外譯的經典。明熹宗天啟六年（1626 年），法籍傳教士金尼閣（Nicolas Trigault, 1577-1628）以拉丁文譯五經《易》、《詩》、《書》、《禮》、《春秋》，這是中國經籍最早的西譯本。清康熙末年，法籍神父馬若瑟（Joseph-maria de Premare，1698 年來華）亦節譯過《孔夫子的詩經》（*Confucii She-king, sive Liber Carminum*），在歐洲十分流行。❽清乾隆時期，法國耶穌會神父孫璋（Le P. Lacharme, 1695-1767）於一七三三年將《詩經》譯為拉丁文，不過其手稿一直到一八三〇年才得付梓，此為在

---

❺　馬祖毅、任榮珍：《漢籍外譯史》（武漢市：湖北教育出版社，2003 年）。

❻　Peter France ed., *The Oxford Guide to Literature in English Translation* (New York: Oxford University Press, 2000).

❼　Wong Sin-kit & Li Kar-shu, "Three English Translations of the *Shijing*," *Renditions* 25 (Spring 1986).

❽　馬祖毅：《中國翻譯簡史：「五四」運動以前部分》（北京市：中國對外翻譯出版公司，1984 年），頁 180－211。

歐洲發行的第一本《詩經》全譯本，也使《詩經》陸續譯為法、德、俄語等。因此《詩經》的英譯到十九世紀中葉後才在西方出現，殖民勢力的擴張，人類學、漢學、語言學等在西方興起，再加上一些其他文化因素，諸多西方漢學家、詩人也紛紛投入《詩經》翻譯。❾

　　前述《牛津英語翻譯文學指南》將中國古典詩的英譯分為三個時期：十九世紀末、二十世紀初至二十世紀中葉、二十世紀中葉至今，認為二十世紀上半葉為中國古典詩作的譯介高峰期，譯作品質最佳，二十世紀中葉以後的《詩經》翻譯多是學術殿堂裡的漢學家所為，文學成就或美學價值均不如之前的譯本。❿以下《詩經》域外重要英譯本的出版情形似乎反映了這種觀察：西方的《詩經》英語全譯本確實集中出現在二十世紀初至中葉，在那之後的《詩經》英譯均為介紹性質居多，選譯幾首收錄於大學出版社出版之文學選集。⓫也有一些集子不另行重譯，直接收錄之前的譯本，例如在西方流行多年的希瑞・白之（Cyril Birch）所編《中國文學選集》所採用的《詩經》譯本便是出自韋利與龐德手筆，更加奠定兩人《詩經》英譯的經典地位。⓬十九世紀中葉後至二十世紀中的重要域外英譯本如下：

出版年	譯者	譯本	形式
1871	James Legge	*The Chinese Classisc:* *The She King or The Book of Poetry*	全譯，英漢對照
1891	William Jennings	*The Shi King*	選譯，英語單語
1919	Marcel Granet	*Festivals and Songs of Ancient China (Fêtes et*	選譯，英語單語

---

❾　馬祖毅、任榮珍：《漢籍外譯史》，同註❺，頁 49。

❿　Peter France ed., *The Oxford Guide to Literature in English Translation* (New York: Oxford University Press, 2000), pp.224-231.

⓫　如 Burton Watson ed., *The Columbia Book of Chinese Poetry: From Early Times to the Thirteenth Century* (New York: Columbia University Press, 1984). 又如 Victor H. Mair ed., *The Columbia Anthology of Traditional Chinese Literature* (New York: Columbia University Press, 1994). 或如 Stephen Owen, *An Anthology of Chinese Literature: Beginnings to 1911* (New York: W.W. Norton & Company, 1996).

⓬　Cyril Birch ed., *Anthology of Chinese Literature: From Early Times to the Fourteenth Century* (New York: Grove Press, Inc., 1967).

	（E.D. Edwards 英譯）	*chansons anciennes de la Chine)*	
1937	Arthur Waley	*The Book of Songs*（1952 年再版）	全譯，英語單語
1950	Bernhard Karlgren	*The Books of Odes*	全譯，英語單語
1955	Ezra Pound	*The Classic Anthology Defined by Confucius: Shih-Ching*	全譯，英語單語

　　班雅明（Waiter Benjamin）於〈譯者的任務〉一文中將譯作比為原作的「後世」（afterlife），認為翻譯一方面讓原作在異地延續其生命，另一方面也為譯語注入新血。❸《詩經》經過了兩千六百多年，也在海外異地有了後世，而且還享有諸多後世，從十七世紀中葉《詩經》拉丁文節譯本付梓以來，《詩經》在西方已譯為多種語言，以形式而言，這些不同譯本有全譯本、選譯本，或以單語呈現或以雙語對照；就內容而言，有些翻譯重視字義訓詁的翻譯，有些以純文學角度的翻譯，也有些凸顯音樂功能。本文接下來欲討論的四種譯本，正好可以讓吾人得以觀察從西方教會來華傳教、漢學及語言學興起、英美意象派文學運動等重要歷史脈絡下，《詩經》原作擁有何種不同面貌的後世。

二、譯本特色分析

　　以下探討四名譯者翻譯《詩經》之目的與背景，他們在序言、譯註或譯文中如何展示其翻譯，又如何否定或肯定前人翻譯，這些都可以讓我們對譯本有更深入的認識，並從中得知每位譯者最關注之事為何。

㈠**理雅各的** *The Chinese Classics: The She King or The Book of Poetry*

　　理雅各與許多十九世紀的西方傳教士一樣，來華傳教、教書，同時也翻譯中國經籍，除《詩經》外，也翻譯《論語》、《大學》、《中庸》、《孟子》、《尚書》、《春秋》、《左傳》，努力在基督教傳統與中國文史哲傳統之間取得聯繫，

---

❸ Walter Benjamin, "The Task of The Translator," in *Illuminations: Walter Benjamin*, ed. Hannah. Arendt (New York: Schocken Books, 1978), pp.69-82.

間接帶動漢學的發展，也因為他的翻譯對西方漢學貢獻很大，有西方學者甚至將一八七三年至一八九七年間封為「漢學史上的理雅各年代」。⓮理雅各的經籍翻譯計畫龐大，獲得英商查頓（Joseph Jardine）的資助印行，倫敦耶穌會也對此計劃予以支持，由機構內教士協助校對。此外，中國儒生王韜（1828－1897）的佐譯也對理雅各英譯經籍有相當的幫助，王韜整理歷來各家注疏供理雅各參考。⓯

理雅各的《詩經》譯序反映出他認真理解中國經籍的態度，他雖然參考孫璋的拉丁譯本，但也批評該譯本「大有問題」，所附註解不足，而且過於簡短，因此他期許自己達到「專精學者」的水準，譯作能獲「可信譯本」之美名流傳後世。⓰理雅各在譯詩之前有長達一百八十二頁的〈緒論〉（"Prolegomena"）⓱，仔細地討論《詩經》的編纂、流傳、〈大序〉、〈小序〉作者、音韻、字義、詩作價值等問題，並將〈大序〉、〈小序〉一併英譯，全書採漢英對照的形式呈現，每首詩均根據毛《序》及朱熹《詩集傳》的詮釋說明詩旨、解釋字義，並附上個人譯註與結論。

他並英譯《孟子‧萬章》名句：「故說詩者，不以文害辭，不以辭害志。以意逆志，是為得之。」以此作為自己的翻譯理念：

Therefore those who explain the Odes, may not insist on one term so as to do violence to a sentence, nor on a sentence so as to do violence to the general scope. They must try with their thoughts to meet that scope, and then we shall apprehend it.⓲

⓮　Norman J. Girardot, *The Victorian Translation of China: James Legge's Oriental Pilgrimage* (Berkeley and Los Angeles: University of California Press, 2002).

⓯　馬祖毅、任榮珍：《漢籍外譯史》，同註⓯，頁 54－55。

⓰　Legge, "Preface," pp.v-vi.

⓱　"Prolegomena"在西方傳統特別指介紹或詮釋長篇作品之前所寫的正式論文或批評。

⓲　James Legge, *The Works of Mencius. The Chinese Classic* Vol.2 (Hong Kong: Hong Kong University Press, 1960), p.iv.

就理雅各對孟子此言的理解來看，他傾向將原作語篇看成三個層次，最高層次為原作整體題旨，其次為句子，再次之為字義的訓解，譯者的最終任務在於讓自己的意思符合原作題旨。❶而關於鳥獸草木之名物處理，理雅各表示盡力為之，雖仰賴日籍學者與英籍生物學家的協助，但仍有一些名物無法確定，還望假以時日更多深入中國內地的漢學家能夠提供解答。❷

　　另外值得討論的面向是理雅各譯本受基督教思想的影響，他的身分以及所代表的機構都難與西方基督教傳統脫鉤，他們翻譯中國經籍的目的之一便是想從這些典籍中尋找中西融通對話的可能。❷甚至，許多教士在詮釋中國典籍之時，傾向附會上帝的概念，或是將中國的宗教辭彙等同於基督教概念。❷理雅各也不例外，他認為古時的中國先民已知上帝的存在，認為《詩經》等典籍中出現的「帝」字可等同於「上帝」，因此英譯時應譯為「God」。❷例如《詩經・大雅・蕩》一詩，首章二句「蕩蕩上帝，下民之辟」的「上帝」，理雅各便作如此英譯，但是他也不得不在譯註中說明，此詩是字面批評上帝，其實暗指人類因未能遵信上帝旨意才造成種種不幸。❷

㈡**韋利的** *The Book of Songs*

　　韋利的英譯在西方相當受歡迎，是公認的《詩經》翻譯大家。他的譯本於一九三七年出版，一九五二年再版，一九六○年再出紀念版，本文討論的韋利〈靜女〉英譯便取自一九六○年紀念版第四刷，多少可看出韋利譯作受歡迎的程度。韋利譯

---

❶　「以意逆志」的「逆」字有諸多說法，此處理雅各譯採「符合」之意。

❷　Legge, "Preface," *The She King. The Chinese Classics*, Vol.4. (Hong Kong: Hong Kong University Press, 1960), pp.v-vi.

❷　John K. Fairbank, "Introduction: The Place of Protestant Writings in China's Cultural History," in *Christianity in China*, ed. Suzzanne Wilson Barnett et al. (Cambridge, Massachusetts & London: Harvard University Press, 1985), pp.1-18.

❷　Jean-Paul Wiest, "Understanding Mission and the Jesuits' Shifting Approaches Toward China," in *Missionary Approaches and Linguistics in Mainland China and Taiwan*, ed. W.Y. Ku (Leuven: Leuven University Press, 2001), pp.35-58.

❷　Legge, pp.131-133.

❷　Legge, p.505.

本與其他譯本最大的差異是，他大刀闊斧地改動《詩經》結構，將三百零五首詩打散，根據他自訂的十七個主題重新編排順序，這十七的主題分別是：Courtship（情詩）❿、Marriage（婚愛）、Warriors and Battles（將士與征戰）、Agriculture（農事）、Blessings on gentle folk（祝福）、Welcome（迎賓）、Feasting（筵席）、The clan feast（宗族宴飲）、Sacrifice（祭祀）、Music and dancing（音樂舞蹈）、Dynastic songs（各朝頌歌）、Dynastic legends（各朝傳說）、Building（工事）、Hunting（狩獵）、Friendship（友誼）、Moral pieces（道德訓誡）、Lamentations（憂憤感時）。韋利當然知道此舉恐招批評，向讀者說明他並非不想保持原來架構，但是基於出版目的，他認為以主題分類的優點大過竄改毛《詩》順序的罪名，故仍為之。❷

　　韋利所謂的出版目的，指的應該是以文學為目的，介紹古中國的民謠給當代西方讀者。但不論如何，他的分類已無異於與中國經學傳統做出劃分。他也於附錄中提及傳統經學的詮釋問題，他認為《詩經》因為政教之故得以流傳後世，可是情詩和婚戀詩等與政教關係不大者，都是注疏家從寓言（allegory）的角度加以附會。❷換言之，他認為這些詩本質上都是不折不扣的情詩與婚戀詩。❷例如，《國風・檜風・隰有萇楚》一詩，毛《序》指此詩為人民疾君主之淫恣，當代學者的注解認為是傷時之詩，但是在韋利的分類之下，這首詩卻是一首情詩，歸入「Courtship」一類詩作。❷

　　對於其他《詩經》譯本，韋利也有一些討論。他在序言中直言自己與高本漢在見解上有多處扞格，他的譯本一九五二年再版之前，曾參考過高本漢譯本，他稱高本漢的翻譯為「直譯」（word-for-word translation），可是認為自己有許多地方都

---

❿ 此主題之下又細分為 Secret Courtship, Separation・Hopeless Passion, Broken Faith, Desertion・Love-suits, Love-suits 五個子題。

❷ Waley, "Introduction," p.18.

❷ 筆者根據上下文研判，此處韋利所謂的「寓言」應為西方最典型的定義，即「寓真義於表面故事」。

❷ Waley, "Appendix I: The Allegorical Interpretation," pp.335-337.

❷ Waley, p.21.

不同意高本漢的說法，儘管他能直接點出高譯文有誤之處並不多。❸他褒揚葛蘭言（M. Granet, 1884-1940）的譯本恢復情詩本質，另外顧賽芬（Séraphin Couvreur, 1835-1919）的法譯本如實地遵守朱熹的註解，為理解《詩經》不可或缺的材料，反觀理雅各譯本混用漢朝經學家與朱熹的詮釋，再以己意淡化二者，反而無用。❸韋利對其他譯者的評語再度觸及西方詮釋者如何看待中國經籍的問題，是否從西方文學角度切入，視《詩經》為單純的詩文學，抑或是將翻譯奠基於中國經學傳統之上，端賴譯者的選擇。

　　顯然，韋利的選擇是將原作「英語化」，儘管知曉《詩經》背後的中國經學傳統，他仍傾向以英美民謠詩作的手法將這些詩歌呈現給一般西方讀者，例如《詩經・齊風・雞鳴》前二章云：「雞既鳴矣，朝既盈矣。匪雞則鳴，蒼蠅之聲。東方明矣，朝既昌矣。匪東方則明，月出之光。」韋利的翻譯如下：

> The Lady: The cock has crowed;
> 　　　　　It is full daylight.
> The Lover: It was not the cock that Crowed,
> 　　　　　It Was the buzzing of those green flies.
> The Lady: The eastern sky glows;
> 　　　　　It is broad daylight.
> The Lover: That is not the glow of dawn,
> 　　　　　But the rising moon's light.❸

韋利將此詩歸入「Courtship」之下的「Secret Courtship」子題，逕自加上兩名對話者的身分，點明二人為情人關係，並以譯註向西方讀者說明此詩與歐洲的「晨曲」

---

❸　Waley, "Preface to the Second Edition," p.9.

❸　同註❸。

❸　Waley, p.37.

（alba）有異曲同工之妙。❸然而，西方的「晨曲」固然為地方民謠詩作，但通常描寫有夫之婦或有婦之夫另有情人，度過一夜良宵之後必須早起打道回府，以免戀情曝光，故名「晨曲」。韋利作如此類比顯然與中國詮釋傳統大不相同，《序》曰此詩為：「思賢妃，刺哀公。」朱熹《詩集傳》寫道此為：「古賢妃告誡於君」，清方玉潤則以為這是「賢婦警夫早朝也。」❸但不管是漢宋學者還是清人的詮釋，都與韋利的「晨曲」大異其趣。

三高本漢的 *The Book of Odes*

　　高本漢是西方公認成就極高的漢學家，對於中國文字、語法、音韻、古器物等的考證貢獻都備受推崇，高氏以語言學的角度系統化地對《詩經》作注釋❸，接著才翻譯詩文，因此他的譯本較像是為學術服務的，反映出他個人對《詩經》的詮釋及研究成果。高本漢於《詩經注釋》的序文裡說明自己的治《詩》方法，他認為研究《詩經》有兩層工作要做，一為決定難字難句的意義，二為讀通全文，解釋整篇的意思，因此他的《注釋》討論的就是重要異文、古代各家說法不一處、宋儒和舊注不同處、後代注家尤其是清代學者的新說法。而他與清儒不同的地方便在於，他希望匯集諸家的解說之後，以客觀科學的現代語言學方法加以抉擇，或另求合宜的解釋。❸

　　中譯《詩經注釋》的董同龢先生亦肯定高氏作法，認為此書代表二十世紀中期學術潮流的新進步，但是高氏的訓詁方法儘管精密科學，難免有其疏漏，董同龢於〈譯序〉中對高氏作如此評語：「我讀過而又譯完這部注釋，並沒有覺得高氏已能處處臻於完善……高氏在注釋中，似乎始終沒有怎麼利用語法的觀念來做字義詮釋

---

❸　Waley, p.36.

❸　〔清〕方玉潤撰，李先耕點校：《詩經原始》（北京市：中華書局，2006 年），頁 238。

❸　Bernard Karlgren, *Glosses on the Book of Odes*, a reprint of *Glosses on the Kuo Feng Odes, Bulletin of the Museum of Far Eastern Antiquities*, No.14, 1942; *Glosses on the Siao ya Odes, BMFEA*, No.16, 1944; *Glosses on the Ta ya and Sung Odes, BMFEA*, No.18, 1946 (Stockholm: The Museum of Far Eastern Antiquities, 1964). 高本漢著，董同龢譯：《高本漢詩經注釋》（臺北市：臺灣書店，1960 年）。中文版收錄高本漢分年於瑞典遠東博物館館刊發表的一千三百多條注釋。

❸　高本漢著，董同龢譯：〈作者原序〉，《高本漢詩經注釋》（臺北市：臺灣書店，1960 年），頁 20－23。

的幫助。」**㊲**董氏認為高本漢或許因為謹慎之故，以為古代語法體系尚未建立完全，因此不宜貿然全盤運用語法結構來解字。學者呂珍玉更對高本漢《詩經注釋》的成績與缺失做了全盤的梳理，討論高氏如何因為拘泥個人原則，流於主觀，而犯下不少錯誤，如拘泥先秦證例為《詩經》訓釋，不重視漢以後注釋與《爾雅》等字書的材料等等。**㊳**

　　儘管高本漢的解字說詩仍有值得商榷之處，但是也要肯定他善用學術研究新方法做辛苦的字詞訓解工作。高本漢對前人《詩經》英譯的批評亦著眼於字義詮釋的正確與否，他認為理雅各的譯本苦勞不小，仔細翻譯出各篇詩序，也附上譯註，但是在字句的解釋上卻多半遵循朱熹的解釋，有時兼用毛、鄭之說，間或引用其他家的說法，但所參考的各家卻不見以訓詁見長的清代學者著作，故認為理雅各譯本選用的儘是陳舊之說，顯得過時不完備，不符合現代語言學的要求。又如相當受韋利讚賞的葛蘭言譯本，高本漢卻認為葛蘭言對《詩經》的基礎認識有誤，把所譯之詩一律當成酬答對唱的民歌，字義也只是依照毛鄭說法，不加評判，對於初學《詩經》的讀者而言，價值不大。至於韋利的翻譯，高氏先肯定韋利在詩旨的詮釋上擺脫前人成說的限制，字義的訓釋也下過工夫，但是批評他在難字難句的訓釋方面特別偏愛陳奐、王先謙等人著作，卻不說明為何只參考這家不參考其他說法，此外韋利的翻譯乃以文學書的定位出版，學術性不足，而且有改讀原文之虞。**㊴**

　　　一般對高本漢《詩經》的英譯不如對其《注釋》來得那般重視，但仍肯定他的譯本相較於其他譯本，至少在意義方面較為信實。可是就譯文品質而言，單靠信實尚不足使譯文成為優秀譯文，便有學者認為高氏面對原文的態度是把《詩經》當成古文物研究，他在意義上求真固然正確，但在韻律風格上卻有所失真，將韻文譯為散文的做法未必忠實。**㊵**誠然，畢竟詩文本身亦具有文學意義及美學效果，在可能的情況下，譯文也當如實傳達這些特質為佳。

㊲　高本漢著，董同龢譯：〈譯序〉，同註**㊱**，頁 5。

㊳　詳見呂珍玉：《高本漢「詩經注釋研究」》（臺北縣：花木蘭文化工作坊，2005 年）。

㊴　高本漢著，董同龢譯：〈作者原序〉，同註**㊱**，頁 5－8。

㊵　Wong Sin-kit & Li Kar-shu, "Three English Translations of the *Shijing*," *Renditions* 25 (Spring 1986):113-139.

㈣龐德的 *The Classic Anthology Defined by Confucius*

　　龐德為英美文學史上著名的意象派詩人，從事英詩創作之餘，對於東西古今文學均有涉獵，對中國古典經籍與詩作更是興趣濃厚，透過東亞藝術學者費諾羅薩（Earnest Fenollosa, 1853-1908）的著作，開始研究中國詩文。龐德陸續翻譯《大學》（*The Great Digest*, 1947）、《中庸》（*The Unwobbling Pivot*,1947）、《論語》（*Confucian Analects*, 1951），《孟子》（*The Works of Mencius*, 1947），最後是《詩經》（*The Classic Anthology Defined by Confucius*, 1955）。他翻譯中國古典經籍詩文與其政治理念和詩學理論有關，一來龐德親身經歷兩次世界大戰，戰後西方文明陷入信心危機，龐德認為中國古代哲學思想不失為一帖良藥，二來因不滿於西方冗長的敘事詩體，從中國詩文以及日本俳句獲得靈感，據此闡發現代詩理論，創作以意象見長的簡鍊短詩，透過意象引領讀者對一首詩產生感官、直覺上的體會，龐德詩集《詩章》（*Cantos*）中的詩篇便常於詩中直接引用漢字，使漢字成為一種強化詩行意象的元素。❹

　　龐德以中國古詩文作為文學革新的手段，這也使得他在翻譯《詩經》時，相較於高本漢以原文意義至上，龐德似乎更強調譯文在文學、美學效果上的對應。他盡量採用「民謠音韻」（ballad meter）來增加譯文的可讀性，也讓西方讀者感受原詩歌的韻律。❷例如《國風‧邶風‧終風》第三章云：「終風且曀，不日有曀。寤言不寐，願言則嚏。」龐德英譯如下：

The **wind** has **blown** the **sky**　　　　　[風一直吹著天]

To **one** black solid cloud, all **the** day *long*　[對著一片密實烏雲吹一天]

Night **long** I **sleep** not　　　　　　　　[長夜漫漫我不睡]

---

❹　馬祖毅、任榮珍：《漢籍外譯史》，同註❺，頁 44－45。

❷　Achilles Fang, "Introduction," in *Shih-ching: the Classic Anthology Defined by Confucius* (Massachusetts: Harvard University Press, 1976), p.xiii.「民謠音韻」通常用於中世紀與文藝復興時期的民謠詩，每段詩段由四行詩句組成，三音步抑揚格與四音步抑揚格隔行交錯使用，第二、四行押韻。

Seeking to **mutter this** *wrong.*❸　　　　　　　　[想要訴說為何遭此錯待]

此處龐德的譯文在意義上跟原詩不甚對應，首句便未譯出又颳風又陰暗之意，卻只描繪出「風吹著天」的意象，第二句也未如實譯出才出太陽又陰天的意思，也只是呈現另一個「風吹著烏雲」的意象，另外加上一句「一整天」，第三句也刻意加入「長夜」烘托無奈之情，第四句「願言則嚏」歷來有許多討論，一般認為是「打噴嚏」，另有「受阻」、「煩悶」等不同引申，可是龐德的譯文完全未提及任何一種，反而自創一句話，說明女子不成眠的原因。

若暫撇開意義的不忠實，龐德譯文以風大雲黑的意象烘托一名失意女子的形象，再加上音韻輕重跌宕有致，第二、四行押長音 /o/ 韻，也頗能帶出本詩的愁苦氣氛。如前所述，龐德的譯詩不單純是翻譯，而是他個人對現代英詩的實驗，故龐德翻譯《詩經》重點不在於意義上求真，而是在文學效果上求美，也因此可用「美言不信」形容之，但從譯文的角度來看，這樣的譯詩卻是優美的抒情英語，以精準意象與民謠音韻增加詩句感染力。

龐德的譯詩既然是出了名的「不信」，為何仍被視為重要的《詩經》英譯呢？或許可以說他的譯詩充分發揮錢鍾書所說的「媒」和「誘」的作用，挑動讀者對原作的嚮往，使二國文學締結關係。❹龐德從經籍古詩裡吸納的養分，藉由意象派運動，對二十世紀中葉的美國現代詩產生深遠的影響。鍾玲便探討繼龐德之後，一九五〇年代史奈德（Gary Snyder）和華特生（Burton Watson）等美國詩人均藉由中國古詩的創意英譯，為美國詩壇帶來新清自然的詩語，由於美學價值優越也使得這些中國詩歌創意英譯成為美國文學的經典。❺

㈤小結

從上述討論可得知，四位譯者因其背景、所學、關注之事均不相同，故譯文風

---

❸　Pound, p.14. 粗黑與斜體為筆者所加，前者代表重讀音節，後者代表押韻。

❹　錢鍾書：〈林紓的翻譯〉，《翻譯論集》（臺北市：書林出版有限公司，1993 年），頁 301－332。

❺　詳見鍾玲：《美國詩與中國夢》（臺北市：麥田出版有限公司，1996 年）。

貌不一。理雅各關心中西宗教上的通同處，有系統地翻譯中國古典經籍，翻譯《詩經》時不辭辛勞地譯出《詩經》大序小序，只是在意義的理解上仍有其限制之處。韋利在西方是公認的《詩經》翻譯大家，從文學角度翻譯《詩經》，在意義、文體方面均下過苦心，照顧西方讀者的閱讀。高本漢的譯文充分反映他身為語言學家的態度，在意義上力求忠於原作，形式上則以散文體譯之。龐德的《詩經》翻譯較接近譯寫，意象與音韻優先於意義，固然有背叛原作之虞，卻讓中國古詩歌成為二十世紀中葉美國詩壇的經典。以下先疏通《詩經‧國風‧靜女》一詩原義，取得共同意義基礎之後，再進一步觀察譯者如何詮釋，又在選字、句法、音韻等方面呈現何種語言特色。

三、中國詮釋傳統下的〈靜女〉

《國風‧邶風‧靜女》詩云：

> 靜女其姝，俟我於城隅。愛而不見，搔首踟躕。
> 靜女其孌，貽我彤管。彤管有煒，說懌女美。
> 自牧歸荑，洵美且異。匪女之為美，美人之貽。

選〈靜女〉一詩比較四個英譯本有幾個原因，一來它是《詩經‧國風》當中為人所知的一首短詩，共三章各四句，以「賦」的手法直接寫景抒情，採四言基本句式，間以五言變格，算是頗具代表性的一首國風詩歌。再者〈靜女〉一詩看似簡單，但也有難字取捨與名物定義的難關，藉此觀察譯者詮釋上的差異。此外，這首短詩有幾處凸顯出英漢語法的差別，尤其是古代漢語和現代英語的差異更是明顯，如「愛而不見」一句話題主語不明，「俟我於城隅」、「搔首踟躕」、「自牧歸荑」等動詞時態不清，可是落實到英文之時，譯者非得對主語、時態做出區分，是「你」、「妳」、「我」、「他」、「她」、「它」、「現在」、「過去」、「完成」還是「未來」。而排除難字、名物的詮釋，主語、時態等語法差異之後，意義無疑之處便可觀察譯者的語言特色與翻譯策略。以下先從原文詮釋傳統出發，對本詩詩旨、字義與名物略作探索。

(一)詩旨

　　《毛詩序》謂：「〈靜女〉，刺時也。衛君無道，夫人無德。」❻鄭《箋》解釋曰：「以君及夫人無德，故陳靜女遺我以彤管之法，德如是，可以易之為人君之配。」❼《正義》肯定此詩三章均陳靜女之美，但又加以闡發：「此直思得靜女以易夫人，非謂陳古也。故經云『俟我』、『貽我』，皆非陳古之辭也。」❽此解仍在陶冶教化的詮釋框架下，只是強調詩中言思得靜女以易夫人，其用意並不是陳古以刺今，而是描述一「有德」的形象。朱熹《詩集傳》則云：「此奔淫期會之詩也。」❾朱熹的詮釋已不見舊注美靜女以刺時之意，認為此詩為描述男女情愛幽會之詩。

　　但是刺詩之說也未完全消失，方玉潤便推論〈靜女〉與其後的〈新臺〉二詩互相成立，前者「刺衛宣公納伋妻也」，後者「刺齊女之從衛宣公也」❺⓪，因此認為「靜女」即為宣姜，「城隅」為新建臺地，重新肯定舊注刺詩之詮。不過，當代學者如王靜芝、糜文開、裴普賢、屈萬里等均解此詩為男女相悅之詩，已脫離舊時刺失德之解。

(二)名物

　　根據以上討論，詩旨的詮釋也牽涉到「城隅」到底是何處，「彤管」又是何物等名物問題。若從舊注刺詩之解，「城隅」、「彤管」均具比喻之意。根據毛《傳》的說法，「城隅」指的是女德貞靜如城隅之「高而不可踰」，「彤管」為「女史彤管之法」，喻女子有德，能循女史所書之法。❺①

　　然若從情詩之解，「城隅」只是男女約好見面的地點，「彤管」則是男女相贈之信物，不具舊注的比喻意義。歐陽修指出毛、鄭曲解詩意，自申臆說。歐氏云：

---

❻　《十三經注疏・毛詩正義》（整理本）（北京市：北京大學出版社，2000 年）卷 2，頁 204。

❼　同註❻。

❽　同註❻。

❾　〔宋〕朱熹：《詩集傳》，詩卷 2，頁 24。

❺⓪　〔清〕方玉潤撰，李先耕點校：《詩經原始》，同註❸❹，頁 148。

❺①　同註❻，頁 204－205。

「據文求義,是言靜女有所待於城隅,不見而徬徨爾。」❷至於「彤管」是為何物,歐陽修並未提供解釋,但論若如毛、鄭所言是「王宮女史之筆」,靜女從何得之又如何能贈人。朱熹解「城隅」為男女期會的「幽僻之處」,亦未論「彤管」為何物,但以為此物作用在於「以結慇懃之意」。屈萬里解「城隅」為「城角」,「彤管」為「漆為赤色之管,管以盛鍼線等細物。」並駁斥舊說「赤管之筆」的說法不妥。❸

(三)字義

進一步討論本詩的難字難句,首章三、四句:「愛而不見,搔首踟躕」。毛《傳》曰:「言志往而行止。」鄭《箋》加以申說:「志往謂踟躕,行止謂愛之而不往見。」❹根據毛、鄭此說,話題應為男子,內心想著赴會,但卻也止於志往,並未赴會。《正義》亦順此理路,曰:「心既愛之而不得見,故搔其首而踟躕然。」朱熹則緊扣男女期會的詩旨,認為這是女子「期而不至也」。但此句尚有另一解,馬瑞辰認為「愛」字為「薆」及「僾」之省借,意思應為《說文解字》所言之「蔽不見也」,因此首章前三句意思應為「有靜女俟於城隅,又薆然不可見得。」❺如此一來,這句話的另一解便為女子隱蔽看不見。

第二章三四句「彤管有煒,說懌女美」也容易因為詩旨而產生歧義。毛《傳》云:「煒,赤貌。彤管以赤心正人也。」鄭《箋》為了使刺詩之說更加周延,認為「說懌」當寫作「說釋」,故為:「赤管煒煒然,女史以之說釋妃妾之德,美之。」❻今人的注解雖然對彤管說法不一,但就整句的解釋幾乎都是接近朱熹所言之「悅懌此女之美也」。另外,末章「自牧歸荑,洵美且異。匪女之為美,美人之貽。」朱熹認為為是女方繼彤管之後再贈男方初生之茅草,男方因贈與者而讚嘆物

---

❷　〔宋〕歐陽修:《詩本義》卷 3,收入《詩經要籍集成》冊 4(北京市:學苑出版社,2003年),頁 174。

❸　屈萬里:《詩經詮釋》(臺北市:聯經出版事業股份有限公司,1986 年),頁 76。

❹　同註❹⑥,頁 205。

❺　〔清〕馬瑞辰撰,陳金生點校:《毛詩傳箋通釋》(北京市:中華書局,2004 年)卷 4,頁 157。

❻　同註❹⑥,頁 205。

之美，屈萬里則認為「自牧歸荑」是男回贈女方，但肯定朱《傳》說法亦通。

㈣小結

綜合上述，在漢語原文的詮釋傳統下，〈靜女〉詩旨有二解，一為舊注的刺詩，二為今注的情詩，而詩旨也將牽動關鍵名物的解釋，若從刺詩之解，「城隅」、「彤管」具有比喻之意，甚至若如方玉潤所言，則「靜女」、「城隅」為真人實地。但若從情詩之解，那麼〈靜女〉就是一篇單純敘述男女相會贈物的情詩，「城隅」、「彤管」便就其詩文字面意思解為會面地點與相贈之物。字義方面「愛而不見，搔首踟躕」等句亦有數解。以下將根據這些討論，進一步分析四種英譯。

四、英譯詮釋下的〈靜女〉

此處列出四個英譯版本，觀察各譯者在詩旨、字義、名物有疑義之處作何解，意義通同之處，又採何種翻譯策略再現原詩，如選字、文體、風格、意象等，整體而言譯文又反映出何種語言特色。

㈠理雅各譯文

Tsing neu

How lovely is the retiring girl! 　　　　　　[這位靦腆的女孩多麼可愛]

She was to await me at a corner of the wall. 　[她要在牆角等待我]

Loving and not seeing her, 　　　　　　　　[愛著她沒看見她]

I scratch my head, and am in perplexity. 　　[我搔頭，感到困惑]

How handsome is the retiring girl! 　　　　　[這位靦腆的女孩多麼好看]

She presented to me a red tube. 　　　　　　[她送我一隻紅筆管]

Bright is the red tube; -- 　　　　　　　[這紅筆管有光澤]

I ***delight*** in the beauty of the girl. 　　　　[我為女孩的美麗而喜悅]

From the pasture lands she gave me a shoot of the white grass,

　　　　　　　　　　　　　　　　　　　　[從牧草地她給我一支白茅]

Truly <u>elegant</u> and rare.	[真是優雅而稀有]
It is not <u>you</u>, O <u>grass</u>, that are <u>elegant</u>; --	[喔，白茅，優雅的並非是你]
<u>You</u> are the gift of an <u>elegant girl</u>.❼	[你是一名優雅女孩的贈物]

理雅各是四位譯者中唯一討論詩旨者，他先譯出詩毛詩《序》曰此詩為刺詩，再譯朱傳對此詩解為「奔淫期會之詩」，但他認為二者並無衝突，並加以綜合為：「上樑不正，下樑歪。」❽他並說明自己譯此詩時盡量遵從毛詩《序》所言之詩旨，然而矛盾的是接下來理雅各對「城隅」以及「彤管」的說明卻又違背毛詩詮釋，他譯出舊注對「城隅」的說明是象徵女子有德，深如高城，不可踰越，但是卻加上註解說：「我相信任何學生，若據此解讀俟我於城偶一句，必定駁為無稽。」❾「彤管」一詞亦可看出理雅各一貫的處理方式，先說毛、鄭作何解、朱熹作何解，最後再提出自己的看法，而他的看法往往是綜合二者或是選擇其一，此處他亦採折衷說法，認為此物所指不明，可能是筆管，可是大概不脫女子所持管類之物，可餽贈友人或愛人。

其實理雅各的譯註緊跟在舊注之後提出自己的見解，只是他根據的舊說只是毛、朱二人的說法。於是在他揉雜毛、朱二家與自己見解的詮釋之下，「靜女」是「靦腆」（retiring）之女子，容貌僅以中性的「好看」（handsome）形容，在牆角等著男子，但愛她的男子卻看不見她，於是搔首困惑。女子贈男以筆管（tube），再贈白茅，男子因女子之美詠物。理雅各最後一章以「優雅」（elegant）一詞譯「美」，而不用譯註裡解釋「美」為「女子的美貌」（the beauty of the girl），此處理雅各似乎又把容貌之美加入毛傳所說的貞靜有德之美。

就此詩譯文語言特色而言，理雅各用字質樸無華，句法亦淺白簡單，第一二章首句仿原詩複沓結構，雖然沒有刻意押韻，但因字句讀來流暢，再加上 girl、

---

❼ Legge, p.68-69. 以下所有英譯之底線及斜黑體均為方便討論所加，底線表示重複字句，斜黑體表示押韻。

❽ Legge, p.68. 理雅各原文為"Like rulers, like people."

❾ Legge, p.69.

grass、tube、elegant 等字重複出現，也頗能對應早期民歌式的嘆詠以及情意的自然表白。

㈡韋利譯文

<table>
<tr><td>#22</td><td>#22</td></tr>
<tr><td>Of fair girls the loveliest</td><td>[美女之中最可愛的那位]</td></tr>
<tr><td>Was to meet me at the corner of the Wall.</td><td>[要在城牆角和我會面]</td></tr>
<tr><td>But she hides and will not show herself;</td><td>[但她卻躲起來讓人看不見]</td></tr>
<tr><td>I scratch my head, pace up and down.</td><td>[我搔頭，來回踱步]</td></tr>
<tr><td>Of fair girls the prettiest</td><td>[美女之中最漂亮的那位]</td></tr>
<tr><td>Gave me a red flute.</td><td>[給了我一支紅笛]</td></tr>
<tr><td>The flush of that red flute</td><td>[那紅笛的紅光]</td></tr>
<tr><td>Is pleasure at the girl's beauty.</td><td>[因女孩的美麗而格外令人喜悅]</td></tr>
<tr><td>She has been in the pastures and brought</td><td>[她已去了郊野帶回]</td></tr>
<tr><td>for me rush-wool,</td><td>[燈心草絨給我]</td></tr>
<tr><td>Very beautiful and rare.</td><td>[非常美麗而稀有]</td></tr>
<tr><td>It is not you that are beautiful;</td><td>[美麗的不是你]</td></tr>
<tr><td>But you were given by a lovely girl.[60]</td><td>[只因你是一名可愛女孩所贈]</td></tr>
</table>

韋利將此詩歸入「Courtship」，可見他將此詩定調為情詩，當然也就排除舊注刺詩之詮釋。而韋利對字義的取捨則多參考清學者陳奐的說法，加以對照發現他的確在字義說法不一之處多遵從陳解，例如：「愛而不見」的「愛」字，陳奐同於上述馬瑞辰之說，認為「愛」字通「薆」，陳云：「愛而者，隱蔽不見之謂。」[61]韋利英

---

[60]　Waley, p.33.

[61]　〔清〕陳奐：《詩毛氏傳疏》（臺北市：廣文書局印行，出版年不詳），上卷，頁 23。

譯便從此意，譯為女孩躲起來讓男子看不見，韋利也是四位譯者中唯一作此解者，使其譯文更強化男女互動的活潑媚趣，其餘三位均以男子作為話題主語。

　　韋利的譯文不只在意義詮釋上強調情詩特色，他的英文句法多少也發揮了一些作用，使男女相悅之情躍然於紙上，如首章第一句與第二章首句，以對稱平行的最高級句型凸顯情人眼裡出西施的心理。首章與末章各有一句話以「But」作為整句的開頭，為平鋪直述的詩句嵌入轉折，首章的轉折描寫是女子的俏皮，兩人明明有約，女子卻故意躲起來，讓男子不知該如何是好，而末章呈現的是男子內心獨白的轉折，先稱讚植物美麗稀有，旋即加以否定，因為關鍵不在物而在人，於是在兩次轉折之後，主旨又回扣女子的可愛。

　　香港學者洪濤以〈關雎〉一詩討論韋利英譯時便提及，譯者擅長運用英語語法的特點，技巧地以時態表達現在、過去、將來先後次序之感。[62]此處韋利也同樣發揮這個特點，他的〈靜女〉同時使用現在式、過去式和現在完成式，其他三個譯本則無。這麼一來，他的譯詩首章描寫當下的等待，二章回想過去女曾贈男彤管，末章再以現在完成式點出女方稍早前去過牧草地摘回絨草來給男子，因此使他內心思緒萬千。

　　因此韋利的譯本廣受西方讀者喜愛的原因，由此詩可稍微窺得，文句清通可讀，人物形象鮮活之外，亦擅長利用英語語法特點營造時間遞嬗之感，此外他也於本詩中運用不少西方詩作的技巧增加藝術感染力，詩中有多行均押首字相同的頭韻（alliteration），如第二章第二句的 flush/flute 或第二章首句 been/brought，又如第三章末句 given/girl。同行中押韻者，如首章首句的 meet/me 及 corner/wall，再加上重複之字詞與句型都使譯文流露自然韻律，雖不精密，但也均能對應原詩音韻。

㈢高本漢譯文

　　　　Tsing Nü

　　1.　The **g**ood **g**irl is beauti***ful***, <u>she</u> waits ***f***or me at the corner of the w***all***;

---

[62] 洪濤：〈論《詩經》英譯本中的新穎之處——以韋利的〈關雎〉譯文為例〉，《詩經研究叢刊》第 2 輯（北京市：學苑出版社，2002 年），頁 363－371。

I love *h*er but not see *h*er; *I* scratch my *h*ead and walk *h*esitatingly. ---

[這位好女孩很美麗，她在牆角等我，我愛她但看不見她，我搔著頭猶豫地走]

2. The good girls is *p*retty, she gave me a red ***pipe***;

the red ***pipe*** is ***bright***; I ***delight*** in the beauty of the girl.

[這位好女孩很漂亮，她給了我一支紅短笛；這紅短笛很光亮；我為女孩的美麗而喜悅]

3. From the *p*asture-grounds she *p*resented me with a young shoot,

it is truly beauti***ful*** and remarka***ble***; but it is not because you are

beauti***ful*** (that I appreciate you): you are the *g*ift of the beautiful girl.

[從牧草地她贈我一支幼草，真是美麗又非凡；

但是並不是因為你美麗（而使我喜歡你）：你是這美麗女孩的禮物]

高本漢於《詩經注釋》一書中對本詩的討論重點有三：一篇「愛而不見」，二為「搔首踟躕」，三為「說懌女美」。他分別列舉毛詩鄭箋、魯詩和齊詩對「愛」字的訓釋，而後論道：「因為這是一首情詩，我們沒有理由不用『愛』的平常的意義。」故解作「我愛她，可是看不見她。」㉓關於「踟躕」二字的推論，韓詩「躑躅」作「躊躇」，他以為「躊躇」又是毛詩「踟躕」的異文，因此意義並無差別。「說懌女美」一句毛詩並無注釋，但高本漢不同意鄭《箋》將「說懌」當作「說釋」，認為「心」字旁有「高興」的意思，故全句是「我高興女孩子的美。」㉔

高本漢的譯本雖常被貶為樸質無文，以散文譯詩，未能在形式上與原詩對應，恐無法造成對等效果。偶而還將原詩隱含推定的意思以括號補充譯出（如第三章第三句加入 that 子句），喪失若干原文含蓄曖昧的特色。但若仔細分析，高本漢除了

㉓ 高本漢著，董同龢譯：《高本漢詩經注釋》，同註㊱，頁 112。

㉔ 同前註，頁 114。

比其他譯者更講究字義訓釋之外，其譯文在形式上也不乏令人驚艷之處，全詩共七個句子，每句均押頭韻（如第一章三四句的 her/head/hesitatingly），而且也在行中押韻如（如第二章三四句的 pipe/bright/delight），故用韻上亦有可觀之處。

㈣龐德譯文

The Appointment Manqué	［期會不至］
<u>Lady of</u> azure thought, sup*ple* and **tall**,	［思想如碧空的女士，柔軟而修長］
I *w*ait <u>by</u> book, <u>by</u> angle in the **wall**,	［我在隱匿處，在牆角邊等候］
Love and *s*ee naught; *s*hift foot and *s*cratch my **poll**.	［愛著卻見不著；移動步伐又搔首］
<u>Lady of</u> silken word, in clarity	［吐冒如絲綢的女士，清澈而明晰］
gavest a *r*eed whereon *r*ed *f*lower *f*lamed *less*	［致贈蘆葦，上有紅花發著微光］
than **thy** de**light**ful**ness**.	［卻不似汝之美好］
In mead she plucked the *molu* **grass**,⑥⑤	［在草地她摘了 molu 草］
fair as streamlet did she **pass**.	［與她涉過的小溪一般美］
"Reed, art to **prize** in **thy** beau**ty**,	［「蘆葦，我得讚嘆你的美」］
but more that frail, who gave thee **me**."	［「但更要讚嘆那纖細少女， 贈汝於我者」］

龐德的譯本加上英、法文混用的詩題「The Appointment Manqué」，中文可譯為「期會不至」，讀者見標題便可設想此為男女期會情詩。整首譯詩就意義上來看與原詩原義差距最遠，例如「靜女其姝」與「靜女其孌」二句讓人不禁納悶，到底

---

⑥⑤　此句 molu 一字斜體為原文所有，原為希臘文 μῶλυ，是一種藥草，可用於除魅辟邪，曾出現於荷馬史詩《奧德賽》（*The Odyssey*）中，幫助英雄奧德賽破除 Circe 女巫咒語，並要求她使其手下恢復人形。

「lady of azure thought」以及「lady of silken word」所據何來。美學者丹波（Dembo）認為這與他對拆解中國字的作詩法有關，「靜」字的部首為「青」，龐德據此譯為「天藍」（azure）；「變」字則可拆為「女」、「言」、「絲」三個字，龐德以其想像力和創造力拆解後重新組合，便成了「吐言如絲綢的女士」。再者，龐德刻意不用英文描述性的形合語法，以主語配合精簡的動詞，每句話均勾勒出一、二幅動態靈活的畫面。**⑥⑥**

　　龐德的用字也跟其他三人相當不同，偏愛用古字（如 thee 和 thy，動詞字尾變化也仿古）、罕見字（如 poll）與外來字（如法文 Manqué：及希臘文 *molu grass*），容易導致因譯生晦的缺失，但另一方面，文字混雜之特性因而強化一種對異文化的想像，對文學、文化有所涉略的精英可能較能領會其中精妙，也無怪乎龐德的譯詩雖未如韋利譯本獲得一般讀者廣泛喜愛，但卻在英美詩壇的精緻文化圈裡產生了不少迴響。用字特殊之外，龐德譯文亦工於聲律，押韻工整勝過其他三人，隨處可見各種英語用韻技巧，如尾韻規律（tall/wall; less/delightfulness; grass/pass; beauty; me），同行押頭韻（如第一章第三行的 see/shift/scratch）以及行中韻（如第二章第三行的 thy/delight，或第三章第三行的 prize/thy），於是讀來音韻生動，尤適合朗誦吟詠。

㈤小結

　　四位譯者再現原作之時，在詩題、格式、譯註、翻譯策略均呈現各種程度的不同，除了對原文理解的差異之外，譯者的個人背景、翻譯目的、對西方詩學傳統的掌握等，也都展露在譯文當中。理雅各仍看重毛《詩》的經學詮釋傳統，詳細討論詩旨再作翻譯，譯文呈現的靜女是位嫻靜優雅、舉止得宜的女子。韋利著眼於古中國的民謠風俗特質，塑造出年輕俏皮、活潑可愛的年輕女孩。高本漢強調《詩經》的語文價值與史學價值，有系統有原則地考證異文難字，他的靜女正如其譯文一般，秀外慧中、質樸美好。龐德自《詩經》獲得文學靈感，意義雖然失真，譯文的意象及聲韻之美卻傳神地表現生動形象及豐富情感，英國十八世紀末翻譯學家泰特

---

⑥⑥ L.S. Dembo, *The Confucian Odes of Ezra Pound: A Critical Appraisal* (Berkeley and Los Angeles: University of California Press, 1963), pp.25-29.

勒（A.F. Tytler）提出的「詩人譯詩」**❻❼**或是聞一多所言之「以詩譯詩」**❻❽**或許在龐德身上均有所印證，他筆下的靜女流露出空靈而神秘的氣質。

結　論

　　《詩經》英譯探討並非新題，諸多研究中也常提及，然在華語圈裡對於《詩經》英譯的討論多半仍似討論譯本異同好壞得失為主，比方說理雅各對古中國的誤解；韋利譯文雖然流暢但偶有誤譯；高本漢縱然在意義上較為周延，但是譯文稍嫌生硬；龐德以翻譯中國古詩作為文學革新的手段，喜愛者奉為有創意，貶抑者稱之不忠實等等。**❻❾**而在西方對英譯本的接受又往往僅以英譯本的文學美學價值為考量，幾乎可說與中國經學的詮釋傳統脫鉤，傳統詩經學強調的教化功能，完全湮沒於譯語文化的文學系統裡。

　　因此，本文試圖綜合原文取向與譯文取向的討論，重新回顧在西方流傳的四個重要《詩經》英譯本。中詩英譯要兼具意義正確與文體對應實非易事，更何況《詩經》在異文難句的詮釋上仍有模糊空間，倘若要求三百零五篇每篇都要做到意義信實、文句通達、文體對應，更是難上加難，應該在討論時將譯者置於其歷史文化時代脈絡裡，觀察譯介過程中，中國詮釋傳統與譯者自身的關懷呈現何種交流或交鋒。整體而言，理雅各求善、高本漢求真，韋利與龐德求美，儘管出發目的不同、對原文理解有異、翻譯策略不同，但卻在域外英美文學體系裡延續著中國最古老的韻文集的生命，就這點而言，他們的譯本各有其價值，而且互相補足，都是重要的文化傳遞媒介。

---

❻❼ 詳見亞歷山大・泰特勒著，潘慧儀譯：〈論翻譯原則〉，收入陳德鴻、張南峰編《西方翻譯理論精選》（香港：香港城市大學，2002 年），頁 9－17。

❻❽ 詳見陳福康：〈聞一多論譯詩〉，《中國譯學理論史稿》（上海市：上海外語教育出版社，2000 年），頁 276－280。

❻❾ Stephen C. Soong, "The 'Biased Compund' in Chinese Poetic Diction," *Renditions* 23 (1984):287-306. 香港學者宋淇以偏義複詞作為中語英譯的討論重點，文中曾舉龐德〈擊鼓〉一詩英譯，因為將原詩五章摘譯為三章，讀者需自行串聯意義，批評龐德譯本不忠實，應將其譯本副標改名為 *The Classic Anthology Defined by Pound*。

經 學 研 究 論 叢
第 十 七 輯　　頁169～188
臺灣學生書局　2009 年 12 月

〈檀弓〉成篇年代考

王　鍔*

　　漢成帝以前,《禮記》四十六篇,或單篇流傳,或收錄在儒家某一弟子的著作中,或被編選在儒家弟子傳授的不同集子中。這些文章,作者並非一人,寫作的年代前後不一,漢成帝時,戴聖編成《禮記》四十六篇,這些文章才以一本專書的形式流傳。因此,將《禮記》作為一個整體研究,就很難得出科學的結論。《禮記》各篇既非出自一人之手,又非寫定於同一時間,若想對《禮記》相關問題進行深入的研究,就必須對《禮記》進行分篇甚至分段的研究,先盡可能的確定每篇的寫作年代或作者,搞清戰國、西漢時期各篇的流傳狀況和編纂成目前四十六篇面貌的時間,然後才能研究儒家思想在戰國時期的發展狀況、儒家學術流派以及先秦儒家文獻的面貌等問題,否則,這些問題是難以說清楚的。本文主要考辨《禮記·檀弓》的成篇年代。

一

　　〈檀弓〉因簡策繁重,分為上、下篇,是《禮記》第三、四篇。

　　〈檀弓〉是以首章有「檀弓免焉」,記檀弓事,故以「檀弓」名篇。檀弓是魯國知禮之人,大概與孔子同時。

　　關於〈檀弓〉的命名之由,鄭玄《注》曰:「名曰『檀弓』者,以其記人善於禮,故著其姓名以顯之。」孔穎達《正義》曰:「不以子游名篇,而以〈檀弓〉為

---

*　　王鍔,南京師範大學文學院教授。

首者，子游是孔門習禮之人，未足可嘉。檀弓非是門徒，而能達禮，故善之，以為篇目。」❶對此，清代學者孫希旦❷及今人任銘善先生❸早已指出其非。

關於〈檀弓〉的成篇年代和作者，歷代學者說法不一。

孔穎達曰：「此〈檀弓〉在六國之時。知者，以仲梁子是六國時人，此篇載仲梁子，故知也。」❹

朱熹曰：「〈檀弓〉恐是子游門人作，其間多推尊子游。」❺

孫希旦曰：「愚謂此篇蓋七十子之弟子所作。」❻

任銘善曰：「此篇蓋當為漢儒輯七十子之門人所嘗記聞者，又頗采逸禮經記之文。」❼

沈文倬先生說：「〈檀弓〉、〈祭義〉、〈雜記〉所載都是魯穆公以至魯共公時事，其文的撰作當在魯共公以至魯康公之世。」❽魯共公（前 375－前 353年）、魯康公（前 352－前 344 年）約相當於戰國中期。

楊天宇先生認為：「篇中所記及的人物，最晚的要數魯穆公了。魯穆公是戰國時的人，西元前四○七年至前三七五年在位，可見，此篇之作，決不會早於戰國中期。」❾

仲梁子在〈檀弓〉只出現一次。「曾子曰：『尸未設飾，故帷堂，小斂而徹帷。』仲梁子曰：『夫、婦方亂，故帷堂，小斂而徹帷。』」鄭玄《注》曰：「仲

❶ 〔漢〕鄭玄注，〔唐〕孔穎達等正義：《禮記正義》，收入《十三經註疏》附《校勘記》本（北京市：中華書局，1983 年 11 月），上冊，頁 1273 下。

❷ 〔清〕孫希旦：《禮記集解》（北京市：中華書局，1995 年 5 月），頁 163。

❸ 任銘善：《禮記目錄後案》（濟南市：齊魯書社，1982 年 8 月），頁 8。

❹ 同註❶，頁 1273 下。

❺ 〔宋〕黎靖德：《朱子語類》（北京市：中華書局，1999 年 6 月）第 6 冊，卷 87，頁 2231。

❻ 同註❷，頁 163。

❼ 同註❸，頁 8。

❽ 沈文倬：《宗周禮樂文明考論》（杭州市：杭州大學出版社，1999 年 12 月），頁 52。

❾ 楊天宇：《禮記譯注》（上海市：上海古籍出版社，1997 年 4 月），頁 71。

梁子，魯人也。」❿

孫希旦曰：「愚謂仲梁子，疑即韓非書所謂『仲梁氏之儒』者。」⓫

從上下文判斷，仲梁子顯然在曾子之後，然〈檀弓〉記錄的人物，在曾子之後的還有很多人，如子思、魯穆公等人。因此，僅以「仲梁子」作為判斷〈檀弓〉成篇年代的證據，顯然比較單薄。

朱熹所言，僅注意到〈檀弓〉中對子游事迹的記載，而未及其他人物。任銘善所說，似乎比較籠統。沈文倬先生，對〈檀弓〉的成篇年代，未作深入分析。楊天宇先生所說，已經注意到〈檀弓〉中記錄的最晚人物是魯穆公，但未能結合全篇綜合考慮。

二

在考察〈檀弓〉的成篇年代之前，我們首先有必要看看〈檀弓〉的主要內容。〈檀弓〉上篇計五千四百二十二字，下篇計五千零八十一字，合計一萬零五百零三字⓬，是《禮記》中最長的一篇，主要討論喪葬禮，內容大致可分為四部分。

㈠ 孔子與其弟子討論喪葬禮的記載

孔子在衛國時，曾與其弟子子貢等人觀看別人送葬，孔子說：「善哉為喪乎！足以為法矣，小子識之。」子貢說：「夫子何善爾也？」孔子說，那個孝子在送喪的路上，就像嬰兒思慕其親人而哭泣不止；在返回家的路上，又像擔心親人的神靈不能跟著一起回來而遲疑不前。子貢說，恐怕還不如快點回來準備安神的虞祭吧。孔子說：「小子識之，我未之能行也。」⓭

有一次，子游向孔子請教送喪物品該如何準備，才算合乎禮制？孔子說：「稱家之有亡。」子游說，如何掌握厚與薄的標準呢？孔子說：「有，毋過禮。苟亡矣，斂首足形，還葬，縣棺而封，人豈有非之者哉？」⓮

---

❿　同註❶，上冊，頁 1291 中。

⓫　同註❷，頁 222。

⓬　同註❶，上冊，頁 1298 中、頁 1321 中。

⓭　同註❶，上冊，頁 1283 中。

⓮　同註❶，上冊，頁 1291 下。

子路曰：「吾聞諸夫子：『喪禮，與其哀不足而禮有餘也，不若禮不足而哀有餘也。祭禮，與其敬不足而禮有餘也，不若禮不足而敬有餘也。』」❶可見，孔子對於喪葬禮，是主張合乎禮制、情理，以哀敬為主。

(二) 孔子弟子之間或再傳弟子討論喪禮的記載

一次，曾子穿好正服上襟以凶服的裝束去弔喪，而子游且敞開正服上襟以吉服的裝束去弔喪。曾子指著子游對眾人說，你們看這個人，號稱精通禮制，怎麼竟穿著吉服來弔喪呢？小斂後，主人袒衣露出左臂，去掉髮髻上的笄纚，重新用麻束髮。子游看到主人已經變服，就快步走出，掩起正服前襟，冠上加葛絰，腰上纏了條葛帶，也變為凶服裝束，然後再進來。曾子看到後，才恍然大悟，說：「我過矣！我過矣！夫夫是也！」❶

古人穿衣之制，先是穿貼身內衣，次為褻衣；冬衣裘，夏衣葛，一般在家只穿褻衣。出門時，褻衣外要加一層罩衣，叫裼衣。裼衣外還有一層正服，如朝服、皮弁服之類，這四層衣服共同構成了一套禮服。如果敞開正服前襟，露出左袖而讓人看見裼衣，叫「裼」，亦名「裼裘」。如果穿好左衣袖，掩好正服前襟，不使裼衣露出，叫「襲」、「襲裘」。何時當裼，何時當襲，是有規定的。就曾子、子游弔喪而言，裼裘是吉禮的裝束，在主人未變服以前著之弔喪是合乎禮制的。襲裘是凶服，主人小斂以前不宜著之臨弔。因此，曾子連忙道歉。

曾子曾經給子思誇耀說：伋，我給我父親守喪期間，不吃不喝達七天之久。子思說：先王制禮，是折衷人情而制定標準。行禮過分者應該自己受點委屈以期符合標準，而行禮欠缺者應該加油以期達到標準。「故君子之執親之喪也，水漿不入於口者三日。」❶儘管只有三天，可孝子也要扶著喪杖才能立起身來。

(三) 記錄了虞、夏、商、周舉行喪葬禮的差異和戰國時期實行的一些喪葬禮儀

「有虞氏瓦棺，夏后氏堲周，殷人棺槨，周人牆置翣。周人以殷人之棺槨葬長

---

❶　同註❶，上冊，頁 1285 上。

❶　同註❶，上冊，頁 1285 下。

❶　同註❶，上冊，頁 1282 上、中。

殤，以夏后氏之聖周葬中殤、下殤，以有虞氏之瓦棺葬無服之殤。」❸「聖周」即燒土為磚，圍在棺的周圍，起槨的作用。「牆」又叫「柳」，是覆蓋和包圍靈柩的裝飾性帷幔。「翣」是遮擋靈柩的扇形裝飾物，木框木柄布面，布面上繪有各種圖案。

「重，主道也。殷主綴重焉，周主重徹焉。」鄭玄《注》曰：「始死未作主，以重主其神也。重既虞而埋之，乃後作主。殷人作主，而聯其重，縣諸廟也，去顯考，乃埋之。周人作主，徹重埋之。」❹「重」和「主」的作用是一樣的，暫時作為死者神魂的依託。據《儀禮·士喪禮》，重是木製作的，士重長三尺，上端穿孔，可以穿繩，以兩鬲盛粥，分繫繩之兩端。做好神主後，殷人將重和主連在一起，懸於廟中；而周人做了神主，就將重徹去埋掉。

如何侍奉雙親、國君和老師，他們死後當怎樣服喪呢？〈檀弓〉上云：「事親有隱而無犯，左右就養無方，服勤至死，致喪三年。事君有犯而無隱，左右就養有方，服勤至死，方喪三年。事師無犯無隱，左右就養有方，服勤至死，心喪三年。」鄭玄《注》曰：「勤，勞辱之事也。致，謂戚容稱其服也。凡此以恩為制。」「方喪，資于事父。凡此以義為制。」「心喪，戚容如父而無服也。凡此以恩義之間為制。」❺

喪葬禮過程中，孝子的容貌如何？〈檀弓〉上云：「始死，充充如有窮。既殯，瞿瞿如有求而弗得。既葬，皇皇如有望而弗至。練而慨然，祥而廓然。」❻此節專門記錄孝子自親死至除喪時憂悼在心的容貌。「充充」是悲痛填膺的樣子。「窮」謂無法正常生活的樣子。「瞿瞿」是眼睛轉動不定的樣子。「皇皇」是彷徨無所依託的樣子。「練」本是白色絲織品，周年之祭後孝子可以著練冠，故稱周年之祭曰練，又叫「小祥」。「祥」即大祥，三年之喪，二十五月的除服之祭為大祥；期之喪，十三月的除服之祭為大祥。

---

❸ 同註❶，上冊，頁 1275 下、頁 1276 上。

❹ 同註❶，上冊，頁 1301 中。

❺ 同註❶，上冊，頁 1274 上。

❻ 同註❶，上冊，頁 1278 上。

㈣ **春秋戰時期有關喪禮的一些歷史記載。〈檀弓〉談論喪葬禮時，經常引用一些春秋戰國時的故事，來說明怎樣做才可謂之合乎禮制。**

　　晉獻公去世以後，秦穆公派人去慰問逃難在狄的公子重耳，並捎話說：這是得到君位的大好時機，機不可失，時不再來，請慎重考慮。重耳將此事告訴舅犯，舅犯說：父親去世是天塌般的凶禍，乘此謀取私利，無法向天下人交代，還是婉言謝絕的好。重耳委婉謝絕後，只叩頭表示喪父之悲哀，而不像喪主那樣向來使表示拜謝，然後哭著站起來，不和使者私下談話。使者子顯回去後向秦穆公復命，秦穆公曰：「仁夫公子重耳！夫稽顙而不拜，則未為後也，故不成拜。哭而起，則愛父也。起而不私，則遠利也。」秦穆公稱讚重耳是懂禮之人。

　　晉國大夫荀盈（知悼子）死後，尚未入葬，晉平公和樂師師曠、嬖臣李調舉行私宴飲酒，擊鐘奏樂。膳宰杜蕢知道後，通過罰師曠、李調和自己酒而勸諫晉平公失禮，晉平公痛快接受並加以表彰。這就是「杜蕢揚觶」的故事。

　　天久旱不雨，魯穆公把縣子瑣召來請教說：天久旱不雨，我想把殘疾人拉到烈日下暴曬，如何？縣子瑣說：這不人道，不可以。穆公又說：暴曬女巫何如？縣子瑣說：用愚蠢的婦女求雨，不切合實際。穆公又說：罷市如何？縣子瑣曰：「天子崩，巷市七日；諸侯薨，巷市三日。為之徙市，不亦可乎？」徙市即罷市，罷市後，民間日常生活用品必須交易，在曲巷中進行，故罷市導致巷市。

　　此外，還有一些反映現實的故事，如「苛政猛於虎」、「嗟來之食」等。

三

　　〈檀弓〉是《禮記》中記錄春秋戰國時人物最多的一篇。受前賢之啟發，仔細研究這些人物的活動和相關禮制，並參考其他文獻，我認為，〈檀弓〉是多次編輯而成，編成我們目前看到的這個文本，大約是在戰國晚期。

　　第一、〈檀弓〉上下篇出現的人物，上起春秋，下至戰國。仔細統計主要人物出現的頻率，可以發現〈檀弓〉中的章節非一時一人之作。

㉒　同註❶，上冊，頁 1300 下。

〈檀弓〉中人物出現頻率統計表

姓名	〈檀弓〉上	〈檀弓〉下	合計（單位：次）	備　注
孔子 （前551－前479） ❷	1、5、6、7、10、16、23、26、38、39、45、46、47、48、49、50、51、53、54、68、77、100、118、120 ❷	28、33、36、42、48、53、57、59、61、74、77、84、86、88、94	39 ❷	上篇 118 節稱「孔丘」。下篇 48、57、59、84 節稱「仲尼」
夫子	21、22、28、45、46、49、50、53、56、78、90、91、94、97、98、100	39、41、50、52、71、74、88	23（除去上篇 45、46、49、50、53、100、下篇 88 等 7 節「夫子」，與上「孔子」出現次數重複和下篇 50、52 所指非孔子外，「夫子」指孔子實只有 14 次。）	下篇 50 節「夫子」指公叔文子，52 節「夫子」指陳子車，其餘均指孔子。其中上篇 46 節「夫子何善爾也」之「夫子」當「你老人家」講，其餘當「他老人家」講。「孔子」在〈檀弓〉中共出現 53 次。
曾子 （前505－前436）	8、18、30、33、34、36、37、40、41、57、58、76、78、80、85、86、93、95	11、40、65、81、85	23	即曾參，字子輿。
子游 （前506－前445）	57、58、60、61、69、78、81、86、91、92	12、39、45	13	即言偃。

❷ 所列人物生卒年以錢穆《先秦諸子繫年》（北京市：中華書局，1985 年 10 月）為準。

❷ 該數字指楊天宇先生《禮記譯注・檀弓》所分小節數，下同。

❷ 該數字指每個人物在〈檀弓〉篇中出現的總次數，以楊天宇先生所分一小節算一次。

子夏 （前507－前420）	41、53、59、 78、81、97、 100	39	8	即卜商。
子路 （前542－前480）	7、16、26、56	53、60、74	7	名仲由。
子貢 （前520－前450）	39、45、46、 49、50	84、85	7	即端木賜。
有若 （前518－前457）	24、78	12、40、45、 66、67	7	即有子。
子張 （前503－前450）	32、52、59	11、41、48、	6	即顓孫師。
子皋 （前521－？）	43、88	68、91	4	名柴，《論語》、 上博簡作「子 羔」。
冉求 （前522－前462）	38、78		2	字子有。
顏回 （前521－前481）	47	60	2	字子淵，名回。
原憲 （前525－？）	34、80		2	字子思。
公西赤 （前519－？）	51		1	字子華。
子思 （前483－前402）	4、9、36、82	37、79	6	孔子之孫。
曾申 （前475－前405）	14、18		2	曾參之子。
申祥 （前475－前405）	32、34		2	鄭玄認為，申祥 是子張之子。❷❻
魯穆公 （前407－前376）	14、79	37、93	4	前407－前376 是魯穆公在位的 年代。
縣子瑣	79、83、84、 87、92	93	6	魯穆公時魯國大 夫，以知禮聞 名。

---

❷❻　同註❶，上冊，頁1281下。

通過上表統計，可以得知，在〈檀弓〉中，孔子在五十三小節中出現，出現頻率最高。其弟子中依次分別是曾子、子游、子夏、子路、子貢、有子、子張、子皋、冉求、顏回、原憲、公西赤，再傳弟子分別有子思、曾申、申祥，另有魯穆公及其大夫縣子瑣。細心研讀表中所列章節，可以得出以下幾點結論：

1.〈檀弓〉記載的歷史事件，時間跨度達一百多年。❷

2.孔子與其弟子和其弟子之間討論喪葬禮的相關文字，應當分別是由孔子弟子和再傳弟子記錄下來的，記錄的時間不一，記錄者也非一人。這些文字早者寫成於春秋末期，晚者寫成於戰國初期。

3.「夫子」在〈檀弓〉中出現二十三次，其中上篇四十六節「夫子何善爾也」之「夫子」，當「你老人家」講；其餘均當「他老人家」講。楊伯峻先生說：「『夫子』一詞，在較早的年代一般指第三者，相當於『他老人家』，直到戰國，才普遍用為第二人稱的表敬代詞，相當於『你老人家』。《論語》的一般用法都是相當於『他老人家』的，孔子學生當面稱孔子為『子』，背面才稱『夫子』，別人對孔子也是背面才稱『夫子』，孔子稱別人也是背面才稱『夫子』。……『夫子』用如『你老人家』，開戰國時運用『夫子』一詞的詞義之端。」❷由此可見，有「夫子」的大多數章節，寫作年代是比較早的。

4.與子思有關的六節，應該是子思門人記錄的。

5.與魯穆公有關的四節，其中一節是魯穆公和曾申討論如何為其母辦喪事，一節是魯穆公和子思討論如何為舊君服喪，其餘二節魯穆公和縣子瑣討論喪禮和求雨之事，這幾段文字最遲應寫成於戰國初期末。

第二、〈檀弓〉中出現的很多人物，也見於《論語》一書。除孔子及其弟子外，若公叔文子、蘧伯玉、孟敬子、原壤等人均見於《論語》一書，說明〈檀弓〉和《論語》的編纂有類似經歷，即成於眾手，非一時一人之作。

第三、〈檀弓〉引用過〈曲禮〉、《論語》、《孝經》等文獻。

---

❷ 如計算晉獻公、重耳等人事跡，時間跨度則接近三百年。

❷ 楊伯峻：《論語譯注》（北京市：中華書局，1984 年 3 月），頁 28－29。

1. 鄰有喪，舂不相。里有殯，不巷歌。㉙（〈曲禮〉上）

　　鄰有喪，舂不相。里有殯，不巷歌。㉚（〈檀弓〉上）

2. 孝子之喪親也，……三日而食，教民無以死傷生，毀不滅性，此聖人之政
　　也。㉛（《孝經・喪親章》）

　　子思曰：「故君子之執親之喪也，水漿不入於口者三日，杖而後能起。」
　　㉜（〈檀弓〉上）

3. 子食於有喪者之側，未嘗飽也。㉝（《論語・述而》）

　　食於有喪者之側，未嘗飽也。㉞（〈檀弓〉上）

4. 子張曰：「《書》云：『高宗諒陰，三年不言。』何謂也？」子曰：「何
　　必高宗，古之人皆然。君薨，百官總己以聽於冢宰三年。」㉟（《論語・
　　憲問》）

　　子張問曰：「《書》云：『高宗三年不言，言乃讙。』有諸？」仲尼曰：
　　「胡為其不然也！古者天子崩，王世子聽於冢宰三年。」㊱（〈檀弓〉
　　下）

　　以上四條材料，第一條〈檀弓〉引〈曲禮〉很明顯。第二條〈檀弓〉和《孝
經》意思很接近，均為子思語無疑。第三條〈檀弓〉引《論語》也很明顯。第四條

㉙　同註❶，上冊，頁 1249 中。
㉚　同註❶，上冊，頁 1275 下。
㉛　同註❶，下冊，頁 2561 上。
㉜　同註❶，上冊，頁 1282 上、中。
㉝　同註❶，下冊，頁 2482 上。
㉞　同註❶，上冊，頁 1289 下。
㉟　同註❶，下冊，頁 2513 中、下。
㊱　同註❶，上冊，頁 1305 中。

意思基本一致，可能是子張弟子所記。可見〈檀弓〉非一時一次寫成。但通過上面對比，〈檀弓〉中一些章節肯定寫於〈曲禮〉、《論語》以後。

　　第四、〈檀弓〉中有很多章節見於《孔子家語》一書，列表如下：

〈檀弓〉和《孔子家語》對照表

序號	〈檀弓〉	《孔子家語》
1	公儀仲子之喪，檀弓免焉。仲子舍其孫而立其子。檀弓曰：「何居？我未之前聞也。」趨而就子服伯子于門右，曰：「仲子舍其孫而立其子，何也？」伯子曰：「仲子亦猶行古之道也。昔者文王舍伯邑考而立武王，微子舍其孫腯而立衍也。夫仲子亦猶行古之道也。」子游問諸孔子，孔子曰：「否！立孫。」（《十三經注疏》附《校勘記》本上冊第 1273 頁下 ❸⑦）	公儀仲子嫡子死，而立其弟。檀弓謂子服伯子曰：「何居？我未之前聞也。」子服伯子曰：「仲子亦猶行古人之道。昔者文王舍伯邑考而立武王，微子舍其孫腯而立其弟衍。」子游以問諸孔子，子曰：「否！周制立孫。」（〈公西赤問〉）❸⑧
2	孔子既得合葬於防，曰：「吾聞之，古也墓而不墳。今丘也，東西南北之人也，不可以弗識也。」於是封之，崇四尺。孔子先反，門人後。雨甚，至。孔子問焉，曰：「爾來何遲也？」曰：「防墓崩。」孔子不應。三，孔子泫然流涕曰：「吾聞之，古不修墓。」（第 1275 頁上）	孔子之母既喪，……遂合葬於防，曰：「吾聞之，古者墓而不墳。今丘也，東西南北之人，不可以弗識也。吾見封之若堂者矣，又見若坊者矣，又見若覆夏屋者矣，又見若斧形者矣。吾從斧者焉。」於是封之，崇四尺。孔子先反虞，門人後。雨甚，至。墓崩，修之而歸。孔子問焉，曰：「爾來何遲？」對曰：「防墓崩。」

---

❸⑦ 該表中下只標頁碼和欄數。

❸⑧ 廖名春，鄒新明校點：《孔子家語》（瀋陽市：遼寧教育出版社，1997 年 3 月）中〈出版說明〉說：「1973 年，河北定縣八角廊漢墓出土了與《孔子家語》內容相似的竹簡；1977 年，安徽阜陽雙古堆漢墓又出土了與《孔子家語》有關的簡牘。這說明今本《孔子家語》並非偽書，他的原型早在漢初就已存在。由此看來，所謂孔安國〈序〉與王肅〈序〉的說法是有根據的。《孔子家語》和《論語》同源，係孔門弟子各記所聞，後選一部分輯為《論語》，其餘部分則集錄為《孔子家語》。後來又經過從孔安國到孔猛等數代孔氏學者的陸續編輯增補而成。所以，今本《孔子家語》既在戰國秦漢間就有原型，也是漢魏孔氏家學的產物。」所以，我們將〈檀弓〉與《孔子家語》進行對比。

		孔子不應。三云，孔子泫然流涕曰：「吾聞之，古不修墓。」（〈公西赤問〉）
3	孔子哭子路於中庭，有人弔者，而夫子拜之。既哭，進使者而問故。使者曰：「醢之矣。」遂命覆醢。（第1275頁上）	子路與子羔仕于衛，衛有蕢聵之難。孔子在魯，聞之，曰：「柴也其來，由也死矣。」既而衛使至，曰：「子路死焉。」夫子哭之于中庭，有人弔者，而夫子拜之。已哭，進使者而問故。使者曰：「醢之矣。」遂令左右皆覆醢，曰：「吾何忍食此。」（〈曲禮子夏問〉）
4	南宮縚之妻之姑之喪，夫子誨之髽曰：「爾毋從從爾，爾毋扈扈爾，蓋榛以為笄，長尺，而總八寸。」（第1278頁中）	南宮縚之妻，孔子之兄女。喪其姑，夫子誨之髽曰：「爾毋從從爾，毋扈扈爾，蓋榛以為笄，長尺，而總八寸。」（〈曲禮子貢問〉）
5	孟獻子禫，縣而不樂，比御而不入。夫子曰：「獻子加於人一等矣。」（第1278頁中）	孟獻子禫，縣而不樂，可御而不處內。子游問於孔子曰：「若是則過禮也？」孔子曰：「獻子可謂加於人一等矣。」（〈曲禮子貢問〉）
6	子路有姊之喪，可以除之矣，而弗除也。孔子曰：「何弗除也？」子路曰：「吾寡兄弟，而弗忍也。」孔子曰：「先王制禮，行道之人皆弗忍也！」子路聞之，遂除之。（第1279頁上）	子路有姊之喪，可以除之矣，而弗除。孔子曰：「何不除也？」子路曰：「吾寡兄弟，而弗忍也。」孔子曰：「行道之人皆弗忍。先王制禮，過之者俯而就之，不至者企而望之。」子路聞之，遂除之。（〈曲禮子貢問〉）
7	伯魚之母死，期而猶哭，夫子聞之曰：「誰與哭者？」門人曰：「鯉也。」夫子曰：「嘻，其甚也！」伯魚聞之，遂除之。（第1281頁上、中）	伯魚之喪母也，期而猶哭。夫子聞之曰：「誰也？」門人曰：「鯉也。」夫子曰：「嘻！其甚也，非禮也。」伯魚聞之，遂除之。（〈曲禮子貢問〉）
8	伯高死于衛，赴於孔子。孔子曰：「吾惡乎哭諸？兄弟，吾哭諸廟；父之友，吾哭諸廟門之外；師，吾哭諸寢；朋友，吾哭諸寢門之外；所知，吾哭諸野。於野，則已疏；於寢，則已重。夫由賜也見我，吾哭諸賜氏。」遂命子貢為之主，曰：「為爾哭也來者，拜之；知伯高而來者，勿拜也。」（第1282頁中）	伯高死于衛，赴於孔子。子曰：「吾惡乎哭諸？兄弟，吾哭諸廟；父之友，吾哭諸廟門之外；師，吾哭之寢；朋友，吾哭之寢門之外；所知，吾哭之諸野。今於野則已疏，於寢則已重。夫由賜也而見我，吾哭於賜氏。」遂命子貢為之主，曰：「為爾哭也來者，汝拜之；知伯高而來者，汝勿拜。」（〈曲禮子貢問〉）

9	孔子之衛，遇舊館人之喪，入而哭之哀。出，使子貢說驂而賻之。子貢曰：「于門人之喪，未有所說驂，說驂於舊館，無乃已重乎？」夫子曰：「予鄉者入而哭之，遇於一哀而出涕，予惡夫涕之無從也，小子行之。」（第1283頁上、中）	孔子適衛，遇舊館人之喪，入而哭之哀。出，使子貢脫驂以贈之。子貢曰：「於所識之喪，不能有所贈，贈於舊館，不已多乎？」孔子曰：「吾向入哭之，遇一哀而出涕，吾惡夫涕而無以將之，小子行焉。」（〈曲禮子夏問〉）
10	孔子在衛，有送葬者，而夫子觀之，曰：「善哉為喪乎！足以為法矣，小子識之。」子貢曰：「夫子何善爾也？」曰：「其往也如慕，其反也如疑。」子貢曰：「豈若速反而虞乎？」子曰：「小子識之，我未之能行也。」（第1283頁中）	孔子在衛，衛之人有送葬者，而夫子觀之，曰：「善哉為喪乎！足以為法也，小子識之。」子貢問曰：「夫子何善爾也？」曰：「其往也如慕，其反也如疑。」子貢曰：「豈若速反而虞哉？」子曰：「此情之至者也，小子識之，我未之能也。」（〈曲禮子貢問〉）
11	孔子蚤作，負手曳杖，消搖於門，歌曰：「泰山其頹乎！梁木其壞乎！哲人其萎乎！」既歌而入，當戶而坐。子貢聞之，曰：「泰山其頹，則吾將安仰？梁木其壞，哲人將萎，則吾將安放？夫子殆將病也。」遂趨而入。夫子曰：「賜，爾來何遲也？夏后氏殯於東階之上，則猶在阼也。殷人殯於兩楹之間，則與賓主夾之也。周人殯於西階之上，則猶賓之也。而丘也，殷人也，予疇昔之夜，夢坐奠於兩楹之間。夫明王不興，而天下其孰能宗予？予殆將死也。」蓋寢疾七日而沒。（第1283頁下）	孔子蚤晨作，負手曳杖，逍遙於門，而歌曰：「泰山其頹乎！梁木其壞乎！喆人其萎乎！」既歌而入，當戶而坐。子貢聞之，曰：「泰山其頹，則吾將安仰？梁木其壞，則吾將安杖？喆人其萎，吾將安放？夫子殆將病也。」遂趨而入。夫子歎而言曰：「賜，汝來何遲？予疇昔夢坐奠於兩楹之間。夏后氏殯於東階之上，則猶在阼。殷人殯於兩楹之間，則與賓主夾之。周人殯於西階之上，則猶賓之。而丘也，即殷人，夫明王不興，則天下其孰能宗余？余殆將死。」遂寢病，七日而終，時年七十二矣。（〈終紀解〉）
12	孔子之喪，門人疑所服。子貢曰：「昔者夫子之喪顏淵，若喪子而無服，喪子路亦然。請喪夫子若喪父而無服。」（第1284頁上）	（孔子）既卒，門人疑所以服夫子者。子貢曰：「昔者夫子喪顏回也，若喪其子而無服，喪子路亦然。今請喪夫子如喪父而無服。」（〈終紀解〉）
13	孔子之喪，公西赤為志焉。飾棺牆，置翣，設披，周也；設崇，殷也；綢練，設旐，夏也。（第1284頁中）	孔子之喪，公西赤掌殯葬焉。……飾棺牆，置翣。設披，周也；設崇，殷也；綢練，設旐，夏也。（〈終紀解〉）
14	子夏問於孔子曰：「居父母之仇，如之何？」夫子曰：「寢苫枕干，不仕，弗與	子夏問於孔子曰：「居父母之仇，如之何？」孔子曰：「寢苫枕干，不仕，弗與

	共天下也。遇諸市朝，不反兵而鬥。」曰：「請問居昆弟之仇，如之何？」曰：「仕弗與共國。銜君命而使，雖遇之不鬥。」曰：「請問居從父昆弟之仇，如之何？」曰：「不為魁。主人能，則執兵而陪其後。」（第 1284 頁下、第 1285 頁上）	共天下也。遇於市朝，不返兵而鬥。」曰：「請問居昆弟之仇，如之何？」孔子曰：「仕弗與同國。禦國命而使，雖遇之不鬥。」曰：「請問從父昆弟之仇，如之何？」曰：「不為魁。主人能報之，則執兵而陪其後。」（〈曲禮子夏問〉）
15	孔子之喪，二三子皆絰而出。群居則絰，出則否。（第 1285 頁上）	（孔子既卒），……於是弟子皆弔服而加麻，出有所之，則由絰。子夏曰：「入宜絰可也，出則不絰。」子游曰：「吾聞諸夫子，喪朋友，居則絰，出則否；喪所尊，雖絰而出，可也。」（〈終紀解〉）
16	孔子曰：「之死而致死之，不仁而不可為也。之死而致生之，不知而不可為也。是故竹不成用，瓦不成味，木不成斲，琴瑟張而不平，竽笙備而不和，有鐘磬而無簨簴，其曰明器，神明之也。」（第 1289 頁下）	子游問於孔子曰：「之死而致死乎，不仁，不可為也。之死而致生乎，不智，不可為也。凡為明器者，知喪道矣，備物而不可用也。是故竹不成用，而瓦不成膝，琴瑟張而不平，笙竽備而不和，有鐘磬而無簨簴，其曰明器，神明之也。哀哉！死者用生者之器，不殆於用殉也。」（〈公西赤問〉）
17	子游曰：「……昔者夫子居於宋，見桓司馬自為石槨，三年而不成。夫子曰：『若是其靡也，死不如速朽之愈也。』『死之欲速朽』，為桓司馬言之也。南宮敬叔反，必載寶而朝。夫子曰：『若是其貨也，喪不如速貧之愈也。』『喪之欲速貧』，為敬叔言之也。」（第 1290 頁上）	孔子在宋，見桓魋自為石槨，三年而不成，工匠皆病。夫子愀然曰：「若是其靡也，死不如速朽之愈。」……南宮敬叔以富得罪於定公，奔衛。衛侯請復之，載其寶以朝。夫子聞之曰：「若是其貨也，喪不若速貧之愈。」子游侍，曰：「敢問何謂如此？」孔子曰：「富而不好禮，殃也。敬叔以富喪矣，而又弗改，吾懼其將有後患也。」（〈曲禮子貢問〉）
18	子游問喪具。夫子曰：「稱家之有亡。」子游曰：「有無惡乎齊？」夫子曰：「有毋過禮。苟亡矣，斂首足形，還葬，縣棺而封，人豈有非之者哉？」（第 1291 頁下） 子路曰：「吾聞諸夫子：『喪禮，與其哀	子游問喪之具。孔子曰：「稱家之有亡焉。」子游曰：「有亡惡乎齊？」孔子曰：「有也，則無過禮。苟亡矣，則斂手足形，還葬，懸棺而封，人豈有非之者哉？故夫喪禮，與其哀不足而禮有餘，不若禮不足而哀有餘也；祭禮，與其敬不足

	不足而禮有餘也，不若禮不足而哀有餘也；祭禮，與其敬不足而禮有餘也，不若禮不足而敬有餘也』。」（第 1285 頁上）	而禮有餘，不若禮不足而敬有餘也。」（〈曲禮子貢問〉）
19	孔子之喪，有自燕來觀者，舍于子夏氏。子夏曰：「聖人之葬人，與人之葬聖人也，子何觀焉？昔者夫子言之曰：『吾見封之若堂者矣，見若坊者矣，見若覆夏屋者矣，見若斧者矣，從若斧者焉。』馬鬣封之謂也。今一日而三斬板，而已封，尚行夫子之志乎哉？」❸❾（第 1292 頁上、中）	（孔子）既葬，有自燕來觀者，舍于子夏氏。子貢謂之曰：「吾亦人之葬聖人，非聖人之葬人，子奚觀焉？昔夫子言曰：『吾見封若夏屋者，若斧矣。』從若斧者也。馬鬣封之謂也。今徒一日三斬板而以封，尚行夫子之志而已。何觀乎哉？」（〈終紀解〉）
20	重，主道也。殷主綴重焉，周主徹重焉。（第 1301 頁中）	孔子曰：「重，主道也。殷主綴重焉，周人徹重焉。」（〈曲禮子夏問〉）
21	子張問曰：「《書》云：『高宗三年不言，言乃讙。』有諸？」仲尼曰：「胡為其不然也！古者天子崩，王世子聽於冢宰三年。」（第 1305 頁中）	子張問曰：「《書》云：『高宗三年不言，言乃雍。』有諸？」孔子曰：「胡為其不然也！古者天子崩，則世子委政於冢宰三年。」（〈正論解〉）
22	子路曰：「傷哉，貧也！生無以為養，死無以為禮。」孔子曰：「啜菽，飲水，盡其歡，斯之謂孝。斂手足形，還葬而無槨，稱其財，斯之謂禮。」（第 1310 頁上）	子路問於孔子曰：「傷哉，貧也！生而無以供養，死則無以為禮也。」孔子曰：「啜菽飲水，盡其歡心，斯謂之孝。斂手足形，旋葬而無槨，稱其財，斯之謂禮。貧何傷乎！」（〈曲禮子貢問〉）
23	戰于郎。公叔禺人遇負杖入保者息，曰：「使之雖病也，任之雖重也，君子不能為謀也，士弗能死也，不可。我則既言矣。」與其鄰重汪踦往，皆死焉。魯人欲勿殤重汪踦，問于仲尼。仲尼曰：「能執干戈以衛社稷，雖欲勿殤也，不亦可乎。」（第 1311 頁上、中）	齊師侵魯，公叔務人遇人入保，負杖而息。務人泣曰：「使之雖病，任之雖重，君子弗能謀，士弗能死，不可也。我則既言之矣，敢不勉乎？」與其鄰嬖童汪踦乘往，奔敵死焉。皆殯，魯人欲勿殤童汪踦，問於孔子。曰：「能執干戈以衛社稷，可無殤乎？」（〈曲禮子貢問〉）
24	孔子過泰山側，有婦人哭於墓者而哀，夫子式而聽之，使子路問之曰：「子之哭也，壹似重有憂者。」而曰：「然。昔者	孔子適齊，過泰山之側，有婦人哭於野者而哀。夫子式而聽之，曰：「此哀一似重有憂者。」使子貢往問之，而曰：「舅死

❸❾ 該節類似句子又見《孔子家語・公西赤問》，參本表第 2 條。

	吾舅死于虎，吾夫又死焉，今吾子又死焉。」夫子曰：「何為不去也？」曰：「無苛政。」夫子曰：「小子識之，苛政猛於虎也。」（第 1313 頁中）	于虎，吾夫又死焉，今吾子又死焉。」子貢曰：「何不去乎？」婦人曰：「無苛政。」子貢以告孔子，子曰：「小子識之，苛政猛於暴虎。」（〈正論解〉）
25	延陵季子適齊，於其反也，其長子死，葬於嬴、博之間。孔子曰：「延陵季子，吳之習於禮者也。」往而觀其葬焉。其坎深不至於泉，其斂以時服，既葬而封，廣輪揜坎，其高可隱也。既封，左袒，右還其封，且號者三，曰：「骨肉歸復於土，命也！若魂氣則無不之也，無不之也。」而遂行。孔子曰：「延陵季子之於禮也，其合矣乎！」（第 1313 頁下、第 1314 頁上）	吳延陵季子聘于上國，適齊。于其返也，其長子死于嬴、博之間。孔子聞之，曰：「延陵季子，吳之習於禮者也。」往而觀其葬焉。其斂以時服而已，其壙揜坎，深不至於泉；其葬無明器之贈。既葬，其封廣輪揜坎，其高可肘隱也。既封，則季子左袒，右還其封，且號者三，曰：「骨肉歸於土，命也！若魂氣則無所不之，無所不之。」而遂行。孔子曰：「延陵季子之禮，其合矣。」（〈曲禮子貢問〉）
26	仲尼之畜狗死，使子貢埋之，曰：「吾聞之也，敝帷不棄，為埋馬也；敝蓋不棄，為埋狗也。丘也貧，無蓋，於其封也，亦予之席，毋使其首陷焉。」路馬死，埋之以帷。（第 1315 頁中）	仲尼之守狗死，謂子貢曰：「路馬死則藏之以帷，狗則藏之以蓋，汝往埋之。吾聞敝帷不棄，為埋馬也；敝蓋不棄，為埋狗也。今吾貧，無蓋，於其封也，與之席，無使其首陷於土焉。」（〈曲禮子夏問〉）

通過表中對比，〈檀弓〉與《孔子家語》相同的二十六節，雖個別字詞有異，但基本句子和意思完全一致，基本可以肯定，這些章節是子貢、子游、子路等人或其弟子寫成。所以，被編選在不同的文獻中流傳。

第五、子皋名柴，《史記》和上博簡作「子羔」。孔子評價子皋說：「柴也愚。」❹〈檀弓〉記載，子皋為其父服喪三年，哭泣三年，未曾笑過，一般人難以做到。這一記載，與孔子的評價基本一致。又，子蒲卒後，哭泣的人呼喊著他的名字而哭，子皋云：「若是野哉！」哭者改之。成邑有個人死了哥哥而不服喪，聽說子皋將做成邑的宰，便為其哥服喪。上博簡中殘存〈子羔〉篇，計竹簡十四枚，三百五十九字，第五簡背題有「子羔」二字。簡文記述了孔子回答子皋所問堯、舜、禹、契和后稷之事。〈子羔〉篇和〈檀弓〉中與子皋相關的四節，應該是子皋弟子

---

❹ 同註❶，下冊，頁 2499 中。

記錄的。

　　第六、郭店楚簡中有〈魯穆公問子思〉一篇，李學勤等先生認為，該篇屬於《子思子》。**❹**該篇云：「魯穆公問於子思曰：『何如而可謂忠臣？』子思曰：『恒稱其君之惡者，可謂忠臣矣。』公不悅，揖而退之。」**❷**該文突出體現了子思敢於直諫的精神。〈檀弓〉下云：「穆公問於子思曰：『為舊君反服，古與？』子思曰：『古之君子，進人以禮，退人以禮，故有舊君反服之禮也。今之君子，進人若將加諸膝，退人若將隊諸淵。毋為戎首，不亦善乎？又何反服之禮之有？』」**❸**該節與〈魯穆公問子思〉相比，語氣完全一致。因此，該節應該是屬於《子思子》。

　　第七、郭店楚簡有〈性自命出〉一篇，有一段文字經彭林先生在裘錫圭等先生釋文的基礎上補苴後，可隸定如下：

> 喜斯惄，惄斯奮，奮斯詠，詠斯猷，猷斯舞，舞，喜之終也。慍斯憂，憂斯戚，戚斯懄，懄斯辟，辟斯通，通，慍之終也。

〈檀弓〉下云：

> 人喜則斯陶，陶斯詠，詠斯猶，猶斯舞；舞斯慍；慍斯戚，戚斯歎，歎斯辟，辟斯踊也！**❹**

　　彭林先生認為：「漢儒在引用〈性自命出〉此語時，對原文有所改作，一是將前半的『惄斯奮，奮斯詠』，省並為『惄斯詠』；將後半的『慍斯憂，憂斯戚』，省並為『慍斯戚』；使前後句式依然對仗，密接無痕。二是將『舞，喜之終也』，

---

❹　李學勤：〈荊門郭店楚簡中的「子思子」〉，《郭店楚簡研究》（《中國哲學》第 20 輯，瀋陽市：遼寧教育出版社，2000 年 1 月）。

❷　荊門市博物館：《郭店楚墓竹簡》（北京市：文物出版社，1998 年 5 月）。

❸　同註**❶**，上冊，頁 1303 頁中。

❹　同註**❶**，上冊，頁 1304 中、下。

改成『舞斯慍』，致失原意。三是簡文的『慆』、『戁』等字被用通假字代替，造成了理解上的歧異。這些問題，由於簡文出而渙然冰釋。」❹彭林先生考釋有理，然謂「漢儒在引用〈性自命出〉此語時，對原文有所改作」，則非。將〈檀弓〉下文字和〈性自命出〉進行比較，〈檀弓〉摘引〈性自命出〉非常明顯❹，可見，〈檀弓〉下「子游曰」這段文字，寫定於〈性自命出〉以後。最早在戰國中期末。

　　第八、〈檀弓〉上云：「小斂之奠，子游曰：『於東方。』曾子曰：『於西方，斂斯席矣。』小斂之奠在西方，魯禮之末失也。」❹鄭玄《注》曰：「曾子以俗說，非。又大斂奠於堂，乃有席。末世失禮之為。」孔穎達《正義》曰：「依禮，小斂之奠設於東方，奠又無席，魯之衰末，奠於西方，而又有席，曾子見時如是，謂將為禮，故云小斂『於西方』。『斯』，此也。其斂之時，于此席上而設奠矣。曾子之言失禮，故記者正之云，小斂奠所以在西方，是魯人行禮，末世失其法也。」按，據《儀禮・士喪禮》，小斂時的祭奠，祭品是放在屍體東邊的地上，小斂之奠無席。惟大斂時祭奠於堂，才設席。曾子根據俗說認為小斂之奠，祭品是放在屍體西邊的席上，是錯誤的。所以，「記」者認為，這是魯國末世失禮的行為。公元前 256 年，魯國被楚國所滅。那麼，該節之寫定，最早當在戰國晚期初。

　　第九、〈檀弓〉中記載了春秋時期的一些故事，有與《左傳》、《國語》大同小異者，有傳聞失實者。

　　「晉獻公殺害世子申生」一節，又見於《左傳》僖公四年（前 656）和《國語・晉語・驪姬譖殺太子申生》，唯略詳于《左傳》而略於《國語》。「魯莊公及宋人戰於乘丘」一節，又見於《左傳》莊公十年（前 684），然《左傳》極簡略。「邾婁復之以矢」一節，分別見於《左傳》僖公二十二年（前 638）和襄公四年（前 569），但均略于《左傳》。

　　〈檀弓〉上載魯哀公誄孔子之辭曰：「天不遺耆老，莫相予位焉，嗚呼哀哉，

---

❹　彭林：《郭店楚簡・性自命出》補釋，《郭店楚簡研究》。

❹　廖名春先生在〈荊門郭店楚簡與先秦儒學〉一文中已經指出這一點，並謂〈性自命出〉是子游之作，《郭店楚簡研究》。

❹　同註❶，上冊，頁 1291 中。

尼父！」❹《左傳》哀公十六年（前 479）云：「夏四月己丑，孔丘卒。公誄之曰：『旻天不弔，不憖遺一老。俾屏余一人以在位，煢煢余在疚。嗚呼哀哉，尼公！無自律。』」❹文意一致，人們一般以《左傳》為準。

　　「宋襄公葬夫人」一節失實，據《左傳》，宋襄公卒於魯僖公二十三年（前637），宋襄公夫人在其夫死後二十六年，即魯文公十六年（前 611），《左傳》還記載有她的活動，宋襄公安得葬其夫人哉？

　　由此可證，〈檀弓〉中記錄的春秋時期的一些故事，基本上是以《左傳》、《國語》等文獻為準而編纂的，也可能參考了其他文獻，並在傳抄過程中出現訛誤，導致失實。

　　綜上所論，我們認為，〈檀弓〉上下篇，是經過孔子及其弟子、再傳弟子先後寫定一些章節，直到戰國晚期，才有人參考《左傳》、《國語》和其他儒家文獻，編纂成目前我們看到的面貌。

---

❹　同註❶，上冊，頁 1294 上。

❹　楊伯峻：《春秋左傳注》（北京市：中華書局 1983 年 9 月），頁 1698。

經 學 研 究 論 叢
第 十 七 輯　　頁189～224
臺灣學生書局　2009 年 12 月

王樹榮《紹邵軒叢書》評介

張厚齊*

一、作者簡介

㈠生平

　　有關王樹榮生平，臺灣地區文獻不足；據安慶東方印書館刊印所撰《紹邵軒叢書》，封面次頁自題「吳興王樹榮」，知為今浙江省吳興縣人。另據臺北文海出版社刊印清代稿本百種彙刊，有光緒末年同姓名者所撰《元秘史潤文》，序末自題「歸安王樹榮」。按宋代歸安縣與烏程縣並為湖州治，明、清並為浙江省湖州府治，民國廢併二縣為吳興縣❶，故推測二者可能係同一人。《元秘史潤文》成書於清末，故題為歸安人；《紹邵軒叢書》成書於民國初，故題為吳興人。

　　又據《紹邵軒叢書》，其中《續公羊墨守・序》云：「吾鄉崔懷瑾先生以所著《春秋復始》一書見貽。」❷《箴箴何篇》亦云：「曩游京師，承崔君以《春秋復始》見貽。」❸知崔適與王樹榮為同時代人；崔適所撰《春秋復始》收錄於上海古籍出版社出版《續修四庫全書》中。按臺北文史哲出版社出版《清人室名別稱字號

＊　張厚齊，東吳大學中國文學系博士生。

❶　中華書局辭海編輯委員會：《辭海》（臺北市：中華書局，1984 年 10 月），頁 2486。

❷　王樹榮：《續公羊墨守》（《紹邵軒叢書》）（安慶市：東方印書館，年份不詳），〈序〉，頁 4。

❸　王樹榮：《箴箴何篇》（《紹邵軒叢書》）（安慶市：東方印書館，年份不詳），頁 9。

索引》所載，崔適，字觶廬，號懷瑾，歸安人，生卒年闕❹；王樹榮，字仁山，號載髯、王晚山、卍龕老衲、茗上騎驢客，室名紹邵軒，生卒年亦闕。❺另吉林人民出版社出版《民國人物別名索引》所載，崔適（西元 1852－1924 年），字懷瑾，又字鮮甫，浙江吳興人❻；王樹榮（西元 1871－？年），字仁山，又字相人偶，號載髯，浙江吳興人。❼崔適年齡較王樹榮長十九歲，二人年代相合，籍貫相同，俱為清末民國初人，《清人室名別稱字號索引》與《民國人物別名索引》所載雖稍有出入，但應係有據，惜均未註明出處，無法循線蒐求更豐富的資料。

㈡春秋學思想

　　清代中葉以後，曾經盛極一時的乾嘉考據學風走上沒落之途，代之而起的是漢學與今文經學的復興。公羊學的復興，始自乾隆年間的經學大師莊存與，其《春秋正辭》即以公羊學的理論解說《春秋》，致力於發揮《春秋》的微言大義，強調《春秋》經世致用的功能。自此以後，孔廣森、劉逢祿、凌曙、龔自珍、魏源、陳立、皮錫瑞、廖平、康有為等人紛紛著書立說，闡揚公羊學說，發揮《春秋》的微言大義，以經世致用為務，終於形成一股強大的政治改革風潮。

　　《春秋》微言大義究竟有多少？司馬遷云：「《春秋》文成數萬，其指數千。」（《史記・太史公自序》）康有為則提出質疑：「今《公》、《穀》二傳所傳大義，僅二百餘條，則其指數千安在？」❽不僅康有為，提出質疑的學者大有人在。因此，除非孔子復生，親自說明，否則，過度發揮《春秋》的微言大義，往往容易發生兩種弊端：一是援引他說，二是失之穿鑿。王樹榮的春秋學思想，正可由此作反向的觀察。

---

❹　楊廷福、楊同甫：《清人室名別稱字號索引》（臺北市：文史哲出版社，1989 年 11 月），頁 870。

❺　同註❹，頁 1295。

❻　蔡鴻源：《民國人物別名索引》（長春市：吉林人民出版社，2001 年 9 月），下編，頁 182。

❼　同註❻，頁 20。

❽　〔清〕康有為：《春秋筆削大義微言考》，《康南海先生遺著彙刊》第 7 集（臺北市：宏業書局，1976 年 9 月），頁 17。

1.《公羊傳》與《春秋》為一體

援引他說，是過度發揮《春秋》微言大義的第一種弊端。王樹榮云：

> 吾謂如莊方耕《春秋正辭》、劉申受《公羊解詁箋》往往攔入《穀梁》義，亦不啻魚目之混珠，於此愈信任城墨守之學，誠顛撲不破矣。❾

又云：

> 俗儒不察，猶於何氏《解詁》「以《春秋》當新王」之說，動多訾議，其亦勿思之甚矣。雖然，援《左》、《穀》以亂《公羊》者，固不免喪其所守。❿

從表面來看，在王樹榮的觀念中，《左傳》與《穀梁傳》都是相對於《公羊傳》的他說，都足以紊亂公羊學說。其實，說得更深入、更確切一點，王樹榮並不承認《左傳》與《穀梁傳》屬於春秋學的範疇，只有公羊學才是唯一真正的春秋學，故云：

> 今所謂《公羊傳》者，在西漢以前統名之曰《春秋》，不但無公羊之名，並不稱之曰傳，固合經與傳，而統以《春秋》名之者也。⓫

又云：

> 《漢書‧鄒陽傳》曰：「慶父親殺閔公，季子緩追逸賊，《春秋》以為親親之道也。」〈終軍傳〉曰：「《春秋》之義，大夫出疆，有可以安社稷、存萬民，專之可也。」皆引《公羊傳》文，而不稱《公羊》，不稱傳，直曰

---

❾　同註❷，〈序〉，頁 2—3。

❿　同註❷，〈序〉，頁 3。

⓫　同註❷，〈序〉，頁 1。

《春秋》，以為《春秋》之義者，此傳與經為一體。❷

可見王樹榮認為，《公羊傳》自始即是《春秋》，傳與經本為一體，既是傳，也是
經。

　　至於《左傳》與《穀梁傳》是如何定位呢？王樹榮云：

《春秋》之作，《左氏》及《穀梁》無明文。❸

崔懷瑾謂：「歆偽造《左》、《穀》二傳，藉以破壞《春秋》，為莽飾非，
為己文過之詭計。」❹

以為《左傳》有「六謬」，云：

一曰《左氏》非編年之史，二曰《左氏》無釋經之例，三曰《左氏》有增竄
之文，四曰《左氏》多乖悟之事，五曰《左氏》多違經之處，六曰《左氏》
非傳經之傳。❺

又以為「《穀梁》為經學中之鄉愿」❻，云：

《春秋經》之有《穀梁傳》，直如鄉愿之亂德，令人非之無舉，刺之無刺。

---

❷　王樹榮：《續公羊墨守附篇》（《紹邵軒叢書》）（安慶市：東方印書館，年份不詳），卷
　　1，頁1。
❸　王樹榮：《續左氏膏肓》（《紹邵軒叢書》）（安慶市：東方印書館，年份不詳），〈序〉
　　頁2。
❹　王樹榮：《續穀梁廢疾》（《紹邵軒叢書》）（安慶市：東方印書館，年份不詳），〈序〉
　　頁3。
❺　同註❸，〈序〉，頁3。
❻　同註❹，〈序〉，頁3。

蓋《左氏傳》就原文加以竄亂，故其偽易見，《穀梁》則合眾手造成，或剿竊他書為己有，或移《公羊》甲傳以作乙傳，故其偽難知。**❶⑦**

至於劉歆偽造《穀梁傳》的目的，乃是「以為《左氏傳》之前驅」，云：

> 歆之所以必偽造《穀梁》者，亦自有故。哀帝時，歆欲立《左氏》於學官，諸儒師丹、公孫祿等羣起而攻，謂《左氏》不傳《春秋》，歆雖悍然移書讓太常博士，卒以眾怒難犯，懼而求外，於是知《左氏傳》已有破綻，不得不召集數千人，記說於廷，別造一《穀梁傳》，託諸於今文，託諸於衛太子所好，託諸於傳自荀卿，並以習《穀梁》誣乃父，以為《左氏傳》之前驅。**❶⑧**

2.「以《春秋》為《春秋》」

失之穿鑿，是過度發揮《春秋》微言大義的第二種弊端。王樹榮云：

> 而末流之弊，動輒援《公羊》以遍鑿羣經。自莊珍藝作夏時等例，以夏小正比附〈禮運〉「吾得夏時」之說。劉逢祿推衍其意，作《論語述何》，〈自序〉稱，《藝文類集》引《論語》「女為君子儒」，何休《注》「大類董生正誼明道」；實則所引「君子為儒，將以明道；小人為儒，則以為名」，乃何晏能《論語集解》，晏字偶誤作休，而劉申受輒援以為据，已為李越縵所糾。戴子高作《論語註》，至謂樊遲從游於舞雩之下，即為「季辛又雩」而發，尤失之鑿。宋于庭復作《大學古義》以牽合《公羊》，廖季平則援二伯之說以附會〈王制〉，至龔定庵專以張三世主義遍通群經；其尤變本加屬者，遂流為孔子改制之說，而《春秋》真成斷亂朝報矣。吾故謂以《春秋》為《春秋》，彼援《左》、《穀》以亂《公羊》者，固非；而援《公羊》之

❶⑦　同註**❶⑭**，〈序〉，頁 1。
❶⑧　同註**❶⑭**，〈序〉，頁 3。

說，強他經以就我者，尤一無是處也。**⑲**

「援《公羊》以遍鑿羣經」是清末公羊學的普遍現象，但當時的公羊學者意在致用，不專為通經，因為中國正陷於危急存亡之秋，學者意識到不能繼續躲在書齋內作瑣細的考證工作，而公羊學中的大一統、尊王、攘夷、復讎、三世等學說，正是學者經世致用、為國效力的良方。然而，就學術立場而言，過度穿鑿附會，反將不利於公羊學的正常發展。王樹榮主張「以《春秋》為《春秋》」，用公羊學說闡釋《春秋》義理，反對「援《公羊》之說，強他經以就我」，甚至批評康有為的孔子改制說為「變本加厲」，應該是正確的看法。

二、《紹邵軒叢書》概述

㈠成書動機

1.紹述何休公羊學

何休（西元 129－182 年），字邵公，生於東漢末年，任城樊人。據《後漢書・儒林列傳》載，何休「為人質樸訥口，而雅有心思，精研六經，世儒無及者。」曾「作《春秋公羊解詁》，覃思不闚門，十有七年。」「又以《春秋》駁漢事六百餘條，妙得公羊本意。」並「與其師博士羊弼，追述李育意以難二傳，作《公羊墨守》、《左氏膏肓》、《穀梁廢疾》。」以上除《春秋公羊解詁》之外，諸書均已亡佚，其中《公羊墨守》、《左氏膏肓》、《穀梁廢疾》清人有輯本。何休公羊學的精神，集中表現於《春秋公羊解詁》一書中，王樹榮對之極為推崇，云：

> 崔懷瑾云：「何君注《春秋》，出自胡毋生《條例》，本七十子之遺說。」
> 范書又稱其「覃思不闚門，十有七年。」此經注之最深造有得者也。下走平
> 生服膺何君，於研究《三傳》之暇，間取何《注》加以攷訂，冀少延何學墜

---

⑲　同註❷，〈序〉，頁3。

緒於一綫。❷⓪

所謂「少延何學墜緒於一綫」，不僅是王樹榮考訂何《注》的目的，也是《紹邵軒叢書》成書的最大動機。

2. 不滿鄭玄攻訐何休之學

「何學墜緒於一綫」將近二千年，原因何在？王樹榮完全歸咎於鄭玄，云：

> 今文家學說所以塵霾數千載，終不能別白而定一尊者，良由鄭君雜采古今，淆亂家法，作《箴膏肓》、《起廢疾》、《發墨守》，以難邵公。……劉申受云：「康成兼治《三傳》，故於經不精。」今所存《發墨守》，可指說者惟一條，然多牽引《左氏》，其於董生、胡毋生之書，研之未深，概可想見。而何君稱為入室操矛，宏獎之風，斯異於專己黨同者哉？❷①

又云：

> 蓋自康成氏有《箴膏肓》、《起廢疾》、《發墨守》之作，二千年來偽《左》之氣焰日張，而今文家薪火一線之傳，或幾乎熄。❷②

按東漢末年，經學雖仍存在今古文的壁壘，但學者已開始崇尚兼綜的學術風氣，其中鄭玄「括囊大典，網羅眾家」（《後漢書‧張曹鄭列傳》），形成了古今兼綜的「鄭氏家法」（同前引）。何休堅守今文學的學術立場與鄭玄完全不同，故鄭玄兼採古文學說以攻訐何休是不足為怪的。室名「紹邵軒」的由來，即是標榜作者志在紹述何休（邵公）之學，間接對鄭玄之學表達不滿，云：

---

❷⓪　王樹榮：《公羊何注攻訂》（《紹邵軒叢書》）（安慶市：東方印書館，年份不詳），〈序〉，頁 1。

❷①　同註❷⓪。

❷②　同註❷，〈序〉，頁 4。

曾顏所居，曰「紹邵軒」。自署楹帖於座右，曰：「高密禮堂漫云寫定，任
城墨守未許輕攻。」❷

作者不滿鄭玄對何休之學輕率地加以攻訏，正凸顯對何休之學的推崇。

㈡體例及內容

　　《紹邵軒叢書》係王樹榮彙聚自己的春秋學著作而成，計有《續公羊墨守》三
卷、《續穀梁廢疾》三卷、《續左氏膏肓》六卷、《公羊何注攷訂》一卷、《箴箴
何篇》一卷、《續公羊墨守附篇》三卷、《讀左持平》一卷，凡七種十八卷。仿
《春秋》編年體例，七種著作分別依魯隱、桓、莊、閔、僖、文、宣、成、襄、
昭、定、哀十二公二百四十二年先後為次編輯而成。惟《續左氏膏肓》六卷較為不
同，乃各卷自為編次；又其中第六卷獨分為四節，各節自為編次，「使之以類相
從，庶閱者目眉較為清醒耳」。❷

　　由《紹邵軒叢書》七種書名可以窺知，作者的春秋學志在篤守何休的公羊學。
分述如下：

1.《續公羊墨守》

　　何休《公羊墨守》者，范曄云：「言《公羊》義理深遠，不可駁難，如墨翟之
守城也。」（《後漢書‧張曹鄭列傳》范曄《注》）王樹榮《續公羊墨守》乃續何
休之志，墨守《公羊傳》之義理，云：

> 宦游汴梁，同僚孫淑仁藏書頗多，因得盡借凌曉樓莊方耕、劉申受、宋于
> 庭、龔定庵、王壬秋、廖季平諸家之書，博觀而審思之，由是諸家向之致疑
> 於《公羊傳》者，如祭仲知權之說，黑肱通濫之文，大齊侯九世復讎，譏宋
> 君三世內娶，稱曼姑之師為伯討，比宋襄之戰於周文，其他郭公、夏五、齊
> 仲孫、楚頃熊、伯于陽諸疑義，與夫張三世、通三統、黜杞、故宋、親周、
> 王魯之微言大義，莫不冰釋，理順相說以解，然後知邵公墨守之學，誠夐乎

---

❷　同註❻。

❷　同註❸，卷 6，頁 22。

不可幾及也已。……故必使《公羊》之大義炳如日星，而後《春秋》筆削之微權昭回雲漢矣。㉕

姑舉《春秋》莊公四年夏：「紀侯大去其國。」為例。《公羊傳》云：

> 大去者何？滅也。孰滅之？齊滅之。曷為不言齊滅之？為襄公諱也。《春秋》為賢者諱，何賢乎襄公？復讎也。何讎爾？遠祖也。哀公亨乎周，紀侯譖之，以襄公之為於此焉者，事祖禰之心盡矣。盡者何？襄公將復讎乎紀，卜之，曰：「師喪分焉，寡人死之，不為不吉也。」遠祖者，幾世乎？九世矣。九世猶可以復讎乎？雖百世可也。家亦可乎？曰：不可。國何以可？國、君一體也。先君之恥，猶今君之恥也；今君之恥，猶先君之恥也。國、君何以為一體？國君以國為體，諸侯世，故國、君為一體也。今紀無罪，此非怒與？曰：非也。古者，有明天子，則紀侯必誅，必無紀者。紀侯之不誅，至今有紀者，猶無明天子也。古者，諸侯必有會聚之事，相朝聘之道，號辭必稱先君以相接。然則，齊、紀無說焉，不可以並立乎天下，故將去紀侯者，不得不去紀也。有明天子，則襄公得為若行乎？曰：不得也。不得，則襄公曷為為之？上無天子，下無方伯，緣恩疾者可也。

齊襄公的九世先君哀公因紀侯讒謗而被周王烹殺，齊襄公為了替哀公復讎而消滅紀國。《公羊傳》認為當初沒有英明的天子，紀侯才會得逞，齊哀公才會被殺；到了九世之後，依然沒有英明的天子或正義的霸主為齊哀公主持公道，所以齊襄公滅紀復讎的行為是正當的，無可非議的。

　　然而，何休《春秋公羊解詁》皆為字義訓詁，未深入闡發《公羊傳》之義。如「《春秋》為賢者諱，何賢乎襄公」句下，云：「据楚莊王亦賢，滅蕭不為諱。」「哀公亨乎周」句下，云：「亨，賁而殺之。」「師喪分焉」句下，云：「龜曰卜，蓍曰筮。分，半也。師喪亡其半。」「寡人死之」句下，云：「襄公荅卜者之

㉕　同註❷，〈序〉，頁4。

辭。」「雖百世可也」句下，云：「百世，大言之爾。猶《詩》云：『嵩高惟嶽，峻極于天，君子萬年。』」「先君之恥也」句下，云：「先君，謂哀公。今君，謂襄公。言其恥同也。」「故國、君為一體也」句下，云：「雖百世，號猶稱齊侯。」「今紀無罪」句下，云：「今紀侯也。」「此非怒與」句下，云：「怒，遷怒，齊人語也。此非怒其先祖，遷之於子孫與？」「齊、紀無說焉，不可以並立乎天下」句下，云：「無說，無說懌也。」「則襄公得為若行乎」句下，云：「若，如也。猶曰：『得為如此行乎？』」「上無天子，下無方伯」句下，云：「有而無益於治。曰無，猶《易》曰：『闃其無人。』」「緣恩疾者可也」句下，云：「疾，痛也。賢襄公，為諱者，以復讎之義，除滅人之惡。言大去者，為襄公明義，但當遷徙去之，不當取而有，明亂義也。不為文實者，方諱不得貶。」❷❻

王樹榮《續公羊墨守》則云：

> 陳蘭甫云：「《公羊》以紀侯大去其國，為賢襄公復九世之讎，此蓋有激而言，未可以為《公羊》病也。下文公及齊侯狩于郜，《公羊》以為，譏與讎者狩，讎者無時焉可與通，可見《公羊》深惡魯莊公不復讎，遂以為賢襄公復讎耳。《公羊》又云：『襄公……事祖禰之心盡矣。』九世安得云禰？明譏莊公之忘其禰也。」李蒓客亦稱蘭甫之說「真善讀《公羊》」，謂其說猶未盡，從而申之，曰：「莊九年公『及齊師戰于乾時，我師敗績。』《公羊》云：『內不言敗，此其言敗何？伐敗也。曷為伐敗？復讎也。此復讎乎大國，曷為使微者？公也。公，則曷為不言公？不與公復讎也。曷為不與公復讎？復讎者在下也。』則《公羊》於此事，不啻反覆言之，深切著明矣。夫敗而猶榮，何況能復。以名復者猶足錄，何況以實伐者誇大也。既非以實，又以致敗，猶誇大之，其責臣子之復讎，言至痛而意至切。」觀陳、李二家之說，於《公羊》大復讎之義，可以無庸置疑矣。若程子以「大」為紀侯之名，援諸侯失地名之例，固顯與傳文相悖，不免望文生義。屬鴰〈齊襄

---

❷❻ 〔漢〕何休：《春秋公羊解詁》，《十三經注疏》（二冊本）（臺北市：大化書局，1982 年 10 月），頁 2226。

復九世之讎議〉以《公羊》為俗說。按《困學紀聞》云：「臣不討賊，非臣也。子不復讎，非子也。讎者，無時焉可與通。通此三言者，君臣、父子、天典、民彝係焉。公羊子大有功於聖經。」又云：「九世猶可復讎乎？漢武用此義伐匈奴，儒者多以《公羊》之說為非。朱子〈序戊午讜議〉曰：『天子者，承萬世無疆之統，則亦有萬世必報之讎。』吁！何止百世哉！」厲氏作《宋詩紀事》百卷，號稱於宋史掌故最熟，豈王厚齋之說亦概乎未之有聞耶！宜陳卓人《公羊義疏》譏其不知《春秋》，而謂服盡、讎盡，尤厲氏之謬說已。**㉗**

王樹榮引陳澧（字蘭甫）、李慈銘（號蒓客）之說，以申《公羊傳》齊侯九世復讎、紀侯大去其國之義，且以為《公羊傳》乃借題發揮，譏魯莊公不復父讎而與讎者狩；又引王應麟「復讎何止百世」、朱熹「天子有萬世必報之讎」之說，以駁厲鶚「服盡、讎盡」之說。其徵引眾說，駁斥異說，以墨守《公羊傳》之義理，若有己說，則下按語（「榮按」云云），全書體例大致皆如此。

2.《續穀梁廢疾》

王樹榮《續穀梁廢疾》亦是續何休之志，揭發《穀梁傳》與《左傳》皆為劉歆偽造，別有用心，云：

崔懷瑾謂：「歆偽造《左》、《穀》二傳，藉以破壞《春秋》，為莽飾非，為己文過之詭計。凡與《公羊傳》義略同者，率其常義，傳之精義，《穀梁氏》削除之以孤其援，《左氏》反對之以篡其統。如王氏世卿，故《左》、《穀》盡去譏世卿之文；新室篡漢，故《左》、《穀》始終不見一「篡」字，此歆之為莽飾非也。《春秋》崇正，則造醜語以誣之；如《穀梁》誣隱公探先君之邪志，《左氏》誣孔父艷妻賈禍之類。《春秋》惡譎，則多陳陰謀以矯之；如《穀梁》誣公子友紿殺莒挐，《左氏》謂先軫請執宛春以怒楚，欒枝使輿曳柴偽遁之類，此歆之為己文過也。好聖人之所惡，惡聖人之

㉗ 同註**❷**，卷 1，頁 17—18。

所好，顧謂好惡與聖人同，幾以隻手掩天下之目者二千年。甚矣！其禍經也。」洵知言哉！然則，吾謂《穀梁》為經學中之鄉愿，夫豈深文周內之辭歟！㉘

姑亦舉《春秋》莊公四年夏：「紀侯大去其國。」為例。《穀梁傳》云：

> 大去者，不遺一人之辭也。言民之從之者，四年而後畢也。紀侯賢，而齊侯滅之；不言滅，而曰大去其國者，不使小人加乎君子。

其中未見《公羊傳》齊侯九世復讎之說，且將齊侯比於小人，若按照前引王樹榮《續穀梁廢疾》的說法，應該就是「傳之精義，《穀梁氏》削除之以孤其援」，目的在與《左傳》一搭一唱，意欲篡奪《春秋》之學的正統地位。

《續穀梁廢疾》云：

> 何休曰：「《春秋》楚世子商臣弒其君，其後滅江，亦不言大去。又大去者，於齊滅之不明，但知不使小人加乎君子，而不言滅，縱失襄公之惡，反為大去也。」鄭君釋之曰：「商臣弒其父，大惡也，不得但為小人。江、六之君，又無紀侯得民之賢，不得變滅言大去也。元年冬齊師遷紀，三年紀季以酅入於齊，今紀侯大去其國，是足起齊滅之矣，即以變滅言大去，為縱失襄公之惡，是乃經也，非傳也。且《春秋》因事見義，舍此，以滅人為罪者，自多矣。」榮按：鄭以商臣弒父，大惡，不得但為小人。《易》曰：「小人以小善為無益，而勿為也；以小惡為無傷，而不去也。故惡積而不可掩，罪大而不可解。」故曰：臣弒君，子弒父，非一朝一夕之故，其所由來者，漸矣。弒父與君，正小人無忌憚之尤者耳，鄭說殊牽強。至云：「即以變滅言大去，為縱失襄公之惡，是乃經也，非傳也。」然正惟其是經，非傳，則作傳者當依經立義，不應創為「不使小人加乎君子」之說，致令經文有

「縱失襄公之惡」之嫌。則《公羊》以大去其國為大襄公之復讎，其說固不可易矣。《春秋繁露‧玉英》篇言紀侯「率一國之眾，以衛九世之主，……上下同心，而俱死之，故謂之大去。」《穀梁傳》云：「大去者，不遺一人之辭。民之從之者，四年而後畢。」乃襲《繁露》語而失其旨，不知紀已亡矣。紀伯姬且葬於齊侯，民之從之者又將安歸耶？❷⑨

所引「何休曰」及「鄭君釋之曰」之文，出自鄭玄《起廢疾》。何休以為，《春秋》「變滅言大去」，乃是「縱失襄公之惡」，譏《穀梁傳》不明此義；鄭玄駁之，以為「縱失襄公之惡」，乃是經義，而非傳義；王樹榮復下按語反駁鄭玄，以為《穀梁傳》未能依經立義，不明《春秋》「變滅言大去」之義，反而另創「不使小人加乎君子」之說，以致使人誤認《春秋》有「縱失襄公之惡」之嫌。王樹榮藉由反駁鄭玄之說，證明《穀梁傳》有廢疾而不可為，相對彰顯出《公羊傳》齊侯九世復讎之說符合《春秋》大義。

3. 《續左氏膏肓》

何休《左氏膏肓》者，范曄云：「說文曰：『肓，隔也。』心下為膏，喻左氏之疾不可為也。」（《後漢書‧張曹鄭列傳》范曄《注》）王樹榮《續左氏膏肓》亦續何休之志，除前引以為《左傳》有「六謬」之外，又云：

> 夫援《左氏》以解經，濫觴於劉歆，本如無源之泉，涸可立待，無如涓涓不塞，寖成江河。賈逵曲學阿世，以歆之媚莽者媚漢，傅會圖讖，又從而揚其波。降及晉代，杜元凱以歆之獎助新室者，擁戴司馬氏，巧立胸有左癖之名，為之推波助瀾。孔穎達躬為聖裔，不能匡正杜謬，專務隨波逐流，詆毀先人，數典忘祖。於是偽《左》之禍經，遂如巨浸稽天，泪沉千載，狂瀾既倒而莫迴，頹波一往而不反，而《左氏》真成相斫書矣。❸⓪

---

❷⑨　同註⑭，卷1，頁20－21。

❸⓪　同註⑬，〈序〉，頁3－4。

於是「不憚條析縷辨，發幽摘伏，務令洞見癥結，使劉、杜之偽迹盡彰，斯盲《左》之真面乃出。」❸王樹榮先後提及「偽《左》之禍經」、「使劉、杜之偽迹盡彰」，可知「左氏之疾不可為」的根本原因，就在於劉歆不但偽造《左傳》，甚至用來解經。

　　姑再舉《春秋》莊公四年夏：「紀侯大去其國。」為例。《左傳》云：

　　　紀侯大去其國，違齊難也。

紀侯大去其國，只是為了避難，其中亦未見《公羊傳》齊侯九世復讎之說。若按照前引王樹榮《續穀梁廢疾》的說法，乃是《穀梁傳》「削除之以孤其援」在先，《左傳》「反對之以篡其統」在後。至於紀侯避難何處，未見交代。

　　《續左氏膏肓》引崔適《春秋復始》云：

　　　《左氏》曰：「紀季以酅入於齊，紀於是乎始判。」「紀侯不能下齊，以與
　　　紀季。夏，紀侯大去其國，違齊難也。」《穀梁氏》曰：「大去者，不遺一
　　　人之辭也。言民之從之者，四年而後畢也。」皆言紀侯不死，民皆從之而
　　　去。不審紀已無國君，民去將何之？為不通也。不然，伯姬何以不葬，而待
　　　齊侯葬之？叔姬何為不從紀侯，而歸於酅耶？❸

因此，紀侯大去其國，不是去避難，而是「紀已無國君」。王樹榮將《左傳》與《穀梁傳》之說同時予以駁斥，指出其史實錯亂，理不可通，以維護何休之學的正統地位。

4. 《公羊何注攷訂》

　　王樹榮《公羊何注攷訂》自序云：

---

❸　同註❸，〈序〉，頁4。
❸　同註❸，卷5，頁8。

下走平生服膺何君，於研究《三傳》之暇，間取何《注》加以攷訂，冀少延何學墜緒於一綫。❸❸

所謂「何注」，指何休《春秋公羊解詁》一書。但王樹榮如何考訂何《注》，〈自序〉中並未說明。茲仍舉《春秋》莊公四年夏：「紀侯大去其國。」為例。《公羊何注考訂》云：

> 《傳》曰：「古者，有明天子，則紀侯必誅，必無紀者。紀侯之不誅，至今有紀者，猶無明天子也。」《經義述聞》云：「『必無紀』下，不當有『者』字。蓋涉下文『至今有紀者』而衍。」「猶無明天子」句，惠棟云：「『猶』、『由』同文。」然則，「齊、紀無說焉，不可以並立乎天下。」當作一句讀，猶云：「齊、紀不待說，而皆知其不可並立於天下。」與《孟子》：「人莫大焉，無親戚、君臣、上下。」句法相似。何君從「焉」字斷句，《解詁》云：「無說，無說懌也。」不合語氣。「有明天子，則襄公得為若行乎？」《解詁》云：「若，如也。猶曰：『得為如此行乎？』」《經傳釋辭》云：「若，猶此也。『則襄公得為若行乎』，猶此行也。」視《解詁》為直捷。但「若」字亦有作「如此」解者，《孟子》：「以若所為，求若所欲。」未《注》云：「若，如此也。」則何《注》亦仍可通。❸❹

這一大段文字，對何《注》的考訂有兩個重點。其一，《公羊傳》：「齊、紀無說焉，不可以並立乎天下。」王樹榮以為，「說」是「不待說」的意思；但何休將「說」解為「悅」，故斷句為：「齊、紀無說，焉不可以並立乎天下。」王樹榮明言「不合語氣」。其二，《公羊傳》：「有明天子，則襄公得為若行乎？」何休將「若」解為「如」，即「如此」的意思；王樹榮則採用《經傳釋辭》之說，認為將「若」解為「此」比較直捷，但何《注》仍可通。王樹榮旁徵《經義述聞》、《經

---

❸❸　同註❷⓿，〈序〉，頁 1。

❸❹　同註❷⓿，頁 8。

傳釋辭》等著作，以為攷訂何休《春秋公羊解詁》的依據，全書體例大致皆如此。

5.《箴箴何篇》

　　王樹榮對崔適的學問頗為敬重，二人在春秋學思想方面亦頗為契合，因此，《紹邵軒叢書》中，屢見徵引崔適《春秋復始》之說。王樹榮云：

> 曩游京師，承崔君以《春秋復始》見詒，發明《穀梁》亦偽古文，謂《左》、《穀》比而叛《春秋》，凡傳之精義，《穀梁氏》削除之以孤其援，《左氏》反對之以篡其統；又謂《穀梁》者，乃引人背《公羊》而趨《左氏》之伏流也。其言皆深切著明，真知灼見，由是慎思明辨者有年，得以盡發《左》、《穀》之覆，灼然如晦之見明，區區一得之愚，淵源有自。❸❺

　　但崔適《春秋復始》卷三十七有〈箴何〉一篇，專門探討何休《春秋公羊解詁》雜引讖緯的問題，認為「其所失者，雜引讖緯」❸❻。崔適云：

> 緯書乃古文之支流，圖讖其尤妖妄者，創自劉歆以媚莽，賈逵之徒即假之以詔漢。自光武以〈赤伏符〉即尊位，因重讖緯。至明帝永平中，賈逵上言，《左氏》與圖讖合，五經家皆言顓頊代黃帝，而堯不得為火德；《左氏》以為，少昊代黃帝，即圖讖所謂帝宣也；如令堯不得為火，則漢不得為赤；其所發明，補益實多。書奏，帝嘉之，令逵自選公羊嚴、顏諸生高才者二十人，教以《左氏》。然則，《左氏》以合圖讖，見重於世主，且令公羊學家高材生改習《左氏》矣。何君乃亦引讖緯注《公羊》，以抵制之，此亦不得已之苦心，然於經旨則誣矣。刺取之以為〈箴何〉篇。❸❼

---

❸❺　同註❸，頁 9。

❸❻　〔清〕崔適：《春秋復始》，《續修四庫全書》（上海市：上海古籍出版社，2002 年 3 月），冊 131，頁 647。

❸❼　同註❸❻。

這一段文字的意思是，東漢時期《左傳》結合當代流行的讖緯學說，形成一股龐大的勢力，使公羊學者幾乎沒有立足餘地，何休不得已，只好仿效《左傳》學者的做法，引讖緯注《公羊傳》，以抵抗《左傳》的勢力；但這種作法，對於學術發展有害而無益。故崔適撰《箴箴何篇》的目的，就是將何休「雜引讖緯」的問題指出來，計「六天帝之屬」類三條，「郊祀之月」類一條，「三皇」類二條，「媚漢」類五條，凡四類十一條。

　　姑舉《春秋》成公八年秋七月：「天子使召伯來錫公命。」為例。《公羊傳》云：「其稱天子何？元年、春、王、正月，正也。其餘皆通矣。」何休《春秋公羊解詁》云：

　　　　德合元者，稱皇。孔子曰：「皇象元，逍遙術，無文字，德明謚。」❸❽

崔適《春秋復始》云：

　　　　案：此《春秋緯》也。皇，即三皇。……「皇象元」四句，係三言韻語，與「天下血書魯端門」相似。誣孔甚矣。❸❾

《春秋》為何書「天子」？《公羊傳》以為，天子是承「元年、春、王、正月」的正統，《春秋》書周王為「天子」，表示周王仍是正統。然而，何休引《春秋緯》「孔子曰」為《公羊傳》作注，以為天子是「德合元者」的皇；因此，崔述箴之，以為「誣孔甚矣」。

　　王樹榮不同意崔述的見解，云：

　　　　《解詁》云：「德合元者，稱皇。德合天者，稱帝。仁義合者，稱王。」此傳本論或稱天王、或稱天子、或稱王之義，但當就由皇而帝、由帝而王，加

---

❸❽　同註❷❻，頁 2293。
❸❾　同註❸❻，冊 131，頁 648。

以疏明；況三句文法，一氣貫注，烏能橫斷語脈，於「稱皇」、「稱帝」、「稱王」各句下，插入「孔子曰：『皇象元，……。』」云云。諸緯說不嘗自為注，而又自為之疏者。然，蓋妄人因鄭君有「《公羊》長於讖」之說，遂雜採讖緯之文，以偽亂真，邵公何至荒誕若此！崔氏不察，而箴之過矣。❹

崔適批評何休《春秋公羊解詁》「雜引讖緯」而箴之，王樹榮則為何休辯駁，以為「雜採讖緯之文」乃是「妄人」所為，而箴崔適之過。

　　雖然王樹榮《箴箴何篇》箴崔適〈箴何〉之過，但「吾於崔君之說，非敢有心立異也。西儒亞里士多德有言：『吾愛吾師，吾尤愛真理。』庶於任城一家之學，聊盡墨翟環帶之責云爾。」❹可見王樹榮對於崔適〈箴何〉之說，雖然意見相左，但態度仍是相當恭維的。

　　6. 《續公羊墨守附篇》

　　王樹榮《續公羊墨守附篇》凡三卷：

　　卷一計「《史記・儒林傳》糾竄」五條，「《漢書・藝文志》糾竄」十一條，「《漢書・儒林傳》糾竄」三條，「《景十五王傳》糾竄」二條，凡二十一條。所謂「糾竄」，乃是將竄入正文的偽古文說糾出。姑舉「《史記・儒林傳》糾竄」第一條為例，《史記・儒林列傳》云：

> 今上即位，趙綰、王臧之屬明儒學，而上亦鄉之，於是招方正賢良文學之士。自是之後，言《詩》，於魯則申培公，於齊則轅固生，於燕則韓太傅；言《尚書》，自濟南伏生；言《禮》，自魯高堂生；言《易》，自菑川田生；言《春秋》，於齊、魯自胡毋生，於趙自董仲舒。

王樹榮《續公羊墨守附篇》云：

❹　同註❸，頁 5。
❹　同註❸，頁 10。

榮按：五經師說，太史公定此八家，《書》、《禮》、《易》無異師，申、
轅、韓、胡毋、董無異說，皆折衷於夫子，未有門戶之分也。自偽古文出，
於是《詩》托諸毛氏，《書》託諸孔壁，古文《禮》託諸周官，《春秋》託
諸左氏、穀梁，專務破壞各家師說；此師丹所以劾劉歆變亂舊章，公孫祿彈
劾其顛倒五經、毀師法也。且所稱傳經八家，於《春秋》不及《穀梁》，則
後文謂「瑕丘江生為《穀梁春秋》」，其為後人所增竄，不辨自明。❷

《史記・儒林列傳》記載傳五經者有八家，其中傳《春秋》者為胡毋生、董仲舒二
家，但〈儒林列傳〉篇末憑空冒出「瑕丘江生為《穀梁春秋》」一句，前此未有任
何著墨，故王樹榮認定「其為後人所增竄」的偽古文說。

　　卷二乃迻錄崔適《春秋復始》卷十八「滅國五十二更正顏師古注《漢書・劉向
傳》之誤」、卷二十三「弒君三十六更正顏師古注《漢書・劉向傳》之誤」。前者
「原文係備錄經傳注疏為一卷」，後者「但挈經文總綱一語，分注數目於下」，二
者體例不一，王樹榮乃將前者比照後者，使體例一致，「以歸簡易」❸。按「弒君
三十六，亡國五十二」語出《春秋繁露・王道》、〈盟會要〉，顏師古統計有誤，
崔適予以更正，王樹榮未有己說，僅附篇備考而已。

　　卷三為「駁正《春秋》總論三則」。第一則為駁正「《春秋》之義之不明，皆
似是而非之說誤之也，而說《公羊》者為尤甚」❹之說；第二則為駁正袁枚「《公
羊》之非」❺之說；第三則為駁正管世銘（字緘若）「《穀梁》先有經，而後以義
理釋之」❻之說。皆王樹榮藉駁正他人之說，以闡述公羊學說，茲不詳述。

7. 《讀左持平》

　　《紹邵軒叢書》七種著作中，最耐人尋味者，就是《讀左持平》。王樹榮紹述
何休公羊學，既撰《續左氏膏肓》，卻又撰《讀左持平》，是否自失立場？蓋王樹

---

❷　同註❶，卷1，頁1。

❸　同註❶，卷2，頁2。

❹　同註❶，卷3，頁1。

❺　同註❶，卷3，頁2。

❻　同註❶，卷3，頁4。

榮甌欲辨明《左傳》有二：一是「紀事之史」，為「姓左名邱❹而失明之人」所撰；二是「說經之傳」，為劉歆依據左邱所撰而改，假託《論語》中「姓左邱名明之人」所撰❹。

所謂「紀事之史」，王樹榮云：

> 左邱明作《國語》，一名《左氏春秋》；猶諸呂不韋作《呂覽》，又名《呂氏春秋》。太史公敘次，本極明白，左氏之作《春秋》也，其意固以為孔子之成《春秋》，於百二十國之寶書有所去取，於其間各國之史異說紛糅，因撰《左氏春秋》一書，乃一代之史，與經相輔而行，初非說經之傳也。❹

又所謂「說經之傳」，王樹榮云：

> 左邱明懼後人各安其意，而失其真，因成《左氏春秋》一書，又詎料後有劉歆假之以解經，而妄改為《春秋傳》乎！❺

以上兩段文字即在說明《左傳》本是「紀事之史」，不是「說經之傳」。故《讀左持平》乃是將後人對「紀事之史」產生的誤解，給予持平之論；至於劉歆所改的「說經之傳」，則撰《續左氏膏肓》譏評之。姑舉《左傳》襄公十四年秋：「范宣子假羽毛於齊而弗歸，齊人始貳。」為例，《讀左持平》云：

> 杜《注》云：「析羽為旌，王者游車之所建，齊私有之，因謂之羽毛，宣子聞而借觀之。」杜謂「析羽為旌，王者游車所建」，是也；謂「齊私有之，

---

❹ 清世宗雍正三年諭令，除四書五經外，凡遇「丘」字，並用「邱」字，以迴避孔子名諱。臺灣華文書局：《大清世宗憲（雍正）皇帝實錄》（臺北市：華聯出版社，1964 年 9 月），頁 584。本文從王樹榮所書，以下皆作「邱」。

❹ 王樹榮：《讀左持平》（《紹邵軒叢書》）（安慶市：東方印書館，年份不詳），頁 12。

❹ 同註❹，頁 11。

❺ 同註❹，頁 12。

因謂之羽毛」，未免望文生義。上文「王使劉定公賜齊侯命」，所假之羽
毛，當是周室錫命時所頒之分。物假而不歸，齊人貳也宜矣。於此可見，
《左氏》紀事，無一語虛設也。❺

如果「羽毛」只是旌旗上的裝飾品，范宣子借而不還，應該不是什麼大不了的事；
正因為是周王錫命齊君的信物，范宣子借而不還，才會造成齊對晉有貳心的嚴重後
果。杜預不知「羽毛」是周王錫命齊君的信物，誤以為只是齊君旌旗上的裝飾品，
故《讀左持平》將杜預的誤解予以辨正，肯定《左傳》「無一語虛設也」，為《左
傳》發出了持平之論。

　　至於王樹榮所謂「姓左名邱而失明之人」，應稱為左邱，非《論語》中的左邱
明；但《史記・十二諸侯年表》為何稱之為左邱明呢？王樹榮云：

　　劉歆巧借「懼弟子人人異端」一語，牽涉《論語》之左邱明，以為親受業於
　　孔子之門，好惡與聖人同，後人因之，遂將〈十二諸侯年表序〉之魯君子左
　　邱，妄增一「明」字，而謬說遂日以滋，此則不得不亟予辨正者爾。❺

王樹榮以為，《史記・十二諸侯年表》中左邱明的「明」字，不是原文，而是後人
妄增；由於劉歆將左邱誤以為左邱明，才會出現後人妄增「明」字的情形。

三、《紹邵軒叢書》纂例指瑕

㈠為何休《春秋公羊解詁》「雜引讖緯」辯護之理由自相矛盾

　　前述王樹榮撰《箴箴何篇》之旨，在箴崔適〈箴何〉之過。崔適認為，何休
《春秋公羊解詁》之失，在於「雜引讖緯」；王樹榮不以為然，謂「邵公何至荒誕
若此」。《春秋公羊解詁》中「雜引讖緯」乃是存在的事實，王樹榮亟欲為之辯
護，所持理由大致有二：

---

❺　同註❹，頁 7。
❺　同註❹，頁 12。

1. 第一個理由：歸咎於「妄人」或「後人」所為

王樹榮將何休「雜引讖緯」歸咎於「妄人」或「後人」所為者，凡六例，全數列舉並說明如下：

例一，《春秋》隱公二年冬：「紀子伯、莒子盟于密。」《公羊傳》云：「紀子伯者何？無聞焉爾。」《解詁》云：「孔子畏時遠害，又知秦將燔《詩》、《書》，其說口授相傳。」❸《箴箴何篇》云：

> 「又知秦將燔《詩》、《書》」句，亦妄人所增竄也，蓋「又知」二字，與上句文氣不屬。假使云：「孔子知諸侯將去其籍，又知秦燔《詩》、《書》，其說口授相傳，則因著竹帛不免被去被燔，因而口授相傳。」斯可通耳。若因畏時遠害而口授相傳，則雖有百始皇焚書，於口說亦復何害！就文理、事理論之，此句之為贅設，灼然明矣。❺

王樹榮明言「就文理、事理論之」，《春秋公羊解詁》「又知秦將燔《詩》、《書》」句為「妄人所增竄」；但事實是否「妄人所增竄」，則未見任何佐證，如此推論方式，恐流於主觀、臆斷，難以令人採信。

例二，《春秋》宣公三年春正月：「郊牛之口傷，改卜牛。牛死，乃不郊，猶三望。」《公羊傳》云：「帝牲不吉。」《解詁》云：「帝，皇天大帝，在北辰之中，主惣領天地、五帝、羣神也。」❺《公羊傳》又云：「自外至者，無主不止。」《解詁》云：「故《孝經》曰：『郊祀后稷，以配天；宗祀文王於明堂，以配上帝。』五帝，在太微之中，迭生子孫，更王天下。」❺《箴箴何篇》云：

> 上《傳》「帝牲不吉」句，當就「帝牲」二字為之注：「禮，祭天，牲角繭

---

❸　同註❷，頁 2203。

❺　同註❸，頁 7。

❺　同註❷，頁 2278。

❺　同註❷。

> 栗。」云云，已見僖三十一年〈注〉文，故此《傳》僅注「不吉」二字，更無專就一「帝」字作注之理。下《傳》「自外至者，無主不止」，乃言以人鬼配享天神之禮，故《解詁》云：「必得主人乃止者，天道闇昧，故推人道以接之。」復引《孝經》「郊祀后稷」二句，以明其義，亦無再就「上帝」二字復加以引伸之理。況邵公墨守之學甚堅決不援用鄭康成《周禮注》「六天帝」之說，其為後人所竄入無疑。(57)

鄭玄「六天帝」之說出於緯說，何休《春秋公羊解詁》引用「六天帝」之說，王樹榮認係「後人所竄入」。按何休《公羊墨守》十四卷早已亡佚，清代王謨《漢魏遺書鈔》(58)蒐輯佚文，僅得五條，其中的確未見鄭玄「六天帝」之說，但王樹榮據此推論何休堅決不援用鄭玄「六天帝」之說，恐有以偏概全之嫌。

例三，《春秋》成公八年秋七月：「天子使召伯來錫公命。」《公羊傳》云：「其稱天子何？元年、春、王、正月，正也。其餘皆通矣。」《解詁》云：「德合元者，稱皇；孔子曰：『皇象元，逍遙術，無文字，德明諡。』德合天者，稱帝；河、洛受瑞，可放。仁義合者，稱王；符瑞應，天下歸往。」(59)《箴箴何篇》云：

> 《解詁》云：「德合元者，稱皇。德合天者，稱帝。仁義合者，稱王。」此《傳》本論或稱天王、或稱天子、或稱王之義，但當就由皇而帝、由帝而王，加以疏明；況三句文法，一氣貫注，烏能橫斷語脈，於「稱皇」、「稱帝」、「稱王」各句下，插入「孔子曰：『皇象元，……。』」云云。諸緯說不啻自為注，而又自為之疏者。然，蓋妄人因鄭君有「《公羊》長於讖」之說，遂雜採讖緯之文，以偽亂真，邵公何至荒誕若此！(60)

---

(57) 同註❸，頁1－2。

(58) 見嚴一萍選輯：《叢書集成續編》，由臺北縣藝文印書館據原刻景印發行。

(59) 同註㉖，頁2293。

(60) 同註❸，頁5。

王樹榮以為，在「稱皇」、「稱帝」、「稱王」各句下插入文字，是「橫斷語脈」，故斷言插入的讖緯文字是「妄人」所為。但隨手翻閱《春秋公羊解詁》，何休「橫斷語脈」者並不少見，如《春秋》莊公二十四年冬，《解詁》云：「諫有五：一曰諷諫，孔子曰：『家不藏甲，邑無百雉之城，季氏自墮之。』是也。二曰順諫，曹羈是也。三曰直諫，子家駒是也。四曰爭諫，子反請歸是也。五曰贛諫，百里子、蹇叔子是也。」❻比較兩段「橫斷語脈」的引文，文法並無不同，後者未聞是「妄人」所為，王樹榮的斷言恐難成立。

　　例四，《春秋》成公十七年秋九月辛丑：「用郊。」《公羊傳》云：「用者何？用者，不宜用也。九月，非所用郊也。然則，郊曷用？郊用正月上辛。」《解詁》云：「魯郊博卜春三月。言正月者，因見百王正所當用也。三王之郊，一用夏正。言正月者，《春秋》之制也。」❻《箴箴何篇》云：

> 既斷定為百王所用、當用，又特申明為《春秋》之制，兩「言正月者」句，語氣緊相唧接，則中間「三王之郊，一用夏正」二語，其為後人所增無疑。何氏《解詁》所謂正月，乃指建子之月而言，故下文又出書「正月者，歲首上辛，尤始新」句，正與「用夏正」示區別，作偽者竄亂之迹顯而易見。崔氏謂：「『言正月者，《春秋》之制也。』更與經義不合。」蓋誤以何君所云「《春秋》之制」，為指上文「三王之郊，一用夏正」二句而言，其目光未免為作偽者所蒙矣。❻

王樹榮以為，何休所謂《春秋》之制的正月，是指建子之月而言，建子之月為周正，故推論「三王之郊，一用夏正」二句為後人所增。但依本文淺見，這一段文字涉及公羊學的曆法理論，須參見董仲舒《春秋繁露・三代改制質文》「三統」說。「三統」說以黑、白、赤三統循環：夏為黑統，曆正建寅；殷為白統，曆正建丑；

---

❻　同註❻，頁 2238。

❻　同註❻，頁 2298。

❻　同註❸，頁 5。

周為赤統，曆正建子；《春秋》復為黑統，曆正建寅。故何休所謂《春秋》之制的
正月，應是指建寅之月而言，建寅之月為夏正，王樹榮之說可能有誤；至於「三王
之郊，一用夏正」二句，尚涉及郊祀之法，夏、殷、周三代舉行郊祀是否皆用夏
正，公羊學中未見其他明文可稽，該二句究係何休原文，或後人所增，有待商榷。

例五，《春秋》襄公二十九年夏：「閽弒吳子餘祭。」《公羊傳》云：「閽者
何？門人也，刑人也。」《解詁》云：「孔子曰：『三皇設言，民不違。五帝畫
象，世順機。三王肉刑，揆漸加。應世黠巧，姦偽多。』」❻❹《箴箴何篇》云：

> 此傳係論古者不使刑人守門。故《解詁》於上文云：「以刑為閽，古者，肉
> 刑：墨、劓、臏、宮與大辟而五。」即欲加以申說，亦當釋明「臏」字，言
> 刖足者，不可使之為閽人。今忽就「肉刑」二字引「孔子曰」云云，未免節
> 外生枝，其為不諳注疏體裁者所妄增抑明矣。❻❺

王樹榮以為，何休既引肉刑有五，則應就五者之一加以申說，而非就「肉刑」二字
加以申說，故認定就「肉刑」二字加以申說的「孔子曰」一段讖緯文字，是「不諳
注疏體裁者所妄增」。然而，《春秋公羊解詁》亦可查到類似例子，如《春秋》成
公元年春三月，《解詁》云：「四井為邑，四邑為丘。甲，鎧也。譏始使丘民作鎧
也。古者，有四民：一曰德能居位，曰士；二曰辟土殖穀，曰農；三曰巧辛勞手，
以成器物，曰工；四曰通財粥貨，曰商。」❻❻何休雖引丘有四民，但未就四民之一
加以申說，而是就「丘」字加以申說，未聞「四井為邑，四邑為丘」是「不諳注疏
體裁者所妄增」，王樹榮的認定恐亦難成立。

例六，《春秋》哀公十四年春：「西狩獲麟。」《公羊傳》云：「孰狩之？薪
采者也。」《解詁》云：「麟者，木精。薪采者，庶人，燃火之意。此赤帝將代周

---

❻❹　同註❷❻，頁 2312。

❻❺　同註❸，頁 6。

❻❻　同註❷❻，頁 2289。

居其位，故麟為薪采者所執。」❻❼《箴箴何篇》云：

> 何君決不援用鄭氏「六天帝」之說，辨詳上節「帝牲不吉」章。崔氏謂：
> 「何君以稷配郊為祀皇天大帝，以文王配明堂為祀感生帝，皆與鄭義不
> 同。」不知此皆妄人增竄之辭，並鄭義亦不明白，致有此亂雜無章之謬說，
> 決非何邵公之言。況「郊則曷為必祭稷？王者必以其祖配。」宣三年《傳》
> 有明文。何君引《孝經》：「郊祀后稷以配天，宗祀文王於明堂以配上
> 帝。」正與經義吻合；其以帝為皇天大帝，五帝為感生帝，妄竄之迹，無俟
> 燭照。崔氏箴之，殆失檢矣。❻❽

何休以「赤帝將代周居其位」、「稷配郊為祀皇天大帝」、「文王配明堂為祀感生
帝」，其中赤帝、皇天大帝、感生帝皆出於「六天帝」之說。王樹榮再度強調「何
君決不援用鄭氏「六天帝」之說」，本文已認為恐有以偏概全之嫌；又推論「此皆
妄人增竄之辭」、「決非何邵公之言」，未見提出其他具體證據，徒然顯得空口無
憑，難以指責崔適失檢。

　　綜據前舉六例，王樹榮所謂何休《春秋公羊解詁》「雜引讖緯」乃是「妄人」
或「後人」所為，其實證據極為薄弱，甚至缺乏證據，不足為何休辯駁。

2.第二個理由：出於權宜或不得已而為

　　王樹榮以何休「雜引讖緯」出於權宜或不得已而為者，凡二例，全數列舉並說
明如下：

　　例一，《春秋》桓公三年春正月。《解詁》云：「二月，非周之正月，所以復
去之者，明《春秋》之道，亦通於三王，非主假周以為漢制而已。」❻❾《箴箴何
篇》云：

---

❻❼　同註❷❻，頁 2353。
❻❽　同註❸，頁 3。
❻❾　同註❷❻，頁 2214。

何君明言，非主假周以為漢制，則其意仍主《春秋》通三統之義。而篇末西
狩獲麟為漢制作，所謂「赤帝將代周」云者，特一時權宜假託之辭，不嘗聲
明在先，惜讀者未能虛心體會耳！❼

按公羊學「三統」說，乃以《春秋》之黑統代周之赤統。所謂「赤帝將代周」，則
是出於讖緯之說，本非公羊學說。按《春秋》哀公十四年春：「西狩獲麟。」《公
羊傳》云：「孰狩之？薪采者也。」《解詁》云：「麟者，木精。薪采者，庶人，
燃火之意。此赤帝將代周居其位，故麟為薪采者所執。」❼「赤帝將代周」之說出
現於何休《春秋公羊解詁》中，王樹榮以為，「特一時權宜假託之辭」；易言之，
即王樹榮是承認何休以「赤帝將代周」之說為《公羊傳》作注的。然而，對照前述
第一個理由中的第二例，王樹榮對於「赤帝將代周」之說出現於何休《春秋公羊解
詁》中，堅稱「此皆妄人增竄之辭」、「決非何邵公之言」，前後兩種說法明顯自
相矛盾。

　　例二，《春秋》哀公十四年春：「西狩獲麟。」《公羊傳》云：「孰狩之？薪
采者也。……孔子曰：『孰為來哉！孰為來哉！』反袂拭面，涕沾袍。……何以終
乎哀十四年？曰：備矣。君子曷為為《春秋》？撥亂世，反諸正，莫近諸《春
秋》。」《解詁》云：「夫子素案圖錄，知庶姓劉季當代周，見薪采者獲麟，知為
其出，何者？麟者，木精；薪采者，庶人，燃火之意。此赤帝將代周居其位，故麟
為薪采者所執。西狩獲之者，從東方王於西也，東卯西金象也。言獲者，兵戈文
也，言漢姓卯金刀，以兵得天下。不地者，天下異也。又先是螟蟲冬踊，彗金精掃
旦，置新之象，夫子知其將有六國爭彊，從橫相滅之敗，秦、項驅除，積骨流血之
虐，然后劉氏乃帝，深閔民之離害甚久，故豫泣也。……絕筆於春，不書下三時
者，起木絕火王，制作道備，當授漢也。……得麟之后，天下血書魯端門，曰：
『趨作法，孔聖沒；周姬亡，彗東出；秦政起，胡破術；書記散，孔不絕。』子夏
明日往視之，血書飛為赤鳥，化為白書，署曰：『演孔圖』，中有作圖制法之狀。

---

❼　同註❸，頁 7。

❼　同註㉖，頁 2353。

孔子仰推天命，俯察時變，卻觀未來，豫解無窮，知漢當繼大亂之后，故作撥亂之法以授之。」❼❷《箴箴何篇》云：

　　自賈逵上書，謂《左氏》以少昊代黃帝，傅會圖讖「帝宣」之說，而《左氏》遂得立於學官。明帝且令逵自選公羊嚴、顏諸生高才者二十人，教以《左氏》，一時偽古文氣燄高張，今文一綫或幾乎熄。邵公不得已，亦援讖緯之說，以為抵制，其用心亦良苦矣。學者正當深原其心，豈容泥其迹，而妄肆詆諆！況以獲麟為為漢制作，乃西漢以來公羊家相傳舊說，謂邵公囿於風氣則可，竟詆為公羊罪人，不太過乎！……今作《箴箴何篇》，證明何君援用讖緯，僅「西狩獲麟」章數條，其他皆妄人所增竄。❼❸

這一段文字的前半段（「自賈逵上書」至「其用心亦良苦矣」），與前引崔述〈箴何〉所說，幾乎完全相同。王樹榮以為，「何君援用讖緯，僅『西狩獲麟』章數條，其他皆妄人所增竄。」然而，同樣對照前述第一個理由中的第二例，王樹榮對於何休《春秋公羊解詁》於「西狩獲麟」章出現「赤帝將代周居其位」云云，堅稱「此皆妄人增竄之辭」、「決非何邵公之言」；何休「援讖緯之說」，究竟是「妄人」所為，或是何休為了抵制偽古文，用心良苦不得已而為，王樹榮又出現兩種自相矛盾的說法。

㈡末針對鄭玄《箴膏肓》、《起廢疾》、《發墨守》之說逐一反駁

　　鄭玄《箴膏肓》、《起廢疾》、《發墨守》早已亡佚，清初王謨《漢魏遺書鈔》蒐輯《左氏膏肓》、《穀梁廢疾》、《公羊墨守》佚文時，已將《箴膏肓》、《起廢疾》、《發墨守》佚文一併著錄，頗利於對照參考。王樹榮既不滿鄭玄攻訐何休之學，以致「何學墜緒於一綫」❼❹將近二千年，自當研究鄭玄遺說，逐一予以反駁；若未予反駁，即無異於接受鄭玄之說。經檢視《紹邵軒叢書》，發現如下：

---

❼❷　同註❷❻，頁 2353－2354。

❼❸　同註❸，頁 9。

❼❹　同註❷⓪，〈序〉，頁 1。

1.《續左氏膏肓》部分

⑴《續左氏膏肓》對《箴膏肓》之說予以反駁者，凡四條：

「《左傳》莊公元年秋」條（「築王姬之館于外。為外，禮也。」）❼❺

「《左傳》莊公六年冬」條（「雕甥、聃甥、養甥請殺楚子，鄧侯弗許。」）❼❻

「《左傳》文公二年冬」條（「襄仲如齊納幣，禮也。」）❼❼

「《左傳》宣公五年冬」條（「來，反馬也。」）❼❽

⑵《續左氏膏肓》與《箴膏肓》各自為說者，凡五條：

「《左傳》桓公四年夏」條（「周宰渠伯糾來聘，父在，故名。」）❼❾

「《左傳》莊公二十五年秋」條（「凡天災，有幣無牲。非日月之眚，不鼓。」）❽⓿

「《左傳》僖公三十一年夏四月」條（「四卜郊，不從，乃免牲，非禮也。猶三望，亦非禮也。禮不卜常祀。」）❽❶

「《左傳》文公元年冬」條（「凡君即位，卿出並聘，踐脩舊好，要結外援，好事鄰國，以衛社稷。忠、信，卑讓之道也。忠，德之正也；信，德之固也；卑讓，德之基也。」）❽❷

「《左傳》文公五年春」條（「王使榮叔來含，且賵，召昭公來會葬，禮也。」）❽❸

⑶《續左氏膏肓》對《箴膏肓》之說無說者，凡十六條：

---

❼❺ 〔漢〕何休：《左氏膏肓》（《叢書集成續編》）（臺北縣：藝文印書館，年份不詳），頁3。同註❶❸，卷5，頁7。

❼❻ 同註❼❺，頁3－4。同註❶❸，卷5，頁8－9。

❼❼ 同註❼❺，頁5。同註❶❸，卷5，頁21－22。

❼❽ 同註❼❺，頁7。同註❶❸，卷5，頁25－26。

❼❾ 同註❼❺，頁3。同註❶❸，卷5，頁4。

❽⓿ 同註❼❺，頁4。同註❶❸，卷2，頁3－4。

❽❶ 同註❼❺，頁5。同註❶❸，卷5，頁20。

❽❷ 同註❼❺，頁5。同註❶❸，卷2，頁7。

❽❸ 同註❼❺，頁5－6。同註❶❸，卷1，頁5。

「《左傳》隱公元年春正月」條（「不書即位，攝也。」）❽

「《左傳》隱公元年秋七月」條（「士踰月，外姻至。」）❽

「《左傳》桓公九年冬」條（「曹大子來朝，賓之以上卿，禮也。」）❽

「《左傳》僖公二十二年冬十一月」條（「宋公及楚人戰于泓。」）❽

「《左傳》文公九年冬」條（「秦人來歸僖公成風之襚，禮也。」）❽

「《左傳》宣公二年春二月」條（「狂狡輅鄭人，鄭人入于井，倒戟而出之，獲狂狡。」）❽

「《左傳》成公八年冬」條（「衛人來媵共姬，禮也。凡諸侯嫁女，同姓媵之，異姓則否。」）❾

「《左傳》成公十四年秋」條（「宣伯如齊逆女，稱族，尊君命也。」）❾

「《左傳》襄公七年夏四月」條（「是故啟蟄而郊，郊而後耕。今既耕而卜郊，宜其不從也。」）❾

「《左傳》襄公十一年春」條（「季武子將作三軍。」）❾

「《左傳》襄公十九年夏六月」條（「晉侯請於王，王追賜之大路，使以行禮也。」）❾

「《左傳》襄公二十二年春」條（「臧武仲如晉，雨，過御叔。御叔在其邑，將飲酒，曰：『焉用聖人。』」）❾

---

❽　同註❼，頁 2。
❽　同註❼，頁 2─3。
❽　同註❼，頁 3。
❽　同註❼，頁 4─5。
❽　同註❼，頁 6。
❽　同註❼，頁 6─7。
❾　同註❼，頁 8。
❾　同註❼，頁 8─9。
❾　同註❼，頁 9。
❾　同註❼，頁 10。
❾　同註❼，頁 10。
❾　同註❼，頁 10─11。

「《左傳》昭公四年春」條（「雹之為菑，誰能禦之！〈七月〉之卒章，藏冰之道也。」）❾❻

「《左傳》昭公七年夏」條（「從政有所反之，以取媚也。」）❾❼

「《左傳》昭公十八年夏五月」條（「宋、衛、陳、鄭皆火，梓慎登大庭氏之庫以望之。」）❾❽

「《左傳》昭公二十六年冬十二月」條（「王后無適，則擇立長，年鈞以德，德鈞以卜。王不立愛，公卿無私，古之制也。」）❾❾

以上(1)、(2)、(3)合計二十五條，其中《續左氏膏肓》對《箴膏肓》之說予以反駁者四條，占 16%；《續左氏膏肓》與《箴膏肓》各自為說者五條，占 20%；《續左氏膏肓》對《箴膏肓》之說無說者十六條，占 64%。可見王樹榮對鄭玄《箴膏肓》之說，反駁的比例極低，無說的比例高達一半以上。

2. 《續穀梁廢疾》部分

(1)《續穀梁廢疾》對《起廢疾》之說予以反駁者，凡十五條：

「《穀梁傳》隱公元年冬十二月」條（「大夫日卒，正也；不日卒，惡也。」）❿⓿

「《穀梁傳》隱公五年冬十二月」條（「苞人民，毆牛馬，曰侵。斬樹木，壞宮室，曰伐。」）⓿❶

「《穀梁傳》桓公十三年春二月」條（「公會紀侯、鄭伯。己巳，及齊侯、宋公、衛侯、燕人戰。」）⓿❷

「《穀梁傳》莊公四年夏」條（「大去其國者，不使小人加乎君子。」）⓿❸

---

❾❻　同註❼❺，頁 11－12。

❾❼　同註❼❺，頁 12－13。

❾❽　同註❼❺，頁 13－14。

❾❾　同註❼❺，頁 14－15。

❿⓿　〔漢〕何休：《穀梁廢疾》（《叢書集成續編》）（臺北縣：藝文印書館，年份不詳），頁 1。同註❶❹，卷 1，頁 3。

⓿❶　同註❿⓿，頁 1。同註❶❹，卷 1，頁 7。

⓿❷　同註❿⓿，頁 2－3。同註❶❹，卷 1，頁 17。

⓿❸　同註❿⓿，頁 3。同註❶❹，卷 1，頁 20－21。

「《穀梁傳》莊公九年夏」條（「當可納而不納，齊變而後伐，故乾時之戰不諱敗，惡內也。」）⓴

「《穀梁傳》莊公二十三年春」條（「其不言使，何也？天子之內臣也。不正其外交，故不與使也。」）⓵

「《穀梁傳》莊公三十二年秋七月」條（「公子牙卒。」）⓶

「《穀梁傳》僖公十一年秋八月」條（「雩，得雨曰雩，不得雨曰旱。」）⓷

「《穀梁傳》僖公二十二年冬十一月」條（「須其成列而後擊之，則眾敗而身傷焉，七月而死。」）⓸

「《穀梁傳》僖公二十三年夏五月」條（「以其不教民戰，則是棄其師也。」）⓹

「《穀梁傳》僖公二十五年秋」條（「蓋納頓子者，陳也。」）⓺

「《穀梁傳》宣公十年夏」條（「氏者，舉族而出之之辭也。」）⓻

「《穀梁傳》襄公十九年秋」條（「還者，事未畢之辭也。」）⓼

「《穀梁傳》襄公二十七年夏」條（「專之去，合乎《春秋》。」）⓽

「《穀梁傳》昭公十二年冬」條（「不正其與夷狄交伐中國，故狄稱之也。」）⓾

(2)《續穀梁廢疾》與《起廢疾》各自為說者，凡九條：

「《穀梁傳》隱公元年秋七月」條（「仲子者何？惠公之母、孝公之妾也。

⓴　同註⓿，頁 3－4。同註⓮，卷 1，頁 21－22。

⓵　同註⓿，頁 4－5。同註⓮，卷 1，頁 24。

⓶　同註⓿，頁 5。同註⓮，卷 1，頁 25－26。

⓷　同註⓿，頁 6。同註⓮，卷 1，頁 31。

⓸　同註⓿，頁 8－9。同註⓮，卷 1，頁 33－34。

⓹　同註⓿，頁 9－10。同註⓮，卷 1，頁 34。

⓺　同註⓿，頁 10。同註⓮，卷 1，頁 35。

⓻　同註⓿，頁 13－14。同註⓮，卷 2，頁 5。

⓼　同註⓿，頁 14。同註⓮，卷 2，頁 14－15。

⓽　同註⓿，頁 14－15。同註⓮，卷 2，頁 15－16。

⓾　同註⓿，頁 15－16。同註⓮，卷 3，頁 3。

禮，贈人之母則可，贈人之妾則不可。」）⑮

「《穀梁傳》僖公九年秋九月」條（「桓盟不日，此何以日？美之也。為見天子之禁，故備之也。」）⑯

「《穀梁傳》僖公十八年夏五月」條（「言及，惡宋也。」）⑰

「《穀梁傳》僖公十八年冬」條（「伐衛，所以救齊也。」）⑱

「《穀梁傳》僖公二十五年夏」條（「其不稱名姓，以其在祖之位，尊之也。」）⑲

「《穀梁傳》僖公二十七年冬」條（「人楚子，所以人諸侯也。」）⑳

「《穀梁傳》文公五年春正月」條（「其不言來，不周事之用也。」）㉑

「《穀梁傳》宣公二年春二月」條（「華元雖獲，不病矣。」）㉒

「《穀梁傳》宣公八年冬十月」條（「葬既有日，不為雨止，禮也。」）㉓

(3)《續穀梁廢疾》對《起廢疾》之說無說者，凡十四條：

「《穀梁傳》桓公四年春正月」條（「春曰田，夏曰苗，秋曰蒐，冬曰狩。」）㉔

「《穀梁傳》桓公五年秋」條（「大雩。」）㉕

「《穀梁傳》莊公六年春三月」條（「王人，卑者也；稱名，貴之也。」）㉖

「《穀梁傳》莊公十三年春」條（「齊人、宋人、陳人、蔡人、邾人會于北

---

⑮　同註⑩，頁 1。同註⑭，卷 1，頁 2-3。

⑯　同註⑩，頁 5-6。同註⑭，卷 1，頁 29-30。

⑰　同註⑩，頁 7-8。同註⑭，卷 1，頁 32。

⑱　同註⑩，頁 8。同註⑭，卷 1，頁 32。

⑲　同註⑩，頁 10。同註⑭，卷 1，頁 34-35。

⑳　同註⑩，頁 11。同註⑭，卷 1，頁 36-37。

㉑　同註⑩，頁 12。同註⑭，卷 2，頁 1-2。

㉒　同註⑩，頁 13。同註⑭，卷 2，頁 4-5。

㉓　同註⑩，頁 13。同註⑭，卷 2，頁 5。

㉔　同註⑩，頁 2。

㉕　同註⑩，頁 2。

㉖　同註⑩，頁 3。

杏。」）❷

　　「《穀梁傳》莊公十八年春三月」條（「不言日，不言朔，夜食也。」）❷

　　「《穀梁傳》僖公十四年春」條（「其曰諸侯，散辭也。」）❷

　　「《穀梁傳》僖公二十一年冬十二月」條（「不言楚，不與楚專釋也。」）❸

　　「《穀梁傳》僖公三十年冬」條（「以尊遂乎卑，此言不敢叛京師也。」）❸

　　「《穀梁傳》文公五年春正月」條（「含一事也，賵一事也，兼歸之，非正也。」）❷

　　「《穀梁傳》文公八年冬」條（「其以官稱，無君之辭也。」）❸

　　「《穀梁傳》宣公八年夏六月」條（「有事于大廟。」）❸

　　「《穀梁傳》襄公三十年夏四月」條（「其不日，子奪父政，是謂夷之。」）❸

　　「《穀梁傳》昭公十一年冬十一月」條（「其曰世子，何也？不與楚殺也。」）❸

　　「《穀梁傳》哀公六年秋」條（「陽生其以國氏，何也？取國于荼也。」）❸

　　以上(1)、(2)、(3)合計三十八條，其中《續穀梁廢疾》對《起廢疾》之說予以反駁者十五條，占 39%；《續穀梁廢疾》與《起廢疾》各自為說者九條，占 24%；《續穀梁廢疾》對《起廢疾》之說無說者十四條，占 37%。可見王樹榮對鄭玄《起廢疾》之說，反駁的比例為三分之一強，各自為說及無說的比例居多。

　　3.《續公羊墨守》部分

---

❷　同註⓪，頁 4。
❷　同註⓪，頁 4。
❷　同註⓪，頁 6－7。
❸　同註⓪，頁 8。
❸　同註⓪，頁 11。
❷　同註⓪，頁 11－12。
❸　同註⓪，頁 12。
❸　同註⓪，頁 13。
❸　同註⓪，頁 15。
❸　同註⓪，頁 15。
❸　同註⓪，頁 16。

⑴《續公羊墨守》對《發墨守》之說予以反駁者，凡一條：

「《公羊傳》僖公二十四年冬」條（「王者無外，此其言出何？不能乎母也。」）⑬

⑵《續公羊墨守》與《發墨守》各自為說者，無。

⑶《續公羊墨守》對《發墨守》之說無說者，凡三條：

「《公羊傳》隱公元年春正月」條（「公何以不言即位？成公意也。」）⑬

「《公羊傳》桓公十一年秋九月」條（「古者鄭國處于留。」）⑭

「《公羊傳》哀公十二年春」條（「譏始用田賦也。」）⑭

以上⑴、⑵、⑶合計四條，其中《續公羊墨守》對《發墨守》之說予以反駁者一條，占 25%；《續公羊墨守》對《發墨守》之說無說者三條，占 75%。可見王樹榮對鄭玄《發墨守》之說，反駁的比例亦低於無說的比例。

四、結論

綜據上述，本文歸納幾點結論如下：

第一，王樹榮的春秋學思想，認為只有公羊學才是真正的春秋學；並承襲清末康有為以來的主張，認為《左傳》與《穀梁傳》都是出於劉歆偽造，目的在篡奪春秋學的正統地位。

第二，王樹榮的公羊學，主張「以《春秋》為《春秋》」，用春秋學（公羊學）的立場來發揮《春秋》微言大義，以避免發生援引他說或失之穿鑿兩種解經的弊端。這種主張，一反清末公羊學為了經學致用，而普遍「援《公羊》以遍鑿羣經」的現象，意在引導春秋學（公羊學）走上正常的學術發展路線。

第三，王樹榮對何休之學極為推崇，室名「紹邵軒」，以及《紹邵軒叢書》成書的動機，即是意在紹述何休（邵公）之公羊學；並繼何休《公羊墨守》、《穀梁

---

⑬　〔漢〕何休：《公羊墨守》（《叢書集成續編》）（臺北縣：藝文印書館，年份不詳），頁2。同註❷，卷1，頁32。

⑬　同註⑬，頁1。

⑭　同註⑬，頁1－2。

⑭　同註⑬，頁2－3。

廢疾》、《左氏膏肓》之後，以《續公羊墨守》、《續穀梁廢疾》、《續左氏膏肓》為名，間接對鄭玄兼採古文學說以攻訐何休表達不滿。

第四，崔適《春秋復始・箴何》專門探討何休《春秋公羊解詁》雜引讖緯的問題，認為何休是為了維護今文學，抵抗古文學《左傳》的勢力，而仿效《左傳》學者的做法，援引當代流行的讖緯學說以注《公羊傳》。王樹榮對崔述的意見不以為然，故撰《箴箴何篇》為何休辯駁，並舉出六例，斷言《春秋公羊解詁》雜引讖緯乃是「妄人」或「後人」所為，澈底否認與何休有關，以箴崔適〈箴何〉之過。但本文根據該六例逐一分析，發現證據極為薄弱，甚至缺乏證據，不足為何休辯駁。

第五，王樹榮為何休《春秋公羊解詁》「雜引讖緯」辯護，既將之歸咎於「妄人」或「後人」所為，澈底否認與何休有關，卻又附和崔適之說，認為「雜引讖緯」乃是何休出於權宜或不得已而為。兩種說法明顯自相矛盾。

第六，王樹榮標榜篤守何休公羊學，並對鄭玄兼採古文學說以攻訐何休頗為不滿，既以《續公羊墨守》、《續穀梁廢疾》、《續左氏膏肓》為名，自當研究鄭玄遺說，逐一予以反駁；若未予反駁，即無異於接受鄭玄之說。但經檢視《紹邵軒叢書》，發現王樹榮對鄭玄《箴膏肓》、《起廢疾》、《發墨守》之說，反駁的比例偏低，各自為說及無說的比例則偏高，是為《紹邵軒叢書》纂例上的一大瑕疵。

經 學 研 究 論 叢
第 十 七 輯　　頁225～242
臺灣學生書局　2009 年 12 月

王樹榮研究序說
——以《續公羊墨守》爲中心

若松信爾*著・呂祥竹**譯

前　言

　　王樹榮（1871－沒年不詳），字仁山，號相人偶，晚年自號戟髯。其經歷據橋川時雄《中國文化界人物總鑑》所載：「浙江吳興人。光緒甲午時舉人，畢業於京師法律學堂，曾前往美國出席第八次監獄協會，遊歷十八個國家後返國，歷任江蘇高等廳民庭推事、天津高等審判廳長等，其著有《續公羊墨守》三卷、《續穀梁廢疾》三卷、《續左氏膏肓》六卷、《公羊何注考定》一卷、《箴箴何篇》一卷、《續公羊墨守附篇》三卷、《續左持平》一卷（譯者按：續爲讀之誤），此七種收錄於民國二十四年安慶東方印書館所出版之《紹邵軒叢書》。此外，尚有《剛齋法學叢刻》、《治公羊家言》、《確尊何邵公》、《墨守家法》以及《相人偶居詩文稿》若干卷未刊稿。」另外，田原天南《清末民初中國官紳人名錄》也有同樣的記載，並描述「嗜好詩酒，有古代名士之風」。

---

*　若松　信爾，WAKAMATSU, Shinji，曾任大東文化大學人文科學研究所研究員，現爲九州女子大學文學部人間文化學科文學部准教授。原文載於《東洋文化》73 號（無窮會，1994 年 3月），頁 11－30。

** 呂祥竹，中國文化大學中國文學系碩士。

關於王樹枏的詩，見於《續詩人徵略》一書中，所收錄王詩一首及對其言行書寫如下：

> 云：性淡泊，沈默寡言。或終日不發一語，遇知己，上下議論，則又清辯滔
> 滔，旁若無人。癖於酒，飲輒醉（譯者按：輒，俗字，原作輒），醉輒睡，
> 座有上客不顧也。好讀書，不為章句學，於舊註解外，別有超悟。喜作詩，
> 真率類其為人。蓄長劍，一酒酣起舞。每謂客曰：儒冠誤人，得此一壯雄
> 風，差強人意耳。❶

由此可見，其為稟性相當激烈之人。

雖然連卒年都不為人所知，但就筆者的調查結果，沒有比以上更為詳盡的資料了，而其著作以《紹邵軒叢書》為首，大部分是與公羊學有關的作品。

王樹枏的代表著作《紹邵軒叢書》，如前所述，於民國二十四年出版，是時若王樹枏仍存世，恰是其六十四歲時出版。此外，該部書也是現今所能獲得其公羊思想的唯一線索。

王樹枏的公羊思想主要是致力於貫徹「何休學」，今以《續公羊墨守》為中心，概觀堪稱民國時公羊學者王樹枏的公羊學是如何演變發展的。

一、王樹枏學問之形成與崔適之影響

藉由《續公羊墨守》的序文，可見王樹枏對於《春秋》觀的三個變化：

> 平生於春秋一經，宗主凡三變。清乾、嘉以前諸儒類，多右左氏而左公羊，
> 揚杜預而抑何休。幼時讀左氏，專讀傳而不讀經，故但覺其文章之淵雅、紀
> 事之翔實。於劉歆所云左邱明，親受業於孔子之門，好惡與聖人同者，深信
> 不疑。繼而以經文竅之，牴牾層見疊出，及讀劉申受左氏《春秋考證》、焦

---

❶ 吳仲輯：《續詩人徵略》（臺北市：明文書局，1985 年 5 月），頁 5。

　　理堂《左傳補疏》，始覺左氏之說、杜氏之註，皆不概於吾心。❷

如上所舉，王樹榮於《春秋》是傳，因先法《左傳》，故知傳文之淵雅，紀事之翔
實。而對於劉歆所云「左邱明孔子之弟子，與孔子同好惡的人物」，深信不疑。繼
而以傳文覈之（譯者按：傳文應為經文之誤），屢見不合宜之處，及讀劉逢祿《左
氏春秋考證》、焦循《左傳補疏》，始覺左氏之說、杜氏之注，於其心有所不相感
同。此敘述其一變。

　　其次，

　　鄭君謂：「穀梁深於經」。胡文定謂：「義莫精於穀梁」。於是購閱鐘文烝
　　《穀梁補註》（譯者按：鐘為鍾之誤，下同），乍讀頗覺愜適，再讀之而疑
　　滋焉，返覆讀之而疑實叢生焉。❸

由於鄭玄與胡安國對於《穀梁傳》的讚賞，於是就鐘文烝《穀梁補註》讀之，一讀
非常佩服，反覆讀之則疑問百出。此即其二變。

　　接著，三變為：

　　游京師，吾鄉崔懷瑾先生以所著《春秋復始》一書見貽。證明《穀梁》亦偽
　　古文，且抉發《左》、《穀》比，而叛《春秋》之覆宦。游汴梁，同僚孫淑
　　仁藏書多，因得盡借凌曉樓、莊方耕、劉申受、宋于庭、龔定庵、王壬秋、
　　廖季平諸家之書，博觀而審思之。❹

由此可見，王樹榮不滿足於《穀梁傳》，進而轉向公羊學。文中提及王樹榮赴北京
時，同鄉崔適所送之《春秋復始》，成為他轉向公羊學的直接原因。

---

❷　王樹榮：《續公羊墨守》〈序〉（臺北市：藝文印書館，1971 年），頁 3。
❸　同註❷，頁 3。
❹　同註❷，頁 4。

　　崔適（1852－1924）字觶甫，號懷瑾，與王樹榮同為浙江吳興人，是清末大儒俞樾的門生，和章炳麟是同門，後來受康有為《新學偽經考》的影響而學今文學。

　　崔適受《新學偽經考》很大的影響，這在錢玄同〈重論經今古文學問題〉一文中引用了一九一一年崔適給錢玄同的書信：

　　首先是二月二十五日的書信：

> 《新學偽經考》字字精確，自漢以來，未有能及之者。❺

另外寫著：

> 知漢古文亦偽，自康君始。下走之於康，略如攻東晉古文《尚書》者，惠定宇於閻百詩之比。雖若王德之說與《穀梁傳》皆古文學，文王稱王、周公攝政之義，並今文說，皆康所未言，譬若自秦之燕，非乘康君之舟車至趙，亦不能徒至燕也。❻

三月的書信：

> 康君《偽經考》作於二十年前，專論經學之真偽。弟向服膺紀（昀）、阮（元）、段（玉裁）、俞（樾）諸公書，根據確鑿，過於國初（指清初）諸儒，然管見所及，亦有可駁者，康書則無之，故以為古今無比。若無此書，則弟亦兼宗今古文，至今尚在夢中也。❼

敘述了對康有為《新學偽經考》的激賞，此後錢玄同師事崔適，並以弟子自稱。

---

❺　錢玄同：〈重論經今古文學問題〉，康有為撰：《新學偽經考》（臺北市：世界書局，1979年），頁384。
❻　同註❺，頁385。
❼　同註❺，頁384。

　　眾所周知，康有為的《新學偽經考》是考證古文經書是劉歆為王莽所偽作，今文學才是孔子所傳之學的著作，早就有人指出這是因四川學者廖平而得到的想法。《新學偽經考》於光緒十四年（1891）時，是否要出版，在學界引發極大的迴響。

　　因此，崔適在康有為的影響之下，寫了《史記探源》、《春秋復始》的著作。

　　《史記探源》於宣統二年（1910）出版，認為《史記》為今文學之屬，後經劉歆竄亂雜入古文經，本書以揭露此事為其主要著眼點。

　　《春秋復始》於一九一八年由北京大學出版，該書的主要論點為序證所述之「《公羊傳》當正其名為《春秋傳》」、「穀梁氏亦古文學」、「左丘明不傳《春秋》」、「以《春秋》為《春秋》」等四點。

　　在「《公羊傳》當正其名為《春秋傳》」中謂：

> 西漢之初，所謂「春秋」者，合經與傳而名焉者也，傳者，後世所謂《公羊傳》也。其始不但無《公羊傳》之名，亦無「傳」之名，統謂之「春秋」而已。❽

主張西漢初年的《春秋》是經和傳相合而名之為《春秋》，「傳」所指的是後世的《公羊傳》。原本沒有《公羊傳》之名，經和傳的總合單只《春秋》而已。

　　在「穀梁氏亦古文學」中謂：

> 《漢書・梅福傳》：「推跡古文，以《左氏》、《穀梁》、《世本》、《禮記》相明。」《後漢書・章帝紀》：「令群儒受學《左氏》、《穀梁》、古文《尚書》、毛《詩》。」此於《穀梁》，一則明言古文，一則與三古文並列，其為古文明矣。❾

《漢書・梅福傳》以《穀梁傳》與《左傳》、《世本》、《禮記》等書一起記述，

---

❽　崔適：《春秋復始》〈序證〉（民國七年北京大學鉛印本），頁 1。
❾　同註❽，頁 2。

所以是為古文學。此外，因《後漢書‧章帝紀》將其他古文學之書與之並列表記之故，所以斷言《穀梁傳》為古文學。

此《穀梁傳》為古文經的主張是崔適獨自的見解，例如康有為等認為《穀梁傳》是今文學的立場。❿

「左丘明不傳《春秋》」是根指康有為的《新學偽經考》而開展論述⓫，「以春秋為春秋」則認為因為《穀梁傳》也是古文，所以將三傳中餘下的一傳《公羊傳》即《春秋》作為結論。因為有以上的觀點，所以《春秋復始》採取分別論述《春秋》的每一則凡例的結構。

可以看出，王樹榮一如崔適之於康有為，深受《春秋復始》的影響。首先他在《續公羊墨守》的開頭中引用崔適「《公羊傳》正當其名為《春秋》傳」一文，但是他並未舉出《春秋復始》之書名。因而無法明確地區別崔適與王氏的意見，如果沒有拿《春秋復始》與《續公羊墨守》二書並看的話，則無法窺知王樹榮個人的思想。不過雖然王樹榮是在崔適的思想基礎上開展論述，但對崔適的意見也不是完全贊同，例如《箴箴何篇》就是對其著作進行了全面性批判的著作。

因此，可以說崔適的《春秋復始》雖然是王樹榮傾向於公羊學的關鍵，但是他更由此構築出他獨特的公羊思想。下一章則從王樹榮公羊思想與崔適的比較來看。

二、王樹榮與崔適思想之差異

如前所述，拿崔適的《春秋復始》來和王樹榮的《續公羊墨守》作比較的話，可知王樹榮是沿著崔適為基本路線，但相異的部分則散見。而這些正是王樹榮獨特的見解，也是掌握其思想特色之門。茲列舉其與崔適論點相異的部分，崔適在《春秋復始》云：

> 《史記‧十二諸侯年表》曰：「荀卿、孟子、公孫固、韓非之徒，各往往捃

---

❿　《新學偽經考‧漢書藝文志辨偽上》有「知孔子制作之學首在春秋，春秋之傳在公、穀」，把《穀梁傳》視為今文經。

⓫　同註❽，頁4，「以下剌取康氏說」。

攟春秋之文以著書，今惟公孫固之書不傳，無考。」**⑫**

《史記‧十二諸侯年表》中所著錄之公孫固一書今已亡佚而無可考究，對此：

> 按：《小戴記‧緇衣篇》：「為公孫尼之作」，尼訓止，與固字義通。名固
> 字尼之，當即一人。太史公稱《春秋》「善善、惡惡、賢賢、賤不肖」。
> 〈緇衣〉第二章云：「好賢如緇衣，惡惡如巷伯」，是亦攟摭《春秋》，以
> 著一書之證也。**⑬**

《禮記‧緇衣》相傳為公孫尼所作（譯者按：今核《禮記》，作公孫尼子），如果
尼字訓為止，則與固字之字意相通，名固字尼之，即公孫固與公孫尼為同一人。因
此〈緇衣篇〉第二章所述「好賢如緇衣，惡惡如巷伯」一文，與司馬遷相同以攟摭
《春秋》之文，作為其著書的一個證據。

接著，王樹榮當然也作了對《春秋》等於《公羊傳》的疑問設定：

> 難者曰，信如此言，則太史公所謂為有所刺譏褒諱貶損之文辭，不可以書
> 見，七十子之徒，口授其傳指。戴宏所謂《春秋傳》六傳，至公羊壽，始與
> 齊人胡毋子都，著於竹帛，又奚說耶。**⑭**

亦即，如果《春秋》乃經傳之合稱，則為什麼會有以往司馬遷所稱，因為有刺譏褒
諱貶損之文故不以文字表記，七十子之徒乃口授傳指的說法。戴宏所稱的《春秋》
六傳，至公羊壽才開始和胡毋子都著錄在竹帛上的說法等疑問。

王樹榮對此的解釋為：

---

⑫　同註**⑧**，頁 1。
⑬　同註**②**，頁 1。
⑭　同註**②**，頁 1。

不知所謂傳指者，乃傳之指也，非傳也。假使有經無傳，則《春秋》盡成廢
詞，真如王荊公所謂斷爛朝報矣。惟所口授者，為傳之指。❺

前述疑問的產生，他認為主要是由於對傳指一詞尚未理解。傳和傳指是不一樣的，
因此司馬遷所謂的口授為傳指，又公羊壽、胡毋生等記於竹帛上的也是傳指。
　　那麼，傳指又是什麼呢？

> 例如傳文，但言所見異辭，所傳聞又異辭，而《解詁》則暢發張三世主義。
> 傳文但言杞伯來朝，但言賈石於宋，六鶃退飛過宋都，為王者之後紀災。但
> 言成周宣榭火新周也。而《解詁》即暢發黜杞、故宋、親周之義。傳文但言
> 公及邾婁儀父盟於眜，但言宋公和卒，但言滕侯、薛侯來朝之等，而《解
> 詁》則，暢發託王於魯主義。明乎，傳至景帝時，始著於竹帛者，為傳之
> 指。則劉歆《七略》詆《公羊傳》為口說流行之誣可雪矣。❻

由此可知，所謂的傳指不外乎是指何休《解詁》所記的張三世、通三統、王魯之說
而言。此主張為王樹榮之創見，與崔適的主張相異。因為崔適在《春秋復始》中
云：

> 戴宏〈序〉，乃有公羊氏之世系及人名，何以前人不知而後人知之也。且合
> 〈仲尼弟子列傳〉、〈孔子世家〉與〈十二諸侯年表〉、〈六國表〉、〈秦
> 本紀〉、漢諸帝紀觀之，子夏少孔子四十四歲，孔子生於襄公二十一年，則
> 子夏生於定公二年，下迄景帝之初，三百四十餘年，自子夏至公羊壽、甫及
> 王傳，則公羊氏世世相去六十餘年，又必父享耄年，子皆夙慧，乃能及之。
> 其可信乎？是故戴宏謂至漢景帝時著於竹帛，亦非也。孟、荀、韓非且撫
> 《春秋》之文以著書，〈叔孫通傳〉載秦二世時博士，已引人臣無將之言，

---

❺　同註❷，頁 1。
❻　同註❷，頁 1。

見閔公元年傳，則著於竹帛矣。年表所謂七十子之徒，口授其傳指，為有所
刺譏褒諱貶損之文辭，不可書見者，止當謂魯國尚存，三桓柄政時代耳。要
之，《公羊傳》之名，自劉歆始。子夏傳《春秋》於公羊高之說，自戴宏
始。《史記》〈十二諸侯年表〉、〈仲尼弟子列傳〉、〈儒林傳〉皆無之。
特其文多齊言，則著於竹帛者固齊人，而名氏皆不可考。❶

他提出徐彥《疏》引戴宏〈序〉中公羊世系及人名，為什麼前人所不知的而後人卻
知道的疑問。並考究《史記》所載，子夏與漢景帝的時代相去三百四十餘年，其間
傳經的次序必須是公羊氏世世代代都生存六十多歲，而且小孩從年幼時若非頭腦明
晰則無法成立。因此認為戴宏的話是虛構的。又自《史記・叔孫通傳》裡秦二世皇
帝時已有「人臣無將」之語考之，而欲論證書於竹帛的時期較早。而認為所謂的七
十子之徒，口授其傳指，刺譏褒諱貶損之文不能寫出來的，是因為處於魯國三桓掌
權的時代。也就是，他斷言《公羊傳》的名稱始於劉歆，子夏傳《春秋》於公羊高
之說始於戴宏。此外，他說《公羊傳》文多齊言，是書寫於竹帛者為齊人，只是名
氏不可考知。

　　比較王說、崔說，崔適以為著錄於竹帛時期較早，對於公羊壽、胡毋生記於竹
帛之說持否定立場；王樹榮則認為胡毋生等著錄於竹帛者為傳指。關於王樹榮對崔
適的意見：

　　崔懷瑾疑，至胡毋子都始著於竹帛之說為非，亦由於傳指二字尚欠分曉
　　耳。❶

這是批判崔適還不夠理解傳指之意。
　　另外一方面，他認為從崔適所得到的《穀梁傳》是古文經，謂：

---

❶　同註❽，頁 1。
❶　同註❷，頁 1。

吾謂，如莊方耕《春秋正辭》、劉申受《公羊解詁箋》，往往攔入穀梁義，亦不啻魚目之混珠。於此愈信任城墨守之學，誠顛撲不破矣。❶

常州學派的開創者莊存與以及其繼承者劉逢祿是取《穀梁傳》之義以解《春秋》的學者，接著說：

雖然，援《左》、《穀》以亂《公羊》者，固不免喪其所守，而末流之弊，動輒援《公羊》以遍鑿群經。自莊珍藝作〈夏等例〉，以〈夏小正〉，此附禮運，吾得夏時之說，劉逢祿推衍其意，作《論語述何》，自序稱《藝文類聚》引《論語》女為君子儒，何休註、大類董生正誼明道。實則所引君子為儒，將以明道；小人為儒，則以為名。乃何晏能《論語集解》，晏字偶誤作休，而劉申受輒援以為據，已為李越縵所糾。戴子高作《論語註》，至謂樊遲從游於舞雩之下，即為李辛又雩而發，尤失之鑿。宋于庭復作《大學古義》以牽合《公羊》，廖季平則援二伯之說，以附會王制，至龔定庵專以張三世主義，遍通群經。其尤變本加厲者，遂流為孔子改制之說，而《春秋》真成斷亂朝報矣。吾故謂以《春秋》彼援《左》、《穀》以亂《公羊》者，固非。而援《公羊》之說強他經，以就我者，尤一無是處也。❷

批判了清代公羊學者援引《公羊》以說他經的態度。這個說法是他根據何休《公羊解詁・序》中的一段話而來的：

傳《春秋》者非一，本據亂而作，其中多非常異義可怪之論。說者疑惑，至有悖經任意、反傳違戾者，其勢雖問，不得不廣。是以講誦師言至於百萬，猶有不解。時加釀嘲辭，援引他經，失其句讀。以無為有，甚可閔笑者，不

---

❶　同註❷，頁2—3。

❷　同註❷，頁3。

可勝記也。㉑

特別就這點而言，康有為等是「援引他經」的箇中高手。

何休的《公羊解詁》一如序文所載般，是根據胡毋生條例而成的書。對於胡毋生，王樹榮云：

> 邵公《解詁》，本諸胡毋生條例。《史記・儒林傳》稱，言《春秋》者，於趙自董仲舒，於齊、魯自胡毋生。毋，《索隱》音無，平聲，《漢書》始誤讀作母。太史公自序，歷述繼《春秋》，作《史記》顛末，與上大夫壺遂問答。壺、胡古字通。毋乃長言之語聲，胡毋生字子都，郊遂、都鄙皆郭外地名。遂字子都，當係一人。㉒

認為胡毋生和曾經與司馬遷論《春秋》的壺遂為同一人。

接著說：

> 夫張三世、通三統、黜杞、故宋、親周、王魯之微言大義，莫不冰釋理順、相說以解。夫然後知邵公墨守之學，誠夐乎，不可幾及也。㉓

強調在理解三科九旨之後，才知道何休「公羊墨守」之學之不可及。

接著他提出何休之學何以衰微的原因：

> 而後之論者，動沿東坡謬說，詆何休為《公羊》罪人。吾謂，必欲制定爰書，讞成斯獄，與其蔽罪任城，無寧歸獄高密，蓋自康成氏有〈箴膏肓〉、〈起廢疾〉、〈發墨守〉之作，二千年來偽左之氣焰日張，而今文家薪火一

㉑ 〔唐〕徐彥疏：《公羊注疏》〈序〉（臺北市：臺灣中華書局，1968 年），頁 1－2。
㉒ 同註㉑，頁 3。
㉓ 同註㉑，頁 4。

線之傳，或幾乎熄。❷

而斷定是起因於鄭玄。即如前所述，《春秋》之亂肇於劉歆，而何休學的衰退則起於鄭玄。然而這些是以《新學偽經考》為基礎的說法❷，顯然不是王樹柟的創見。是崔適主動表明自己的學說是在康有為的影響之下成立的呢，抑或是王樹柟令人意外地其著作中竟然連康有為的名字也沒有提到，是故意無視於他的存在呢？令人起疑。

　　總而言之，王樹柟乃墨守《公羊》一經，以貫徹何休學為目標，並對所有反何休之說加以批判。

三、王樹柟的王魯說

　　王樹柟的思想藉由三科九旨的部分可以窺見一斑，例如他說：

> 隱元年，公子益師卒。傳曰：「所見異辭，所聞異辭，所傳聞又異辭。」何注詳述三世主義，其說與董子相合。《春秋繁露・俞序篇》云：「始言大惡殺君亡國，終言赦小過，是亦始於麤觕，終於精微，教化流行，德澤大洽，天下之人人有士君子之行而少過矣。」亦譏二名之意也。陳蘭甫《東塾讀書記》云：「教化流行，德澤大洽，其語未安，何邵公好奇，故取之耳。」榮按，二語正見太平景象，如陳氏之言，豈教化不流行，德澤不大洽，然後其語始安耶。蘭甫以邵公為好奇，斯言誠不可解耳。❷

又認為

---

❷　同註❷，頁4。

❷　《新學偽經考・偽經傳於通學成於鄭玄考》：「鄭康成揉合古今，而實得偽古之傳以行之，遂為天下所宗。濫觴於杜、鄭，推行於賈逵，纂統於鄭玄，於是偽古行於九州暨海外而今學亡矣。」同註❺。

❷　同註❷，頁4。

按：張三世主義為《春秋》一大公例，此而不明，何足以講《春秋》。❷

如果不明張三世之義，就沒有講述《春秋》的資格。如上所述，他只不過是嘗試對張三世再批判而已，所以不易見其特色。

其次關於通三統、王魯：

> 《春秋》黜杞、故宋、新周、王魯，杞最遠，故首見於莊七年，杞伯來朝；再見於僖二十三年，杞子卒，皆所傳聞世也。宋較近，故首見於莊十一年，宋大水；繼見於文三年，雨螽；襄九年，宋火。始於所傳聞世，終於所聞世也。周尤近，故見於宣十六年，成周宣榭火，則所聞世也。而王魯之文，則十二公俱見，尤貫澈《春秋》全部，孔氏《通義》以王魯之說，傳無明文，棄而不用，大失《春秋》之旨。❷

黜杞、故宋、新周、王魯之中，杞為最遠之世，因此杞見於所傳聞世，宋是其次，見於所傳聞世至所聞世，而周則見於所聞世，然而關於王魯，則貫通《春秋》十二公。批評孔廣森否定王魯之說❷，是失《春秋》之旨。

因此如果要看詳述王樹榮王魯說的部分，在宣公十六年經文「成周宣榭火」，傳文「外災不書，此何以書，新周也」的地方，孔廣森首先舉出：

> 顨軒云：周之東遷，本在王城，及敬王，遷成周，作傳者號為新周，猶晉徙新田，謂之新絳；鄭居郭鄶之地，謂之新鄭。❸

接著說：

---

❷　同註❷，頁 4。
❷　同註❷，頁 19－20。
❷　《公羊通義》：「黜周、王魯，以春秋當新王云云之說，絕不見本傳，重自誣其師……」。
❸　同註❷，卷二，頁 10。

殊屬望文生義，且傳云：「成周者何？東周也。」傳末云：「外災不書，此何以書？新周也。」則新周二字，繫諸外災，而不繫諸成周也，審矣。❸❶

亦即，「新周」二字繫諸外災，而非繫諸成周，孔廣森單就遷都以解釋新周，實是望文生義。

而王樹榮對「新周」之新字作以下的解釋：

> 榮按，新周之「新」當依《史記・孔子世家》作「親」，《繁露・三代改制質文篇》：「故春秋應天作新王之義，時正子黑統。王魯尚黑，絀夏、親周、故宋。」亦作親，與《史記》同。是亦三占從二之一徵。崔懷瑾《史記探源》謂：「當作新者，失之。」❸❷

認為傳文「新周」之「新」字應作為〈孔子世家〉與《春秋繁露》之親字。❸❸又寫道：

> 而《解詁》黜而新之之新，則當作新舊之新，字同而義異也。《春秋》外災不書，宋災何以書？新周也。親古通新，親者，無失其為親，即親周之義也。天災中興樂器，示周不復興，故繫宣榭於成周，使其文有若列國，然此即王降為風之義。示周之不復興，即示周之不復新也。故曰「黜而新之」，黜者，黜周也。新者，託新王於魯也。新王之義，當屬諸據魯，不當屬諸親周也。否則一方黜周，一方又新周，寧不自相矛盾。徒以古者，親、新二字同體，學者誤會，遂至并為一談。幸有《史記》、《繁露》足資互證，與

---

❸❶　同註❷，卷二，頁10。
❸❷　同註❷，卷二，頁10。
❸❸　阮元《公羊注疏校勘記》：「惠棟云：當作親周，古親、新通，新讀為親……。」王樹榮據之而有此想法。

《解詁》兩新字區別矣。㉞

認為《解詁》「黜而新之」之「新」字與傳文之新，字雖相同而異義。《解詁》的「天災中興樂器，示周不復興」是表示周衰微不復興之文，因此「黜而新之」之文為黜周，新之字是指魯，託新王於魯，與傳文所謂「親周」不同。如果不是這樣，那麼《解詁》之黜周、傳之「新周」，兩者寫法相矛盾。認為這是後世將親混為新而產生的問題。

那麼，何以傳文會把應作「親周」，寫成「新周」？他解釋道：

> 且周乃時王，亦不得稱王者之後，遂言親周又黜時忌。親、新可通，故假親周為新周，主人習其讀而問其傳，則固儼乎，以成周當新王者。然所謂時詭，其實以相避者是也。㉟

周為「時王」，也就是當時的王，事實上不可能將之視為王者之後，因此，「親周」之類的寫法就成了觸犯當時之忌。因為親、新音可通，所以勉強把本應作為「親周」的，寫成「新周」，表面上裝作成周等於新王。

結　語

以上所見為王樹榮學問的形成與思想特色，《六十年來之國學》中論述了民國以來六十年間公羊學研究史，置王樹榮於第一階段，陳柱於第二階段，熊十力於第三階段㊱，其中關於王樹榮，有：

> 綜觀王氏的著作，不外分辨古今文的優劣，鄭玄、何休的是非。其學大抵在

㉞　同註❷，卷二，頁 10－11。

㉟　同註❷，卷二，頁 11。

㊱　程發軔主編；國立編譯館編輯：《六十年來之國學》（臺北市：正中書局，1972 年），頁 410－412。

攻守之間。❸

又：

> 王樹榮著書，甚至還引韓昌黎的話說，誅奸諛於既死，發潛德之幽光。發潛
> 德之幽光，誠是近道之言，但誅奸諛於既死，則未免言之過激了。夫事情本
> 有是非，就事論事、據理力爭，此本為正當的態度，而動加譏刺，或施撻
> 伐，如此非但不能解決問題，而對方亦必反唇相譏、周旋到底，真理反而愈
> 辨愈不明了。❸

這是對王樹榮的研究方法加以否定的批評。

另一方面，比《紹邵軒叢書》早，於民國十七年出版的陳柱《公羊家哲學》：

> 蓋今所傳之《春秋公羊傳》，與其謂為孔子之《春秋》，無寧謂為公羊之
> 《春秋》，自董仲舒、何休以下，皆說公羊之學，而亦不能盡其同，與其定
> 孰為公羊之真，無寧統名為公羊家之學，條其大意、去其乖戾，使世之學者
> 得以覽其通焉。夫然，故暫且不必為孔子辯誣，不必為《春秋》辯誣，亦不
> 必為公羊辯誣，而公羊家之哲學乃大有其可論者矣。❸

已將公羊學視為一客觀的研究對象來處理，與之相較，則王樹榮的思想不免有舊態
依然之譏。

王樹榮的公羊學是鑑於清末變法運動的失敗，而對常州學派人們以《公羊》說
他經感到疑義，於是仿何休，再度從公羊墨守的觀點，意圖回歸何休學。然而其與
何休所處的時代和情況都是相異的，再者，王樹榮的思想從頭至尾都是批評何休的

---

❸　同註❸，頁 410。

❸　同註❸，頁 422。

❸　陳柱：《公羊家哲學》〈自序〉（臺北市：臺灣中華書局，1980 年），頁 1－2。

再批評，是沒有政治性的❹。這大概可以說是清末思想膨脹下，公羊學達到頂峰後，最後所及的一個到達點吧。

---

❹　中嶋隆藏〈何休の思想〉（《東洋學集刊》19 號）中述及何休《公羊解詁》的著作動機，認為何休想要在公羊註釋中豎立自身的經世策略，以隱微的形式表現其世界觀，並指出何休著《公羊解詁》具有政治性目的。

經 學 研 究 論 叢
第 十 七 輯　　頁243～266
臺灣學生書局　2009 年 12 月

從傳統經學到民間經學
——雪廬老人對《論語》〈述而〉 「志道章」的一個新看法[*]

謝智光[**]

一、前言

㈠研究動機

　　清中葉後劉寶楠《論語正義》[❶]與焦循《孟子正義》[❷]堪稱清代四書學的精要著作；至清末民初，法律學者程樹德《論語集釋》[❸]所參考的四書類書目，約有二

＊　本文曾發表於 2009 年 7 月南京大學所舉辦的「『中國語言學社會文化』研究生國際學術研討
　　會」（2009 年 7 月 5 日－7 月 9 日）。

＊＊　謝智光，東海大學中國文學系碩士生。

❶　〔清〕劉寶楠：《論語正義》（北京市：中華書局，2007 年 6 月）。共二十四卷。劉氏專治
　　《論語》，頗不以舊疏為然，遂採漢宋諸家之說，並清人考釋「論語」之作，撰成此書；其
　　前十七卷為親撰，卷十八至二十四，則為其子劉恭冕據其所作長編而補撰。此書綜合前人研
　　究成果，乃民國以前《論語》注疏中最完備之作，亦為研究《論語》者必讀之書。

❷　〔清〕焦循撰、沈文倬點校：《孟子正義》三十卷（臺北市：文津出版社，1988 年 7 月）。

❸　程樹德：《論語集釋》（北京市：中華書局，2006 年 11 月）。程樹德先生（1877－1944）
　　是清末民初重要的法律學家，著作很多，最重要的有《九朝律考》、《中國法治史》、《說
　　文稽古編》；晚年程氏靠意志力著作《論語集釋》，該書收羅豐富、價值頗大，故亦可稱為

〇三種注解本。❹其中或闡明大意、或詳考訓詁，或宗漢學、或主宋學。在此時期，「國學」的價值受到許多知識分子的質疑，或有西化派的國學無用論，有國粹派的質疑後再重新接受，亦有中學為體、西學為用的折衷說。就「論語學」而言，除程樹德的《論語集釋》較中肯將源遠流長的論語注釋集彙之，近年來也有出現體現當代學術水準為主的著作如黃懷信主撰的《論語彙校集釋》。❺

　　民國三十八年（1949）❻前後，中國大陸許多優秀學者來臺，並將經典文化作了不同方法、程度的傳播，如在各大學中文系執教的屈萬里（1907－1979）、高明（1909－1992）、潘重規（1907－2003）等諸位老先生。同樣也隨國民政府來臺的學者，如對臺灣佛教界貢獻良大的李炳南老居士❼（1890－1986），更是在民間團體致力弘揚儒佛思想。本文透過李炳南老居士（以下稱雪廬老人）晚年創設「論語講習班」（以下稱論語班）、其弟子徐醒民先生所記錄編纂之《論語講要》❽，考察其儒學教化思想的特色；特別以〈述而篇〉中「志於道章」為主要觀察核心，目的在指出老人不僅為普遍佛教信徒所知的宗教家，在儒學教化也有創新的意義。老

經學家。《論語集釋》在臺灣流傳很早，早期有廣文書局、藝文印書館的景印本，大陸方面則有華北師範大學舊刊本、中華書局重新點校本。程氏的解經方法承繼了清儒的考據傳統，其云「茲篇竊本孔氏『述而不作』之旨，將宋以後諸家之說分類採輯，以為研究斯書之助」，除了薈萃貫串之功，其中「按語」及「發明」則多有新義。

❹ 程氏《論語集釋》末卷將徵引書目分類列之，論語類一百二十七種、四書類七十六種、經總類七十種、專經類五十三種、《說文》及字書類二十八種、類書及目錄類十五種、史類六十五種、諸子及筆記類一百七十四種、文集類五十七種、碑志類十五種；程氏《集釋》所參書目總計約六百八十種書目。

❺ 黃懷信主撰、周海生、孔德立參撰：《論語彙校集釋》（上海市：上海古籍出版社，2008 年8 月）。

❻ 按：中華民國三十八年即西元 1949 年，國民政府播遷來臺；本文主要探討的經學家李炳南老居士是跟隨奉祀官府衍聖公孔德成先生來臺，故此以民國繫年。以下視需要擇一繫年，並附對照於正文內，特此註明。

❼ 李炳南居士本名豔，字炳南，號雪廬，弟子稱為雪公。筆者曾受教於雪公太老師之弟子，故依陳師雍澤碩士論文《雪廬老人儒佛融會思想研究》（臺中市：青蓮出版社，2006 年夏曆 3 月），稱李炳南老居士為雪廬老人，以下皆同，不另註明。

❽ 李炳南講述、徐醒民敬記：《論語講要》（臺中市：青蓮出版社，2007 年夏曆 6 月）。

人學佛、習儒多年，亦教導弟子們「內佛外儒」，弘揚儒佛為老人終其一生的志業。《論語講要》當中「雪公講義」為老人當年講授之補充教材，「志於道章」以清晰的科表說明此章為「中華文化總綱領」，本文以此章為探討核心，期能發掘老人經典詮釋的特殊意義。

㈡雪廬老人開設「論語講習班」背景概述

老人晚年「深覺世風日下，聖學沉淪，復鑑學佛者，人格若虧，佛道難成。乃於民國六十九年（1980）十月創設『論語講習班』，定期講習，歷時三年有餘。」❾老人來臺初期曾開辦「國文補習班」，禮聘國學大師授課，晚年則感於社會風氣每下愈況，「人道」若不成、「佛道」便難成就；是以老人以九十一歲高齡，加上豐富的儒佛學養閱歷，開設「論語班」，期許弟子、信眾能夠體認孔子思想的精髓及中華文化真諦。

老人講授時以民初經學家程樹德《論語集釋》❿為教本，並參閱清代劉寶楠《論語正義》⓫及民初徐英的《論語會箋》⓬，講授時附加「雪公講義」，並無寫成專著。老人門人徐醒民居士（以下簡稱徐師）自親近老人以來，除佛法之聽聞、參加經學班研討，親自聽聞老人教授之課程尚有古文、詩選、《禮記》、《大學》、《中庸》、《論語》、《易經》等，後撰寫〈論語講要〉陸續刊登於《明倫月刊》當中。⓭乃至老人晚年開設「論語班」，徐師則「筆錄授課講詞，刪繁取

---

❾　同註❼，陳師雍澤：《雪廬老人儒佛融會思想研究》，頁 162。

❿　程樹德：《論語集釋》（北京市：中華書局，2006 年 11 月）。老人當年弟子所使用的版本為藝文印書館及臺灣鼎文書局景印版（1973 年 5 月），筆者今所見北京中華書局的版本是 1990 年初版，前有程氏之女程俊英所撰〈前言〉一文，記述程氏晚年撰寫歷程，老人恐未之見，特此註明。有關老人《講要》與程氏《集釋》撰寫背景比較，請參附錄一。

⓫　同註❶，〔清〕劉寶楠：《論語正義》。

⓬　按：《論語會箋》有二，一為〔日〕竹添光鴻撰（臺北市：廣文書局，1961 年 12 月），一為民初經學家徐英編撰（臺北市：正中書局，1976 年 12 月）。老人講授時特別注明為「竹添氏《會箋》」或「徐英《論語會箋》」。

⓭　按：徐師撰寫〈論語講要〉於 1978 年 8 月至 1996 年 6 月刊載於《明倫月刊》，（76 期至 265 期，其中有數次因故未刊載，共計 169 期）。

要」❶，成書凡二十載，名為《論語講要》。據聞老人交代徐師，記載內容宜刪去佛典注釋部分，以防門戶之見，惟因老人思想背景確以佛學為依歸，本文在行文上仍以儒佛融會作基礎。徐師在《講要》序中云：

> 雪廬老人，東魯純儒也。早年入衍聖公幕，後隨孔上公遷寓臺中。暇時勤宣內典，教授儒經。晚年深感時風不競，聖教不彰。乃設論語講習班，廣接文教各業有心人士，定期講習。❶

可以想見老人晚年將心力投注在《論語》一經，無非是對弟子們有深遠的寄望。《論語》一書平實而貼近生活，卻是許多老一輩學者晚年講授的主要經典❶，可見除了對詮釋史上有極高的研究價值，對於個人脩身乃至於人格養成，都有正面的作用。

二、論語詮釋史中「志於道章」的詮釋

㈠重要注解對志於道章的看法

〈志於道〉章在思想史上頗受學者青睞，雪廬老人年少成長時期正逢清末民初政局交替之時，隨國民政府來臺後，直至民國七十五年（1986）在臺往生，不曾返鄉。雖思鄉心切，卻仍不忘以中華文化傳授弟子、信眾，弘揚儒佛不遺餘力。老人晚年開辦論語班，講授《論語》，以程樹德《論語集釋》為主要參考注本。今研究老人《論語講要》，則必先從清代論語詮釋史談起。關於清代論語詮釋史，揚州大

---

❶ 同註❽，李炳南老居士講述，徐師醒民敬記：〈開卷語〉，《論語講要》，頁 3。（原標題〈書鄉書香——論語講要〉，載於《明倫月刊》342 期，臺中市：明倫雜誌社，分別於 2004 年 2、3 月發行，頁 40。）

❶ 同註❽，徐醒民撰：〈開卷語〉，《論語講要》。

❶ 如日本近代儒學家岡田武彥亦於晚年時期教授平民婦人、幼兒《論語》於社區。參見錢明：〈日本有個中國文化群——記岡田武彥為首的九州知識界〉，《觀察與思考》1999 年第 8 期，頁 41−43。

學柳宏教授在其著作提到：「至乾嘉時已產生新注疏之需求」❶，並說明皇疏與邢
疏之缺失分別是「多涉清玄」及「依文衍文」。清代的論語研究有許多新的成果，
可繪表如下❶：

表 1　清代論語研究成果

討論範疇	著作
宮室／衣服禮制	江永《鄉黨圖考》、任大椿《弁服釋例》等
史事地理	閻若璩《四書釋地》、周柄中《四書典故辨正》等
字義訓詁	段玉裁《說文解字注》、王念孫《廣雅疏證》、王引之《經義述聞》、惠棟《九經古義》等
鄭玄佚注	惠棟、陳鱣、臧庸、宋翔鳳諸君，並有輯本
經文辨偽考異	翟灝《四書考異》、盧文弨《釋文考證》、阮元《校勘記》
專家《論語》義說	毛奇齡《論語稽求篇》、臧琳《經義雜記》、方觀旭《論語偶記》、趙佑《四書溫故錄》、孔廣森《經學巵言》、劉台拱《論語駢枝》、焦循《論語補疏》、錢坫《論語後錄》等

清代論語學著作如此豐富，柳宏云：「凡此種種，皆為劉氏相約分疏《論語正義》
奠定了厚實的基礎。」❶按彰師大楊菁教授之研究成果，以為劉寶楠《論語正義》
在清代豐富的論語學當中，所能特出的原因是「能取其長而去其短，其書既具考證
精詳之長，於義理的解釋上，又集結了清中葉以前的思想義理，反應了清世反理
學、重實理的一貫理取向，深具時代特色。」❷

　　觀察劉氏《正義》對述而篇志道章的看法，意外發現比其他章的注解簡短。選
擇古注方面，《正義》單引何晏《論語集解》之說法：

　　　　志，慕也。道不可體，故志之而已。據，杖也。德有成形，故可據。依，倚

---

❶　柳宏：《清代論語詮釋史論》（北京市：社會科學文獻出版社，2008 年 3 月），頁 212。

❶　此表根據上注柳宏：《清代論語詮釋史論》頁 212－213 繪成。

❶　同註❶，柳宏：《清代論語詮釋史論》，頁 213。

❷　參見楊菁：《劉寶楠《論語正義》研究》（臺北縣：花木蘭文化出版社，2006 年 9 月）。

也。仁者功施於人，故可倚。藝，六藝也。不足據依，故曰遊。㉑

以其採漢注的傾向，以訓詁為詮解的方式，所見於斯。《正義》對此章所下的章旨，頗獲近世學者青睞。其云：「此夫子誨弟子進德修業之法。」㉒進德修業的方法就是「志於道、據於德、依於仁、游於藝」這四條目。《正義》進而分別對「道」、「德」、「仁」、「義」進行字義的訓詁辨明：

> 道者，明明德親民，《大學》之道也。德者，《少儀》云：「士依於德。」鄭《注》：「德，三德也。一曰至德，二曰敏德，三曰孝德。」此本《周官師氏》之文。鄭彼《注》云：「至德，中和之德，覆燾持載含宏者也。敏德，仁義順時者也。孝德，尊祖愛親。」三德所以教國子，故鄭注《少儀》依用之。《論語》此文，義當同也。言「據」者，據猶守也。《中庸》言顏子：「擇乎中庸，得一善，則拳拳服膺，而弗失之。」即據德矣。

對於「德」的詮解，劉氏以《禮》經解《論語》，引鄭康成對《少儀》經文的注解，以為德有三義，分別是「中和之德」、「仁義順時」以及「尊祖愛親」。這也是本《周官》之文。而言「據於德」，劉氏解為「據猶守」，即有保守、守住之義。並引證《中庸》言，「得一善…而弗失之」，據德即不讓其失掉。關於「依仁」與「游藝」，劉氏亦引《禮記·學記》與鄭康成的注解，並引本經《論語》證之：

> 「依仁」猶言親仁，謂於仁人當依倚之也。「游於藝」者，《學記》云：「不興其藝，不能樂學。」又云：「故君子之於學也，藏焉修焉，息焉游焉。」鄭《注》：「興之言喜也，歆也。游謂閒暇無事於之游。」然則游

㉑ 〔東漢〕何晏：《論語集解》，《十三經注疏》（臺北市：藝文印書館，1997 年 8 月）。

㉒ 同註❶，〔清〕劉寶楠：《論語正義》。

者，不迫遽之意。❷❸

　　蓋誠如前述柳宏教授所言，劉氏《正義》所參考的古注很多，但此章「誨弟子進德修業之法」則無龐雜的訓詁考證，只引諸經證經、並且在游於藝的部分列舉「禮樂射御書數」的項目。

　　清中葉乾嘉學者對宋注的注解頗有不滿之處，由此章雖無看出劉氏對宋注的抨擊，卻可由其隻字未提朱注，窺見選擇注解的價值評斷。朱熹《四書章句集注》❷❹對此章的看法，程氏《論語集釋》與黃氏《論語彙校集釋》都引用之，給讀者一個公平的接受空間。朱熹《集注》云：

> 志者，心之所之之謂。道，則人倫日用之間所當行者是也。知此而心必之焉，則所適者正，而無他歧之惑矣。
>
> 據者，執守之意。德者，得也，得其道於心而不失之謂也。得之於心而守之不失，則終始惟一，而有日新之功矣。
>
> 依者，不違之謂。仁，則私欲盡去而心德之全也。功夫至此而無終食之違，則存養之熟，無適而非天理之流行矣。
>
> 游者，玩物適情之謂。藝，則禮樂之文，射、御、書、數之法，皆至理所寓，而日用之不可闕者也。朝夕游焉，以博其義理之趣，則應務有餘，而心亦無所放矣。
>
> 此章言人之為學當如是也。蓋學莫先於立志，志道，則心存於正而不他；據德，則道得於心而不失；依仁，則德性常用而物欲不行；游藝，則小物不遺而動息有養。學者於此，有以不失其先後之序、輕重之倫焉；則本末兼該，內外交養，日用之間，無少間隙，而涵泳從容，忽不自知其入於聖賢之域

---

❷❸　同註❽，李炳南講授，徐醒民敬記：《論語講要》。

❷❹　朱熹：《四書章句集注》（臺北市：大安出版社，1999年12月）。

矣。㉕

朱夫子謂此章的「道」是在「人倫日用之間」，並謂章旨為「人之為學當如是」。
朱注的見解，民初學者錢地之《論語漢宋集解》㉖分析此章時，做了詳要的判析，
錢氏云：

> 此章各家注疏思想分歧，有以老莊思想注者，乃如何注皇疏是也。有以理學
> 思想注者，朱註是也。有以儒道兼用者，邢疏是也。愚則直去何注皇疏，以
> 免影響儒家正道思想。……朱注此文精粗互紐，其精者曰：道在人倫日用之
> 間。曰游於藝，而日用不可闕少者也。曰為學莫先立志，志於道則心存於
> 正，此是其精者……。㉗

蓋朱注與劉氏《正義》方法雖異，然章旨頗為相近，朱夫子以為，為學當依此章為
次第，「內外交養」；劉氏《正義》亦以為此章為孔子教誨弟子「進德修業」之
法。聖人的真意雖難探究，但求得自身的脩養皆不離此章。雪廬老人亦吸取前述諸
注之看法，並創發研究此章之心得，待下文詳談。

㈡ **近現代臺灣學界對志於道章的探析**

　　對於此章，臺灣學界亦多有討論。高明教授早期在《孔孟月刊》視此章為「中
華學術體系」，因行文需要，置於後文討論。臺灣東華大學吳冠宏教授在其論文當
中，以「志於道章」為「儒家成德思想之進程與理序」作探討㉘；臺灣師範大學陳
滿銘教授亦討論「志於道章」四者的關係，應由「游於藝」出發，導歸回「志於
道」的歷程。㉙林安梧教授身為牟宗三先生的弟子，其觀察此章則以思想史的角度

㉕　同註㉔，朱熹：《四書章句集注》，頁 126－127。
㉖　錢地之：《論語漢宋集解》（臺北市：著者出版，1978 年 9 月）。
㉗　同前註，頁 324。
㉘　參見吳冠宏：〈儒家成德思想之進程與理序：以《論語》「志於道」章之四目關係的詮釋問
　　題為討論核心〉，《東華人文學報》第三期，2001 年 7 月，頁 189－214。
㉙　參見陳滿銘：〈論《論語》的「志於道」〉，《孔孟月刊》，第 41 卷第 2 期，2002 年 10

為取向，釋義「道」、「德」二字。⓷⓪而劉錦賢教授則以此章為「孔子成學之教」的論述，以為此四句為孔子德慧圓成之後，所提出聖學的大方向。⓷①大抵對於此章，學者多同意此為一為學的次第，惟雪廬老人弘傳《論語》是從傳統經學走向民間經學，故學界尚未能看到老人的說法。老人並非單求創新來隨意解說經義，而是選擇古注方面有其特殊的道理。故直指由「道」出發，展開「據德」乃至於從「依仁」作起，涵泳於六藝之間，在在都是闡釋「道」的意義，實為老人的研究結晶，此部分由下節闡釋之。

三、雪廬老人對志道章的詮解

(一)老人弟子們的研究成果

　　一九九六年，老人弟子——中興大學化學系謝嘉峰教授與臺中佛教蓮社諸位居士受邀前往濟南大學參與儒學研討會，其發表的文章，即對老人解析此章作了初步的分析。對於本章的章法結構，謝氏云：

> 在闡述章句之前，雪公先以能所、體用、總別、內外、本末來解析這四句話的章法結構內容，這種解析是十分合乎科學邏輯的，目的是先對全部章句有總的概括的了解，而後再逐字逐句的解析及其章句義理的連貫。⓷②

借用佛理中的「能所」、「體用」、「總別」、「內外」、「本末」來解析，是老人思想中儒佛融會的特點。此四章重要的八個字，分別指的是：

月，頁 8－11；陳氏著：〈論「志道」、「據德」、「依仁」、「游藝」的關係〉，《孔孟月刊》，第四十一卷第六期，2003 年 2 月，頁 14－16。

⓷⓪ 參見林安梧：〈「道」「德」釋義：儒道同源互補的義理闡述——以《老子道德經》「道生之、德蓄之」暨《論語》「志於道、據於德」為核心的展開〉，《鵝湖》，2003 年 4 月，頁 23－29。

⓷① 參見劉錦賢：〈孔子成學之教論述——志於道據於德依於仁游於藝〉，《博學》，2003 年 12 月，頁 49－85。

⓷② 參見謝嘉峰：〈志於道、據於德、依於仁、游於藝——雪廬老人為中華文化提綱及闡釋〉《明倫月刊》，268、269 期，（1996 年 10、11 月）。

「志、據、依、游」四字是能，指主觀內在的存養功夫；而「道、德、仁、藝」四字是所，指客觀實踐的法體內容。㉝

如此一解便清晰易懂。關於「體用」等章法結構，亦幫助讀者體會此章的次第。此章中「道、德、仁、藝」的真正義涵，則更需一一釐清。「道」的意涵最為重要，老人以為「道即是性體」，孔子早已闡揚，惟孔子當時學者尚未能領會。老人云：

> ……宋儒之學，以性理著稱，其實此性理並非宋儒之發明，孔子早已闡揚之矣，惜以學者不能領會，故僅闡明少分，如云明明德，天命之謂性，性相近也，皆是闡釋性理，然其高足如子貢者，猶謂夫子之言性與天道，不可得而聞，何況其餘之人。厥後孟子之言性善，荀子之言性惡，所見皆是阿賴耶識，僅為染淨和合之迷身，惟孟子之言少透本性之光而已。㉞

據謝氏初步分析的結果，以為老人對此章的看法實在公允，其云：

> 「志於道，據於德，依於仁，游於藝」這一章句中有體有相有用，作為中華文化的綱領，是恰當不過的，雪公云：「猝視道有多端，審詳惟體與用，體則明乎性德而率之，用則濟眾而利天下。」能將吾人本有的性體開發出，既而濟眾而利天下，使天下之人亦皆能開發本有的良知良能，這就是中華文化的大旨，這也是中華民族的民族性，中華文化實奠基於此，如此的文化瑰寶，是應當發而揚之，光而大之的。㉟

得以觀之，老人詮解此章的要點就是在於開發「吾人本有的性體」，進而能濟眾利

㉝　同註㉜。

㉞　參見李炳南：《雪廬述學語錄》收於《李炳南老居士全集》學佛類之十（臺中市：青蓮出版社，1995 年 4 月），頁 11。

㉟　同註㉜，謝氏著：〈志於道、據於德、依於仁、游於藝——雪廬老人為中華文化提綱及闡釋〉。

益天下。

二〇〇六年，國立中興大學中國文學系舉辦一場紀念雪廬老人的學術研討會，《明倫月刊》主編鍾師清泉亦探析老人弘傳《論語》的成就。其中談及老人時常談到「志於道章」，在論語班講授時更是共計花了四次上課時間分析。鍾師該文分析出，老人研究可歸納四點，為行文方便，濃縮鍾師研究成果於後❸⑥：

1.以仁為先──解說次序

鍾師云：

> 先解釋「依於仁」，因為學者從「仁」容易著手，與人相處「能近取譬」，先親親而後仁民愛物，從近而遠，由親而疏，人們可以「力行」仁的事業。❸⑦

「道」與「德」實屬形而上的崇高理想，中人之資不易理解。以仁為先來解說此章的次序，實為聖人的苦口婆心。

2.道德與仁藝──由體達用，用不離體

「道、德、仁、藝」老人以「體」、「相」、「用」來判釋，從表一可見其綱領。鍾師云：

> 本章經文是孔子的自述，也是勉人一生應致力於此四大領域。志是「心之所之」，心心念念志在性體大道，默而識之，最後就能如孔子「從心所欲而不踰矩」。人遇到事物，難免有忿懥、恐懼、好惡、憂患的情緒，使心不正，這時若如孔子好學而內自訟，使心「立覺復明」而不惑，自能據守在「明德」的狀態。❸⑧

---

❸⑥ 參見鍾師清泉：〈雪廬老人弘傳《論語》析探〉，收錄於陳器文主編：《紀念李炳南教授往生二十週年學術研討會論文集》（臺中市：青蓮出版社，2006年10月）。

❸⑦ 同註❸⑥，鍾氏著：〈雪廬老人弘傳《論語》析探〉，頁302。

❸⑧ 同註❸⑥，鍾氏著：〈雪廬老人弘傳《論語》析探〉，頁303。

關於此點，即與朱子《集注》云「蓋學莫先於立志，志道，則心存於正而不他」存正之心實為求學的根本。

3.仁與藝──根幹互滋

仁與藝的關係，老人表一詮解為「根幹互滋」，實為巧妙。老人在論語班上課說明：

> 不依仁，藝就壞了，仁與藝是根幹互滋，有仁才能發展藝，藝往好走，仁才不損傷，二者有連帶關係。藝術有了一分仁心，它就不害人。❸

因此老人於《講要》中云：

> 游於藝者。韻會：「藝，才能也。」，又「術也。」禮樂射御書數六藝，以及百工技能，皆藝術也。孟子曰：「是乃仁術也。」矢人惟恐不傷人，函人惟恐傷人，故術不可不慎也。……按「水底」即深入沉潛之義。藝是行仁之工具。一切藝術技能，至為繁多。已成聖人，是智者，是不惑者，無所不知。學者未成聖人，必須博學，以資推行仁之事業。古語：「一事不知，儒者所恥。」以有惑而不知，故以為恥。知恥則必勇於學習一切藝能。❹

今日之下，擁有各項才藝技能的人頗多；擁有一個專業還不夠，需要第二專長、第三專長，擁有才藝成為人人求職的必備條件。老人當時觀察出，依此章經義，「一切藝術不離乎仁」，並推衍出聖人是「智者」、「不惑者」，是無所不知的；我們一般學習者，尚未成聖人，必須博學，以「推行仁之事業」，蓋修學次第則應依此為準。

4.六藝之首──博文約禮

---

❸ 參見《明倫月刊》網路資源：《論語講記》，〈述而篇〉志道章。

❹ 同註❽，《論語講要》，頁270。

　　古有六藝，百工技能，以禮為首。《講要》引《論語》雍也篇及《禮記‧禮運篇》云：

> 雍也篇：子曰：「君子博學於文，約之以禮。」上四所列曰博，而須約之以禮者，禮為道德仁義之後，又為六藝之首，道德仁義暨諸藝術，待禮而成。倫常、政治、軍備、祭祀、婚喪、教法，非禮皆亂。禮運篇云：「故聖人之所以治人七情，修十義，講信修睦，尚辭讓，去爭奪，舍禮何以治之。」故學道德仁藝，必自學禮始。學禮必以學習敦倫修睦辭讓為根基。❹

老人又提撕學禮必以「敦倫、修睦、辭讓」為根基。即使在今日，亦是為人脩學的主要條件。根基則是最深的基楚，失了禮，則其餘一切技能都只是技藝而非仁藝。

㈡**老人手繪志於道章表格探析**

表 2-1　「由體達用，用不離體」總綱❷

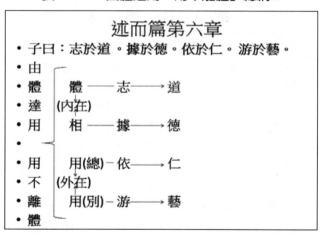

---

❹　同註❽，《論語講要》，頁 271。

❷　同註❽，《論語講要》，頁 272、273。按：此表原作為直式，因應格式需求，改為橫式；轉引自謝嘉峰論語選講所繪編之表格。

表 2-2　　「志→道」科表

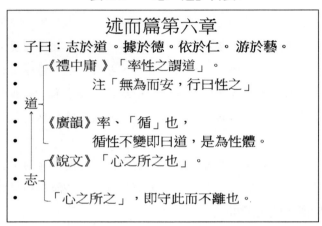

> ## 述而篇第六章
> - 子曰：志於道。據於德。依於仁。游於藝。
> - 　《禮中庸 》「率性之謂道」。
> - 　　　　　注「無為而安，行曰性之」
> - 道─
> - 　《廣韻》率、「循」也，
> - 　　　　　循性不變即曰道，是為性體。
> - 　《說文》「心之所之也」。
> - 志─
> - 　「心之所之」，即守此而不離也。

表 2-3　　「據→德」科表

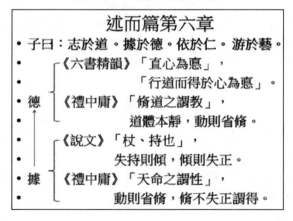

> ## 述而篇第六章
> - 子曰：志於道。據於德。依於仁。游於藝。
> - 　《六書精韻》「直心為悳」，
> - 　　　　　　「行道而得於心為悳」。
> - 德　《禮中庸》「脩道之謂教」，
> - 　　　　　道體本靜，動則省脩。
> - 　《說文》「杖、持也」，
> - 　　　　　失持則傾，傾則失正。
> - 據　《禮中庸》「天命之謂性」，
> - 　　　　　動則省脩，脩不失正謂得。

表 2-4 「依→仁」科表

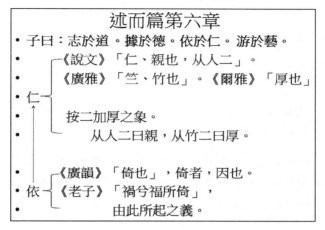

表 2-5 「游→藝」科表

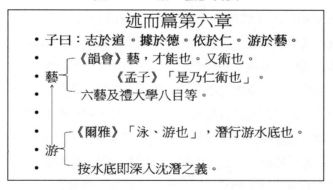

這一章雖只有四句，雪廬老人畫了兩張表，這兩張科表，將四句經文的文意、文理、次第、方法都說明清楚。因為論文格式的需求，今將第一張科表析成五張表如上所示。老人第一張講表，上標的題目：「由體達用，用不離體」，在這之下，把「體、相、用」三者列出。對於章旨，《講要》云：

　　此章書為儒學之總綱，圓該中國文化之體相用。志據依游是孔子教人求學之

　　方法。道德仁藝是孔子教人所求之實學。❹

以此四句統攝中國文化之全部，實是老人研究古注並加以儒佛思想融會下的成果。
《講要》依表解釋：

　　道是體，德是相，皆是內在。仁藝是用，皆是外在。仁是用之總，喻如總
　　根，半內半外。藝是用之別，喻如枝幹，純屬於外。孔子學說以仁為本，由
　　仁發藝，以藝護仁，仁藝相得，喻如根幹互滋。仁原於德，德原於道。道德
　　非中人以下可解，然行仁藝，道德即在其中。如此由體達用，用不離體，中
　　國文化之精神即在是焉。❹

直指此章的大作用可「圓該中國文化」。也就是說這四句話是《論語》裏四大綱
要，不但是《論語》的四個綱要，就是儒家的五經，也可以拿這四句話作一個綱
要。老人以為，讀懂這章經，瞭解孔夫子的原意，以後研究《論語》、研究五經、
乃至於其他儒家經典，都能了解經典的大綱。如此求學問、脩行，才是踏實，才有
成就。表一上所標的：「由體達用，用不離體」。體、相、用是佛法講真如本性、
教人家明心見性、研究教理的分析方法。「體」是本體，指我們人人都有心，心的
本體。心的本體以佛家的講法是「無相」，是「真空」，就是「體空」。而「相」
是由真空、由體起相的時候，出現相時，這個相才是有形相的，才是「有」的。所
以研究佛法教理明白：體空相有。而「用」，就是千變萬化。很多種，如我們世間
的萬象。所以這個表二裏面講，體就是指真如本性的本體。
　　老人詮釋經典不輕易妄下斷語，參考古注也是有根有據。《講要》詮解此章，
必引經典字書為證，字字意義，皆引出處。如表一中，根據《中庸》中「率性之謂
道」解「道」字，再由《說文解字》中的「率」字謂「循」，而有循性不變之意，
即謂道即性體。其後「能所」七字，亦復如是。《講要》又云：

---

❹　同註❽，《論語講要》，頁 266。
❹　同註❽。

> 志於道者。道即本心，亦即真心，寂照湛然。寂者不動，此是定力。照者光
> 明，此是智慧。寂而照，照而寂，定智湛然，恆在本心。《禮記·中庸》
> 云：「天命之謂性，率性之謂道」，天命，是天然而有之意。性是人人本
> 有，故云天命之謂性。此即人之本性。率性，古注：「無為而安行曰性
> 之」。無為，非由造作而來，即指本性而言。本性不動，故曰安。行是動
> 念。行曰性之，即孟子盡心篇所說：「堯舜性之也。」性之，即是率性之
> 義，動念自然合乎本性。《廣韻》：「率，循也。」循性不變，即曰道，是
> 謂性體。就循性不變而言，道即是性，性即是道。志者，說文：「心之所之
> 也。」心之所之，即守此道而不離也。守道不離，即是將心定之於道。亦即
> 「默而識之」之意。

率性這就是道，率當順字講，順乎自己的天性，天性就是本性。一切順乎自己本
性，沒有起變化；老人以為，我們凡夫眾生辦不到這等境界。凡夫眾生起心動念
時，一動念本性中的理性就變了。凡夫眾生起心動念都是為自己，私心起作用，一
起作用就變質了。念頭固然是由本性而起，加上私心一污染，本性即變了。這裡講
「循性不變」叫作道，指安然不動的性體。

> 據於德者。……《說文》：「據，杖持也。」德如杖，必須持之勿失。失持
> 則傾，傾則失正。本性不動，動須省察修持，修不失正，是謂之得。所謂
> 得，非指本性而言。本性無修無得。修是指德而言。即在一念初動時，即時
> 覺之，覺則明而不昏。如此念念省修，則德不昏，故稱明德。此即據於德。**❹**

老人根據《說文解字》對「據」的釋義，謂德如杖，倘若「失持」，則傾失正。這
與劉氏《正義》的詮解有相通之處。既然「道」是性體，本應如如不動，然因於
「一念初動」時，則不覺。故本性應時時省察，「修不失正」才謂之「得」。

---

❹　同註**❽**，《論語講要》，頁 267－268。

表3　述說次序④

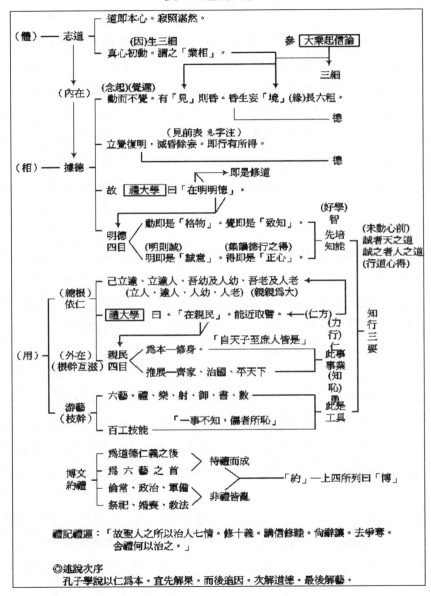

四、雪廬老人與高明教授對志道章看法的比較

前述所云，高明教授對志於道章的看法視為「中華學術體系」，與老人所視志於道章為「中華文化總綱」，其中的相通之處，如下分析之。民國六十二年（1973），高明教授在「暑期國學研究會」作專題演講，題目是〈中華學術的體系〉❹，並在《中華學苑》第十二期（1973 年 9 月）刊布。後收入《高明文輯》。❹在這篇文章中，高教授指出：我中國學術文化之傳統，以「志於道」為目標，以「據於德」為基礎，以「依於仁」為精神，以「游於藝」為途徑。其所謂「藝」者，可分為考據、辭章、義理、經世四學。考據之學又稱考證之學。又分：一、考文字之學，包括文字學、聲韻學、訓詁學等。二、考文籍之學，包括目錄學、版本學、校勘學、辨偽學、輯佚學等。三、考文物之學，包括考古學、金石學、甲骨學、簡策學、敦煌學、庫檔學等。辭章之學即文藝之學，可分：一、文學，包括文章學、文法學、修辭學、詩學、詞學、散曲學、戲劇學、小說學、文學批評等。二、藝術，包括音樂學、書畫學、舞蹈學、雕塑學等。義理之學，有：一、經學，包括周易、尚書、詩經、三禮、春秋等學。二、子學，包括儒、道、墨、法、名、陰陽……等家之學。三、玄學，附道教思想。四、佛學。五、理學。六、新哲學。經世之學，可分：一、自然科學，包括天文學、地理學、曆算學、博物學等。二、社會科學，包括氏族學、史學、兵學、政治學、刑法學、財用學、縱橫學、教育學、禮俗學、食貨學等。三、應用科學，包括農桑學、水利學、醫藥學、工藝學等，而術數附焉。考據為接受知識之學，所以求其真；辭章為發抒情意之學，所以求其美；至於義理與經世之學，則義理為體，經世為用，皆為造福人羣之學，所以求其善。《莊子·天下篇》所謂「內聖」、「外王」，《論語·憲問篇》所謂「修己」、「安人」，《禮記·大學》所謂「明明德」、「親民」、「止於至善」，皆謂是也。高教授的為學體系，亦可於此窺之。

對於此章，高明教授亦手繪科表釋義。高明教授以此章分攝為「中華學術體

---

❹　此文後刊於《孔孟月刊》，參見高明：〈中華學術的體系〉《孔孟月刊》，第十二卷第十二期，（1973 年 8 月），頁 22－31。高氏所繪之表格請參附錄二。

❹　高明：《高明文輯》上冊（臺北市：黎明文化事業公司，1978 年 3 月），頁 63－80。

系」，詳列的科目則以考據、辭章、義理、經世總括之；雪廬老人對此章則是以為「中華文化總綱」，直指人心的依歸應先「志於道」。兩者詮釋的方法不一樣，一是從荀子勸學觀念的基礎著手，一是從孟子的心性論為依歸。即便如此，卻有異曲同工之妙。高教授表格內亦總結此等學問是「造福人群之學」，而老人對於游於藝的涵養也是由仁心出發。《孟子》七篇是針對孔子所講的「道」加以闡發，老人對此章的詮解就是以「志於道」為出發點，告訴弟子們人生該如何走。《荀子》傳經，以「學」為方法，高教授則是將此章當作學術領域的學問方式，由內到外，再由外而內，亦為求學的進路歷程。

五、結語

前述所及，老人詮解此章，是以仁為先。然而談此章仍依經文的次序，從「道」出發，再談到「德」，再談到「仁」，最後講「藝」。惟中人之資不易了解「道」、「德」，講「仁」就好懂。仁是愛人、親人，但無論如何，最後都是由「藝」來展現、發揮出真正的作用。談到藝，六藝之首「禮、樂」一直是《論語》中孔子所強調的。老人以為，禮這種禮讓、恭敬的態度，以及雅樂的調和，在在都是人展演「仁」心的地方，而且是從「相對」的禮一直脩養到「絕對」的禮。於是徹底地貫通到形而上學的「道」，即圓融了中華文化。

雪廬老人講授《論語》思想特色，最重要的主旨是要弟子們能「行解相應」、「知行合一」，老人勉人學《論語》要會問、才能悟，其云：「諸位聽《論語》，若一章不能開悟，縱使全部《論語》聽完，也沒用。見聞在你們個人，百聞不如一見，見聞很重要，見了必須問，一篇不知道必須問究竟。篇篇都知道究竟不可能，一、二篇透徹，眼力就不同於常人。悟了就容易，即使不悟也與其他人不同。但是悟了還須實行，若不實行，大學博士也不如一位粗工。如學醫必須有醫院實驗，否則是念死書沒有用。❹」因此老人強調，最要緊的還是在「實行」二字。對於「實行」，儒者多有提及，在實行之外，老人因為學佛多年的背景，講解《論語》亦是為了正法得以長存，由此章的道、德、仁、藝順序，與佛家教理中的「頓悟漸修」

---

❹　同註❶，參見《論語講記》，經典今註，臺中蓮社資訊網。

講法很相似，這也是老人以為儒家可貴的地方，只要依著儒家的講法而實踐，就可以很接近「道」了。此章講的「道」，是中庸所講的「率性之謂道」，即是人人本來就有的性，都是平等無差別的。

　　依據本文的脈絡下，從論語詮釋史的角度來看，老人對此章的詮解實接受了古注的精要，無論是漢注、宋注，皆採納其精華。並加以闡發為中華文化總綱。關於此章《講要》中的詮解，筆者以為，文字精要，實為脩身閱讀經典的主要依據。然如表 3，涉及佛理闡釋，屬儒佛融會的部分，過於繁複，恐無法全面教授一般民眾。從傳統經學的傳播，到老人由民間經學闡發儒家經典，仍有其特殊的時代意義。筆者觀點或過於偏頗，有賴方家不吝斧正！

附錄一
程樹德《論語集釋》與
雪廬老人《論語講要》撰寫背景比較

程氏《論語集釋》將歷來共六百八十種注解分類集釋，偶有加按語等發明，老人晚年看到程氏《論語集釋》，感於其內容豐富、條理清晰、對於漢宋注解皆有搜集，於是選訂為論語班的教材。筆者今日所看的《論語集釋》版本前有程氏之女程俊英的〈前言〉、協助校注者蔣見元的〈論語集釋整理後記〉（此二篇為當時鼎文書局或藝文印書館版本所無），又參閱程氏之〈自序〉及〈凡例〉，發現程氏與老人之學習背景竟有諸多不謀而合之處，略為三類：

　　1. 程氏與老人皆學法律，程氏著有《國際私法》、《漢律考》、《九朝律考》、《中國法制史》等著作，至今仍為讀法律者的重要參考書；老人則為山東法政專門學校畢業，曾為莒縣獄管獄員（似今日典獄長），後曾任職濟南省法院，有實際的法務經驗。

　　2. 蔣見元在〈論語集釋整理後記〉談到「作者著書，旨在發揚孔子的學術思想，本人又曾潛心內典，故于徵引材料與按語中，間及禪理。❺❶」；老人自幼薰習中華文化，及長學佛、習儒多年，亦融會貫通儒佛精義。

　　3. 程氏〈自序〉云「《論語集釋》何為而作也？……著者以風燭殘年……窮年矻矻以為此者，亦欲以發揚吾國固有文化，間執孔子學說不合現代潮流之狂喙，期使國人之舍本逐末、徇人失己者俾廢然知返。余之志如是而已。❺❷」；老人浮海來臺，即傳播文化種子於臺中。常年講習古文、《論語》，並配合講《易經》、《左傳》、《唐詩》、《御批歷代通鑑輯覽》等儒學史學。來自各方的學員浸潤於經史、詩文之薰陶，則有如泳游於洙泗之間，可知老人弘揚儒佛不輟，這種以傳承中華文化為己任的大志是相同的。

惟程氏在風燭殘年之際將晚年餘力全數用在《論語集釋》著作上，至今可以說

---

❺❶　同註❸，蔣見元：〈論語集釋整理後記〉，《論語集釋》。

❺❷　同註❸，程樹德：〈自序〉，《論語集釋》。

是《論語》文獻最重要的材料，老人則在程氏的基礎上，闡發經義，以期弟子及後學者，能繼續發揚光大聖人的精神。

　　老人對《論語集釋》的評語是：「《論語》幫助佛學很大。聽《論語》必須略知門路，因為時間短不能入到裏頭，幸好選了這本《集釋》的注解，這本注解比較完全。有人學一生還不懂文化的重心，若不是這本書，都有所偏。依著《集注》、《集解》學，一輩子學不出來。這兩種注解已經夠麻煩了，看了《集釋》就有分別的能力，如今你們還沒有分辨的能力。❺❷」

---

❺❷ 參見鍾師清泉整理：《論語講記》（老人講〈雍也篇〉子謂仲弓章），經典今註，臺中蓮社資訊網。《論語講記「前言聲明」》：自民國 69 年 10 月到 72 年 12 月，雪廬老人在「臺中論語講習班」講授《論語》，共計講完——學而、為政、八佾、里仁、公冶長、雍也、述而、泰伯、子罕、鄉黨、先進、顏淵、子路、憲問、衛靈公、季氏、陽貨（宰我問三年之喪章止）等近 17 篇。雪公往生後，為了長期得以熏習雪公教範，不忘訓誨，謹依數位師長的《論語》筆記，相互比對，略事整理，暫名《論語講記》。

附錄二
高明教授：中華學術體系表

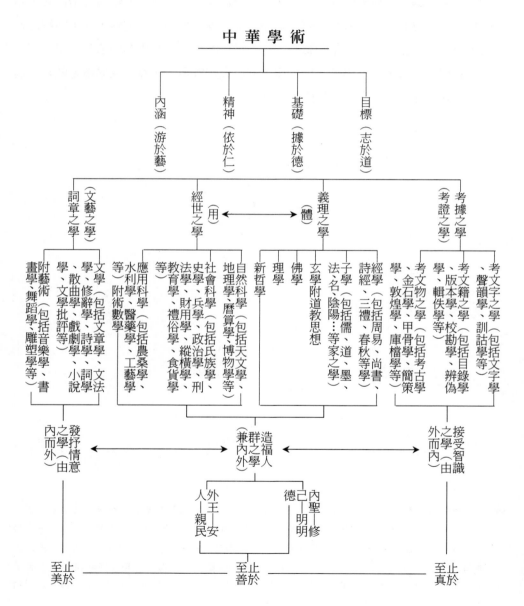

經 學 研 究 論 叢
第 十 七 輯　　頁267～284
臺灣學生書局　2009 年 12 月

論讀古書須通語言學
——以《論語》、《孟子》爲例

楊逢彬[*]

一

　　說到《論語》、《孟子》的譯注本，就文字注釋的準確性而言，中華書局出版的楊伯峻先生的《論語譯注》[❶]、《孟子譯注》[❷]，應該是最好的。何以如此？因爲楊伯峻先生既是語言學家，又是文獻學家；以語言學為利器治文獻學，故所得獨多。

　　在此之前，楊伯峻先生的叔父楊樹達（遇夫）先生之治《漢書》，有《漢書窺管》，該書之所以精湛絕倫，同樣得力於文獻學和語言學的結合。再上溯到清代高郵二王，其《讀書雜志》、《經義述聞》所體現出的功力是那樣爐火純青，前人未能解決的那樣多的疑難問題，他們都解決了，乃正如楊遇夫先生和裘錫圭先生多次指出的那樣，雖然那時尚無成系統的語法學，但王氏父子已有相當強的語法觀念了。這實際上就是文獻學和語言學的結合，遇夫先生稱之為「虛實交會」。他在《詞詮·序例》中寫道：

＊　楊逢彬，上海大學文學院中國語言文學系教授。

❶　楊伯峻：《論語譯注》（北京市：中華書局，1980 年 12 月），下同。

❷　楊伯峻：《孟子譯注》（北京市：中華書局，1960 年 1 月），下同。

　　凡讀書者有二事焉，一曰明訓詁，二曰通文法。訓詁治其實，文法求其虛。清儒善說經者，首推高郵王氏。其所著書，如《廣雅疏證》，徵實之事也；《經傳釋詞》，摀虛之事也。其《讀書雜志》、《經義述聞》，則交會虛實而成者也。嗚乎！虛實交會，此王氏之所以卓絕一時，而獨開百年來治學之風氣也。❸

他又在《高等國文法‧序例》中說：

　　治國學者必明訓詁，通文法。近則益覺此二事相須之重要焉。蓋明訓詁而不通文法，其訓詁之學必不精；通文法而不明訓詁，則其文法之學亦必不至也。❹

所以，文獻學和語言學（尤其是語法學）的結合，是解決古書疑難問題的康莊大道。中華版《論語譯注》、《孟子譯注》之成功，實得力於此。

　　中國古典文獻學已經有兩千年歷史了，而理論語言學之在中國，才一百年左右的歷史。從《論語譯注》、《孟子譯注》的問世至於今天，又過去五十年了，其間，語言學的進展真是突飛猛進。所以，利用已經大大進步了的語言學，解決《論語譯注》、《孟子譯注》的千慮之失，後來者必須承擔這一任務。

二

　　首先，語言，包括語言的每個要素以至於每一個詞，都是在歷史長河中速度不一地發展著的，這就是語言的歷史性。今日某個詞的所有意義（我們稱之為義項），《論語》、《孟子》時代不一定有；現代漢語具有的某種句式，《論語》、《孟子》時代不一定有。因此，不能以今律古。例如《莊子‧秋水》❺「於是焉河

---

❸　楊樹達：《詞詮》（北京市：中華書局，1978 年 9 月），頁 5。
❹　楊樹達：《高等國文法》（上海市：商務印書館，1934 年）。
❺　〔清〕王先謙：《莊子集解》（北京市：中華書局，1954 年 12 月），下同。

伯始旋其面目，望洋向若而嘆」，有人釋「望洋」為「望著海洋」，可是「洋」之有海洋義，始於北宋，《莊子》時代「洋」是沒有海洋義的。自然，「望洋」不可能是「望著海洋」。

又如：《孟子‧滕文公上》的「且許子何不為陶冶，舍皆取諸其宮中而用之？何為紛紛然與百工交易？何許子之不憚煩？」句中的「舍」有人說即今語的「啥」。姑不論「啥」出現較晚，難以和先秦的「舍」掛上鈎，即以「啥皆取」這種「代詞＋副詞＋動詞」的形式表示周遍意義來說，諸如「什麼都吃」、「誰都認識」之類，無論是意義還是句式，都是很晚才產生的。故此句中的「舍」決不能以「啥」釋之。

再如，〈公孫丑上〉：「禍福無不自己求之者」，《譯註》譯為「禍害和幸福沒有不是自己找來的」，此次改譯為「禍害和幸福沒有不是從自己哪兒找來的」。因為這句中，「自」是介詞，「己」是代詞，做「自」的賓語。先秦「自」後接名詞代詞者，該「自」字必是介詞；該介詞和它的賓語組成的介賓結構一般在謂語動詞前面；該介賓結構和謂語動詞又可以受否定副詞「不」否定；謂語動詞有時可以沒有，卻以分句的形式出現。例如，《詩經‧大雅‧瞻卬》❻：「不自我先，不自我後」；《墨子‧天志下》❼；「是故義者不自愚且賤者出，必自貴且知者出」；《晏子春秋‧內篇諫下》❽：「且伐木不自其根，則蘗又生也」；《國語‧晉語一》❾：「伐木不自其本，必復生，塞水不自其源，必復流，滅禍不自其基，必復亂」。因此，雖然這一段──「今國家閑暇，及是時，般樂怠敖，是自求禍也。禍福無不自己求之者。《詩》云：『永言配命，自求多福。』〈太甲〉曰：『天作孽，猶可違。自作孽，不可活。』此之謂也。」──還有三個表示「自己」的「自」字，令人眼花繚亂，可是我們仍可斷定此「無不自己求之」之「自」是個介詞。

---

❻　〔南宋〕朱熹：《詩集傳》（北京市：中華書局，1958 年），下同。

❼　〔清〕孫詒讓：《墨子間詁》（北京市：中華書局，1986 年），下同。

❽　吳則虞：《晏子春秋集釋》（北京市：中華書局，1962 年），下同。

❾　徐元誥撰，王樹民、沈長雲點校：《國語集解》（北京市：中華書局，2002 年），下同。

「刻舟求劍」忽略了船在河中是移動的，語言，包括其中各個要素如語法、語音以及詞彙，從古至今也是不斷變化的；忽略了這種變化，以對現代漢語的理解去理解古代漢語，就好比刻舟求劍。不同的是，在船舷上刻記號，等船移動了再去撈劍的人，大家都不以為然，而以對現代漢語的理解去理解古代漢語的人卻比比皆是。例如，《論語‧顏淵》「自古皆有死，民無信不立」的「信」，在《論語》時代，有誠信、守信、相信等意義，可是卻沒有「信仰」義；但卻有人解釋「民無信不立」為「最可怕的是國民對這個國家失去信仰」云云。

其實古人也不太明白語言是變化的，他們經常犯「刻舟求劍」的錯誤；直到明代的陳第才說出「時有古今，地有南北，字有更革，音有轉移」❿這樣清醒的話，但陳第以前的人不大懂得這個道理。今天讀《詩經》，有些該押韻的地方卻不大押韻，我們明白是語音變化了的緣故；可是六朝到宋代的人卻不明白此理，他們以為古今語音是一貫不變的，當時不押韻的字，《詩經》時代也不押韻。但作詩必須押韻，於是他們幫他們的古人解決這一難題，這便是「叶（讀作 xié）音」。所謂「叶音」就是六朝到宋代的人們認為，上古時的人臨時改變一個或幾個韻腳字的讀音，來使詩歌押韻。這當然是荒謬的，因為它違反了語言的「強制性」原則。關於此點，我們下一點再談。

其次，語言是具有社會性的，語言的表達要符合那一時代那一社會的表達習慣，即，你這樣說，別人也這樣說；因此任何詞、任何句式都不可能是在那時的語言中「絕無僅有」的，而必須是「無獨有偶」的。任何人要解釋某部古書中的一段話或一個詞，他必須找到和這部書同時一時代的其他類似的話或詞作為證據。否則便不能成立。有人解《論語‧陽貨》中的「唯女子與小人為難養也」一句中「女子」為「你的兒子」、「你這位先生」，可是先秦古籍中除此之外再也找不到第二例了，也就說明這種「新穎可喜」的「妙解」是不能成立的。

有人認為，如果孔子說出「民可使由之，不可使知之」這樣的話，豈不是推行愚民政策嗎？於是覺得應該這樣讀：「民可，使由之；不可，使知之。」可是正如上文所說，語言是具有社會性的。某一社群中生活的某個人，如果想與別人交流，

---

❿ 見《毛詩古音考‧自序》（學津討原叢書本，上海市：商務印書館，1922 年）。

就不能說些讓誰也聽不懂的話。因此，無論是詞語還是句式，在某一時代的某一社群，都不可能孤立存在，而是帶有普遍性的。「民可使由之，不可使知之」這樣的說法是帶有普遍性的，如《孟子・盡心上》就有「民可使富也」這樣的話，《左傳》❶莊公十六年也有「不可使共叔無後于鄭」這樣的話；相反，與「民可，使由之；不可，使知之」類似的話在那一時代的典籍中就找不到。首先，找不到「民可」這樣的主語直接接上「可」作謂語的例證；其次，正如楊伯峻先生在《論語譯注》中指出的，當時沒有「使由之」、「使知之」這樣承接上文的，通常應為「則使由之」、「則使知之」。因此，讀為「民可，使由之；不可，使知之」是靠不住的。

　　《孟子・告子上》：「孔子曰：『操則存，舍則亡；出入無時，莫知其鄉。』惟心之謂與？」我們之所以同意趙岐注「鄉，猶里，以喻居也」，而未采納《譯注》所引焦循《正義》說的「近讀『鄉』為『向』」，就是因為在《孟子》前後時代典籍中的「其鄉」都是表示某一處所，而不是表示某一方向。如《莊子・馬蹄》：「當是時也，山無蹊隧，澤無舟梁；萬物群生，連屬其鄉；禽獸成群，草木遂長。」《墨子・大取》：「駱滑釐曰：『然。我聞其鄉有勇士焉，吾必從而殺之。』子墨子曰：『天下莫不欲與其所好，度其所惡。今子聞其鄉有勇士焉，必從而殺之，是非好勇也，是惡勇也。』」《荀子・樂論》：「百姓莫不安其處，樂其鄉。」《呂氏春秋・季冬紀・介立》❷：「介子推不肯受賞，自為賦詩曰：『有龍于飛，周遍天下。五蛇從之，為之丞輔。龍反其鄉，得其處所。四蛇從之，得其露雨。一蛇羞之，橋死於中野。』」《晏子春秋・內篇諫上第一》：「乃令出裘發粟，以與飢寒。令所睹于涂者，無問其鄉；所睹于里者，無問其家；循國計數，無言其名。」

　　類似「其鄉」的還有〈告子下〉的「好善」，我們之所以不從趙岐注的「樂聞善言」，就是因為先秦典籍中的諸多「好善」都大致是「愛好美好事物」的意思。

　　上文已經談到語言的「強制性」。這是語言的社會性所體現的一個起碼原則。

---

❶　楊伯峻：《春秋左傳注》（北京市：中華書局，2000 年 7 月），下同。

❷　許維遹：《呂氏春秋集釋》（北京市：中國書店，1985 年 5 月），下同。

由於語言具有強制性，所以操某種語言的任何個人，都不能根據自己的意願顛倒黑白，指鹿為馬。不信您可以把「好」讀作 huài 試試，早上見到熟人即打招呼道：「嗨，nihuài！」看會是個什麼結果。因此，叶音說是荒謬的。《經典釋文》❸中記載了《詩經・關雎》中「參差荇菜，左右芼之；窈窕淑女，鐘鼓樂之」一句中「樂」的叶音為「五教切」或「義效切」，就是讀作 ào 或者 yào，來和前面的「芼」（音 mào）押韻。古代有些字書、韻書就把「樂」的這兩個讀音記錄下來了，說「樂」也讀作 ào 或者 yào，意為「愛好」。楊伯峻先生當然明白叶音荒謬這個道理，雖然他在《論語譯注》附錄的〈論語詞典〉中注釋「樂，舊或讀五教切」，可是在諸如「知者樂水，仁者樂山」的正文中他並未出注，表示並不贊同讀為 ào，那麼理所當然應當讀作 lè。意動用法，智者以水為樂，仁者以山為樂的意思。如果讀 ào，意為愛好，那麼「好之者不如樂之者」該如何理解呢？

　　語言的社會性所體現的另一個起碼原則是「約定俗成」，不管某個字或詞的意義或讀音，其來源如何荒誕不經，只要它為現今大多數人所接受，就是正確的。「知者樂水」的「樂」之讀為 ào，顯然還沒有達到這個程度。比較好的《論語》注本，如清代劉寶楠《論語正義》，都不注「樂」應讀五教切。可見，楊伯峻先生的不注「樂」讀為 ào，正體現了他的深厚的文獻學和語言學素養。

　　第三，語言是具有系統性的，其中的要素，如詞，其意義的引申；如詞組，其間詞的組合，都是有脈絡可循的，不是一團亂麻。如上文所說的「舍」，它在先秦典籍中最為常見的意義是捨棄，動詞；而且這一動詞可帶複雜的謂詞性賓語，如《論語・季氏》的「君子疾夫舍曰欲之而必為之辭」，《戰國策・齊策六》❹「夫舍南面之稱制，乃西面而事秦，為大王不取也」。所以我們認為「舍」後的「皆取諸其宮中而用之」都是「舍」的賓語。

　　又以〈告子上〉的「無他，利與善之間也」，〈告子下〉的「山徑之蹊間，介然用之而成路」為例。先秦詞法的規律是，雙音節後接「之間」，單音節後接「間」，前者如「天地之間」、「陳蔡之間」、「兩陛之間」、「兩楹之間」、

---

❸　〔唐〕陸德明：《經典釋文》（上海市：上海古籍出版社，1985 年 10 月）。
❹　〔西漢〕劉向：《戰國策》（上海市：上海古籍出版社，1985 年）。

「君臣之間」、「父子之間」等，後者如「人間」、「民間」、「草間」、「葦間」、「鼻間」、「乳間」等。這兩種形式都表示兩者之間的距離進而表示抽象的人與人之間的關係。因此我們既不能同意「山徑之蹊，間介然用之而成路」的讀法，也無法苟同朱熹解「利與善之間」的「間」為「異」。因為後者只是一種隨文釋義的訓釋。

　　說到所謂隨文釋義的訓釋，它往往可以解釋通某一句話，卻缺乏普適性；它不符合上文所說的語言的歷史性、社會性、系統性。把它放在被釋詞的義項序列中，難以找尋意義引申的脈絡，因為它其實並非該被釋詞語的義項。對於這類訓釋，即使是清朝一代大師以最博最精著稱的王氏父子作出的，楊伯峻先生也不會隨便採納。例如，〈離婁下〉的「君之視臣如手足，則臣視君如腹心；君之視臣如犬馬，則臣視君如國人；君之視臣如土芥，則臣視君如寇讎」，王引之《經傳釋詞》❺云：「之，猶『若』也。」對此，楊先生便注以「恐非」，而根據先秦語法解釋為「表示該句為主從複合句之從句」。只是，原《孟子譯注》中對這類訓釋的糾正並不是很徹底；而且我們注意到，這類訓釋多出現在全書的後半部，而那時楊先生正因被打成「右派」而「支離東北風塵際，漂泊西南天地間」，因此，將這類訓釋加以修正，後來者自不得辭其責。例如，〈滕文公上〉：「人之有道也，飽食，暖衣，逸居而無教，則近於禽獸。」《孟子譯注》云：「有，猶『為』也。」按「有道」為《孟子》及其他先秦典籍中的成語，有某種規律之謂。所以我們譯「人之有道也」為「人們往往是這樣的」以引出下文。

　　又如〈萬章上〉的「得之不得曰『有命』」，《譯注》云：「此『之』字作『與』字用」。按，「之」作「與」用也是隨文釋義的訓釋，「得之不得」即「得之與不得之」。因為雙音節律之故，「得之」往往和「不得」對言，而不與「不得之」對言。如〈公孫丑下〉：「不得，不可以為悅；無財，不可以為悅。得之為有財，古之人皆用之，吾何為獨不然？」〈告子上〉：「一簞食，一豆羹，得之則生，弗得則死。」同篇第十五章：「心之官則思，思則得之，不思則不得也。」

---

❺ 〔清〕王引之撰，黃侃、楊樹達批：《經傳釋詞》（長沙市：岳麓書社，1985 年 4 月），下同。

　　再如，〈盡心上〉的「人莫大焉亡親戚君臣上下」，《譯注》引王引之《經傳釋詞》云：「焉，猶『於』也。」而這實際上是個倒裝句：「亡親戚君臣上下，人莫大焉！」謂無親戚君臣上下尊卑，人之罪過莫大於此也。類似句子有〈梁惠王上〉的：「晉國，天下莫強焉。」《孟子》書中倒裝句常見，如〈梁惠王上〉的：「何哉，君所為輕身以先於匹夫者？」、「何哉，君所謂逾者？」〈告子下〉的「固哉，高叟之為詩也！」〈盡心下〉的「不仁哉，梁惠王也！」

　　類似隨文釋義之處還有〈萬章上〉的「是為父不得而子也」的「也，同『邪』」，〈告子上〉的「有放心而不知求」的「而，用法同『則』」，〈盡心上〉的「昏暮叩人之門戶求水火無弗與者，至足矣」的「此『矣』字用法同『也』」。此類訓釋，也均未采納。

三

　　語言學界目前較為公認，在語言系統的各子系統中，語音系統和語法系統是較有規律可循的，詞彙（詞義）系統內部的規律距離人們的認識清楚還有較大距離，這也是為何普通語言學之父索緒爾要將詞義擯除於語言研究之外的原因。因此，利用語法系統規律性較強這一點，以解決先秦文獻的疑難問題，從理論上看是可行的。因為，任何詞，它都具有詞性；任何句子，它都屬於一定的句式，都具有一定的句法結構。即使如詞彙學，也致力於探索詞彙的內部規律，其方法較之傳統的訓詁學，也有其更為縝密的一面。所以，我們在利用兩千年來行之有效的傳統小學即文字音韻訓詁之學解決古書疑難問題的同時，也運用普通語言學來解決這類問題，這種兩條腿走路的方法，必然能解決以前不能解決的許多問題。

　　下面是運用語法學解決釋讀問題的例子：

　　例如，《論語‧衛靈公篇》的「小不忍，則亂大謀」的「忍」，歷來有忍心、忍耐兩種解釋，而楊伯峻先生選取後者。我們通過計算機全面檢索發現，從《論語》、《左傳》時代直到《史記》時代，凡是不帶賓語「不忍」，都是「不忍心」的意思。例如：

　　　寡君不忍，使群臣請于大國，無令輿師淹于君地。（《左傳》成公二年）

觀從謂子干曰：「不殺棄疾，雖得國，猶受禍也。」子干曰：「余不忍也。」子玉曰：「人將忍子，吾不忍俟也。」乃行。（昭公十三年）

公曰：「余不忍也。」（昭公二十五年）

君與之歸。一慚之不忍，而終身慚乎？（昭公三十一年）

臣固知王之不忍也。（《孟子·梁惠王上》）

人皆有所不忍，達之于其所忍，仁也。（〈盡心下〉）

與人之兄居而殺其弟，與人之父居而殺其子，吾不忍也。（《莊子·雜篇·讓王》）

商王帝辛，大惡于民，庶民不忍，欣戴武王，以致戎于商牧。（《國語·周語上》）

吾秉君以殺太子，吾不忍。（《國語·晉語二》）

吾須之不能，去之不忍。（《國語·吳語》）

吾先君闔廬不貫不忍……夫差不貫不忍。（《國語·吳語》，不貫不忍，不赦免他們就不忍心）

不可，吾不忍也。（《戰國策·齊一》）

夫愛身不揚弟之名，吾不忍也。（《戰國策·韓二》）

荊軻知太子不忍，乃遂私見樊於期。（《戰國策·燕三》）

若扶梁伐趙以害趙國，則寡人不忍也。（《戰國策·宋衛》）

卜皮對曰：「夫慈者不忍，而惠者好與也。」（《韓非子·內儲說上七術第三十》⓰）

親愛之則不忍，不忍則驕恣。（《韓非子·六反第四十六》）

慈惠則不忍，輕財則好與。……不忍則罰多宥赦，好與則賞多無功。（《韓非子·八說第四十七》）

殺人者，僕之父也。以父行法，不忍；阿有罪，廢國法，不可。……正法枉必死，父犯法而不忍，王赦之而不肯，石渚之為人臣也，可謂忠且孝矣。（《呂氏春秋·離俗覽·高義》）

⓰　〔清〕王先慎撰，鍾哲點校：《韓非子集解》（北京市：中華書局，1998 年 7 月）。

在以上二十四處「不忍」中，只有《國語‧周語上》「庶民不忍」中「忍」可能為「忍耐」之義；但這一句屬於卿大夫進諫所用的引經據典的一種較為古雅的語言，不能反映當時語言的本質特徵。其餘二十三處全部義為「不忍心」。我們注意到，到了戰國末年，先前表示不忍心做某事的「不忍」，其中有些逐漸加上動詞「為」而成為「不忍為」。這樣，「不忍」就由句中的謂語變為了狀語。例如：

> 即有所取者，是商賈之人也，仲連不忍為也。（《戰國策‧趙三》）
>
> 有一惡，嬰不忍為也，其宗廟之養鮮也。（《晏子春秋‧內篇諫上第一》）

尤其是在《呂氏春秋》中，除了前文所引〈離俗覽‧高義〉中二處「不忍」外，還有五處「不忍為」：

> 不可，吾不忍為也。（〈季秋紀‧知士〉）
>
> 所重所愛，死而棄之溝壑，人之情不忍為也，故有葬死之義。（〈孟冬季‧節喪〉）
>
> 取不能其主，有以其惡告王，不忍為也。（〈慎大覽‧貴因〉）
>
> 我與吳人戰，必敗。敗王師，辱王名，虧壤土，忠臣不忍為也。（〈離俗覽‧高義〉）
>
> 與人之兄居而殺其弟，與人之父處而殺其子，吾不忍為也。（〈開春論‧審為〉）

這五處「不忍為」中，最後一例〈開春論‧審為〉的引文與上引《莊子‧雜篇‧讓王》引文（「與人之兄居而殺其弟，與人之父居而殺其子，吾不忍也。」）相比，《莊子》為「不忍」，而《呂氏春秋》為「不忍為」，從中可以看出其變化的軌跡。從這一變化軌跡可以看出，「不忍」就是「不忍心做某事」。這一變化一直持續到《史記》❶、《漢書》❶時代：

---

❶　〔漢〕司馬遷：《史記》（北京市：中華書局，1982 年 11 月），下同。

民欲以我故戰，殺人父子而君之，予不忍為。（《史記·周本紀》）

箕子曰：「為人臣諫不聽而去，是彰君之惡而自說於民，吾不忍為也。」（〈宋微子世家〉）

魯連笑曰：「所貴於天下之士者，為人排患釋難解紛亂而無取也。即有取者，是商賈之事也，而連不忍為也。」（〈魯仲連鄒陽列傳〉）

故卑身賤體，說色微辭，愉愉呴呴，終無益于主上之治，則志士仁人不忍為也。（《漢書·東方朔傳》）

必多殺士卒，傷良將吏，寡人之妻，孤人之子，獨人父母，得一亡十，朕不忍為也。（〈西南夷兩粵朝鮮傳〉）

但必須指出的是，即使到了《史記》、《漢書》年代，不帶賓語的「不忍」仍然較多，而且全部義為「不忍心」。以《史記》為例，書中十一處不帶賓語的「不忍」沒有一例義為「不可忍耐」而全部義為「不忍心」：

范增起，出召項莊，謂曰：「君王為人不忍。」（〈項羽本紀〉）

故觀從謂初王比曰：「不殺棄疾，雖得國猶受禍。」王曰：「余不忍。」（〈楚世家〉）

句踐不忍，欲許之。（〈越王勾踐世家〉）

我欲殺之，為其功多，故不忍。（〈留侯世家〉）

漢有司請誅，上不忍，廢以為庶人。（〈梁孝王世家〉）

事既聞，漢公卿請捕治建。天子不忍，使大臣即訊王。王服所犯，遂自殺。（〈五宗世家〉）

數犯上法，漢公卿數請誅端，天子為兄弟之故不忍，而端所為滋甚。（同上）

荊軻知太子不忍，乃遂私見樊於期曰。（〈刺客列傳〉）

胡亥不聽。……令蒙毅曰：「先主欲立太子而卿難之。今丞相以卿為不忠，

　　罪及其宗。朕不忍，乃賜卿死，亦甚幸矣。卿其圖之！」（〈蒙恬列傳〉）

　　上以為縮長者，不忍，乃賜縮告歸。（〈萬石張叔列傳〉）

　　君臣無禮，何從有福？寡人不忍，柰何勿遣！（〈龜策列傳〉）

尤其值得注意的是，在《史記·梁孝王世家》中有這樣一段話：

　　袁盎等人入見太后：「太后言欲立梁王，梁王即終，欲誰立？」太后曰：
　　「吾復立帝子。」袁盎等以宋宣公不立正，生禍，禍亂後五世不絕，小不忍
　　害大義狀報太后。太后乃解說，即使梁王歸就國。

　　可以明顯看出，1.「小不忍害大義」即化用《論語·衛靈公》的「小不忍則亂
大謀」（河北定縣出土的漢代抄本《論語》中此章無「則」字）；2.直到西漢初年
的司馬遷對「小不忍」的理解仍然是「小小的不忍心」。可見，「不忍」的意義以
及當時人們對它的理解，從《論語》、《左傳》時代以迄西漢初年，都是一以貫之
的，即為「不忍心」。西漢時期的語言與《論語》時代一樣，都屬於上古漢語的範
疇，而太史公對古代典籍的熟悉及其語感是常人不可企及的；因此，他對「小不
忍」的理解應該是不會錯的。但到了東漢，儘管像劉寶楠所指出的那樣，《漢書》
中有兩處「小不忍」人們仍然理解為「小不忍心」，但同一書中已經有人將其理解
為「小不忍耐」了。〈王貢兩龔鮑傳〉有一段話：

　　（鮑）宣以諫大夫從其後，上書諫曰：「……故大司空何武、師丹、故丞相
　　孔光、故左將軍彭宣，經皆更博士，位皆歷三公，智謀威信，可與建教化，
　　圖安危。龔勝為司直，郡國皆慎選舉，三輔委輸官不敢為奸，可大委任也。
　　陛下前以小不忍退武等，海內失望。陛下尚能容亡功德者甚眾，曾不能忍武
　　等邪！治天下者當用天下之心為心，不得自專快意而已也。」

文中「容」、「忍」為互文，可知此處的「忍」為「容忍」、「忍耐」，上文的
「小不忍」也被諫書作者鮑宣理解為「小不忍耐」；儘管如此，直到《晉書》、

《宋書》中，我們看到的「小不忍」仍然只被理解為「小不忍心」：

> 雖時有赦過宥罪，議獄緩死，未有行小不忍而輕易典刑也。（《晉書·列傳第四十五》）
> 尹昭言于興曰：「廣平公與皇太子不平，握強兵于外，陛下一旦不諱，恐社稷必危。小不忍以致大亂者，陛下之謂也。」（《晉書·載記第十八》）
> 當斷不斷，反受其亂。願以義割恩，略小不忍。（《宋書·列傳第三十一》）

　　所有這些都證明，「小不忍則亂大謀」只能理解為「小小的不忍心，便會毀壞大事情」。

　　又如〈公冶長篇〉的「吾與女弗如也」的「與」歷來也有兩種解釋：一為連詞，意謂我和你都不如他；一為動詞，贊同之意，意謂我同意你說的你不如他。楊伯峻先生贊同後者。通過計算機全面檢索，我們發現，「與」為動詞意為「贊同」時，在那一時代，它後面的賓語都很簡單，如「吾與點也」、「與其進也，不與其退也」，從未發現「女弗如也」這樣複雜的賓語；而連詞或介詞「與」連接兩個人稱代詞然後接謂語則十分常見（連詞介詞有時並無明確界限），《論語》有「唯我與爾有是夫」和「來！予與爾言」，《左傳》有「吾與女為難」、「吾與女同好棄惡，復修舊德」以及「吾與女伐狄」；像這樣的例子，約有七八處。因而這一句的「與」應該是連詞的可能系大大高於是動詞的可能性。

　　詞彙學的知識同樣有助於古書的釋讀。

　　《論語·子路》：「南人有言曰：『人而無恆，不可以作巫醫。』善夫！」《論語譯注》說：「『巫醫』是一詞，不應分為卜筮的『巫』和治病的『醫』兩種。古代常以禳禱之術替人治療，這種人便叫『巫醫』。」伯峻先生當年研究《論語》是，不能使用計算機進行統計，只能依據古代文化知識進行判斷。我們運用計算機檢索得出的結果表明，在《論語》、《左傳》時代，「巫醫」應該還是個聯合結構的詞組。茲論證如下。我們先看「醫」和「巫」出現的例子：

晉侯使醫衍鴆衛侯。寧俞貨醫，使薄其鴆，不死。（《左傳》僖公三十年）

十八年春，齊侯戒師期，而有疾，醫曰：「不及秋，將死。」（文公十八年）

公疾病，求醫于秦。秦伯使醫緩為之。未至，公夢疾為二豎子，曰：「彼，良醫也。懼傷我，焉逃之？」其一曰：「居肓之上，膏之下，若我何？」醫至，曰：「疾不可為也。在肓之上，膏之下，攻之不可，達之不及，藥不至焉，不可為也。」公曰：「良醫也。」厚為之禮而歸之。（成公十年）

楚子使醫視之，復曰：「瘠則甚矣，而血氣未動。」（襄公二十一年）

晉侯求醫于秦。秦伯使醫和視之。（昭公元年）

趙孟曰：「良醫也。」厚其禮歸之。（同上）

齊高強曰：「三折肱知為良醫。」（定公十三年）

越不為沼，吳其泯矣，使醫除疾，而曰：「必遺類焉」者，未之有也。（哀公十一年）

以上為「醫」出現者的例子，有「醫衍」、「良醫」、「醫」三種形式，未見「巫醫」這類由名詞修飾者。下面是「巫」出現的例子：

鄭人囚諸尹氏，略尹氏而禱于其主鍾巫，遂與尹氏歸而立其主。十一月，公祭鍾巫，齊于社圃，館于寪氏。（《左傳》隱公十一年。鍾巫，神也。）

成季使以君命命僖叔待于鍼巫氏，使鍼季鴆之。（莊公三十二年。鍼巫，家族；鍼季其一員也。）

七日新城西偏，將有巫者而見我焉。（僖公十年。巫者，巫人。）

雍巫有寵于衛共姬，因寺人貂以薦羞于公，亦有寵。（僖公十七年。雍巫，齊小臣。）

夏，大旱。公欲焚巫尫。臧文仲曰：「非旱備也。修城郭，貶食省用，務穡勸分，此其務也。巫尫何為？天欲殺之，則如勿生；若能為旱，焚之滋甚。」（僖公二十一年。巫尫：巫人，以及仰面朝天的畸形人。）

初，楚范巫矞似謂成王與子玉、子西曰：「三君皆將強死。」（文公十年。

楚范巫矞似：楚國范地的巫人矞似。）

申公巫臣曰：「師人多寒。」（宣公十二年。申公巫臣，楚宗族。）

中行獻子將伐齊，夢與厲公訟，弗勝，公以戈擊之，首隊于前，跪而戴之，奉之以走，見梗陽之巫皋。他日，見諸道，與之言，同。巫曰：「今茲主必死，若有事于東方，則可以逞。」（襄公十八年。巫皋：巫者名皋。）

楚人使公親襚，公患之。穆叔曰：「袚殯而襚，則布幣也。」乃使巫以桃茢先袚殯。楚人弗禁，既而悔之。（襄公二十九年）

以上含有「巫」的結構不外乎：1.「名詞＋巫」不外乎：神名、人名、家族名、地名＋巫。2.「巫＋專有名詞」即「巫加上人名」。如「巫皋」、「巫臣」，前者為巫人名皋者，後者純粹人名，但大約仍與「巫」有關。3.巫者，巫人＋普通名詞，即名詞性定中結構。4.巫兀：巫人，以及仰面朝天的畸形人，這和《孟子·公孫丑上》的「巫匠」一樣，是為同位結構。

　　據以上「醫」和「巫」在《左傳》中出現的情況可知，第一、考察《左傳》中的「醫」可知，雖然有定中結構如「良醫」者，但未見名詞作定語如「巫醫」者，而「良醫」《左傳》中雖四見，但顯然是個詞組，而非名詞。「巫醫」僅僅一見，也顯然不能說是普通名詞，而是個詞組。再考察《左傳》中的「巫」根據上文的總結，「巫醫」無非是第三、第四種結構，即名詞性定中結構，以及同位結構。依據下文我們將要證明它是同位結構，而非名詞性定中結構。

　　第二，據《周禮·天官冢宰》和〈夏官司馬〉記載，只有「醫、醫師、食醫、疾醫、瘍醫、獸醫」等名目，未見「巫醫」；且根據下文：

晉侯夢大厲，被髮及地，搏膺而踊，曰：「殺余孫，不義。余得請于帝矣！」壞大門及寢門而入。公懼，入于室。又壞戶。公覺，召桑田巫。巫言如夢。公曰：「何如？」曰：「不食新矣。」公疾病，求醫于秦。秦伯使醫緩為之。未至，公夢疾為二豎子，曰：「彼，良醫也，懼傷我，焉逃之？」其一曰：「居肓之上，膏之下，若我何？」醫至，曰：「疾不可為也，在肓之上，膏之下，攻之不可，達之不及，藥不至焉，不可為也。」公曰：「良

醫也。」厚為之禮而歸之。六月丙午，晉侯欲麥，使甸人獻麥，饋人為之。召桑田巫，示而殺之。將食，張，如廁，陷而卒。小臣有晨夢負公以登天，及日中，負晉侯出諸廁，遂以為殉。**⑲**

可知君主貴族精神或身體不正常時，總是召集巫者和醫者，而且總是和神鬼迷信以及預言是否應驗聯繫在一起。所以將「巫」和「醫」合稱為「巫醫」。時人賤之，《呂氏春秋》曰：

> 今世上卜筮禱詞，故疾病愈來。譬之若射者，射而不中，反修于招，何益於中？夫以湯止沸，沸愈不止，去其火則止矣。故巫醫毒藥，逐除治之，故古之人賤之也，為其末也。（〈季春紀‧盡數〉）**⑳**

總結以上可知，這一時代，「巫醫」和「巫尪」（巫者和仰面朝天的畸形人）「巫匠」（巫者和木匠）一樣，都各只出現了一次。而據上引可知「巫」和「醫」都各自出現了多次。「漢語大部分的雙音詞都是經過同義詞臨時組合的階段的。」（王力先生《古代漢語》第一冊，頁 89）詞總是在時間的長河中由詞組融合成詞的，因此，較早時代和較晚時代書寫形式完全相同的兩個結構，往往較早的是詞組，較晚的是合成詞。如「地方」、「事情」等。而一旦成詞，形式就相對固定。我們看「巫」和「醫」，即使在《論語》、《左傳》之後的史書中，有時是「巫醫」並列，有時是「醫巫」並列。這一方面說明了它們是詞組，而非詞，另一方面也說明了它們是聯合結構的詞組，而非定中結構的詞組。

　　雖然這看似只是詞和詞組的小問題，卻影響到對句子的理解。如將「巫醫」看作一個詞，那麼對「人而無恆，不可以作巫醫」這句話的意思，就誠如楊伯峻先生在《論語譯注》中所翻譯的：

---

⑲ 同註**⑪**，頁 849－850。
⑳ 同註**⑫**，頁 96－97。

人假若沒有恆心，連巫醫都做不成了。

而我們的譯文是：

作為一個人，卻沒有恆心，是連巫者和醫生都做不成的。

順便說一句，我們之所以譯「人而無恆」為「作為一個人，卻沒有恆心」，是因為瑞典何莫邪教授經過窮盡性統計和研究，得出結論說「而」在先秦是連接兩個謂詞性結構的連詞，可謂信而有徵。這個小例子同樣說明了語言學特別是語法學對解讀古書的重要。

經 學 研 究 論 叢
第 十 七 輯　　頁285～310
臺灣學生書局　2009 年 12 月

〈阮元揅經室遺文再續輯〉補

孫廣海*

　　筆者補輯本文之緣起，實乃賡續中央研究院歷史語言研究所陳鴻森先生苦心孤詣之工作而成之者。

　　陳鴻森先生先後蒐輯阮元《揅經室集》外遺文四次，依次為：

1.　〈阮元揅經室遺文輯存〉（一）至（六），杜正勝、黃進興、周鳳五、邢義田主編：《大陸雜誌》第 103 卷第 1 期至第 6 期（臺北市：大陸雜誌社，2001 年 7 月至 2001 年 12 月），共得阮元遺文 136 篇。

2.　〈錢大昕王鳴盛阮元三家遺文續輯〉，林慶彰主編：《經學研究論叢》第 11 輯（臺北市：臺灣學生書局，2003 年 6 月），頁 305－315，又得阮元遺文 20 篇。

3.　〈阮元揅經室遺文輯存〉【增訂本】，楊晉龍編：《清代揚州學術》下冊（臺北市：中央研究院中國文哲研究所，2005 年 4 月），頁 653－777，另得阮元遺文 13 篇。

4.　〈阮元揅經室遺文再續輯〉，全國高等院校古籍整理研究工作委員會《中國典籍與文化》編輯部編：《中國典籍與文化論叢》第 9 輯（北京市：北京大學出版社，2007 年 4 月），頁 272－280，再得阮元遺文十八篇。

　　據上所錄，陳鴻森先生合共輯得阮元遺文一百八十七篇，於清代學術思想及阮元學術思想之研究，實乃極珍貴而有價值之文獻。然而，陳先生〈遺文輯存〉或〈遺文續輯〉所錄，僅限於臺灣一隅所見，於中國大陸及香港出版之典籍文獻，或

---

*　孫廣海，香港公開大學教育及語文學院兼職導師。

未寓目，誠感憾焉。

　　筆者謹遵陳先生「近擬將向所輯王鳴盛、錢大昕、阮元三家遺文，合為一書。倘得四方同好，鈔示愚所未見，俾稍得其全，尤所深望也」之意，利用香港各間公立大學圖書館或互聯網絡所檢所見，補輯阮元遺文二十八篇，以供陳先生及廣大清代學術思想史研究者之同人參考。

　　並冀盼大雅君子，繼續蒐錄阮元遺文，俾補缺漏，實所共益，孫廣海序。

2007 年 8 月 20 日

〈阮元揅經室遺文再續輯〉補

	篇　名	書目文獻出處	出版地、出版年月
1	龍廷槐〈敬學軒文集序〉	龍廷槐沃堂氏著：《敬學軒文集》	香港：香港大學馮平山圖書館藏善本書。
2	何紹基〈送儀徵宮太保相國師予告歸里序〉	龍震球、何書置校點：《何紹基詩文集》	長沙市：岳麓書社，1992 年 3 月。
3	范茂才〈春秋上律表序〉	阮亨：《瀛舟筆談》卷 7	清嘉慶 25 年版，1820 年。
4	朱世傑〈算學啟蒙序〉	朱世傑：《算學啟蒙》	吳氏醉六堂光緒壬午線裝本，1882 年。
5	〈鴻雪因緣圖記序〉	麟慶著，汪春泉等繪：《鴻雪因緣圖記》第 1 集	北京市：北京古籍出版社，1984 年 10 月。
6	〈醫略序〉	蔣寶素：《蔣氏醫略》1	裘吉生主編：《增補珍本醫書集成》第 8 冊，臺北市：世界書局，1971 年。
7	〈御製續纂秘壁珠林石渠寶笈序〉	王杰：《秘殿珠林石渠寶笈續編》	《中國歷代書法家名人墨跡》清代部分(下)，中國展望出版社，1987 年 12 月。
8	〈岳廟志略序〉	馮培：《岳廟志略》	揚州市：江蘇廣陵古籍刻印社，1986 年 3 季度。
9	羅辰〈芙蓉池館詩草序〉	羅瑛：〈阮元佚文一篇〉	《中國典籍與文化》2006 年第 2 期。

10 程瑤田〈儀禮喪服文足徵記序〉	程瑤田：《通藝錄》	揚州市：江蘇廣陵古籍刻印社，1991 年 3 月。
11 〈九窗九詠並序〉	阮先：《揚州北湖續志》卷 3：陳恆和：《揚州叢刻》	揚州市：江蘇廣陵古籍刻印社，1980 年 3 月。
12 江藩〈經解入門序言〉	江藩：《經解入門》	方國瑜校點本《經解入門》，天津市：天津古籍出版社，1990 年 6 月。
13 臧庸〈拜經日記序〉	臧庸、臧琳：《拜經堂叢書》	臺北縣：藝文印書館，1970 年。
14 〈秦郵帖跋〉	師亮采：《秦郵帖》4 卷	清嘉慶 20 年韓城師氏摹刻，1815 年。
15 〈望湖草堂跋〉	阮先：《北湖續志補遺》卷 1	揚州市：廣陵書社，2003 年 12 月。
16 武億〈武虛谷徵君遺事記〉	武億：《授堂遺書》	清道光癸卯武氏刊本，小石山房，授堂藏版，1843 年。
17 〈揚州北湖萬柳堂記〉	阮先：《揚州北湖續志》卷 3：陳恆和：《揚州叢刻》	揚州市：江蘇廣陵古籍刻印社，1980 年 3 月。
18 陳鱣〈簡莊文鈔題記〉	陳鱣《簡莊文鈔河莊詩鈔》卷首	《續修四庫全書》第 1487 冊，上海古籍出版社，1995 年。
19 〈致陳橋樅（壽棋）阮相國原札〉	陳壽祺：《左海文集》〈隱屏山人陳編修傳〉	孫紹埔重刊《三山陳氏家刻左海全集》，1823 年。
20 〈三十二西湖在赤岸湖西北〉	阮先：《揚州北湖續志》卷 3：陳恆和：《揚州叢刻》	揚州市：江蘇廣陵古籍刻印社，1980 年 3 月。
21 〈胡西琴先生墓誌銘〉	王昶：《湖海文傳》卷 57	清道光丁酉年王氏經訓堂藏版，1837 年。
22 柳詒徵〈清儒學案摘鈔〉	錢穆：《中國學術思想史論叢》（八）	臺北市：東大圖書公司，1980 年 3 月。
23 阮芸臺〈先生手札〉二通	焦循：《焦氏叢書》	清光緒丙子魏氏刊本，1876 年。
24 阮元〈致張維屏書〉	張維屏：《花甲閒談》	上海同文書局清光緒 10 年石印本，1884 年。
25 阮元〈致孟慈年世兄書〉	趙一生、王翼奇編《香書軒秘藏名人書翰》上冊	杭州市：浙江古籍出版社，2005 年 1 月。
26 〈阮元家書〉七通	《揚州文化研究》	2006 年第 1 期，2006 年第 3 期。

27〈陳太史傳〉（陳厚耀）	焦循：《揚州足徵錄》卷 6	揚州市：廣陵書社，2004 年 9 月。
28 汪中〈容甫先生遺詩・容夫先生小傳〉	汪中：《容甫先生遺詩》卷首	《續修四庫全書》第 1465 冊，上海古籍出版社，1995 年。

1.龍廷槐〈敬學軒文集序〉

「予以丁丑持節來督粵，與縉紳碩彥接見其人，而察其言考其行事，往往徵及生平，所為文詞以為是，固有以資吾識見，匡吾政治之所不逮者，而正風俗舉廢墜，興利除弊，其中曲折次第之故，則又惟文足以達之。粵中人文淵藪，多立言之士，予開學海堂課多士，以經史詩古，一時彬彬，漱華摘艷者，不啻月異而日新；然不過工詞藻、善考據，求所為學問文章能匡時濟世，必老成夙望，優游林下，出其生平閱歷，敷諸語言文字，斯足以備當事之採擇，為鄉里衍無窮利，賴予於順德龍春巖太史，蓋心折焉。太史以春明舊侶，擢坊攢將為榷，相所羅致，既乖其指，會丁艱歸，遂不復出。都門群彥佩其才品者，方訝其初服之早，賦輒相與為書勸駕，而不知其操守，莫可明言也。順德去省會百里而近，朝發夕到。予初至，日盼舊雨，曾不適。我願迨歲當代　天簡閱道出珂里屏騶，從一登其堂，清談竟日，筆床茶灶間，亂書堆案，寒素若經生，此景至今猶依稀在目。當時廉訪為山陰李君鐵橋，趙家順德令為言太史歸，絕口不言公事。而縣有大役，恆踴躍為諸紳倡。先是洋匪張保輩，以乏食撲岸，順德戒嚴，卒賴有所擘畫，安堵如故。其他幾涉桑梓利病，若籌費，若賑恤，無不率先措辦，如其家事無畛域間，一一見諸記載書牘。予欲介李君索專集讀之，以未及編輯辭，為之悵悵不已。嗣是而移黔滇，入綸閣，去太史益遠，魚雁益以疏闊，則太史已歸道山，久不復得而繙擷矣！今嗣君辟齋駕部莘田，宮庶裒集生平，所為誌傳序記，次為十二卷。以予知太史深也，囑為序，爰墨其簡端，俾付之梓。若夫文之體格嚴整，出入歐韓而根柢史漢，是粵中人士所共知者，無待予言。歲道光壬辰仲春上澣館愚弟阮元頓首拜序。」

  ——順德龍廷槐沃堂氏著：《敬學軒文集》（香港：香港大學馮平山圖書館藏善本書）。

2.何紹基〈送儀徵宮太保相國師予告歸里序〉

「道光十八年夏五月，吾師太子少保大學士儀徵阮公，以足疾久不瘥，乞致仕，恩旨俞允。其秋八月，將就醫於南，以擇期回籍入奏。復奉旨獎慰，晉太子太保銜。預期以頤養康強，俟六旬萬壽來京祝嘏。所以優眷耆德，引以大年，恩禮之隆，為天子御極以來予告大臣所未有。

於時門下士自相國湯公以下數百人，謀飲餞公，公皆固辭。紹基疑而進曰：『以弟子而餞其師，不為私。城南野亭，扶杖可至；或設樽邸寓，尤近不待步，不為遠且勞。吾師碩德懋功，海內景矚，今以末疾得請，天子眷之惜之，朝野士若民慶之思之，而臣固拒門人之請，蒙竊感焉。』

公（阮元）曰：『余以一介書生，由詞曹通籍，以文字進奉，受純廟殊知，仁宗擢任封圻，有勉為一代偉人之諭。今天子倚任不衰，俾入綸閣，總先後五十年，武功文事，艱巨萬端，稟聖謨，資群力，因緣際會，借手集事，而余未嘗有功焉。茲眷注方殷，以不能步履之疾，辭闕廷，伏田野，揆之古人鞠躬盡瘁之義，實愧且負。退思補過，是吾志耳。恩命屢降，悚懼弗勝，其又敢以為榮，諸君其無重余之咎！』基曰：師之以盈為沖，以榮為憂，則既聞命矣。今之歸也，其可以適志林泉，逍遙圖史乎？公（阮元）曰：『余祿糈所入，自刊刻書籍，周恤姻友外，未嘗有餘資以置別業。邗上老屋數十間，無園林水石之勝，惟庋藏四部書及金石文字都數萬萬卷。自江湖故人，凋落俱盡，繫此蠹餘，是吾老友。然心目既瘁，頹懶健忘，泛覽流觀，無能為役，幸有餘年，將戢影息神，屏絕人事，以恭敬退讓，慎晚節，守法度，率先子弟，勤勵職業，庶稍勉愆尤，無重負朝廷優視老臣之意。』基於是起而進曰：『吾師功澤被海內，然深謀碩畫，入告天子，施之吏民者，弟子不及悉知；至於師之為學，由天文地志以及六書、九數性命之微，虞夏商周以來，其人其世，迄於國朝人物掌故，網羅貫串，一本萬末。凡所著述及其緒論，弟子伏誦既久。』又（阮元）曰：侍有聞，要其指歸，曰『實事求是』而已。進中禮，退中度，巾幅蕭然，猶以不能鞠躬盡瘁為懼，以恭敬退讓慎晚節為勉。早歲聞道，晚而彌勤，其亦猶實事求是之旨也乎？公瞿然應曰：『敢不力』基退，敬書之以序相國王公以下之以詩送公者。」

——龍震球、何書置校點：《何紹基詩文集》（長沙市：岳麓書社，1992

年 3 月），頁 765－766。

3.范茂才〈春秋上律表序〉

「巡撫兩浙，於西湖建詁經精舍，祀許叔重，鄭康成兩先生，選諸生肄業其中，諸生能習推步之學者不乏人，范生景福其一也。歲癸亥，生以所步春秋朔閏日食表及說，請正於余，而乞為之名。竊謂孔子作春秋，備天地人三統之學，故子思子贊其事曰：上律天時，下襲水土，本欽若以紀四時，即祖述之旨也。尊建子而書春，王則憲章之義也，或記司術之過，或明伐鼓之非，左氏引而申之躍如也，其後劉歆姜岌之徒，造訂諸術，必上驗於春秋，杜征南為左氏學，亦因宋仲子十家之法，考訂春秋朔閏，故不通春秋，不足以知術；不知術，不足以通春秋；不知術，不通春秋，不足以紹聖人，祖述憲章之志。用是命之曰《春秋上律表》，所以嘉范生之能治春秋也。且范生之書，其善有四焉。天文律算之學，至本朝而大備，天下學者，或疑其深微奧秘而不敢學習；范生習之，不十年，而能發明如是，學者庶觀而效焉，而知是學之本易明。善之一也。治經者，患拘執而不能通，劉氏規過，孔穎達詞而闕之，規者不必俱非，闕者亦難悉當；杜氏於襄二十七年，頓置兩閏，生直言其非，而莊二十五年六月辛未，為七月之朔，則稱杜氏為不可易，揆之於義，是非不詭，庶幾不泥古，不違古，為說經之通善之二也。疇人子弟，諳其技不能知其義，依法布算不愆於數，其中進退離合之故，莫之或知，故不能變化以推古經生之言曰，置閏可移，食限不能移，又謂欲定閏，必推中氣，又謂斟酌置閏以合干支，尤當斟酌置閏以合食限，於是用平朔，不用定朔，用恆氣，不用定氣，食限不用均數，本諳時憲，參之長律，可謂好學深思，心知其意，善之三也。奉時憲上考之法，以明春秋司術之得失，以決三傳之異同，以韓杜氏之是非，以課三統大衍，授時以來，上推之疏密，俾學者知聖人作春秋，為本朝時憲之嚆矢，而本朝之制時憲，實為聖人春秋之脈絡，善之四也。具此諸善，可知生用力之勤，研究之細，其治經也，無學究拘執之習，其治術也，非星翁術數之求，由此而進焉，固未可量其所說矣！余樂道其書之概而為之敘。」

——阮亨：《瀛舟筆談》（嘉慶年版，1820 年），卷 7。

4.朱世傑〈算學啓蒙序〉

「祖頤序四元玉鑑，稱朱氏嘗游廣陵，學者雲集，編集算學啟蒙，趙元鎮先後付梓，謂二書相為表裏。元昔撫浙時，獲得玉鑑舊鈔本，擬演細草未果；甘泉羅君茗香得其寫本，補全細草刊布，而以未見啟蒙為憾；近年羅君又從都中人于琉璃廠書肆中得朝鮮重刊本，計三卷，因思論語皇侃疏七經；孟子考文傳自日本，皆收錄入四庫全書，中國刊行已久，今得此書，亦可依例刊行。案此書總二十門，凡二百五十九問，其名術義例洵多，與玉鑑相表裏；羅君為之互斠，其證得七；玉鑑首列和較冪積諸圖，始于天元，終于四元，義主精邃，所得甚深。考大德癸卯莫若序計後此書四年，此書首列乘除布算諸例，始于超徑等接之術，終于天元如積開方，由淺近以至通變，循序而進，其理易見，名之曰啟蒙，實則為玉鑑立術之根，此一證也。玉鑑原本十行，行十九字，今有氏一格術曰又氏二格，與此書同式，此二證也。玉鑑斗斛之斗別用斜，此假借字，本漢書平帝紀及管子乘馬篇，尚雜見于唐以前之孫子，五曹張邱建諸算經；其鈞石之石，說文本作秳，玉鑑作碩碩，與石古雖互通，然假碩為鈞石之石，則僅見于毛詩；甫田疏引漢書食貨志，而算書罕見，又若玉鑑睆田之睆，雖見于李籍九章音義，而字書所無，此書并同，此三證也。玉鑑雖亦三卷，而門則為二十四，問則為二百八十八，較多于此書四門二十九問，然以四字分類，其體裁彼此無異，且如商功修築方程正負之屬，則又二書互見，此四證也。玉鑑如意混和弟一問，據數知一秤為十五斤，適合此書之斤秤起率，此五證也。玉鑑鎖套吞容弟九問方五斜七八角田左右逢元弟六，弟十三，弟二十諸問，有小平小長，皆向無其術，此書卷首明乘除段即載平除長為小長，長除平為小平之例，其田畮形段弟十五問復載方五斜七八角，田求積通術，此六證也。他如玉鑑或問歌象弟四，問與此書盈不足術弟七問，又玉鑑果垛疊藏弟十四問，與此書堆積還源弟十四問；又玉鑑方程正負弟四問，與此書方程正負弟五問，其問題約略相同，此七證也。是此書真朱氏原書佚而復出，可憙之至矣！同郡中學人請鳩工，以朝鮮原刻本縮版影印，并其末所載楊輝海島算法一番亦為附列，間有魚豕，悉仍其舊，但各標△于誤字旁，別記刊誤于卷末，示不諼也。羅君又以為此書七證之外，兼有四奇：昔盛德璋太僕儀撰嘉靖維揚志及此書，原序結尾署維揚學算趙城元鎮，維揚二字相同，或疑元至正二十二年王寅始改揚州為維揚府，在此書大德三年後其時不

應有淮揚之稱，且惟與維字又各異不刊；宋寶祐志已據禹貢淮海惟揚州作惟揚矣！見嘉靖志注。至惟揚皆助語辭，古本通用，韻會謂毛詩助辭多用維，書及論語則用惟，是趙為吾鄉人無疑。當元大德時，曾為朱氏刻梓二書，今吾鄉揚州從事于斯者正復雲集，遺澤未湮，二書又先後為再鄉人所校鬷刊行，其奇者一也；趙序謂將見拔茅連茹，以備清朝之選；在大德時不過尋常頌語，而竟為我天朝預兆，其奇者二也；此書成于大德己亥七月既望，乃歷今五百四十年，計都中寄此書到揚州，年月日悉符，其奇者三也；元于嘉慶之初，得玉鑑，今于道光十九年，予告歸惟揚，又見啟蒙，且目見羅君等算斠刊刻，樂觀厥成，其奇者四也。至於庫務解稅，折變互差一門，有中統至元時市廛日用及市舶司之稅價，尤足以資元初交易之考證焉。大清道光十九年己亥九月，揚州予告大學士，太子太保在籍食俸，阮元序。

　　——朱世傑：《算學啟蒙》（吳氏醉六堂光緒壬午線裝本，1882 年）。

5.〈鴻雪因緣圖記序〉

　　「凡事莫不有因緣，而久之亦成鴻雪，雖然不可以概論也，造緣者致其巧舉以與人，人受之漫不經意，皆以鴻雪視之，不著語言文字而空之，直自空耳！不知人世之緣，先在父母，繼則君恩，此後則官民，姻親，交友，山川，晴雨，動植，皆有語言文字在也。見亭河帥鴻雪因緣圖記首卷屬予序之，余知作者紀因緣耳；作者慮高視達觀者或嫌其瑣也，滯也，而以鴻雪論之，似乎不涉于瑣，不泥于跡矣！嗟乎人生百年耳，俯仰之間以為陳跡，則王右軍何必序蘭亭之會乎！序年之書，則有年譜，計在今日求昔人之譜，莫如宋蘇文忠公年譜；蘇譜以道光仁和王見大蘇注集成總案，為最詳覈；幾乎一事，一言，一箋，一字皆搜考無遺，吾輩無蘇公之望與文，誰其譜之，無能望之于後人，或可求之于在己。今拈一事而以四言括之，或有詩文，或有景物，綴而記之，如水經之注，或如唐宋人小記，斐然成一家之言，為近來著作家開此門逕，計莫善于此矣！昔年河決于北，湖決于南，近年淮河全奏安瀾，豈云鴻雪，應更有記，余當拭老目以先睹為快。道光十九年十二月臘日通家侍生揚州阮元序。」

　　——麟慶著、汪春泉等繪：《鴻雪因緣圖記》第 1 集（北京市：北京古籍出版社，1984 年 10 月）。

6.〈醫略序〉

「陰陽風雨晦明，天之六氣也。陰淫寒疾，陽淫熱疾，風淫末疾，雨淫腹疾，晦淫惑疾，明淫心疾，是六氣者，乃人生致疾之原也。蓋人生不能無病，治病必先賴乎醫，是醫也者，病人生死之所寄也，顧不重乎！治病者必先求之於形與神，然後求之於藏府，能求之於形神藏府，即有危險之症，亦莫不瞭如指掌，而得心應手矣！無如今之時醫，於人有疾，不論其輕重虛實，概目之曰感冒風寒，飲食停蓄，不知傷寒者則惡寒，傷食者則惡食，果傷乎食。在病者自不欲食，今並能食者而亦禁之，將正氣漸虧，百病從茲而入，甚可危也。抑知人所恃者正氣耳，使正氣充足，則百病無由而入，如正氣不足，則難言之矣！豈止於一感冒風寒飲食停蓄不能霍然而愈已耶。以是推之，則人之正氣不能不固也明矣，即如書中所言人之各病之事甚夥，內有論伏邪一篇，誠可謂剴切詳明，無微不至，深得夫醫理，足為後世之楷模也。彼世醫其能辨之耶！縱能辨之，亦僅辨夫外感之初症，而難辨夫內伏之危症也。予素不習醫，於凡醫家之言，無不細為留意。顧方書雖多，而其議論百出不窮，悉未能細考其實，難免無誤。今因柳君賓叔見示京口蔣君寶素手著醫略一書，蔣君京口人也，於吾為同里，是亦延陵一大郡會也。其言人之致疾之原，無不深求其故，已非世之為醫者所能及其萬一，而尤詳者，則莫過於醫略中之關格考、人迎辨兩篇，此可謂濟世之書也，可謂傳世之書也，即使扁鵲倉公復生，亦無出乎其右矣。爰此筆以書之，是為序。時道光二十八年二月揚州阮元撰。」

　　──蔣寶素：《醫略十三篇》，裘吉生主編：《增補珍本醫書集成》第 8 冊
　　（臺北市：世界書局，1971 年）。

7.〈御製續纂祕殿珠林石渠寶笈序〉

「祕殿珠林編自癸亥，成于甲子，石渠寶笈編自甲子，成于乙丑，逮今均四十餘年矣！二集以三朝宸幹為宗，而歷代所弄古人及本朝臣工之書畫，分門別類，精覈無遺，胥內廷翰臣張照，梁詩正等所為，今視某跋無一存者，亦可慨也。自乙丑至今癸丑，凡四十八年之間，每遇慈官大慶，朝廷盛典，臣工所獻右今書畫之類及幾暇涉筆者，又不知凡幾，無以薈輯，日久或致舛訛，且二集章程具在，續纂亦非甚艱，因命內廷翰臣王杰等重集，一如前例，若三朝宸翰，已備錄前集，茲不復

載；某有石刻之未入者，仍敬錄各類之卷首，然予之此舉，實因誌過而非誇博古也。蓋人君之好惡，不可不慎，雖考古書畫，為寄情雅致之為，較溺於聲色貨利為差勝，然與其用志於此，孰若用志於勤政愛民乎！四十餘年之間，匯纂者又纍纍若此，謂之為未害勤政愛民之念，已且愧言之，而況于人乎！書以誌過後之子孫，當知所以鑑戒去取矣！至西清古鑑，可以類推，更弗贅言。

臣阮元敬書。」

　　　　——王杰：《御製續纂秘殿珠林石渠寶笈續編》，《中國歷代書法家名人墨
　　　　　　跡》清代部分（下）（北京市：中國展望出版社，1987 年 12 月）。

8.〈岳廟志略序〉

　　明代徐階等岳廟集四卷，徐縉芳精忠類編八卷，欽定四庫全書皆列入史部傳記類存目；而其書罕有見者。萬歷間浙江巡撫高舉，提學鄭繼芳同纂忠烈廟志八卷，分為六紀。今岳氏後裔家藏者，止有圖制，敕書，祀典共三卷，其行實上下卷，石刻一卷，藝文上下卷，俱已闕失，幸卷首尚存序例，可稍識其梗概；再閱數年，則此舊志殘本，又將消磨殆盡，良可喟也。予授講西湖之崇文書院，屢易寒暑，書院在岳廟左，每至其地，徘徊瞻拜，聳然蠱然，有不能言其所以然者。歲壬戌守，祠裔孫開武介予友華君秋槎，請為修補新志，予應曰諾。既而思鄂王一生大節，炳燿千古。雖婦人孺子能道之，固無藉志為表揚，況見聞寡陋如予，何足以當載筆之任，踟躕者久之，顧已諾其請，弗獲辭也。乃慎加蒐錄擇，恭錄
御製詩文於前；而以祠墓始，以軼事終，成書十卷，其中偶有所見；為之訂異同，剖真偽，庶幾資考古之萬一。名志略者，體從簡質也。癸亥夏書竣，謂華君曰：信哉，事之有定數也。以予生長吳中，宦遊燕北，王之廟墓蓋目未，馬石田輩亦不加詳察，僅知刪繁就簡，不亦俱乎！至宋史取才於章，而章又取材於王。孫珂所纂金陀粹續兩編。宋史既漏略，進本復冗雜，如杜充胙城之捷，吳玠姬妾之餽，皆非昭忠錄所載本意。至李心傳建炎繫年錄載紹興九年九月，湖北京西宣撫使岳某來朝，而兩傳無驗。徐夢莘北盟會編載紹興十年五月，上遣李若虛至軍中計事，王已至；德安穎傳但云請入覲，未嘗有進師之言。總之傳聞異詞莫可究詰；始則因鄭時中，丁婁明之多誣，繼則由熊克，劉時舉之失實；欲其明白顛末，品酌事例難矣！茲志

兩載其詞，不獨有功忠武，亦深得闕疑之旨。不矜奇，不爭博，其得力於史例者甚深。余故舉其一二以為讀史者告，若夫王之英爽及給事纂輯之勤，則凡例備著之矣！

嘉慶八年冬十一月朔揚州阮元謹序。

　　　——〔清〕馮培纂：《岳廟志略》（光緒五年浙江書局重刊本）。

9.羅辰〈芙蓉池館詩草序〉

「道光癸未，觀兵西粵，訪芙蓉池館。頗治亭榭林苈，鑿山股泉，彷彿城南韋杜。問主人，則泛棹蒼梧。遣信，期會於西江之舟中。相視而笑，欣然恨相見之晚。遂維舟，同返仙城。

余時都典嶺南，累閱歲紀。托聖人福。賴邊陲綏靖，海不揚波；七萃踞琴，兩甄踰鞠。放衙無事，與星橋及二三賓佐，彈棋讀畫，說鬼談諧，備極詼謔。偶拈毫分韻，星橋才思敏捷，不事彩鏤，俄頃可成。因出其近作古今體見示，清水芙渠，脫去雕琢。其警宕處，亦復連犿瑰瑋。始信星橋非特善畫，尤工詩，星橋之詩幾以畫掩矣。余嘗譜〈萬研圖〉，集萬石君於小琅環仙館，玉海、金麥、馬肝、鴝眼……不下二千餘種。因仿李衛公置硯故事，屬星橋為之結鄰。更集天下名山勝水，各繪為圖，作一室臥游之具。欲令撫琴一弄，眾山皆響。雖山水之怡我情，亦星橋之技進乎道耳。

畫家有三品、四格、六法，與詩意原可參悟，各行其是，而不必盡同。星橋擅李思訓數月之功，得吳道元一日之跡。以胸中之丘壑，抒筆底之煙雲。即以意匠之蟲魚，發詩情之藻繢。匯董、米、徐、黃為一體，更合溫、李、元、白為一家。遣畫滄浪，楓生壺公；偶然題壁，曲唱黃河。是則詩中有畫，畫中有詩，率天籟之自鳴，而啁於調刀者也。

星橋師承家訓。其尊翁梓園公品學端方，丹青之妙，實當代荊、關。每挾技游京洛間，公卿無不倒屣。後之楚，星橋侍，楚人爭授館焉。遂以疾終於楚，厝於紅山之西偏，歷十年矣。嘉慶丁巳，白蓮蠢動，楚氛猶惡。星橋毅然賦從軍行。不愈時，大兵告捷，未得上首功議敘，總戎惜之！先是，星橋少壯時，讀書餘暇，好馳馬試劍，猿臂善射。絕有力，能開兩石弓。尤善擊刺，馬上奪矟，辟易千百許。假

令時會所值，得於役軍諮從事，不難邀尺寸勛，紆拖青紫，宏濟偉略。乃所如不偶，竟長此陸沉！此彼蒼忌才，直以雞肋綑鄭虔耶？抑肉食者鄙，因不肯令清貧食肉耶？

厥後，星橋厭倦游，且以尊公窀穸未卜，扶歸輼輬於家。舟過洞庭，巨浸稽天，風濤大作。星橋扶棺號慟，期以身殉，風為之平。瞿塘水退，敬為庾公，其至孝之感歟？

從來詩歌發於至性，未有至性不存而能詩者。此又其大彰明較著者也。星橋作詩，迅筆疾揮，多不屬稿。即有稿，亦頗不存，散落如秋風敗葉。其友人收合餘燼付梓，請序於余。昔謝元暉好獎勵人才，孔覬未知名時，稚圭令草讓表。元暉見賞，手自折簡寫之。遂與稚圭共相獎掖。星橋詩畫之名，傳播海內。本不須僕口繪，而區區不敢藏善之衷，亦猶是元暉、楊訒之雅意也。

爰以渺論弁首而為之敘云。道光丙戌秋八月，芸臺阮元序於零陵舟次。

——羅瑛〈阮元佚文一篇〉，載安平秋主編：《中國典籍與文化》2006年，第 2 期（總第 57 期）。

10.程瑤田〈儀禮喪服文足徵記序〉

「歙通儒程易疇孝廉方正之《通藝錄》所論說宗法、溝洫、古器、九穀、草木諸篇，精確不刊，海內深於學術者宗之久矣！嘉慶七年夏，先生來杭州，出所著《喪服足徵記》七卷見示。元按儀禮此篇自子夏為傳，鄭康成氏間以為失誤，後之儒者，或疑鄭注之非，率皆憑執空論，無有顯證，終不足以明卜氏之傳意，孝廉一以玩索經文為本，辨疑似於豪芒之間，聖人制禮精義一旦昭著，所以裨益經學，啟迪後人非淺鮮也，試揭其精者略述之。總麻章末云，長殤中殤降一等，下殤降二等，齊衰之殤中從上，大功之殤中從下，鄭氏以為傳文，注云：是婦人為夫之族，著殤服法，盛世佐疑之云，不專指婦人，後人散傳文於經文下，此數語無所屬，故綴於末，然未嘗會全經之文核之也。又小功殤服傳問云：中殤何以不見也，大功之殤中從上，小功之殤中從下，鄭注云：大功小功皆謂服其成人，郝敬疑之云：大功小功謂殤服，鄭注固執作解，然亦未嘗會全經之文核之也，先生則攷成人齊衰見於殤服者十四人，竝長中大功下小功成人大功見於殤服者十一人，竝長小功中下總麻

而成人小功，親無中下殤服，是以成人之成言之所謂齊衰之殤中從上，大功之殤中從下者，以殤服言之，則所謂大功之殤中從上，小功之殤中從下也，因斷長中降一等四語為經文，於是經傳雜陳之中，條理一貫，而緦麻章庶孫之中殤亦無容改中為下矣！不杖期章唯子不報，傳曰：女子子適人者，為其父母期，故言不報也；注云：男子同不報耳，傳唯据女子，似失之。盛世佐疑之云：男子為父服期不在報中明矣，女子適人與其餘十人服期同，疑亦在報中，故辨之，鄭譏傳失，未達斯義，然未嘗以經文核之也。先生則考上經姑姊妹女子子適人無主者，姑姊妹報而不言女子，子不報此經言姑姊妹女子，子無主者，惟子不報而不言姑姊妹，報因斷其為互見互省之例，又此章經，公妾及大夫之妾為其父母。傳云：妾不得體君，得為其父母遂也，注云：然則女君有以尊降其父母者歟，此傳似誤。郝敬疑之，云：謂妾之父母，君同凡人，妾自為重服以自遂，以君之貴，尚不厭妾，父母之服所以為重，傳安得誤，然未嘗以經文核之也。先生則考妾為其子傳云：妾不得體君為其子得遂也，於是知妾之於父母，當以妾之於子例，而鄭氏以女君為例，擬不於倫也。大功章大夫之妾為君之庶子，女子子嫁者，未嫁者為世父母，叔父母，姑姊妹，舊讀以大夫之妾為建首下二為字貫之，鄭氏謂女子子別起貫下斥傳文為不辭，朱子嘗疑之，以為舊讀正得傳義，嗣是依舊讀，疑鄭注者甚眾，然均未以經文核之，而鄭注與舊說尚兩可也。先生則考女子在室為世，父母叔父母服期出降，旁親當服大功，今嫁大夫，當降服小功，又考定女子嫁者，例不降正，親必降旁親，於是經文章句與傳文不相溷淆矣。至於高祖之不制服，小功未之可以娶婦，從父昆弟之孫不服緦麻，素食非白，食弟之妻稱婦，精言善解，窮極隱微，明聖人制禮，賢人傳禮之心，於千百年後，非好學深思，心知其意何以能之。夫玩索經之全文以求經之義，不為傳注所拘牽，此儒者之所以通也。若云有背鄭旨，不考卜氏之本書，此西晉南宋門戶之錮習，我朝學者，持論公而擇善確不肯出此，揚州阮元敘。」

　　——程瑤田：《通藝錄》（揚州市：江蘇廣陵古籍刻印社，1991 年 3 月）。

11.〈九窗九詠並序〉

　　「嘉慶年間，元搆二樓，一在雷塘墓廬，一在道橋家祠之右。焦理堂姊夫昔題塘樓，曰阮公樓。橋樓乃北渚二叔親視結構，樓方四丈餘，四面共九窗。二叔與星

垣佺擬分景：一東南曰曉帆古渡，二南東曰隔江山色，三南西曰湖角歸漁，四西南曰墓田慕望，五西中曰松楸疊翠，六西北曰花莊觀穫，七北西曰夕陽歸市，八北東曰桑榆別業，九東北曰齋心廟貌，桑榆楊柳，六十八株，霜後紅葉滿窗，與朝陽、落照相掩映。樹外圍牆數十丈，牆外即家中蔬圃，圃外漸近湖，有漁渡船矣。雨後清霽，及見隔江山色，即謂之湖光山色樓，補湖莊之舊樓亦可。湖光山色樓，本在赤岸湖，先將軍草堂久毀于水，阮公樓本在雷塘，今此九窗樓，即題曰湖光山色阮公樓七字匾，兼之矣。」

　　　——阮先：《揚州北湖續志》卷 3，陳恆和：《揚州叢刻》（揚州市：江蘇廣陵古籍刻印社，1980 年 3 月）。

12.江藩《經解入門》序言

　　「往者，余嘗語顧君千里曰：『治經不難，通經亦不難；雖然，道則高矣！美矣！不得其門而入，而欲登堂奧之府，窺室家之好，則束髮抱經，有皓首不究其旨者矣。即幸而得焉，而單詞隻義，百投而一中，出主入奴，始合而終歧，又往往流於異端曲學，而不自知，豈不悲哉。以吾子之才之學，其能提挈綱領，指究得失，約其文，詳其旨，作為一書，以為經訓之陳塗，吾道之津逮乎？』千里諾之而未有作也。居無何，甘泉江君子屏出其所著《經解入門》以示余，余讀之，瞿然而起曰：是固吾疇曩所望於千里者，而今得之子，信乎海內博雅君子，能以文章為來世誦法，舍此二三學友無屬也。而元之不揣其愚，思有譔述，以益後學，亦差幸胸臆之私，抑得此為不孤耳。子屏得師承於研溪惠先生，博聞強記，於學無所不通，而研貫群經，根本兩漢，尤其所長。元少時，與君同里同學，接其議論者，垂三十年。曩居余廣州節院時，元嘗刻其所纂《國朝漢學師承記》八卷，昭代經學之淵源，與近儒之微言大義，賴以不墜；今又得此，子屏之於學，其真可謂語大而不外，語小而不遺，俾學者淺深求之，而各得其致者矣。是書之大旨，約分三端：首言群經之源流，與經學之師傳，端其本也；次言讀經之法，與解經之體，審其業也；終言說經之弊，與末學之失，防其惑也；學者得此而讀之，循其途，踐其跡，避其所短，求其所長，則可以不誤於趨向；優而游之，擴而充之，則可以躋許鄭之堂，抗孔陸之席。子屏不自侈其業，以是為初學計也；顧豈僅為初學計哉，吾顧後

之學者，執此而終身焉可耳。道光十二年（1832）歲次壬辰九月協辦大學士兩廣總督阮元序。」

　　　　　　——江藩：《經解入門》（天津市：天津古籍出版社，1990 年 6 月）。

13.臧庸〈拜經日記序〉

　　「臧君西成以通儒玉林先生之後而出於盧抱經學士之門，著有《拜經日記》一十二卷，歲在辛未，君以疾卒於京師，聞者莫不嘆惋。是時天下方治古經學，君以布衣短褐，躬行學古，得與錢莘楣少詹、王懷祖觀察、段茂堂大令，遊大江南北，學者稱之。以余所見於西成者，其所採輯著述甚富，《日記》一書，為說經之士所欲先睹者也。臧君發揮經義，推見至隱，直使讀者置身兩漢，親見諸家之說者，余錄存篋中，亦十載於斯矣。今歲庚辰，其子相來粵，出其家傳之本相校，以授諸梓，其他著述，則有待於來者矣，爰書其始末而為之序。讀是書者，可見其家學之淵源，師友之受授，且以求君之學與行也。阮元序。」

　　　　　　——臧庸、臧琳：《拜經堂叢書》（臺北縣：藝文印書館，1970 年）。

14.〈秦郵帖跋〉

　　「師司馬權知高郵雅意汲古刻秦郵帖，置交游臺，皆蘇黃秦孫諸賢文事也。司馬又增祀黃山谷、孫覽、孫巨源、秦少章、少儀、陳唐卿六君木主於四賢之後，洵稱佳事。元嘗見無錫秦小峴司寇家臨少游墨竹畫卷，且有題識如囑梅谿錢君審定之，鉤勒一石附於帖後，亦佳跡也。乙亥冬揚州阮元觀于南昌并識。」

　　　　　　——師亮采：《秦郵帖》4 卷（清嘉慶二十年韓城師氏模刻，1815 年）。

15.〈望湖草堂跋〉

　　「汪醇卿翰林為王望湖寫《望湖草堂圖》，頗似余舊藏石濤小幅。余舊題曰：『學畫漁莊到七圖，石濤圖我未生初。偶然潑墨知何地？如此荒莊但可漁。君子其旃楊及柳，木人乃夢眾惟魚。婆娑老樹饒生意，罩罩烝然百載餘。』『牧人』句，以《毛詩》對石鼓文，嘗寫為萬柳堂楹聯。望湖此堂與余萬柳堂相近，景亦似此，望湖以此屬題。丁未春二月，春柳正茂，心欲望焉，有事雷塘，不能往也，特跋數

語以歸之。」

　　　——阮先：《北湖續志補遺》卷 1，《北湖小志‧北湖續志‧北湖續志補
　　　　遺》（廣陵書社，2003 年 12 月）。

16.武億〈武虛谷徵君遺事記〉

　　「余於乾隆甲寅乙卯間，在山東獲交於偃師武君虛谷，時武君方落職，居歷下越十餘年，其孤子穆淳以副正兩榜舉人皆出余門生門下，戊辰春，余權撫河南，穆淳來謁，且以武君之事乞言以表之。余按武君治博山，民愛之如父母，縛杖宰相差役被劾罷官，力學著書，見諸實事，吾師朱文正公為之墓志，法時帆學士，孫淵如觀察並為之傳，足以傳矣！惟余憶武君有二事焉，為穆淳記之。博山縣故產五色硫璃，器省司將徵為土產，貢武君抗之上官曰，汝具以來，吾悉償汝，值武君曰予非較值也。此器故不入貢，今上官以值來後之，上官必有不以值索之者，非累民即虧庫，京朝官見此，悉索之，將何以應？余不敢倡此弊政，卒亦以此忤上官。武君以金石文字補經史遺誤甚多。余在山左，集碑本於小滄浪亭。延武君校之，武君鉤考精博，繫以跋語，余所修《山左金石志》中，考證出君手者三之一，並記之，不敢沒君善也。」

　　　——武億：《授堂遺書》（清道光癸卯武氏刊本，小石山房，授堂藏版，
　　　　1843 年）。

17.〈揚州北湖萬柳堂記〉

　　萬柳堂在公道橋東北八里，即珠湖草堂。

　　「京師萬柳堂者，元平章廉文正（希憲），趙文敏（孟頫）宴集之地，朱氏〈日下舊聞〉載之，康熙時為馮益都相國之亦園，鴻博名流多集於此，今改拈花寺。嘉慶十五年，余與朱野雲處士常游此地，補栽花柳頗致，延眷；道光十八年，予告出都，僧請書扁，為書元萬柳堂四字，此京城東南隅之萬柳堂也。余家揚州郡城北四十里僧道橋，橋東八里赤岸湖有珠湖草堂，乃先祖釣遊之地。嘉慶初，先考復購田莊，余曾在此刈麥捕魚，致可樂也；乃自此後二三十年，皆沒於洪湖下洩之水樓莊，多半傾圮，幸鶿巢故在，歸田次年，從弟慎齋謂昔年水大，深八九尺，近

年水小，尚四五尺，宜築圍隄，北渚二叔亦以為然，於是擇田之低者五百畝隄之而棄其太低者，又慮與露筋祠召伯隷相對，湖寬二十里，宜多栽柳，以禦夏秋之水波，取江洲細柳二萬枝遍插之，兼伐湖岸柳榦插之，且舊莊本有老柳數百株，隄內外每一佃漁亦各有老柳數十株，乃於莊門前署曰萬柳堂，可以課稼觀漁，返於先疇，遠於塵俗。數年後，客有登露筋西望者，可見此間柳色也，今因詠萬柳堂，分為八詠，一曰珠湖草堂，二曰萬柳堂，三曰柳堂荷雨，四曰太平漁鄉，五曰秋田歸獲，六曰黃鳥隅，七曰三十六陂亭，八曰定香亭，此揚州北湖之萬柳堂也。」

　　　　——阮先：《揚州北湖續志》卷 3，陳恆和：《揚州叢刻》（江蘇廣陵古籍
　　　　　　刻印社，1980 年 3 月）。

18.陳鱣〈簡莊文鈔題記〉

　　「萬卷之書、七尺之身，恤修行，尚友古人。見其貌者，報豈羞貧，我更愛顯之絕倫軼群。阮元題。」

　　　　——〔清〕陳鱣撰：《簡莊文鈔》，《續修四庫全書》第 1487 冊（上海市：
　　　　　　上海古籍出版社，1995 年），頁 233。

19.〈致陳橋樅（壽祺）阮相國原札〉

　　「六月初，由郵封得接訃音，驚悉尊大人遽作古人，為之慟憶，既而思一生如此，殊為不錯。使昔年入京，即致通顯，若與草木同腐，亦屬枉然。今身後論定，孰得孰失乎，本當作墓誌，因誌乃常事，惟傳始可傳。愚近年一切文筆皆不撰，惟上年作〈王懷祖先生文〉，今又作尊大人文耳。肅此奉候，孝履不既。」

　　　　——陳壽祺：《左海文集》，孫紹墉重刊：《三山陳氏家刻左海全集》
　　　　　　（1823 年）。

20.〈三十二西湖在赤岸湖西北〉

　　「王晫〈西湖志〉天下名西湖者三十一處，不止杭、潁。萬柳堂西有湖一曲，十餘頃，名西湖嘴，嘴上有燕趙等莊；慎齋（阮先）之妹夫王介眉田宅即在此。焦理堂姊夫〈北湖小志〉圖載：燕莊西湖嘴，雖嘴字欠雅，但北鄉民所共稱。況煙波

清遠，水木明瑟，勝于惠桂，不得不謂之三十二西湖也。焦氏雕菰樓去此十餘里，老姊健在，年八十餘。陳雲伯言顏魯公〈麻姑仙壇記〉，王方平與麻姑本姊弟，皆仙者。

漫將杭潁說歐蘇，萬柳堂西又一圖。天下西湖三十一，此應三十二西湖。

焦家樓已老雕菰，本是王方平有髮。東畔我為太雷岸，西隣爾是小西湖。」

　　　　——阮先：《揚州北湖續志》卷3，陳恆和：《揚州叢刻》（揚州市：江蘇廣陵古籍刻印社，1980年3月）。

21.〈胡西礀先生墓志銘〉

　　「元自七、八歲時，即以韻語受知於西礀胡先生，先生授元以文選，導元從李靖山先生遊；先生與元外祖林梅谿先生為執友，吾母以先生為父執，嘗拜見焉。先生敬吾母以為儒，家通書史，知大義，能教元以文，禮也，聘吾母之姪妃曾為其子之婦，元督學浙江，先生至杭州，及撫浙，再至焉，每恐年垂老，不得再見。嘉慶八年，先生年八十有五，元將以六月入覲，過揚州，冀得見先生，乃先生先以五月十七日卒於家，曷其慟哉！元歸返揚州，祭先生，為將葬也，乃為墓銘且誌之曰：先生姓胡氏，諱廷森，字衡之，號西礀，先世唐宣歙節度使常侍學之後十五世，當元時祖大中籍饒州，官休寧，遂遷焉。高祖學龍遷江都，父濤齡，國學生。先生身長體腴，事父孝，年逾三十，猶引過受杖，侍母疾，雪夜長跽呼天，疾為痊。幼讀書，試未第，乃以文學佐大吏幕府之奏章，通達治體，所繕奏皆稱旨。兩江總督薩公載等交聘延致之。先生兼精刑律，年五十，無子，或曰掌刑者艱於嗣，先生曰吾儒生欲活人無尺寸權，正欲佐人，于刑中求嗣也，故其治刑也，以仁輔義，有合於歐公求生不得之悄，所全實多，卒舉丈夫子，遂杜門卻聘，謝外交，與里中秦序堂，沈既堂諸先生為湖山遊，杖履吟詠，有香山之風。元初任巡撫時，先生至杭，為擘畫一切，元以政事切問之，悉其情。逾月，兵刑漕賦事略定，先生曰可矣，乃返揚州。嘉慶元年，恩詔舉孝廉方正一人，里中搢紳皆以先生應舉，具牘達之官矣，而胥戁之。先生曰：搢紳勿與史胥言，言則不廉不正矣！以是卒未達大府。先生工詩，善於言情，其佳處極似放翁，著西礀詩草一卷，授職州吏目，配李安人，子德生，職州同知，側室劉安人出，冬十一月，葬揚州西門外老人橋之右。銘曰：

先生之行，在孝與慈，先生之學，在書與詩；先生之才，經濟匡時；弢晦恬退，世莫之知，知之深者，非元伊誰，丸丸宰木，岡道具宜，爰伐樂石，載此銘詞。」

　　　　——王昶：《湖海文傳》（清道光丁酉年王氏經訓堂藏版，1837 年），卷57。

22.柳詒徵〈清儒學案摘鈔〉

　　阮芸臺曰：「論語言五常之事詳矣，惟論仁者凡五十有八章。仁字見於論語者凡百有五為尤詳。」

　　「元謂詮解仁字，不必煩稱遠引，但舉《曾子‧制言》篇：『人之相與也，譬如舟車然，相濟達也。人非人不濟，馬非馬不走，水非水不流』，及《中庸》『仁者，人也』，鄭康成註：『讀如「相人偶」之「人」』數語足以明之矣。凡行必於身所行者驗之而始見，亦必有二人而仁乃見。如一人閉戶齋居，瞑目靜坐，雖有德理在心，終不得指為聖門所謂之仁矣。」

　　　　——柳詒徵：《清儒學案摘鈔》，錢穆：《中國學術思想史論叢》（八）

　　　　（臺北市：東大圖書公司，1980 年 3 月）。

23.〈阮芸臺先生手札〉二通

　　「里堂老姊丈啟，月來公事少閒之時，讀大著《易學大略》，實為石破天驚。昔顧亭林自負古音以為天之未喪斯文，必有聖人復起，洵不易斯言矣！昨張古愚太守持去，讀之亦極詫極嘆也。惟望早為勒成，鄉塾中如有寫手，乞代鈔一部，所有紙筆錢若干，在慕三兄處支取，此屬。弟前年在京，曾作《太極說》一篇，今以呈政，乞為改正。近江西省中，有翻刻宋十行本注疏之議，未知能成否也。
愚弟阮元頓首。」

　　「前接手書，並梁公舊屋立祠事，本欲即為修復，緣常生回家已諭，其至橋奉謁並致一切，此舉兼數善焉。先賢想必皆歡喜，寒族亦有主人，其中先大夫亦與其列，曷勝感幸。頃八兄回湖，正將解纜，得仲嘉寄到賜書並易學二本，偶一抽閱，已見豐解，諸義及韓詩外傳之確據，喜甚。所有敘文久欲命筆，緣此書局面正大，未敢輕率為之。謹候夏閒，務開再擬稿本寄呈，仍須大筆大加改正，方可用也。坎

為心，弟向有《釋心》一篇，今已刻出，並雜釋數篇，成一帙奉寄，其中串貫假借之義，大約尚能與易學中不相悖也。

弟阮元頓首。」

——焦循：《焦氏叢書》（清光緒丙子魏氏刊本，1876 年）。

24.阮元〈致張維屏書〉

「陳（蘭甫）到揚，寄來《經字異同》，收到此書，尚須訂補。尊著《國朝詩人徵略》，此書甚好；必傳。如有續刻，便中寄一部來。尚有諸家別集及近人所撰應續入者甚多，路遠無由奉寄耳！月亭諸公，同此道候。生病左足，艱於行動，衰老日甚，蘭甫親見者也。

草此數行，順候近祺，不具

南山年兄足下

生 阮元頓首

——張維屏：《花甲閒談》（上海同文書局清光緒 10 年石印本，1884 年）。

25.阮元〈致孟慈年世兄書〉

「小雪時令郎六郎來，接手書，誦悉一切。文集久交三郎，知無便人，尚存未去也。山左金石志板，原說歸與曲阜孔舍，大舅處交與揚州衛帶去，已付寄金，特以去書寫交與運河揚州林道，書內再言交曲阜。乃板未到沛寧，而林已去，無人持書板至京，又回揚，可恨之至。頃與六郎言，來年趁頭幫船帶沛寧交貴處，貴處盡可多為刷印後，再送闕里不遲，書之顯晦，亦有數耶。近日慫容羅茗香（天籌，為李四香後海內一人而已）茗香續成《疇人傳》，今以新印本交六郎奉寄，覽之當為大快。茗香，天籌，為李四香（銳）後海內一人而已。茗香大明四元之學，發明元中葉絕學，此學宋元極盛極精，明全是洪武後腐頭巾一概不勞心，樂於空話，不求實事，以至於斷線，西洋人來，只知西而已，今西洋人已逐，若非茗香發明安圖割圜之學，則再過數十年，大清國無能辦曆矣，尚不如小學、漢學尚不絕也，可歎也。元於七月末忽跌一交，左足左臂不能有力，不能行步，終日靜坐而已。外間竟無一友，幸湖中得五百畝田，有收不餓，尚且荷池中有兩干四並蒂之瑞。諸孫十五

人，在揚十人，能讀書者鮮矣。近又自定壽壙於雷塘，近依祖考，大為自慰。有

紀。肅

此奉致，並候

近覆

孟慈年世兄

　　　阮元頓首」

　　　——趙一生、王翼奇主編：《香書軒秘藏名人書翰》上冊（李學忠、李超凡

　　　父子藏）（杭州市：浙江古籍出版社，2005年1月）。

26.〈阮元家書〉七通

第一通：致甘泉鍾□：

　　敬啟者：家人蔣二本不妥善，近來聞其在外更有妄為之處，七小兒先已入京，

五小兒今又入京，家中八小兒素性痴愚，不懂事務，前雖諭五小兒：將蔣二逐出，

不許再到兩宅當差。但五小兒入京，八小兒愚痴，恐其有借本宅之名在外招搖之

事，應乞老父台簽挐到堂，笞責二十板，釋去（伊住舊城小東八寶，地不遠），並

吩咐永不許入兩宅之門。如此發落，庶揚州戚友、一切奴僕等皆可通知，否則，伊

將來若借八小爺之名在外生事，反致勞動老父台費心，更為不安。特此瑣屑奉托，

諸希　　朗照，並候

近安。諸惟抱歉！　不一。

外家書一封，希於簽挐、笞責後再為差送。又及。

　　　　　　　　　　　　　　頤性延齡。（陽文朱印）

第二通：　復曹中堂（曹振鏞）：年家眷晚生□□□□□

　　臘月之初，接奉手諭，恭稔中堂志前輩，鼎福安和，詣符遠頌。晚蒙恩允觀，

已於十二月十三日交印，十六日就道如楚地，車騶湊手，約可於二月杪到京，否

則，近遲亦不過數日。諸蒙關切，垂注殷殷，極為心感。惟是晚近年精力漸衰，心

神不能周貫，時深悚歉，所幸秉教非遙，諸可面奉訓言，曷勝　欣企！肅此。榮請

台安！　諸惟鈞鑒，不既名，正肅。

再：　大小兒初出學制，諸凡不諳，乃蒙獎掖倍加，愚父子皆感之至。又及。

第三通：　此紙五保（阮福）辦過，同嘯書一并寄京。

　　一　上年夏間。吳九有與嘯字，邀嘯往蘇，內言「狹邪好頑，明知與身子不相宜，但不得不然」云云。此所以孔、劉乘此，竟令嘯往蘇探其情形也。此事我曾於家書內諭及說。向嘯將此字收回，存於我家，以為不和，彼理屈之據，乃八少爺一字不回乎？（這最利害可怕，在一百廿糊塗之外。）

　　又：　吳九兩次寫字與嘯，要向嘯借銀，似乎去年三百，今年一百。此銀原是公帳，原是泰山的，本不算債，但吳九因孟端言，如此無禮，則吳借嘯銀並未明言，是泰山的，又豈可全罷了不成？（也須備存一著。）此數封字兒，爾可即在嘯處要出，寄京交七保看。看過抄下稿子原件，寄滇與我查看查看。設如香岩處只還了四百餘，四百未還，而吳竟仍無禮來鬧，則學壽齋，不妨以此相抵也。如香岩已全還七保，亦不妨囑嘯另作一字，與之要□。他是有臉面人，不致不還，然而必不還也，即不還也，要叫他自己心中過不去。

（又一頁）　　一　家人王泗、揚太、丁太攬持一切，頗有聲勢，但在京成議畫押，彼乃豪無勢力之人矣。俟成定後，如彼安退則已，如少不安靜，無難函江甘將其鎖押，不必慮之。其餘人更不足言矣。

　　一　撥定之後，如果慮雜人不妥，無難囑儀徵出示曉諭，云阮宦洲務今已交付某人某人撥辦，如有匪徒暗中掣肘者，即由某人某人報縣，立即查拏，案律辦理云云。如果安妥，則亦不必多此一舉。

　　一　前二數，原是約略之詞，如尚不止此，豈不甚好，但業戶止要此數，留余與撥戶沾光，斷不讓旁人占分，免內損業戶，外苦撥戶。

　　　　——劉建臻「〈阮元家書〉述考（一）」，〈揚州文化研究〉2006 年第 2
　　　　期。

第四通：

　　此時，我自己走湖北起旱，隨身行李，減而又減，次等廂子東西，必要之書研，由新趙、天喜、阿高、小楊、袁喜、趙得、雷二帶揚，東西不上岸，即於三日內換船上准，用車起旱，其餘書物交樹堂來年帶京。家中要備新趙等一肢盤川。此條細看勿忘。五七入京，豈可不省哉！

又：　京官丁憂，在籍服滿為一事，起復進京又一事，滇省分為兩事辦。故現在刑

部魚少尹佩棻來者，查其縣文，司詳只云起復、鄰右、甘結云云，未言入京一層。尹郎到省，始知仍須司詳請咨，故叫他到司遞呈，侯司詳到院，我方給咨。尹云近年有本人自帶咨者，有咨另由撫達部者，尹須自領。

所云起復者，必廿七得月滿後，方能出文，譬若爾等須六月初十後方算服滿也。其江蘇之例，是一事，是二事，則不知矣。如縣詳尾有即日起程入京的話，豈不省又一番詳咨乎？設使爾等於六月初十前起身也，須扣出路程，摠算閏月初方到京也。細心勿誤。

第五通：

為旨請事，廿六日蒙召見，詢及臣諸子現居官職。仰見皇上恩慈垂念之至意，臣不勝感激悌惶。臣長子常生，由嘉慶元年二品蔭生、戶部行走，疊蒙聖恩，擢用知府道員；次子福，捐納郎中，在戶部學習行走；三子祜，捐納郎中，經刑部保留候補；四子嫡生，名孔厚，道光元年一品蔭生，年已三十三歲，本當早為考蔭，奈身有疾病，不能當□報效，辜負天恩。臣子孔厚生有嫡孫，名恩來，今年十有一歲，伏查補蔭，則例有云：文武蔭生，未經出仕中式而患病殘廢者，俱准將詔前所生之子孫補蔭。今臣子孔厚並未出仕中式而病廢，雖例（以下缺）。

第六通：

諭祜：六月下旬，我到北聊一遊。歸而仁山尚未到，甚為懸望。應寄些用費與福，而仁山之母不得不顧籌。

爾士到家，豪無恙也。並不吃藥解暑，算是萬幸。我與爾母商令七月十六再往杭州，杭州回，再往金陵。前我諭爾債事，七月，爾必有詳商之□，到揚云云。

爾士自憂不壽，我看他像貌舉止，皆有福壽。我〈再續集〉自記〈小象〉中有命可改長一層，此議我證之《書》經、《毛詩》。我與靜春初年皆算壽不長：靜（劉文如）四十八，我七十，而今皆過籌算。爾士求書對，因書與之云：教子〈詩〉、〈書〉兼自壽，相夫琴瑟並延年。連日當放心，已鼓琴，請二老聽矣。申保必福壽，爾放心□可也。　　七月初一日

第七通：

管師母未到揚之先，先有書來，言世妹之事，師母所最愛者。到家之前書中，欲我致書潘中堂。我近病，不能寫此書。潘中堂近日心緒必煩。然師母有此話，我

不能不達到。今將來書交七保，七保便中交與二世兄看，將此言稟到為望。世妹，
即石庵（劉墉）文清公家也，乃潘相國師。

我足仍不能行，心緒亦甚不堪，惟有閉門冬烘而已。　　　　十二月二十七日。

　　　　　　　　　　　　　　　　　　　　——《揚州文化研究》2006 年第 3 期。

27.〈陳太史傳〉

　　「陳厚耀，字泗源，泰州人。康熙丙戌進士。安溪李光地薦厚耀通律法，引
見。上命試以算法，繪三角形，令求中線，及問弧背尺寸，厚耀具札進，稱旨。旋
請省親歸里。戊子，特命來京。己丑五月，駕幸熱河，厚耀扈行至密云，命寫筆算
式進呈，少頃出，御書筆算，問：知此法否？厚耀對曰：皇上此法精妙，極為簡
便，臣法臆撰不可用。上諭云：朕將教汝，汝其細心貫想，以待朕問。次日，又問
曰：汝能測北極出地高下否？

對曰：若將儀器測景長短，用檢八線表可得高度，此在春、秋二分所測則然。若餘
節氣，又有加減之異，然也不難。何也？臣聞地上有矇氣之差，以人目視之，有升
卑為高，映小為大之異，故以渾儀測化之多不合，但在天度數則不差也。又問：地
周三百六十度，依周尺每度二百五十里，今尺二百里地，周幾何？地徑幾何？奏
云：依周尺地周九萬里，今尺七萬二千里，以圍三徑一推之，地徑二萬四千。以密
率推之，當得地徑二萬二千九百一十八里有奇。上復問：地圓出何書？對以《周髀
算經》曾言之。問：何以見其圓也？對曰：《職方·外紀》西人言：繞地過一周，
四匝旨生齒所居。故知其為圓且東西測景有時差，南北測星有地差，皆與圓形相
合，故益知其為圓。時厚耀以母年高不忍離，乃就教職，得蘇州。未逾年，召入南
書房。上問：測景是何法？厚耀求指示。上曰：此法甚精，不必用八線表。即以西
洋定位法、開方法、虛擬法寫示。又命至座旁，隨意作兩點於紙上，厚耀隨點之。
上用規尺畫圖，即得兩點相去之法。上從容論之曰：〈堯典〉敬授人時，乃帝王之
大事，奈何勿講。自是，厚耀之學益進，嘗召入至淵鑒齋，問難反覆，並及天家、
樂律、山川、形勢，得遍觀御前陳列儀器。召至西暖閣，詢問家世甚詳。從至熱
河，命賦泉源石壁詩。授中書科中書，傳旨曰：上道汝學問好，授汝京官，使汝老
母喜也。上諭厚耀曰：汝嘗言梅瑴成學甚深，今命來京，與汝同修算法。瑴成至，

上問曰：『汝知陳厚耀否？他算法近日精進，向曾受教於汝祖，今汝祖若在，尚將就正於彼矣。』乃命厚耀、殻成並修書於蒙養齋，賜〈算法原本〉、〈算法纂要〉、〈同文算指〉、〈嘉量算指〉、〈幾何原本〉、〈周易折中〉、字典、西洋儀器、金扇、松花石硯及瓜果等克什甚多。癸巳修書成，特授翰林院編修。甲午，丁內艱，命賜帑銀，著江南織造經紀其喪。喪畢，晉國子監司業，擢左諭德兼翰林院修撰。戊戌會試，充同考官。己亥告疾，以原官致仕。所著書有〈孔子家語注〉、〈左傳分類〉、〈禮記分類〉、〈戰國異辭〉、〈十七史正訛〉及天文術算諸書。又〈春秋長術〉十卷，乃〈左傳分類〉中一門，為補杜預〈長術〉而作，其凡有四：一曰律證。備引漢、晉、隋、唐、宋、元諸史志及朱載堉律書諸說，以證推步之異，又引〈春秋屬辭〉杜預論日月差謬一條，為注疏所無；〈大衍律議〉春秋律考一條，亦唐志所未錄，尤足以資考證。二曰求古。古以十九年為一章，一章之首推合周律正月朔且冬至前，列算法後，以春秋十二公紀年，橫列為四章，縱列十二公，積而成表，以求律元。三曰律編。舉春秋二百四十二年，一一推其朔閏及月之大小，而以經傳干支為證佐，皆述杜預之說而考辨之。四曰律存。以古術推，隱之元年正月庚戌朔，杜預〈長術〉則為辛巳朔，乃古術所推之上年十二月朔，謂元年之前，失一閏，以經傳干支排次知之。厚耀則謂：如預之說，元年至七年中，書日者雖多不失，而與二年八月之庚辰、三年十二月之庚戌、四年二月之戊申又不能合。且隱公三年二月己巳朔日食，桓公三年七月壬辰朔日食，亦皆失之。蓋隱公元年以前非失一閏，乃多一閏，因退一月就之，定隱公元年正月為庚辰朔，較〈長術〉實退兩月。推至僖公五年止，以下朔閏一一與杜〈術〉相符，故不復續載焉。蓋厚耀精於律法，視預為密，於考證之學尤為有裨，治《春秋》者不可少此編矣。王寅春卒，年七十五。子傳華，郡庠生。」

　　——焦循輯，許衛平點校，祁龍威審訂：《揚州吹徵錄》（揚州市：廣陵書
　　　社，2004 年 9 月），卷 6。

28.〈容甫先生遺詩・容夫先生小傳〉

　　「汪中，字容夫，江都人，乾隆丁酉拔貢生。多聞強識，舉所誦書若流水，雄於文，鎔鑄漢唐成一家言。詩學盛唐參以金元。好金石，嘗得漢石闕畫象，以五十

千從寶應舁歸。尤精史學，自言深於春秋。生平多諧謔，凌轢時輩人，以故短之。然於嘉定錢詹事大昕、金壇段大令玉裁、高郵王給諫念孫、歙縣程大令瑤田，未嘗不極口推崇。嘗為顧炎武、胡渭、梅文鼎、閻若璩、惠棟、戴震作六君子頌，足見其謙己樂善也。」

　　——《續修四庫全書》集部，別集類，第 1465 冊（上海市：上海古籍出版社，1995 年），頁 446。

經 學 研 究 論 叢
第 十 七 輯　頁311～332
臺灣學生書局　2009 年 12 月

當代《春秋》學專家
——專訪趙生群教授

林慶彰採訪・張穩蘋整理*

　　趙生群教授，江蘇宜興人，南京師範大學文學博士。現任南京師範大學文學院文獻與信息學系主任。並擔任中國古典文獻學專業碩、博士生導師，博士後指導教師。近年來參加多項國際學術會議，並應邀在臺灣的中央研究院、臺灣大學、政治大學、以及北京大學等地講學。

　　代表性著作有：《太史公書研究》、《史記文獻學叢稿》、《春秋經傳研究》、《史記編纂學導論》。主編《古文獻研究集刊》。並在各國際學術刊物發表論文百餘篇。

　　中央研究院自二○○三年起，開始進行長達數年的中國上古文明研究計畫，結合人文社會科學組各所各學科的專家學者，藉由傳世及出土古文獻，進行中國古代文明的跨領域研究。中國文哲研究所經學文獻組在先期規劃中，承擔「經典與文化的形成」研究計畫，以中國儒家經典為研究對象，除了舉辦各項專題演講，每月則進行讀書會，邀請大陸及國外學者來臺參與學術交流。二○○四年春，南京師範大學趙生群教授應邀來臺，並進行一場專題演講，講題為：「經典的傳播與歧異——以《春秋》經傳為中心」。為了進一步瞭解趙教授的學思歷程，由計畫總主持人林

*　林慶彰，中央研究院中國文哲研究所研究員。張穩蘋，《經學研究論叢》執行編輯。

慶彰先生，於中國文哲研究所三樓討論室，進行為時三小時的的訪談，訪談稿由張穩蘋整理，經趙教授親自潤飾、補充相關資料後，於本刊刊出，以下為訪談內容，林慶彰教授與趙生群教授的發言，分別以「林」，「趙」代稱。

一、求學歷程

林：先請趙先生談談您從小到博士班的求學歷程。

趙：我從小生長在農村，就讀的小學叫堰頭小學，初中、高中就讀於煙林中學，那是規模相當於公社的一個中學，現在改成鄉，稱為堰頭中學。中學畢業之後，因為當時還沒有恢復高考，不能上大學，所以到生產隊勞動了大概兩年半的時間。

林：是如何的勞動？

趙：勞動是非常辛苦的，我們是在一個鎮上，鎮上有許多工廠、企業。例如加工廠、糧管所、農機廠、供銷社；另外像當時所謂的副業，比如說磷肥、石灰、煤、各種各樣的機器、大型零件、大型木頭，要幫忙運送到倉庫裡，非常辛苦。

林：文革的時候，是不是所有的知識分子都要下鄉？

趙：因為我們原本就來自鄉村，所以無所謂下鄉，對我們來說，只能用「回鄉」。「下放」主要是指城市裡的知識青年到農村。

林：那麼您後來如何進入大學就讀？

趙：一九七七年恢復高考，我們是第一批通過考試進大學的。前面都是工農兵通過推薦上大學。正式恢復考試的那一屆，受到特別的重視，因為從一九六六年到一九七六年，差不多十年沒有高考，所以恢復高考後的幾年，許多參加考試的人都是一九六六年左右畢業的，年紀比較大的學生，當時稱之為「老三屆」，也就是高中畢業之後遇到文革，沒有機會直接考大學的。那一年的高考分成兩個階段：初試和複試，當時因為我們回鄉以後所有的功課都荒廢了，勞動的工作又相當辛苦，沒有多少時間可以看書，能夠參加考試，應該要感謝我母親。原本我是不打算考的，因為從一九七五年到一九七七年恢復高考，經過了兩年半時間，數、理、化這些課業基本上已經忘得差不多了，原本我是堅決不想考

的，後來我的母親遇到了我的中學老師，問起我要不要考，母親告訴他我不打算考，中學老師說，如果他不考，那麼能考的人恐怕也不多了。於是我的母親態度開始非常堅決，一定要我去考。

　　初試門數比較少，我記得考了語文、數學等，「數學」這一科我很多題目都不會作，一百分裡我估計再高也不過就是三十幾分吧，所以我考完的時候，自己覺得一點希望都沒有。但我母親還是要我繼續複習，準備複試，我認為數學考得很糟糕，恐怕沒有什麼希望。考完初試，我印象很深，當時是冬天，那時候公社、大隊、生產隊每年都會大規模地組織水利工程，那年冬天要開河，於是我就去了，開河很辛苦，經常是起得很早，休息時很晚，我記得每天要吃四頓飯，每頓飯能吃上三碗，由此可以看見勞動的強度，可以說相當辛苦。開完河以後，意外地，接到了複試通知，當時有點後悔，因為自認為沒有希望，所以根本沒有複習功課就開河去了。當時離複試大概還不到十天，複試的科目還加了歷史、地理這些科目，我告訴我母親複試可能好對付一些，因為初試考的門數很少，數學我又忘光了，儘管時間短，歷史、地理我還可以背背，後來居然也就被錄取了。

　　這一年的高考對我來說，意義還是非常重要的，因為生活在農村是很簡單的，就是天天從事體力勞動，根本談不上讀書，更不會夢想有朝一日可以作學問，甚至在大學裡教書。

林：當時，趙先生考上的是中文系嗎？

趙：那年的高考，我志願填了兩次，初試的時候填的志願之一是揚州師範學院，也就是現在的揚州大學的中文系；複試以後，我們還可以填第二志願，我們的校長建議我，如果是填第一志願的話，南師中文系（當時的南京師範學院，後來的南京師範大學）應該可以考慮。當時江蘇有四所師範學院，各有所長：像江蘇師範學院，就是現在的蘇州大學，是以數學見長；揚州師範學院，是以歷史見長；南京師範學院的傳統主要是在中文，因為一九五二年的時候有一個院系調整，把一些師資相對的集中，因此各個院校都有一個強項，其中比較優秀的中文師資，都放在南京師範學院，所以南師中文系在當時算是陣容比較堅強的；另外一個是徐州師範學院，他們是以語言見長。

當時因為可以改志願，我就聽從校長的建議把第一志願改為南京師範學院，並且被中文系錄取。現在想起來。我雖然不相信命運，但有的時候命運這種事情還真是說不清楚，因為有很多比如說老三屆的，還有我們先後的同學，有很多高中畢業就留在中學教書，但是他們很多第一年都沒有考取。我記得大概一個鄉（原來叫公社）二十四個人參加複試，包括大學、大專和中專，後來真正上本科的只有我一個，所以在鄉裡實際上只有我唯一一個人考上本科，所謂本科就是四年制的大學，大專以上。

林：趙先生當時怎麼會想考中文系？

趙：我的想法其實非常簡單，因為我中學的時候就是非常喜歡看武俠小說的，還有那些歷史演義小說我也非常喜歡，包括紅樓夢等等，都非常吸引人，而且中文不像數學或物理化學，容易忘得比較澈底。雖然高中裡面各科成績也都還可以，但是因為兩年多的勞動，數理化基本上已經忘得光光了，所以沒有別的選擇，也只有報考中文系了。

林：趙先生是不是家學淵源，要不然您家裡怎麼會有那麼多書？

趙：不是我們家的，在公社的鎮上，還是有一些知識分子，有一些書，主要是跟人家借來讀的，我家裡基本上沒有什麼書，但我父親還算有一點文化，大概是高小畢業，他們那一輩人，高小畢業也算是有點文化。

二、南京師範大學文學院的體制
以及學術環境的觀察

林：那麼大學畢業之後？

趙：大學畢業之後倒是非常的順利，就留在南京師範學院中文系當助教了。一開始留下來的時候並不在教研室，而是編辭典，我們編了一套《漢語大辭典》，當時是五省一市，華東地區合作的一個項目，南京師範大學是由一群先生參加的。

林：那是分開來編的嗎？例如虞萬里先生曾說他也編過？

趙：沒有錯。那是分部首，跟著單位分，我們是分得比較後面的部首，比如說黑部、麻部、龍部、黃部、鼓部、鼎部這一些，諸如此類。剛開始我是幫一些老

先生查資料，排卡片，因為詞典規模龐大，有時一個詞頭（比如說龍部）可能有幾千條，所以卡片要按照順序排，我就做這個工作，然後幫他們查書、借書，後來也編了大概幾百條，辭典編完之後，就轉到當時已經成立的古文獻專業，是南京師範大學古文獻專業。（林：跟中文系的關係是什麼？）答：實際上他是屬於中文系的，雖然不是一個專業，但也在中文系裡面。

林：古文獻專業後來是不是獨立為古文獻研究所？

趙：古文獻所是另外一個，古文獻所的全稱是「古文獻整理研究所」，跟我們專業還不一樣，文獻所目前由鍾振振先生任所長。我們的古文獻專業主要是培養本科生，因為經過文化大革命之後，古籍整理這一塊相對比較薄弱，當時中央的一位元老陳雲先生提倡加強古文獻整理研究、人才的培養、機構的建設，在他的倡議下，全國的高校成立了好多古籍研究所。現在大陸大概有八十八家古籍研究的機構，由全國高校古委會直接領導的大概有二十四、五家，另外還成立了四個本科教學的專業，一個是最早的北京大學，差不多五〇年代就有，到了八三年又增加了三所學校，也成立了古文獻專業，一個是杭州大學，也就是現在的浙江大學（當時還沒有合併），一個是南京師範學院，還有一個是上海師範大學，這些學校都有古文獻專業。

我求學的經歷差不多就是這樣，當然後來還讀了博士（問：碩士呢？）答：碩士沒有讀過（問：真的？），我畢業以後就留校了，當時我的想法很簡單，就是不一定要讀學位才能做學問，反正我已經有這個條件在大學工作了；另外一方面，我畢業之後，外語幾乎荒廢了，我學的俄語用處也不大。我們從農村來的孩子，對外語的認識當時還不是很清楚，所以讀大學的時候，應付考試過關就算了，學校裡助教升講師，講師升副教授，副教授升教授，都要考外語，但是都是複習一下，考完就算了，作為敲門磚而已，一方面外語也不想花很大的力氣去攻他，所以也就沒有讀學位，後來因為最後一次要評教授，外語的要求也愈來愈高，有一年的暑假，我就花了比較多的時間複習俄語，大概是120分滿分的外語，結果我考得還不錯，考了112分，後來就有人建議我，既然花了這個時間，為什麼不考一個博士呢？因為當時對於學歷的要求是愈來愈高了，愈來愈提倡讀學位。

　　事實上我讀博士時，已經被正式評定為教授了，我九五年的七月被評為教授，同時五、六月份我考了博士，我所攻讀的雖然是先秦兩漢這個階段，但當時並沒有這方面的先生，因為博士班的名稱是「中國古典文學」，所以每一位導師都可以招生，於是我就跟陳美林先生商量，陳先生是研究《儒林外史》和元明清的小說、戲劇的，是一位著名的學者，當時就和他商量，我考他的，但是我希望我的研究方向還是放在先秦兩漢，陳先生也同意，於是我就讀了一個中國古典文學的博士學位。

林：我很想了解一下，讀的是古文獻專業嗎？

趙：是中國古典文學。

林：當時有哪些老師，開了些什麼課？

趙：主要還是自己讀書，學校是開了一點課，不過一方面因為我已經有教授資格，另一方面跟導師的研究方向也不完全一致，我一方面要工作要上課，事實上我可能不是一個很好的學生，有些課沒有全去聽。

三、求學期間影響治學態度的師長

林：當時南師大的老師有哪些是比較專業有成就的。

趙：當時南京師範大學中文系的師資力量非常強，號稱有十大教授。以古代文學來說，研究《戰國策》、先秦諸子的有諸祖耿先生（1899－1989），他有《戰國策集注匯考》。他也是章太炎先生的學生，章太炎先生晚年的演講，都是由他跟另外幾位先生整理、出版的；另外還有章太炎先生的弟子徐復先生（1912－2006），他是研究小學、訓詁的專家。有許多著作，例如《秦會要訂補》、許多種語言文字的專著、還有章太炎先生的《訄書詳注》，好像送給林先生過的（林：有，有《訄書詳注》）（問：他的「復」有時候是不是大陸簡體字，沒有雙人旁，那正確的是不是應該要加「雙人旁」？答：如果是繁體字是有雙人旁，簡化字沒有雙人旁，也是正確的）。另外還有錢玄先生（1910－1999），錢先生是黃侃先生的弟子，他是小學專家，後來成為禮學大師，後來他八十歲退休以後，留下來一些重要的著作，例如《三禮通論》、《三禮辭典》、《三禮名物通釋》、還有《校讎學》等；研究唐代文學非常有名的則是唐圭璋先生

（1901－1990），以及孫望先生（1912－1990），經學研究則有非常重要的學者段熙仲先生（1897－1987），段先生林先生是知道的。這些學者造就南京師範學院中文系相當強大的力量。

林：這些老師跟趙先生應該算是師友之間吧？

趙：不，他們都是老前輩，都是我的師長，在大學給我上過課的有徐復先生、錢玄先生、諸祖耿先生。諸祖耿先生講先秦學術概論，老先生當時白內障很嚴重，已經看不到了，他差不多都記得，黑板上的板書差不多都是他背出來的，功夫非常好。徐先生和錢先生也上過我好多門課，像是「古代漢語」、「說文解字」，其他的一些課程，因為是同一個專業，我也經常去請教徐、錢兩位先生。其他幾位像段老、唐先生，沒給我上過課，但我們都聽到過他們的講座。除了這些老師，還有一位先生我想提一下，就是談鳳樑先生。他當過我的班主任，而且給我們上過幾門課，「先秦兩漢文學」、「魏晉南北朝文學」。談先生上起課來特別生動，能夠吸引人的興趣，而且他非常地投入，比如他給我們上《史記》的時候，他就成立了課外興趣小組，讓我們有興趣去讀一些書，然後他還組織討論、交流心得、寫文章，我對古代文史的興趣跟他的引導也有很大的關係，我開始研究比較多的是《史記》，就是因為有一個《史記》的課外興趣小組，寫了文章受到他的鼓勵，最後我的大學畢業論文也是寫《史記》，那時候我寫了一篇文章到現在還記得就是〈司馬談作史考〉。我認為《史記》是司馬談開始作起的，最後還在全年級交流，這是一種興趣，同時也是一種初步的成果。

其實對一個初學者來說，成就感也是非常重要的。這也可能影響到一個人的研究方向跟研究興趣。談鳳樑先生後來還當過南京師範大學的校長，可惜已經過世好多年了。

四、經學研究在大陸的發展情形

林：我們都知道經學在文革時期遭遇到很大的打壓，可以這樣講嗎？

趙：這就是一個意識型態的問題。當時覺得這些東西可能沒有用了，（林：認為是封建遺毒）就把它擱到旁邊了。

林：我一直有點納悶，像湯志鈞先生說，周予同家的東西都被拿去燒掉，可能是怕被抄家，所以周予同先生家只剩下一張照片，為什麼要抄家，為什麼研究經學的這麼嚴重。

趙：那個時候我想恐怕是政治上的一種偏見吧，因為年輕人作了些什麼事情，回頭看他們自己也未必清楚。當時說實在我們年紀也很小，貼大字報比較多的時候，我大概也才小學三年級，所以這一段我們也只能瞭解一個大概，就是當時是突出政治的，突出意識型態的，所以一些文化上的東西可能當時覺得是封建的，不合時宜的，於是至少就被冷落了，放到旁邊去了。

林：像大學的中文系、哲學系、歷史系，它們會開經學的專門課程嗎？例如臺灣的中文系，幾乎十三經都開，大陸呢？

趙：那個時代，恐怕不一定會開經學的專門課程。比如說讀《左傳》，可能會被放在「文學」這一類課目中。

林：因為臺灣的中文系跟大陸不一樣。臺灣的中文系基本上應該算中國文化學系，經、史、子、集都讀的，大陸的中文系是只有讀集部的東西。

趙：實際上現在已經恢復了，比如說《詩經》。

林：但是還是把它當文學作品來看吧。

趙：不過它在當文學作品讀的時候，也不可能不涉及到經學的基本問題。

林：把它當經學讀，跟當文學讀，有一段差距。

趙：對，放在古代文學裡面是不一樣的，不過在我所在的系，就是古文獻系，那就是完全從經學的路子在讀。有的選本他從歷史的角度寫的、從中文的角度寫的，他可能就不注意把《左傳》跟《經》文對照，甚至於有的把有關書法含意什麼東西刪掉了，譬如說隱公元年，「鄭伯克段於鄢」最後有一段，書曰如何如何，不是有一段解說嗎？有的《左傳選》可能就把它刪掉不用，但我講《左傳》是非常強調這個東西。還有時時把《左傳》和《春秋》聯繫起來對照著看，所以我們教學的路子是從「文獻」學的角度來著手，事實上文獻學的角度，路子其實已經和經學非常接近了（林：蠻全面性的）趙：是的。

林：現在由趙先生您所負責的文獻學系，開了多少經學的課程？是選讀呢？還是必修？

趙：經學的課程，在本系分兩個層次，一個是本科生的課，我們的「專書導讀」裡面有一些是屬於經學的課，譬如說有「《詩經》導讀」，完全就是讀《詩經》。（林：那是開多少學分？）趙：一個學期三個學分，三節課。另外還有《左傳導讀》，我一直是在開這個課程，完全是屬於經學。另一層次是研究生，他們還有選修課，選擇性就更多了，最近幾年，在碩、博士我們開了很多經學的課，我是開了「《左傳》會讀」，方向東先生開了「《周易》會讀」，另外像王鍔先生在上一個「禮學概論」，他本來在蘭州，近年調到南京師範大學，這些課程都跟經典有關，由此看來，我們經學的師資可說相當集中，除了我們三人，另外還有一位北京大學中國古典文獻學博士楊新勛，他作的是宋代的經學研究，還有一位是劉立志先生，他博士論文研究的是《詩經》，所以還是有相當多的師資。

林：能不能這樣說，大陸經學的逐漸復興，是古文獻學系推動出來的？

趙：恐怕不能這樣講。我想主要還是國家意識到傳統文化經典的重要性。

林：這一點當然沒話講，那是誰來推動？應該只有古文獻學系吧，中文學系應該還是不讀這一些吧？

趙：對，主要還是前面我所說的，成立了八十幾家古籍研究所。

林：古籍研究所跟古文獻學系的區別在哪裡？

趙：古籍研究所相當於你們中央研究院各個專門的研究部門，當然沒有你們的規格層次高，但是，它是專門研究古籍的，其中有一部分人也在研究經典。試想，有八十幾個學校都有古籍研究所，這是一股相當大的力量。另外有四家古文獻專業，那也是一種力量，而且也不斷地培養後續的人才出來，而且古典文獻學現在是一個二級學科，所謂一級學科是指中國語言文學，這是一個大的學科，大的學科之下再有分支，分成若干小的，譬如說文獻學、語言學、還有古代文學、現當代文學、文字學等等，二級學科大概有七、八個。中文系的古文獻專業事實上也有一部分是在研究經典的，事實上在歷史學科的二級學科裡，比如說有一個「歷史文獻」，有一些人把經典視為歷史文獻，那個二級學科也有一些人在研究跟經典相關的東西。

林：那您的文獻學系在國內算是大學本科嗎？有多少文獻學系？

趙：對，算是大學本科，我們每年都招生，前面我已經講了有四所：北京大學、浙江大學、南京師範大學和上海師範大學。

林：所謂文獻專業就是文獻學系？

趙：各個學校不一樣。像我們是成立了「系」，有的學校還沒有成立「系」。像北大是最早最老牌的，但還沒有成立文獻學系，但實質沒有變化。

林：中文系就是文學院？

趙：原來的中文系，後來變成了文學院。

林：每個學校都這樣嗎？

趙：很多學校都這樣。

林：所以歷史系、音樂系等等都不在文學院？

趙：是的，所以我覺得這意義不大。

林：如果以南京師範大學為例的話，師資是蠻堅強的，那學生到底有多少人？

趙：我們每年都招生，但人數不完全相等，以文獻學系來說，人數最多的招過二十八個，最少的也招過十個，現在穩定在二十個左右。

林：本科畢業要寫畢業論文嗎？大約要寫多少字？

趙：對。本科生我們要求在六七千字。

林：文獻學系大學畢業之後，他們的出路如何？

趙：到什麼單位的都有，有的繼續讀碩士、博士，有的到圖書館服務，有的到學校任教，甚至經商的都有。

林：如果是以大陸的古籍所來說，以前章培恆先生曾經告訴我，常都只能招到一個或兩個學生？

趙：我們招生倒沒有問題，可能指的是碩、博士的招生。不過我們的情況比較好一些，因為我們是自己培養自己本科生，本科畢業以後有一部分是要考碩士，我們中國古典文獻學有單獨的「碩士點」、「博士點」。

林：那老師是不是也到鍾振振的古籍所教書？

趙：他們不招本科生，博碩士生也不是單獨招生，鍾振振先生是在中國古代文學那邊招生。

林：那麼古籍所是在作什麼？

趙：古籍所實際上原本成員非常多，因為學校壓縮了編制，所以這幾年人比較少。

林：將來會裁撤掉嗎？

趙：在看得見的將來應該還不會裁撤掉，但是編制會縮減。

林：但是作用有限不是嗎？已經被你們取代了？

趙：有這樣的機構，還是有一些作用，即使是人數少一些。

五、從《史記》到《左傳》研究

林：趙先生您最早是先研究《史記》，後來再進入《春秋》、《左傳》，你覺得這兩者有相輔相成的作用吧，因為他們記載的東西有一些是相重疊。

趙：對，《史記》這一部書和《左傳》有很多相關的地方，比如寫的都是春秋時代的一些史實，是可以互相印證的，從史實、從語言，還有從史學的角度，比如說，編年體的體例，還有紀傳體的體例，他們的體制不同，取捨的重點不同，實際上有很多很多的聯繫在裡面。當然也有相互獨立的的地方，因為《史記》是一部通史，兩千三百年的歷史，春秋時期只是其中的一部分，所以還是有很多不相關的部分，即使都是談春秋時期，也有詳略的區別，取捨的不同，所以可以說既有他們獨立的一面，也有相互關聯的一面。我總覺得，這兩部書，同時看的話，會有很多很多的好處，比如說先讀《史記》再來看《左傳》，或者是先讀《左傳》，再來看《史記》，或者乾脆就把它們經常對照起來讀的話，會發現很多很多的問題，也會解決一些疑難的問題，同時也會發現今後還可以進一步研究的，有待解決的問題。

林：就「史」這個觀點來看的話，當然兩本書都是史書，但是我想，兩本書的研究方法應該有不同的地方。

趙：研究的目標不同，可能方法也會有所不同。你研究的時候必須要選擇一個角度。如果從經學的方向來研究《左傳》的話，就跟史學不大一樣，因為經學有一些經學的基本問題，需要你關注的材料。研究《史記》，也有一些重要的方面需要去關注，或者有你自己相對來說比較感興趣的問題。比如說，《史記》的一些材料，一些記載，可能跟經學研究也是有關連，例如有關《左傳》的一些基本問題，《左傳》是怎麼成書的，它的性質是怎麼樣，在什麼樣的背景下

成書的，有關左丘明跟孔子的關係等等，在《史記》裡面也有一些有用的材料。像《史記》裡面有「孔子世家」，「仲尼弟子列傳」、「儒林列傳」有很多相關的資料，可能跟儒學研究是有關係的，還有一些材料是直接跟經學有關係的，比如說《史記》裡對《公羊》學的採用，和《公羊》學的關係，另外就司馬遷的師承來說，他可能向董仲舒學過《春秋》的學問，所以《公羊》學對他的影響應該是不小的；你看〈太史公自序〉裏一大段的話講《春秋》大義，實際上是受了《公羊》學的影響。司馬遷要效法孔子作《春秋》作一部《史記》，從他的命義和一些具體的東西，甚至從體例上，應該還是有相當大的一些影響。我寫過一篇文章：〈論孔子對《史記》的影響〉，實際上還是有很多很多的影響，所以我覺得是相輔相成、互相影響。

六、進入《春秋》經傳的研究領域

《春秋》經傳的研究實際上比較集中的是從我讀博士的時候開始的。就是因為要直接寫一篇博士論文，也算是比較外在的動力，實際上比較早的時候我已經關注《春秋》經傳的研究，前面在介紹的時候，有一位先生我沒有提到，是皇甫煃先生，因為他年紀相對來說小一些，他是最早給我們古文獻專業上「《左傳》導讀」這一門課的，我認真聽了一遍，他在講概論的時候，有牽涉到一些基本的文獻的問題，經學的問題，比如說「《春秋》的作者」、「《左傳》和《春秋》的關係」、「《左傳》的性質」，和其他一些比較具體的問題。當時我就有興趣了，而且把《左傳》認真翻了一遍，作了一些分類的資料摘編的工作，整理出好幾張卡片，當時實際上還動筆寫了提綱，想寫這方面的論文。不過當時感到問題太複雜，很多人都有研究，自己覺得頭緒一時還沒有釐清，所以這件事情就擱置下來沒有寫成論文。大概是到一九八四年左右，我開始寫兩篇論文，一篇是〈論孔子作《春秋》〉，一篇是〈論《左傳》為《春秋》之傳〉，這兩篇文章也很巧，大約都是兩萬一千字左右，寫完了以後我就投稿到中華書局的《文史》。《文史》當時出版很不正常，有時候一年都沒有一期，所以像我這樣的兩篇比較長的文章，他們雖然覺得還不錯可以用，一直等到九〇年代，我實在是等不下去了，因為寫這兩篇文章的時候我還是助教，

一直到評教授，我都沒能用上這兩篇文章。我後來到北京去就把其中的第二篇要回來了，就是〈論《左傳》為《春秋》之傳〉，當時他們的編輯還把沈玉成先生的審稿意見給我，他說本來是準備要兩篇文章一起推出，後來我說，我先拿一篇出去發吧，後來就刊登在《中國典籍與文化論叢》。另外一篇我就等，一直等到大概是一九九八年，才在《文史》發表，一九八六年寄去，前後總共大概十三年的時間。到現在沈先生的審稿意見我還保留著。所以研究非常不容易，一方面是他文章本身就難寫，另外發表又要經過這麼長的週期，說實在的，當時我的耐心已經是夠好的了。幸好我們這個研究還不那麼容易過時，否則過了十幾年早就毫無價值了。

近年來比較集中在作《春秋》經傳研究的題目，後來出了一本書叫做《春秋經傳研究》。文章實際上在各個地方都發表了，包括林先生的刊物（《經學研究論叢》）、在《孔孟學報》發表了三篇，另外如《中華文史論叢》和學報等其他刊物，基本上那一本書的文章全部都刊出來了，後來又單獨寫過幾篇文章，比如〈春秋大義的衍生與失落〉，二○○一年九月份參加臺灣政治大學所主辦的「儒學與二十一世紀國際學術研討會」我寫了一篇比較長的文章：〈論《公》《穀》解經不明史實之弊〉，有幾萬字，分十個部分，後來他們出了論文集。另外還寫過一些零星的文章，有一篇文章就是我這一次到貴所報告的論文的一部分，就是〈漢代《公羊傳》和今本之差異〉，三、四千字，去年在《孔孟月刊》發表。這次到中央研究院來訪問，要做一個專題演講，就是我帶來的這篇論文，在這之前我還寫過一篇比較大的論文：〈《公》《穀》傳聞異辭考〉，近年大概就寫過這些文章。

現在有兩個比較大的項目，是我近幾年一直在做的，一個就是《春秋左傳新注》。這是陝西人民出版社所策畫的「中國六大史學名著叢書」（新注），其中的四部已經出來了：《史記》、《漢書》、《三國志》、《資治通鑑》，還有一個《後漢書》，和《左傳》，《左傳》是最後一個找到我的，前面的書事實上已經出版若干年了。我這幾年是非常集中在做這一件事情，幾乎不做其他的事情，到目前為止注釋已經完成了，另外前面是加了一個很長的〈導論〉，大約有二十幾萬字，實際上就是把我《春秋》經傳研究的幾個主要內容

寫進去，供讀者參考。本書編排出來大約有一百多萬字（編案：《春秋左傳新注》已在二○○八年三月由陝西人民出版社出版）。

　　同時，因為要作注，也就發現他的很多問題，訓詁方面的，史實方面的，體例方面的，和一些相關的問題。我一邊在修改注釋的同時，一邊在寫另外一本書。現在電腦的統計差不多有二十萬字，排版出來恐怕有將近三十萬字。將來書名可能會叫做《左傳疑義新證》。將一些有爭議的問題，我有一些自己的看法吧，大約已經寫了好幾百條，今天上午我還借了幾本書，可能會發現更多的問題。

　　至於為什麼把《左傳》作為研究的重心，實際上我對研究與教學是聯繫在一起的，比如說我研究的兩個方向，一個是《史記》，一個是《左傳》，而我多年來都在上這兩門課。就是《史記導讀》（還有《漢書導讀》），以及《左傳導讀》。至少也有十幾年了，由於教學所需，自己也要不斷研習，比如說我這兩年一直在作注和訓詁研究，也有很大的關係，一方面是研究的需要興趣，一方面也是教學的需要。比如說《左傳》我們一直沒有一部非常合適的本子作為教材，作為一個專門的課程，像楊伯峻先生的注釋非常地詳細，但他是正文跟注文加在一起，讀起來就很不方便，讀了上句說不定就掉了下句，掉了兩句說不定都有可能。我需要一本比較適合的教材，現在我是注與正文完全分開，一件事情三千字，我就連在一起，後面注，他們也同意，否則的話，讀起來也很不方便。所以當時我跟出版社簽約時，我告訴他們，我只有兩個目的，一是我非常仔細澈底地把《左傳》讀上若干遍。可以說下了大決心，我也可以很方便地去網路下載原文來校對一下，但是我沒有這樣做，我是一個字一個字輸入電腦，雖然非常慢，但好處是，記憶比較深刻一些，然後自己再作注、再來校，如此反覆地讀反覆地修改，我想這都是一個非常好的學習的過程。就是對於熟悉文獻、原典，是很要緊的。還有一個就是要幫學生找一個比較好的教材，南京師範大學的教材申報的時候，我報的兩個教材，一個是「《史記》導讀」一個是「《左傳》導讀」。將來我在出一個全本注釋的同時，還會再出一個適合我們作教材的選本，外加上一個導論。所以選擇這一個方向，我想這是教學和科研兩方面結合起來的考慮。

七、對臺灣經學界的觀察心得

林：趙先生已經來臺灣好幾次了，應該也算是對臺灣的經學界有一些了解，我想請教趙先生對臺灣的一些觀察和印象，也許可以作為我們改進的參考。

趙：總的來說，臺灣的經學，乃至整個的傳統文化，到目前為止，應該說還是保留得非常好。書店裡的書琳瑯滿目，這個方面我想大陸也會非常重視，研究經學的人愈來愈多，應該也是我們認識到了傳統文化的重要性。實際上傳統文化對一個民族來說，我認為是一種核心的凝聚力。我們現在大陸的中國人民大學，成立了一個國學院，另外我們在規畫一個非常非常大的項目，是《儒藏》的編纂，準備重新排版。有專門的機構，專門的班底，投入龐大的經費，北京大學也準備把博碩士的培養與這個項目結合起來。像人民大學也有專門研究這方面的學生。我覺得臺灣與大陸將來如果可以加強交流的話，其實可以起到一個非常好的互相促進的作用。

中研院文哲所也是一個非常重要的經學研究的中心。上午我到書庫裡面，資料的齊全，就非常難得，可以說是世界上比較重要的資料中心跟研究中心，有這麼好的資料庫的條件，有這麼優秀的學者在進行專門的研究，大陸將來應該也會逐步形成這樣的風氣，逐步形成這樣的研究中心。比如說北京大學，為了編纂《儒藏》，就要有一批人，有建置，在整理的過程中可能也可以儲備出一批後輩人才。一個民族如果對自己傳統文化不重視的話，我想總是不正常的，傳統文化一定會進一步地受到重視，所以我想經學研究應該是前途非常光明的，因為不管怎麼說，中國的經學和中國的傳統學術，是緊密聯繫在一起的，中國的思想、文化，如果離開了經學，就有點不可思議。所以我想將來必然會受到更多的重視，一定會更加的興盛起來吧。

八、關心兩岸傳統文化學術交流

林：趙先生來參加過好多次學術會議，對臺灣辦經學會議或相關的學術會議有什麼特別的感想？

趙：關於這一點我的感想還是很深的。以經學研究的專門會議來說，實際上，在大

陸，若干年前是很少的，甚至有一段時間經學是不被人們所關注的，臺灣這方面，我幾次來，都是跟經學相關，其中三次的會議，本身就是跟經學有關，像二○○一年下半年政治大學就舉辦「孔學與二十一世紀國際學術研討會」，二○○四年十一月是佛光大學《春秋》學的一個國際研討會，這次又到中央研究院來，以「經典與文化的形成」這樣一個題目。林先生也指明要講《春秋》《三傳》。我想也是跟經文有關係。巧合的是，二○○一年上半年來海峽兩岸的一個古籍整理研討會，我寫的是〈《春秋》大義的衍生與失落〉，所以我幾次來臺灣實際上我的題目都是以經學為主。包括這次到臺灣大學要作的演講，實際上也是一個經學研究的題目，講《左傳》的訓詁問題，所以我想臺灣在這方面會議的重視是顯而易見的，會議非常多，而且規格也比較高，這一方面過去在大陸一段時期來說是相對落後的，近年來情況已有變化，例如二○○四年北京清華大學開過一次研討會，是與貴所合辦的；二○○五年十一月份又要開一個比較大型的經學研討會。（林：跟新加坡大學合作的，新加坡大學的勞悅強跟他們合作），清華也成立了一個經學研究中心，彭林先生也要辦刊物。二○○四年我還參加了一個跟儒學有關的會議，在馬來西亞吉隆坡舉辦。從目前發展的趨勢來看，兩岸的交流愈來愈多，我想無論是在訊息、資料、學術的切磋、交流，都是非常好的。像我這次來麻煩林先生，解決了這麼多資料的問題，對一個研究者來說，這是非常重要的，沒有資料，實在很難作研究。將來如果我們古文獻專業的同仁，出了著作，我們也一定會跟林先生這裡交流。將來也希望林先生多多地支持我們古文獻專業，因為有許多位老師也有研究經學方面的問題。

林：我們也樂見大陸研究經學的人愈來愈多。當我一九八八年去作考察的時候，經學的氣象跟現在完全不一樣。現在我們有一個理想就是，作「經典與文化的形成」這個計畫時，順便把國外的一些屬於經典形成、經典詮釋、經典流傳這幾個主題的書翻譯成中文，這樣的話跟世界各地的經學家或漢學家來往就會更密切。所以我們也希望能夠把世界各地近年出版的經學著作都能夠蒐集過來，翻譯本、論述性的都蒐集到。

附錄：趙生群教授論著要目

甲、專著

太史公書研究　西安市　陝西人民出版社　1994 年 6 月

《史記》文獻學叢稿　南京市　江蘇古籍出版社　2000 年 1 月

春秋經傳研究　上海市　上海古籍出版社　2000 年 6 月

《史記》編纂學導論　南京市　鳳凰出版社　2006 年 11 月

春秋左傳新注（全二冊）　西安市　陝西人民出版社　2008 年 3 月

乙、論文

司馬談作史考　南京師院學報　1982 年第 2 期

關於《史記》的兩個斷限　蘭州大學學報　1983 年第 2 期

《詩經》時代逸詩三題　南京師大學報　1983 年第 4 期

《史記》取材于諸侯史記　人文雜誌　1984 年第 2 期

論司馬談創《史記》五體　南京師大學報　1984 年第 2 期

《史記》的體例與褒貶　人文雜誌　1985 年第 3 期

《史記》與《春秋》　蘭州大學學報　1986 年第 4 期

論孔子對《史記》的影響　古文獻研究文集　第 1 輯　南京師範大學中文系文獻專
　　案　1986 年 11 月

《史記》太初以後記事考　南京師大學報　1987 年第 2 期

揚馬辭賦諷諫論　文史哲　1987 年第 3 期

西漢樂府考略　中國音樂學　1988 年第 1 期

太史公為官名新證　南京師大學報　1988 年第 3 期

論孔子刪詩　古文獻研究文集　第 2 輯　南京師範大學學報編輯部　1988 年 12 月

讀《漢書·諸侯王表》札記　文教資料　1988 年第 6 期

讀《漢書·外戚恩澤侯表》札記　古籍整理研究學刊　1989 年第 1 期

《史記》校讀札記　漢中師院學報　1989 年第 4 期

論《史記》與《戰國策》的關係　南京師大學報　1990 年第 1 期

讀《漢書·景武昭宣元成功臣表》札記　歷史文獻研究　北京新 1 輯（總第 9 輯）

　　1990 年 8 月

《史記》太初以後記事特徵初探　南京師大學報　1992 年第 1 期

《漢書》校讀札記　歷史文獻研究　北京新 3 輯（總第 11 輯）　1992 年 7 月

司馬遷生年研究綜述　文教資料　1993 年第 2 期

《史記》體例平議（上）　南京師大學報　1993 年 3 期　1993 年 9 月

《史記》體例平議（下）　南京師大學報　1994 年 2 期　1994 年 3 月

讀《漢書・高惠高後文功臣表》札記　歷史文獻研究　北京新 5 輯（總第 13 輯）

　　1994 年 9 月

論《史記》的述史構架　《司馬遷與史記論集》　西安市　陝西人民出版社　1994

　　年 9 月

九品中正制的歷史發展　（韓國）翰林大學魏晉社會思想研究特輯　1995 年 12 月

《史記》標題論　（臺灣）大陸雜誌　第 93 卷第 1 期　1996 年 7 月

司馬遷所見書新考　南京師大學報　1996 年第 2 期

司馬遷所見《孫子兵法》《新語》考　《司馬遷與史記研究論集》　西安市　陝西

　　人民出版社　1996 年 10 月

論《左傳》為《春秋》之傳　中國典籍與文化論叢　第 4 輯　1997 年 12 月

論《左傳》無經之傳　（臺灣）孔孟學報　第 76 期　1998 年 9 月

《左傳》有經無傳辨　南京師大學報　1998 年第 4 期　1998 年 10 月

《左傳》記事不合史法論　文教資料　1998 年第 3 期

論孔子作《春秋》　文史　第 47 輯　1999 年第 2 期

論三傳不書之例　（臺灣）《經學研究論叢》　第 7 輯　臺北市　臺灣學生書局

　　1999 年 9 月

略論《左傳》事實與解經之關係　歷史文獻研究　總第 18 輯　1999 年 9 月

司馬遷生年新考　文教資料　1999 年第 6 期

從《正義》佚文考定司馬遷生年　光明日報　2000 年 3 月 3 日

《左傳》敍事意在解經　歷史文獻研究　總第 19 輯　2000 年 6 月

三傳以事解經比較　南京師大學報　2000 年第 4 期

《左傳》解經特徵論　（臺灣）孔孟學報　第 79 期　2000 年 9 月

司馬遷生於建元六年考　蘇東學刊　2000 年 9 月

試論九品中正制的發展與蛻變　南京中醫藥大學學報　2000 年 11 月

司馬遷生年及相關問題考辨　南京師大學報　2001 年第 4 期

論《春秋》大義存乎事實　（臺灣）孔孟學報　第 79 期　2001 年 9 月

如何對待《史記》中的抵牾與疏略　重慶教育學院學報　2002 年 7 月

《太史公行年考》商榷　（臺灣）中國文哲研究通訊　第 12 卷第 3 期（總第 47
　　期）　2002 年 9 月

《報任安書》的文獻價值　南京師大學報　2002 年第 6 期

《玉海》中一條《博物志》佚文的文獻價值　海峽兩岸古典文獻學學術研究論文集
　　上海市　上海古籍出版社　2002 年 12 月

《春秋》經義的衍生與失落　（臺灣）經學研究論叢　第 11 輯　臺北市　臺灣學
　　生書局　2003 年 6 月

《公羊傳》的流傳與異變　《孔學論文集》（三）　2003 年 8 月；第一屆儒學國
　　際學術研討會論文集（下冊）（馬來西亞吉隆玻）

漢代《公羊》說與今本之差異　（臺灣）孔孟月刊　第 42 卷第 3 期（總第 495
　　期）　2003 年 11 月

司馬遷行年新考　安大史學　第 1 輯　2004 年 8 月

董仲舒對策時間考　《史記論叢》第一輯　北京市　華文出版社　2004 年 8 月

談談經學與古文獻研究的關係　河南師範大學學報　2005 年 3 月

《左傳》志疑　中國典籍與文化　2005 年 2 期　2005 年 4 月

《左傳》志疑（二）　中國典籍與文化　2005 年 4 期　2005 年 10 月

《左傳》疑義新證（昭公篇）　中國經學　第 1 輯　桂林市　廣西師大出版社
　　2005 年 11 月

皮錫瑞的經學立場與《春秋學》研究　清代經學與文化　北京市　北京大學出版社
　　2005 年 11 月

《左傳》疑義新證（襄公篇）　南京師範大學文學院學報　2005 年 12 月

《左傳》疑義新探（僖公以前）　古籍研究　2005・卷下（總第 48 期）　2005 年
　　12 月

《左傳》疑義新探（僖公篇）　古籍整理與研究學刊　2006 年 1 月

《左傳》志疑（三）　中國典籍與文化　2006 年 1 期　2006 年 2 月

《公羊傳》的流傳與異變　南京大學國際會議論文集　2006 年 1 月

《左傳》志疑（四）　中國典籍與文化　2006 年 2 期　2006 年 5 月

《世本》　中國史學名著評介　濟南市　山東教育出版社　2006 年 2 月

論《左傳》非史　安大史學　合肥市　安徽大學出版社　2006 年 5 月

校點本《史記》正文校議　文史　2006 年第 3 輯　2006 年 8 月

《史記》疑義新證（本紀上）　中國滎陽楚漢戰爭學術研討會暨中國史記研究會第
　　五屆年會論文集　西安市　陝西人民教育出版社　2006 年 8 月

《左傳》訓詁叢札　南京師大學報　2006 年 5 期　2006 年 9 月

《左傳》志疑（五）　中國典籍與文化　2006 年 4 期　2006 年 11 月

《左傳》「哀公篇」疑義新證　傳統中國研究集刊　第 2 輯　上海市　上海人民出
　　版社　2006 年 12 月

《戰國縱橫家書》所載「蘇秦事蹟」不可信　浙江師範大學學報（社會科學版）
　　第 1 期　2007 年 2 月

《國語》疑義新證　古籍整理研究學刊　2007 年 3 月

《左傳志疑》（六）　中國典籍與文化　2007 年 2 期　2007 年 4 月

關於出土文獻與傳世文獻關係的幾點看法　新出土文獻與先秦思想重構　臺北市
　　臺灣書房　2007 年 8 月

敦煌寫本《春秋左氏傳》校讀札記　轉型期的敦煌學　上海市　上海古籍出版社
　　2007 年 11 月

《左傳》疑義新證　大連圖書館百年紀念學術論文集　上冊　瀋陽市　萬卷出版公
　　司　2007 年 11 月

經典的傳播與歧異　經典的形成、流傳與詮釋　頁 351－374　臺北市　臺灣學生
　　書局　2007 年 11 月

《左傳》「哀公篇」疑義新證（續）　傳統中國研究集刊　第 4 輯　上海市　上海
　　人民出版社　2008 年 1 月

《太史公書》由子入史考平議　文史哲　2008 年第 2 期　2008 年 3 月

《史記》三家注稱引《漢書》考校　浙江師範大學學報　2009 年 2 期

點校本《史記》三家注稱引《漢書》考校　南京師大學報　2009 年 2 期

丙、主編

古文獻研究集刊　第 1 輯　南京市　鳳凰出版社　2007 年

古文獻研究集刊　第 2 輯　南京市　鳳凰出版社　2008 年

《史記》論叢　第 4 輯　蘭州市　甘肅人民出版社　2008 年

經 學 研 究 論 叢
第 十 七 輯　　頁333～372
臺灣學生書局　2009 年 12 月

《水經注》引《竹書紀年》
「同惠王子多父伐鄶克之」條考辨

邵 東 方*

一

　　後魏酈道元（字善長，470－527）撰《水經注》屢引原本《竹書紀年》以釋經文。其中〈洧水注〉所引《竹書紀年》條，為研究此書一公案。今存傳本中此條引文見於《永樂大典》卷 11135 所錄古本（據宋槧善本）《水經九》卷二十二：洧水「又東過鄭縣南，潧水從西北來注之。」❶其下有酈氏注云：

　　　　洧水舊東涇新鄭故城中。《左傳》：襄公元年，晉韓厥帥諸侯伐鄭，入其
　　　　郭，敗其徒兵於洧上。是也。《竹書紀年》：晉文侯二年，同惠王子多父伐
　　　　鄶，克之。乃居鄭父之丘，名之曰鄭，是曰桓公。❷

---

* 　邵東方，美國史丹福大學東亞圖書館館長。

❶ 　酈道元：《水經注》（揚州市：江蘇廣陵古籍刻印社重印，1998 年），頁 393。原載於《續
　　古逸叢書》43 冊，原本載於《永樂大典》第 12 函，卷 11135（北京市：中華書局，1960
　　年），頁 12。東方按：本篇所引古書，除引標點本（原標點符號形式均保持原貌）外，均由
　　筆者斷句，爰加現代標點符號。文中涉及人物，凡生卒年可查者，均附加之，而在世者除
　　外。行文中方括號〔 〕內之文字為說明文字，由筆者所加，並非原文所有。

❷ 　同前註，頁 393。

　　《水經注》成書於六世紀初，代遠年湮，輾轉傳抄，其間多有史實錯謬、文字脫衍訛舛。宋刊殘本十一卷有奇❸，因失卷二十二而缺前引之文。清中葉前《水經注》各種抄本、刻本，如練湖書院殘本、嘉靖十三年黃省曾（1490－1540）刻本、明萬曆吳琯刊本、朱謀㙔箋本、清康熙五十四年群玉堂刻本、乾隆十八年槐蔭草堂刻本、何焯（1661－1722）、顧廣圻（1770－1839）校明抄本、及王國維（1877－1927）、章炳麟（1869－1936）校明抄本（朱希祖舊藏），均作「同惠王子」，與《永樂大典》本所引同。❹

　　明朱謀㙔《水經注箋》記：

　　　　洧水又東逕新鄭故城中。《左傳》：襄公元年，晉韓厥、荀偃帥諸侯伐鄭，
　　　　入其郛，敗其徒兵於洧上。是也。《竹書紀年》：晉文侯二年，同惠王子多
　　　　父伐鄶，克之。乃居鄭父之丘，名之曰鄭，是曰桓公。❺

朱氏在「惠」字下方有雙行小字注：「一無惠字。」❻朱箋參校諸本，而其所見有無「惠」字本。

　　至有清一代，全祖望（1705－1755）畢生七校酈書。其五校稿本以小山堂趙一清（1711－1764）手抄本為底本，上引條作「《竹書紀年》：晉文侯二年，同王子多父伐鄶，克之」，無「惠」字。❼全氏於五校稿本後題記：「戊午夏杪篁庵病翁

---

❸ 酈道元：《水經注》（中華再造善本）宋刊殘本影印本第 7 冊（北京市：北京圖書館出版
　　社，2003 年）。

❹ 余局處海外，於《水經注》版本聞見寡陋，現存各種《水經注》，多未得觀。有關版本介
　　紹，參觀胡適：〈《水經注》版本展覽目錄〉，載於歐陽哲生編：《胡適集外學術文集》
　　（北京市：北京大學出版社，1998 年），頁 654－669。又見鍾鳳年：〈評我所見的各本水經
　　注〉，《社會科學戰線》1979 年第 2 期，頁 335－347。參見陳橋驛：〈論《水經注》的版
　　本〉，載於氏著：《水經注研究》（天津市：天津古籍出版社，1985 年），頁 366－381。

❺ 朱謀㙔：《水經注箋》（明萬曆四十三年李長庚刻本），載於《四庫未收書輯刊》9 輯 5 冊
　　（北京市：北京出版社，2000 年），頁 34。

❻ 朱謀㙔：《水經注箋》，載於《四庫未收書輯刊》9 輯 5 冊，頁 34。

❼ 全祖望：《全祖望校水經注稿本合編》第 2 冊（北京市：中華全國圖書館文獻縮微複製中

五校畢漫志于首。」❽戊午當是乾隆三年（1737），可見全氏所據為趙氏校定《水經注》之早年清抄本也。趙一清決定書名為《水經注釋》，成書於乾隆十九年（1754），書中此節引文作：「《竹書紀年》：晉文侯二年，同惠王子多父伐鄫，克之。」❾較五校稿本但增一「惠」字，是為小山堂趙氏刻板之定本。然全校、趙注非但未致疑「惠」字之有無，且於「同惠」連屬之義不疑其誤。

　　稍後研治《水經注》學者始注意於〈洧水注〉所引「同惠王子多父伐鄫」句中「同惠」二字之正訛。戴震（1724－1777）校《水經注》引之曰：「《竹書紀年》晉文侯二年，周惠王子多父伐鄫，克之。」下校語云：「案：『周』近刻訛作『同』。」❿古書傳抄流傳，每因形近致誤，故戴震謂「周」字訛作「同」，確有所見。然周惠王時代（公元前 677－前 652 在位）甚遠晚於晉文侯在位年代（前 805－前 746），戴氏實未能釋「周惠王子多父」句之疑。自戴震校本出後，因絕大多數刻本採用戴校本，包括武英殿聚珍版、崇文書局本等皆是也。因戴校本「同惠王」改作「周惠王」，崇禎二年（1629）嚴忍公刻本原本作「同惠王」，而周夢棠、孔廣栻（1755－1799）校本則改為「周惠王」；乾隆十八年黃晟槐蔭草堂刻本原作「同惠王」，孫星衍（1753－1818）校改為「周惠王」。此二例當皆據戴說校改。王先謙（1842－1917）《合校水經注》用武英殿聚珍本為底本，「《竹書紀年》晉文侯二年，周惠王子多父伐鄫」下校語云：

心，1996），頁 1307。王梓材彙錄之《全校水經注》七校本，「同惠」二字已改作「周宣」，見全祖望：《全祖望校水經注稿本合編》第 6 冊，頁 1444－1445。然薛福成刻本作「同惠」，但於「同」字下云：「今按戴作周。」見全祖望：《全氏七校水經注四十卷補遺一卷附錄二卷正誤一卷》，載於《四庫未收書輯刊》2 輯 24 冊，頁 408。參觀謝忠岳：〈全祖望《水經注》的兩個珍貴版本〉，《上海高校圖書情報學刊》1996 年第 3 期，頁 60－63。

❽ 全祖望：《全祖望校水經注稿本合編》第 1 冊，頁 4。

❾ 趙一清：《水經注釋》卷 22，載於《景印文淵閣四庫全書》第 575 冊（臺北市：臺灣商務印書館，1986 年），頁 377。又見《水經注釋》（小山堂東潛趙氏定本，趙德元 1786 刊刻，1794 重修）。

❿ 酈道元撰，戴震校：《水經注》第 7 冊，卷 22（聚珍本），載於《叢書集成》第 3010 冊（北京市：中華書局，1985 年），頁 1158。

官本曰：「按：『周』近刻訛作『同』。」案：朱〔謀㙔〕、趙〔一清〕作「同」。朱〔謀㙔〕《〔水經注〕箋》曰：一無「惠」字。⓫

所謂「官本」者即戴震所校之殿本，因此王校本亦作「周惠王子」。

以上言及者皆係「古本」《竹書紀年》之文。清沈炳巽作《水經注集釋訂譌》（脫稿於 1731 年），始取「今本」《竹書紀年》之文與「古本」《竹書紀年》所引互相校證：

按《竹書紀年》：「周幽王二年，晉文侯同王子多父伐鄶，克之。」注云：「晉文侯元年則二年，乃幽王之二年，非文侯二年也。」亦無「惠」字，「鄶」作「鄫」。⓬

由是論之，「今本」之尤謬者匪特在無「惠」字及易「鄶」為「鄫」，且於「晉文侯」與「王子多父」之間以「同」字為接連之詞，故持「今本」《竹書紀年》所言以互證，自有必要矣。

明范欽（1506－1585）《竹書紀年》訂本卷下「幽王紀」記：

二年辛酉晉文侯元年，涇渭洛竭。岐山崩。初增賦。晉文侯同王子多父伐鄶，克之。乃居鄭父之丘，是為鄭桓公。⓭

明代《竹書紀年》諸本，如吳琯校本、鍾惺（1574－1624）抄本，均作「晉文侯同王子多父伐鄶，克之。」

迨及清代，「今本」《竹書紀年》此條仍是治此書者討論重點之所在。錢穆

⓫　酈道元著，王先謙校：《合校水經注》卷 22（北京市：中華書局影印，2009 年），頁 334。

⓬　沈炳巽：《水經注集釋訂譌》，載於《景印文淵閣四庫全書》第 574 冊（臺北市：臺灣商務印書館，1986 年），頁 387。

⓭　沈約附注，范欽訂：《竹書紀年》卷下，載於《天一閣藏范氏奇書》（北京市：線裝書局，2007 年），頁 16。

（1895－1990）先生嘗以時代分期列舉清人注《竹書紀年》諸家，其言曰：

> 清儒治《紀年》有專著者，覩記所及，凡十六家，十有八種。……其間可分
> 三期：孫〔之騄〕、徐〔文靖〕、任〔啟運〕三家為第一期，大率在雍、乾
> 之間。張〔宗泰〕、陳〔詩〕、鄭〔環〕、趙〔紹祖〕、韓〔怡〕、洪〔頤
> 煊〕、郝〔懿行〕、陳〔逢衡〕、雷〔學淇〕九家為第二期，其著成說皆在
> 嘉慶。林〔春溥〕、朱〔右曾〕、董〔沛〕、王〔國維〕四家為第三期，則
> 在道光以下也。❹

　　茲按錢穆先生之分期，略述清代治《竹書紀年》學者對「今本」中「晉文侯同
王子多父伐鄶，克之，乃居鄭父之丘，是為鄭桓公」句所作考證。

　　第一期學者中徐文靖（1667－1757）著有《竹書紀年統箋》，於此條下特作箋
釋：

> 據《紀年》，桓公時已克鄶，而居于鄭父之丘，故曰鄭桓公。《史記》〈鄭
> 世家〉桓公「卒言王，東徙其民雒東，而虢、鄶果獻十邑，竟國之。」與
> 《紀年》合。韋昭注《國語》，其時未見竹書，故以取十邑為武公也。❺

徐氏以「今本」為據，謂晉文侯與王子多父攻克鄶國，而於《水經注》引文置之不
顧。

　　第二期學者始注意「今本」所載與《水經注》所引《竹書紀年》之異，茲約舉
如次：

　　其一，陳詩《竹書紀年集注》（嘉慶六年（1801）刻書）雖仍明刻「今本」

---

❹ 錢穆：〈略記清代研究竹書紀年諸家〉，載於《錢賓四先生全集》第 22 冊（臺北市：聯經出
版事業公司，1998 年），頁 561－562。

❺ 徐文靖：《竹書紀年統箋》（臺北市：藝文印書館影印光緒三年浙江書局據丹徒徐氏本校刻
本，1966 年），頁 424－425。

《竹書紀年》作「晉文侯同王子多父伐鄶，克之。乃居鄭父之邱，是為桓公」，但亦謂「《水經注》引作晉文侯二年事，『同』作『周』，又有『名之曰鄭』四字。」❶

其二，嘉慶七年（1802）洪頤煊（1765－1833）撰《校正竹書紀年》作：「晉文侯同王子多父伐鄶，克之。」校文云：「〈洧水注〉引無『晉文侯』三字，一本『同』下有『惠』字，『鄶』本作『鄫』，據〈洧水注〉改。」❷

其三，張宗泰（1750－1832）《竹書紀年校補》（錢穆先生考訂張書成於嘉慶七年（1802）之前）據《水經注》所引改近本（即明刻「今本」《竹書紀年》）作：「〔晉文侯〕二年，周厲王子多父伐鄶，克之。乃居鄭父之丘，名之曰鄭，是為桓公。」❸其下校補云：

> 近本「周厲王子」誤作「晉文侯同王子」，無「名之曰鄭」四字，又誤繫於文侯元年。今據《水經》〈洧水注〉所引正之。❹

張氏據《水經注》改正「今本」此條之誤。

其四，韓怡《竹書紀年辨正》（嘉慶十二年（1807）木存堂刊本）「晉文侯同王子多父伐鄶」句下案云：「《水經》〈洧水注〉引作『周厲王子多父伐鄶，克之。乃居鄭父之丘，名之曰鄭，是為桓公。』無『晉文侯同』四字。」❺韓氏不僅言《水經注》所引無「晉文侯同」，且易明刻「今本」《竹書紀年》之「鄶」字為「鄫」字。

其五，郝懿行（1757－1825）《竹書紀年校正》成書於嘉慶十三年（1808）。

---

❶ 陳詩：《竹書紀年集注》（蘄州：陳氏家塾刻本，1801 年），載於《四庫未收書輯刊》3 輯 12 冊，頁 251。

❷ 洪頤煊：《校正竹書紀年》（平津館本），載於《四部備要》101 冊史部 1 冊 2（上海市：中華書局，1936 年），頁 19。

❸ 張宗泰校補：《竹書紀年》，載於《四庫未收書輯刊》3 輯 12 冊，頁 291。

❹ 張宗泰校補：《竹書紀年》，載於《四庫未收書輯刊》3 輯 12 冊，頁 291。

❺ 韓怡：《竹書紀年辨正》（清嘉慶刻本），載於《四庫未收書輯刊》3 輯 12 冊，頁 34。

郝氏發現「今本」《竹書紀年》此節之誤，疑《水經注》所引或無「惠」字。其案云：

> 《水經》〈洧水注〉引作「晉文侯二年，周惠王子多父伐鄶，克之。乃居鄭父之丘，名之曰鄭，是曰桓公。」以校今本，「周」訛作「同」，「鄶」訛作「鄷」，又脫「名之曰鄭」四字，竝據以訂正。然《水經注》所引亦當衍「惠」字，今本又誤在晉文侯元年也。❷❶

若「惠」字確係衍字，則《水經注》所引《竹書紀年》此條文字當如是讀：「晉文侯二年，周王子多父伐鄶，克之。乃居鄭父之丘，名之曰鄭，是曰桓公。」如是之說或可回避桓公為宣王之子、抑為厲王之子之爭論，然傳世《水經注》多有脫字，以至訛舛。倘依文義，「周」下應脫一字，故不可誤連字句以遽斷「惠」為衍字。

其六，陳逢衡（1778－1855）《竹書紀年集證》亦改明本「鄷」字為「鄶」字，作「晉文侯同王子多父伐鄶，克之。乃居鄭父之丘，是為鄭桓公。」❷❷其下按中《水經注》引文卻易「惠」為「厲」，而不以「同」為訛奪：「《竹書紀年》：晉文侯二年，同厲王子多父伐鄶，克之。」❷❸文義更不可通矣。

第二期學者著作之中，尤可重視者為雷學淇於嘉慶十一年（1806）所撰《考訂竹書紀年》。雷氏於「晉文侯元年……。二年，周宣王子多父伐鄶，克之，乃居鄭父之邱」❷❹條下詳考此一問題曰：

> 近本作「文侯元年，同王子多父伐鄶，克之。乃居鄭父之邱，是為鄭公。」今從《水經》〈洧水注〉、《史通》〈雜說篇〉引改。近本《水經注》「周

---

❷❶　郝懿行：《竹書紀年校正》卷 11，〈周紀三〉（順天府：東路廳署開雕，1879 年）。

❷❷　陳逢衡：《竹書紀年集證》卷 34（袌露軒刻本），載於《續修四庫全書》第 335 冊（上海市：上海古籍出版社，1999 年），頁 436。

❷❸　陳逢衡：《竹書紀年集證》卷 34，載於《續修四庫全書》第 335 冊，頁 437。

❷❹　雷學淇：《考訂竹書紀年》卷 5（潤身堂藏版補刊本），頁 2。亦見是書亦嚚嚚齋刻本，載於《四庫未收書輯刊》3 輯 12 冊，頁 77。

宣」多誤作「同惠」，或更脫「惠」字。《史通》〈雜說篇〉又誤「宣」作
「屬」，云《竹書紀年》出于晉代，謂鄭桓公，屬王之子，與經典所載乖
刺。案：劉氏所謂經典，即《世本》、《史記》等書，及漢晉人傳注也。秦
漢以後，著述家皆以鄭桓為屬王子，而《紀年》獨以為宣王子，故曰乖刺。
若《竹書》本是屬王，何乖刺之有乎？且《紀》于宣王時止書王子多父，不
加宣字，謂是即王子也。于幽王時，特加宣字，嫌于為幽王子也。《春秋》
外傳《國語》曰：「鄭出自宣王。」僖公二十四年《左傳》曰：「鄭有屬、
宣之親。」宣公十二年《傳》曰：「徼福于屬、宣、桓、武。」蓋外傳是明
言所出，內傳是稱其祖父之辭，猶書之命晉稱文、武也。故杜注亦云周屬
王、宣王，鄭之所自出，是漢、晉之際亦有知鄭為宣王之後者已。同、周、
惠、宣，字形相似，故鈔錄鋟板者多誤。以酈氏、劉氏二書證之，為周宣無
疑，今張本《紀年》「同」作「周」，蒲氏《史通通釋》「惠」作「宣」。❷

此所言「近本」乃通行之「今本」《竹書紀年》也。雷氏此論，前人所未發，頗足
備各家注《竹書紀年》之一說。

　　唐代劉知幾（661－721）《史通》〈雜說上〉「汲冢紀年」條云：「而《竹書
紀年》出於晉代，學者始知后啟殺益，太甲殺伊尹，文丁殺季歷，共伯名和，鄭桓
公，屬王之子。則與經典所載，乖刺甚多。」❷然《史通》注釋者浦起龍（1679－
1762）於「鄭桓公，屬王之子」下曰：「句有誤，『屬王』疑本作『宣王』。」❷
浦氏所疑，不為無據。雷學淇亦以字形相似，故抄錄鋟板者多誤，謂「同惠」為
「周宣」之誤。

　　嘉慶十五年（1810）雷氏復作《竹書紀年義證》以正經史之疑義、舊說之違誤
者。雷氏論之曰：

---

❷ 雷學淇：《考訂竹書紀年》卷 5，頁 2。亦見是書亦嚳嚳齋刻本，載於《四庫未收書輯刊》3
　輯 12 冊，頁 77－78。
❷ 劉知幾撰，浦起龍釋：《史通通釋》卷 16（上海市：上海古籍出版社，1978 年），頁 455。
❷ 劉知幾撰，浦起龍釋：《史通通釋》卷 16，頁 455。

王子多父者，宣王之子鄭桓公友也。……《春秋》僖公二十四年《左傳》曰：「鄭有屬、宣之親。」此以桓公之祖、父為言，猶書命晉侯稱文、武也。《國語》曰：「鄭出自宣王」；《紀》曰：「周宣王子多父伐鄶，克之。」是其證已。漢、晉以後，皆以鄭桓為宣王弟，或云庶弟，或云母弟，並誤。《呂覽》〈適威〉曰：「屬王，天子也，有讐而眾，故流于彘，禍及子孫，微召公虎而絕無後嗣。」此即謂召公以其子代宣王事也。推此言之，則屬王之子，止宣王一人可知。**㉘**

雷氏《介庵經說》〈鄭系考〉考此一問題益詳**㉙**，可補前說。經雷學淇改訂之《竹書紀年》此條曰：「〔晉文侯〕二年周宣王子多父伐鄶，克之，乃居鄭父之邱，名之曰鄭，是為桓公。」**㉚**東方按：「宣」與「名之曰鄭，是為桓公」，原書刻作小字，蓋雷氏標示其所改訂之文字。

趙紹祖（1752-1833）《校補竹書紀年》卷二於此條作按，質疑陳鳳石「《史通》引《竹書》鄭桓公屬王之子；『今本』但云王子多父，不言屬王子」之說：

> 《史通》所引本皆與經典乖刺者，若桓公為屬王之子，則正與《史記》合，劉知幾不應云乖刺也，疑《史通》有誤字耳。**㉛**

此誠為卓見。然趙氏於「晉文侯同惠王子多父伐鄶，克之，乃居鄭父之邱，是為鄭公」下按曰：

> 〈洧水注〉：「晉文侯二年，同惠王子多父伐鄶，克之。乃居鄭父之邱，名

㉘ 雷學淇：《竹書紀年義證》卷 27（臺北市：藝文印書館，1977 年），頁 398。

㉙ 說詳雷學淇：《介庵經說》卷 7，〈鄭系考〉，載於《續修四庫全書》第 176 冊，頁 186。

㉚ 雷學淇：《竹書紀年義證》卷 27，頁 411。

㉛ 趙紹祖：《校補竹書紀年》卷 2（古墨齋刻本），載於《四庫未收書輯刊》3 輯 12 冊，頁 196。

之曰鄭，是曰桓公。」據此，當在幽王三年，而文亦小異。❸

趙氏僅檢年代之小別，卻於「今本」《竹書紀年》之「晉文侯同王子多父」與《水經注》〈洧水〉引「晉文侯二年同惠王子多父」之異，則未之或究也。

　　第三期學者中有林春溥（1775－1861），其所撰《竹書紀年補證》於「晉文侯同王子多父伐鄶，克之，乃居鄭父之邱，名之曰鄭，是為桓公」條下注，復引《水經注》之文云：

　　　　《水經》〈洧水注〉引《紀年》云：「晉文侯二年，同屬王子多父伐鄶，克之。乃居鄭父之丘，名之曰鄭，是曰桓公。」❸

林氏在此易「惠」為「屬」，然仍未改「同」字。

　　以上各家所駁甚辨，然皆本「今本」《竹書紀年》為說。道光年間，朱右曾不復糾纏於明刻《竹書紀年》之文本，乃廣搜古書，掇拾《竹書紀年》佚文，注其所出，考其異同，曰《汲冢紀年存真》，開啟輯佚「古本」《竹書紀年》之風。其引《水經》〈洧水注〉：「〔晉文侯〕二年，周屬王子多父伐鄶，克之。乃居鄭父之邱，名之曰鄭，是曰桓公。」注云：「『周屬』一作『同惠』。」❸朱氏亦改「同惠」為「周屬」，與劉知幾《史通》之說足相比堪，皆不足據。

　　由上可見，明清學者已對《竹書紀年》此條引文之疑有所討論，其中「同惠王子多父伐鄶」句之「同惠」二字，究為訛字誤屬入句，抑或原文如是，諸家歧說既多，尚未定於一是。近世中外學人考論《竹書紀年》者，頗以此條內容為爭議對象，然猶有待發之覆。以下爰就現有之材料，重考此條，而尤集矢於「同惠」二字之解析。

---

❸　趙紹祖：《校補竹書紀年》卷 2，載於《四庫未收書輯刊》3 輯 12 冊，頁 197。

❸　林春溥：《竹書紀年補證》卷 3，載於楊家駱主編：《竹書紀年八種》（臺北市：世界書局，1963 年），頁 21。

❸　朱右曾：《汲冢紀年存真》卷下，載於《續修四庫全書》第 336 冊，頁 23。

二

　　民國以降，研究《水經注》及《竹書紀年》學人於「同惠王子伐鄶」句解釋依舊莫衷一是，力持異論者，頗不乏人。王國維（1877－1927）撰《水經校注》以朱謀㙔《水經注箋注》為底本，對勘宋本、《永樂大典》本及明清諸家版本。然亦未校正「同惠」二字，照錄朱本之引文。其所著《古本竹書紀年輯校》「〔晉文侯〕二年，同惠王子多父伐鄶，克之。乃居鄭父之丘，名之曰鄭，是曰桓公」條下注謂：「『同惠』疑『周厲』之訛。」❸❺疑王氏沿朱右曾之誤。

　　楊守敬（1839－1915）、熊會貞（1863－1936）師生撰《水經注疏》，引〈洧水注〉作：「《竹書紀年》：晉文侯二年，周宣王子多父伐鄶，克之，乃居鄭父之丘，名之曰鄭，是為桓公。」其下注略云：

> 朱〔謀㙔〕「周」訛作「同」，「宣」訛作「惠」，《〔水經注〕箋》曰：「一無『惠』字。」趙〔一清〕並沿朱之訛。戴〔震〕但改「同」為「周」。❸❻

范祥雍（1913－1993）《古本竹書紀年輯校訂補》較前人細究此條之異同：

> 《史通雜說篇》引「鄭桓公，厲王之子，」當是約舉此文之語。但《史通》下文又云：「與經典乖剌甚多。」鄭桓公為周厲王子，見於經傳，不當云爾。故浦起龍《通釋》謂：「厲王疑本作宣王，」此文又作「惠王，」未知「惠」為何字之誤。《今本紀年》作「幽王二年，晉文侯同王子多父伐鄶。」《史記》〈鄭世家〉：「鄭桓公友，」與此不同。朱右曾云：「友古

---

❸❺ 王國維：《古本竹書紀年輯校》〈序〉，載於楊家駱主編，劉雅農總校：《世界文庫・四部刊要・史學叢書》第 2 集 1 冊（臺北市：世界書局，1957 年），頁 15。

❸❻ 酈道元注，楊守敬、熊會貞疏，段熙仲點校，陳橋驛復校：《水經注疏》中冊（南京市：江蘇古籍出版社，1989 年），頁 1842。

文作𣢩，與多相似。」❸

范氏殆僅據此，而未究傳世經傳中之歧解，故有斯語。《左傳》即有「鄭祖厲王」
之說，關鍵在於如何理解此等歧說。

　　方詩銘（1919－2000）《古本竹書紀年輯證》（修訂本）輯之曰：

> 《竹書紀年》：晉文侯二年，周宣王子多父伐鄶，克之。乃居鄭父之丘，名
> 之曰鄭，是曰桓公。
>
> 　　　　　　　　　　　　　　　　　　　　　　《水經・洧水注》❸

輯文之下，方氏作案條列諸家之說：

> 案：「周宣」，永樂大典本、朱謀㙔本皆作「同惠」。戴震校本改「同」為
> 「周」。楊守敬《水經注疏》卷二二據雷學淇《考訂竹書紀年》改作「周
> 宣」。案《考訂竹書紀年》卷五云：「近本《水經注》『周宣』多誤作『同
> 惠』，或更脫『惠』字，⋯⋯『同』『周』、『惠』『宣』字形相似，故鈔
> 錄鋟板者多誤。」《存真》改作「周厲」，《輯校》亦云：「『同惠』疑
> 『周厲』之訛。」非是。現從雷說，并據《注疏》本。《史記・鄭世家》桓
> 公名友，陳逢衡《竹書紀年集證》卷三五、雷學淇《竹書紀年義證》卷二六
> 及《存真》皆以「友」、「多」字形相近，因或作「友」，或作「多」。❸

方氏之案語極為詳實，可補以上各說之未詳。
　　陳槃（1905－1999）於一九六九年撰有《春秋大事表列國爵姓及存滅表譔

---

❸　范祥雍：《古本竹書紀年輯校訂補》（上海市：上海人民出版社，1957 年），頁 34。

❸　方詩銘、王修齡：《古本竹書紀年輯證》（修訂本）（上海市：上海古籍出版社，2005
　　年），頁 70。

❸　方詩銘、王修齡：《古本竹書紀年輯證》（修訂本），頁 70－71。

異》，其文第七節於此問題詳為之釋。❹陳氏力陳《水經注》所引《竹書紀年》此條應作「周宣王子多父……是為桓公」。陳氏考之雷學淇《竹書紀年義證》，援引先秦主要文獻以證周屬王子僅止宣王一人，鄭桓公非周屬王子，極為明白可據。陳氏亦矯司馬遷之誤載：「史公譔次此一故實，移甲就乙，實甚疏忽。而謂鄭出屬王者，蓋由戰國間人屬亂之《左傳》有『鄭祖屬王』之說，史公失察，以為鄭出於屬王，遂不自覺其信筆及此。」❹陳氏之說甚諦，其深識殊非一般治史者所及。說詳氏著之第七節，茲不俱論。

陳槃弟子張以仁（1930－2009）於一九八七年發表〈鄭桓公非屬王之子說述辨〉一文❷，駁陳氏「鄭桓公為周宣王之子」說，反覆力辨桓公係屬王子，詳為敷說。張氏先引《國語》「鄭出自宣王」證鄭桓公非周宣王所生。《國語》〈周語〉云：

> 襄王十七年，鄭人伐滑。使游孫伯請滑，鄭人執之。王怒，將以狄伐鄭。富辰諫曰：「不可。……鄭在天子，兄弟也。鄭武、莊有大勳力於平、桓，我周之東遷，晉、鄭是依。子頹之亂，又鄭之繇定。今以小忿棄之，是以小怨置大德也，無乃不可乎……」王不聽。十七年，王降狄師以伐鄭。王德狄人，將以其女為后，富辰諫曰：「不可。夫婚姻，禍福之階也。利內則福由之，利外則取禍。今王外利矣，其無乃階禍乎？……」王曰：「利何如而內，何如而外？」對曰：「尊貴，明賢，庸勳，長老，愛親，禮新，親舊。……是利之內也。……夫狄無列於王室，鄭，伯南也，王而卑之，是不尊貴也。……狄，隗姓也。鄭出自宣王，王而虐之，是不愛親也。」❸

---

❹ 陳槃：《春秋大事表列國爵姓及存滅表譔異》（三訂本）第 1 冊（中央研究院歷史語言研究所專刊之五十二），（臺北市：中央研究院歷史語言研究所，1969 年），頁 99－142。

❹ 同前註，頁 112。

❷ 張以仁：〈鄭桓公非屬王之子說述辨〉，載於氏著：《春秋史論集》（臺北市：聯經出版事業公司，1990 年），頁 365－409。

❸ 徐元誥撰，王樹民、沈長雲點校：《國語集解》（北京市：中華書局，2002 年），頁 44－49。

　　張以仁據此論云：「鄭在天子兄弟也，乃是實指宣王與桓公的兄弟關係而言。」❹張氏之說殊未審允。徵之於實，富辰此語之核心，則在申論鄭於王室有親有功，並無分封之意。其所強調實則周鄭之親屬關係耳，即周鄭均為宣王之後代。韋昭注「鄭在天子，兄弟也」明言：「言與襄王有兄弟之親也。」❺此兄弟乃兄弟之邦，實為鄭在天子，兄弟之邦也。是論當時之事，非言宣王與桓公之關係。《國語》〈鄭語〉亦有曰：「鄭出自宣王，王而虐之，是不愛親也。」❻鄭始封君桓公即是周宣王之子，則周鄭之間必世為兄弟或叔侄。不愛兄弟或叔侄之邦，即為不愛親矣。富辰之語既以歷史事實為據，復以邏輯推論，言襄王此舉為不愛親甚明，故為博雅君子之論。

　　張氏復辨「出」字之義曰：

　　　　「出」字既不一定都是「所生」的意思，則〈周語〉中的「鄭出自宣王」，
　　　　韋昭解為封國，一義引申，謂係詞義之「擴大」，應該是可以成立的。❼

按「出」字在此之本義為「生」，而張氏卻解為「封出」。張氏之誤有其來源。《國語》原文直言鄭桓公為周宣王所生。然韋昭注云：「鄭桓公友，宣王之母弟。出者，謂鄭國之封出於宣王之世也。」❽於此韋昭增字解經，憑空於「出」字之下添以「封」字，訓為「封出」之義。❾《史記》所載乃太史公追記，誠如陳槃所

❹ 張以仁：〈鄭桓公非厲王之子說述辨〉，載於氏著：《春秋史論集》，頁383。

❺ 徐元誥撰，王樹民、沈長雲點校：《國語集解》，頁45。

❻ 徐元誥撰，王樹民、沈長雲點校：《國語集解》，頁49。

❼ 張以仁：〈鄭桓公非厲王之子說述辨〉，載於氏著：《春秋史論集》，頁383。

❽ 徐元誥撰，王樹民、沈長雲點校：《國語集解》，頁49。

❾ 古人解經，頗有增字解經者，王引之《經義述聞》引其父念孫辨《毛傳》「終風且暴」之句，是其顯例。按：「終風」一詞，《毛傳》注曰：「終日風為終風。」王念孫曰：「此皆緣詞生訓，非經文本義，終猶既也，言既風且暴也。」此「日」即增字。王氏父子據音訓解為「既風且暴」，乃得正解。見王引之：《經義述聞》卷5（臺北市：臺灣中華書局影印《四部備要》本，1987年），頁7。

言，持《國語》校司馬遷之說：「史公所述，確拼湊無倫。」❺⓿而韋昭注誤信司馬遷之說，疑「出」為「封出」，此是不得其解而強為之說也。故雷學淇云：「此因《竹書》未出，經無明文，故誤從兩漢之說。」❺①

「出」字本義見《易》〈說卦〉：「萬物出乎震。」❺②李鼎祚《周易集解》引虞翻曰：「出，生也。」❺③《禮記》〈問喪〉：「非從天降也，非從地出也。」❺④《莊子》〈庚桑楚〉：「出無本，入無竅。」成玄英疏曰：「出，生也，入，死也。」❺⑤「出」字皆為「生」之義。阮元撰集《經籍纂詁》，廣搜經傳子史注釋，然「出」字下卻未引《國語》上條韋注，亦未有訓「封出」之義者。而張氏據「封出」之解推論鄭桓公為周厲王之子，殊苦穿鑿。

張氏復引《左傳》〈文公二年〉「宋祖帝乙，鄭祖厲王，猶上祖也」及杜預注「帝乙，微子父。厲王，鄭桓公父。」❺⑥以帝乙乃微子之父比對則為厲王乃桓公父之驗證也。而「鄭祖厲王」是否確指厲王為桓公父，則尚有疑義焉。陳槃有曰：

> 宋有帝乙之祀，鄭有厲王之祀，亦是祀不齊聖者，故以為商、周祀事之比耳。然則謂商、周之祀止于契、不窋，固不可。謂宋鄭之祀止于帝乙、厲王，亦不可也。鄭祀不止于厲王，則未可據此以為鄭出于厲王也。❺⑦

陳氏之說固是，然仍似有所未備。雷學淇對此已解說於前。雷氏謂：「自開國至於

---

❺⓿　同註❹⓿，頁 112。

❺①　雷學淇：《介庵經說》卷 7，〈鄭系考〉，載於《續修四庫全書》第 176 冊，頁 186。

❺②　王弼、韓康伯注，孔穎達疏：《周易正義》卷 9，頁 82，載於阮元校刻：《十三經注疏》上冊（北京市：中華書局影印本，1980 年），頁 94。

❺③　李道平：《周易集解纂疏》（北京市：中華書局，1994 年），頁 695。

❺④　鄭玄注，孔穎達疏：《禮記正義》卷 56，頁 429，載於阮元校刻：《十三經注疏》下冊，頁 1657。

❺⑤　郭慶藩：《莊子集釋》（北京市：中華書局，1961 年），頁 800。

❺⑥　杜預注，孔穎達疏：《春秋左傳正義》卷 18，頁 137，載於阮元校刻：《十三經注疏》下冊，頁 1839。

❺⑦　同註❹⓿，頁 107－108。

昭公、厲公五廟中，皆有厲王之主，故曰：鄭祖厲王。」❺而《左傳》〈宣公十二年〉鄭伯曰：「徼福於厲、宣、桓、武。」❺依昭穆父子對應排列，周厲王、鄭桓公當是祖孫關係，周宣王、鄭武公亦為祖孫，而宣王、桓公係父子關係。《左傳》〈僖公二十四年〉亦云：「鄭有平、惠之勳，又有厲、宣之親。」❻厲、宣並稱，蓋因周厲王、宣王分別為鄭桓公之祖父、父親，即如雷學淇記桓公謂：「是稱其之祖、父之辭，猶書命晉稱文、武也。」❻

　　余則欲更進一解，即從厲王、宣王及桓公之生卒年壽，推求桓公究為何王之子。關於此一問題，自來考證之作亦已多矣❻，而以陳夢家（1911－1966）之文最有根據。據陳夢家之推算，「……周厲王在位年數應在十四年以上，十八年以下，約為十五、十六、十七年，今取折衷之數定為十六年。」❻陳氏據傳統文獻定共和

❺　雷學淇：《介庵經說》卷7，〈鄭系考〉，載於《續修四庫全書》第176冊，頁186。

❺　杜預注，孔穎達疏：《春秋左傳正義》卷23，頁176，載於阮元校刻：《十三經注疏》下冊，頁1878。

❻　杜預注，孔穎達等正義：《春秋左傳正義》卷55，頁116，載於阮元校刻：《十三經注疏》下冊，頁1818。

❻　雷學淇：《考訂竹書紀年》卷5（潤身堂藏版補刊本），頁2。亦見是書亦囂囂齋刻本，載於《四庫未收書輯刊》3輯12冊，頁77。

❻　最有代表性者為雷學淇之考論：「考《竹書》，厲王生于孝王七年。即位時，年甫十四。即位之十二年，奔彘。國人圍王宮，執召公之子，殺之，時年二十五。明年，共伯和攝行王事。攝之十四年，而厲王崩。明年，宣王即位。《左傳》曰：『至于厲王，王心戾虐，萬民弗忍，居王于彘。諸侯釋位，以間王政。宣王有志，而後效官。』《國語》曰：『彘之亂，宣王在召公之宮，國人圍之，召公以其子代宣王。宣王長而立之。』《呂覽》曰：『厲王，天子也，有讎而眾，故流于彘，禍及子孫。微召公虎而絕無後嗣。』此與古傳之說悉合。蓋宣王即位時，年甫十六。圍王宮時甫二歲，故召公以其子代而國人不識也。古制，十五入大學以定其名，故子曰：『吾十有五而志於學。』《學記》亦曰：『一年視離經辨志。』厲王止生一子，故《呂覽》曰：『微召虎公，而絕無後嗣。』以此推之，則鄭桓公非厲王子甚明。」（見氏著：《介庵經說》卷7，〈鄭系考〉，載於《續修四庫全書》第176冊，頁186。）關於厲王王年，學者之間分歧甚大，今人張懋鎔〈周厲王在位年數考〉羅列13種不同在位年數，見氏著：《古文字與青銅器論集》（北京市：科學出版社，2006年），頁199。

❻　陳夢家：《西周年代考‧六國紀年》（北京市：中華書局，2005年），頁44。除陳氏年表外，目前頗具代表性之夏商周年表為倪德衛（David S. Nivison）所重建之三代年表（見氏

行政為約十四年，宣王在位約四十六年，幽王在位約十一年。❻❹《太平御覽》卷八百七十八引《史記》曰：「周孝王七年，厲王生。」❻❺按陳氏之西周分期表❻❻，則厲王出生年約為前八九一年。厲王奔彘之年，史家通常定為前八四一年，亦有說前八四二年，則是年厲王當過五十。張培瑜先生據眉縣新出逨盤逨鼎銘文，定周宣王元年為前八二六年，比《史記》所記推後一年，並取前八六五年為厲王元年。❻❼以此觀之，則厲王於奔彘之歲，年已三十餘歲。此說較傳統記載為可靠。

　　宣王生年於史書無徵，然《史記》〈十二諸侯年表〉記：「厲王子居召公宮，是為宣王。王少，大臣共和行政。」❻❽宣王生年雖難確考，然宣王年少語仍尚略可推求。史遷稱「王少」殆非年幼。孔子曰：「君子有三戒：少之時，血氣未定，戒之在色；及其壯也，血氣方剛，戒之在鬥；及其老也，血氣既衰，戒之在得。」❻❾是以人生為少壯老三段。皇侃（488－545）《論語集解義疏》曰：「少謂三十以前也。」❼❶邢昺（932－1010）《論語注疏》引孔穎達《正義》云：「少謂人年二十

著，邵東方譯：〈三代年代學之關鍵：「今本」《竹書紀年》〉，《經學研究論叢》，第 10 輯（2002 年 3 月），頁 223－310），以及夏商周斷代工程所公布之三代年表（見夏商周斷代工程專家組著：《夏商周斷代工程 1996－2000 年階段成果報告》（簡本）（北京市：世界圖書出版公司，2000 年），頁 36－37。）倪教授定厲王生年為前 864 年，厲王元年為前 853 年，宣王元年為前 823 年，宣王卒年為前 784 年，幽王即位年為前 781 年。夏商周斷代工程則定孝、夷王元年分別為前 891 與前 885 年，厲王在位年為前 877－前 841 年，宣王在位年為前 827－前 782 年，幽王在位年為前 781－771 年。雙方年表所列年代差別甚遠，引起若干爭論。然而無論採用何種年表，桓公為宣王子之說在年代推論上均可成立。

❻❹　陳夢家：《西周年代考‧六國紀年》，頁 46。

❻❺　至於有無「厲王生」三字，方詩銘謂：「影宋本、保刻本《御覽》皆有此三字。」（見方詩銘、王修齡：《古本竹書紀年輯證》（修訂本），頁 171。）是也。

❻❻　陳夢家：《西周年代考‧六國紀年》，頁 51。

❻❼　張培瑜：〈逨鼎的王世與西周晚期曆法月相紀日〉，《中國歷史文物》2003 年第 3 期，頁 6－15。

❻❽　司馬遷：《史記》第 2 冊，卷 14（北京市：中華書局，1959 年），頁 514。

❻❾　何晏注，邢昺疏：《論語注疏》卷 16，頁 66，載於阮元校刻：《十三經注疏》下冊，頁 2522。

❼❶　皇侃疏：《論語集解義疏》卷 8（臺北市：廣文書局，1991 年），頁 585。

九以下。」❼少之上限不過年二十九，至於下限，即云戒之在色，必在青春發育之後。而《禮記》〈曲禮〉曰：「人生十年曰幼。」❼據此推測，諒厲王奔彘之時，宣王年壽當逾十歲矣。姑本以上年表推之，宣王即位之時當亦在二十四歲以上也。《史記》謂宣王二十二年（前 806 年）始封友於鄭，此時友年當為二十歲或以上，而宣王亦四十六歲以上。若是，則鄭桓公生年當在厲王死後數年，焉得為厲王之子。及桓公封鄭（前 806 年），已成丁之年，故生似於宣王三年（前 825 年）（是年宣王應已二十矣）。《史記》〈鄭世家〉曰：「〔鄭桓公〕封三十三歲，百姓便皆愛之。幽王以為司徒。」❼《史記》又載周幽王十一年（前 771 年），「西夷犬戎攻幽王，……殺幽王驪山下。」❼「〔桓公〕因幽王故，為犬戎所殺。」❼則桓公卒年約五十有六。前引《竹書紀年》記：「〔晉文侯〕二年，同惠（周宣）王子多父伐鄶，克之。」晉文侯二年當周幽王三年（前 779 年）。《漢書》〈地理志〉注引臣瓚曰：「幽王既敗，二年而滅鄶，四年而滅虢，居於鄭父之丘，是以為鄭桓公，無封京兆之文也。」❼此與《紀年》同，而與《史記》異。若據《紀年》及臣瓚曰推之，則多父在幽王死後始稱桓公，其生年似更晚也。易言之，以古人生理條件（父子相差約二十歲）觀之，宣桓為父子較厲桓為父子於事理相合。《公羊傳》〈隱公元年〉：「立適以長，不以賢；立子以貴，不以長。」❼以此推之，王子多父雖為周宣王子，然渠乃庶出之子，則應無異議也。

---

❼ 何晏注，邢昺疏：《論語注疏》卷 16，頁 66，載於阮元校刻：《十三經注疏》下冊，頁 2522。

❼ 鄭玄注，孔穎達疏：《禮記正義》卷 1，頁 4，載於阮元校刻：《十三經注疏》上冊，頁 1232。

❼ 司馬遷：《史記》第 5 冊，卷 43，頁 1757。

❼ 司馬遷：《史記》第 1 冊，卷 4，頁 149。

❼ 司馬遷：《史記》第 2 冊，卷 14，頁 532。

❼ 班固：《漢書》第 6 冊，卷 28，〈地理志〉（北京市：中華書局，1962 年），頁 1544。

❼ 何休解詁，徐彥疏：《春秋公羊傳注疏》卷 1，頁 3，載於阮元校刻：《十三經注疏》下冊，頁 2197。

三

吾友倪德衛（David S. Nivison）教授從事《竹書紀年》研究有年。1988 年初，倪教授作〈論毛公鼎之真偽〉（The Authenticity of the Mao Kung *Ting* Inscription）**❼❽**，欲於「同惠」二字之解另闢途徑。茲引其論述如下（引文及譯文中之下橫線為筆者所加）：

…There is a very clear example of *hui* in the sense "help," I might be told, in a text that has been available for many centuries – the *Bamboo Annals*! The line will be found in the very next strip (15) of the *Annals* analyzed above; and it is a "help…attack" text, much like the Yü *Ting*:

Wen Hou t'ung hui wang tzu To Fu fa Kuai k'e chih

文侯同惠王子多父伐鄶克之

"Lord Wen [of Chin] joined with and helped Prince To Fu attack Kuai, and they defeated it"

The trouble with this as an objection is that no one, as far as I am aware, in all of the centuries of study of the *Annals*, has noticed that this is the meaning of this text. Instead, baffled by *hui* here, editors have left the word out, or scholars have thought that since there was a Hui Wang later in Eastern Chou, therefore *hui* must be a mistake for another king's name, either *Hüan* (since the graph for *Hui* 惠 looks something like the graph for *Hüan* 宣) or Li 厲 (since To Fu 多父, alias Yu Fu 友父, is said in the *Shih-chi* to be the son of Li Wang); so (e.g.) we ought

---

❼❽ 倪教授將此文遞交於澳大利亞新南威爾士（New South Wales）召開之學術會議，而其本人未克與會。會議論文集則出版於 1996 至 1997 年。

to read "Load Wen <u>together with</u> To Fu, son of Li Wang, attacked Kuai and defeated it."㊆

[漢譯文：余竟未嘗聞之，在流傳若干世紀之文獻《竹書紀年》中，「惠」作「幫助」義已有一顯例！此行文字見於上述《紀年》簡文之下條；是條即頗類《禹鼎》所載之「惠……伐」文句：

　　　文侯同惠王子多父伐鄶克之

　　　（「[晉]文侯<u>同</u>王子多父聯手，助其攻打鄶國，擊敗之。」）

此解作為一種異說，其問題在於，至少據余所知，千百年來治《紀年》者尚未有人注意到，此即原文之本意。反之，惑於此處之「惠」字，編者則刪除此字，學者則因稍後之東周有一惠王，故「惠」字必為另一王名之誤——非「宣」（因惠字形頗似宣字形）即「屬」（因多父又稱友父，《史記》記為屬王之子）。因之（如上所舉之例）吾人應讀此句為：「文侯同屬王子多父攻打鄶國，擊敗之。」]㊇

　　倪教授所舉「文侯同惠王子多父伐鄶克之」之文，實則本《水經注》所引《竹書紀年》「晉文侯二年同惠王子多父伐鄶克之」與「今本」《竹書紀年》「晉文侯同王子多父伐鄶克之」合之稍加變異——略去「古本」之「二年」二字，並採「今本」之句式。此一經改動之句則非同原文耳，蓋未檢原文。而倪教授於此句中之「同」字，翻譯亦有差別：前則譯作參與（joined with），「同」與「惠」二動詞連用；後則譯為「連同」（together with），作成語介詞。因訓「惠」為「助」作

㊆ David S. Nivison, "The Authenticity of the Mao Kung *Ting* Inscription," in *Ancient Chinese and South Asian Bronze Age Cultures*, ed. F. David Bulbeck (Taipei: SMC Publishing Inc., 1996－97), 322－323.

㊇ 本文中各段英文原文均為筆者所漢譯。

動詞，倪教授於此提出「惠」＋人名＋動詞短語（hui+name+verb-phrase）之結構，意即「助某氏作某事」（help someone to do something）❸，謂〔晉文侯〕「助」王子多父「攻」鄶。

倪教授又引《毛公鼎》銘文中「虔夙夕叀我一人離我邦小大酋」句，以證「惠」字之「助」用法。以下為其英譯："but [you] should sedulously, day and night, help (*hui* 惠) me, the One Man, to uphold wise counsels for our State in small as well as large matters"。❷同一文中，又有「虔夙夕叀我一人離我邦小大酋」之英譯："but must reverently, day and night, help me the One Man to uphold wise counsels for my States in small and large matters"❸，是以此句為連動結構。然此解多一轉折，意不可通。然倪教授釋《毛公鼎》銘文中「惠」字為「助」，雖有發明，恐未然也。茲先列《毛公鼎》銘文主要釋說於下，復略陳解說。

其一，于省吾（1896－1984）〈毛公厝鼎銘〉句：「虔夙夕惠我一人。」其下注：「《詩》〈燕燕〉傳：惠，順也。」「離我邦小大猷。」其下注：「王〔國維〕云：《書》〈文侯之命〉：『越小大謀猷。』離，和也。猷，謀也。」❹于氏據《詩》〈毛傳〉釋「惠」為「順」，據《書》釋「離」為「和」。「夙夕」，金文亦作「夙夜」，朝暮之稱。于省吾曰：「經傳及金文凡言夙夜，皆寓早夜勤慎之意。」❺的然可據。

---

❸ David S. Nivison, "The Authenticity of the Mao Kung *Ting* Inscription," in *Ancient Chinese and South Asian Bronze Age Cultures*, ed. F. David Bulbeck (Taipei: SMC Publishing Inc., 1996－97), 322.

❷ David S. Nivison, "The Authenticity of the Mao Kung *Ting* Inscription," in *Ancient Chinese and South Asian Bronze Age Cultures*, ed. F. David Bulbeck (Taipei: SMC Publishing Inc., 1996－97), 317.

❸ David S. Nivison, "The Authenticity of the Mao Kung *Ting* Inscription," in *Ancient Chinese and South Asian Bronze Age Cultures*, ed. F. David Bulbeck (Taipei: SMC Publishing Inc., 1996－97), 338.

❹ 于省吾：〈毛公厝鼎銘〉，載於氏著：《雙劍誃吉金文選》（北京市：中華書局，1998年），頁 127。

❺ 于省吾：《澤螺居詩經新證》（北京市：中華書局，1982 年），頁 81。

其二，高亨（1900－1986）《毛公鼎銘箋注》作：「『虔夙夕❀我一人。』《廣雅·釋詁》：『虔，敬也。』❀古蟪字，象形。此借為惠，言敬於夙夕嘉惠我一人也。」⑧⑥高亨據字形釋「惠」為「嘉惠」，即「給予好處」，而此乃引申之義，故未能確釋「惠」字之本音及本字。

其三，董作賓（1895－1963）〈毛公鼎釋文注釋〉曰：「于〔省吾〕、郭〔沫若〕、高〔亨〕三家釋文，雜採眾說，各有去取，似已臻『文從字順』之境。比較觀之，仍不免有『穿鑿附會』之處，可見考釋古器銘文之難。」⑧⑦因釋之曰：「夕、即是夜。夙夕、猶言日夜。惠、順。詩大雅：『夙夜匪懈，以事一人，』即『女毋敢荒宁，虔夙夕惠我一人』之意。虔，敬。離、和。酋、謀。」⑧⑧董氏引《詩》，謂「惠」與「順」字通，甚是。其今譯「虔夙夕惠我一人，離我邦小大猷」句：「敬謹的無論日夜，時時刻刻密切和我一人合作，使我們國家各項政令都能和諧順利的進行」。⑧⑨

其四，陳夢家《西周銅器斷代》（1941 年作，1964 年錄改）略云：

> 「虔夙夕惠我一人，離我邦小大猷」，《師詢毀》曰：「命女惠離我邦小大猷」，與此同而省去「我一人」，可知惠、離義同。金文王自稱余一人，余、我是單數、複數第一人稱之別，而此處又有我一人。〈文侯之命〉曰：「越小大謀猷周不率從」，《爾雅》〈釋詁〉曰：「猷，謀也」，故猷即謀猷。⑨⓪

陳氏考定是「惠」字與「離」字義同，以「惠」為動詞，更為確見。

---

⑧⑥ 高亨：〈毛公鼎銘箋注〉，載於氏著：《文史述林》（北京市：中華書局，1980 年），頁553。

⑧⑦ 董作賓：〈毛公鼎釋文注釋〉，載於《大陸雜誌史學叢書》（臺北市：大陸雜誌社，1960年），頁206。

⑧⑧ 同前註，頁208。

⑧⑨ 同前註，頁211。

⑨⓪ 陳夢家：《西周銅器斷代》（北京市：中華書局，2004 年），頁295。

其五，日本學者白川靜（1910－2006）《金文通釋》三十曰：

> 「虔夙夜」は常語。叀は惠。「惠我一人、雠我邦小大猷」は、師詢段の
> 「惠雠我邦小大猷」を析用したものである。惠は惠愛の意よりも、彔伯戎
> 段「右闢四方、惠圉天命」のように惠張の意に用い、また沈兒鐘「惠于政
> 德」・王孫遺者鐘「惠于明祀」のように政教や祭祀にもいう語である。雠
> は大盂鼎「敬雠德經」の敬雠。夙夕以下は、一言にして言えば詩の烝民
> 「夙夜匪懈　以事一人」の意である。高〔亨〕釋に「雠我邦」で句とする
> も、師詢段の文に通ぜず、小大猷までが句である。文侯之命に「越小大謀
> 猷、罔不率從」とあり、その語例によつたものであろうが、我邦のみでは
> 雠の目的語となりえない。❾❶
>
> 〔漢譯文：「虔夙夜」乃常用之語。叀即是惠。「惠我一人、雠我邦小大
> 猷」源自《師詢段》「惠雠我邦小大猷」。比之慈愛之意，此處之惠更含
> 《彔伯戎段》「右闢四方、惠圉天命」中彰顯仁慈之意，且用於政教或祭
> 祀，如《沈兒鐘》「惠于政德」及《王孫遺者鐘》「惠于明祀」。雠即《大
> 盂鼎》「敬雠德經」中之敬雠。夙夕以下內容，如以一言蔽之，即《詩經》
> 〈烝民〉中「夙夜匪懈　以事一人」之意。高〔亨〕解釋中雖涉「雠我邦」
> 之句，然在《師詢段》文中則難以通順，因其完整之句應至「小大猷」為
> 止。其中「小大猷」或引自〈文侯之命〉「越小大謀猷、罔不率從」句，
> 「雠」之賓語非僅指「我邦」也。〕

白川靜雖點出高亨斷句之不當，然仍安於申「惠」之義為「恩惠」。非是。

　　以上大家如于省吾、董作賓、陳夢家所釋，其言甚允當。觀以上諸例，「惠我
一人」句之「惠」訓為「順」（頗近英文 coordinate 之意），作動詞，「我一人」
為「順」之賓語，意即順從我君主一人。對應之下句「雠我邦小大猷」，「雠」亦
為動詞，訓為「和」（頗近 harmonize 之意），「我邦小大猷」為「雠」之賓語，

---

❾❶　白川靜：《金文通釋》30，《白鶴美術館誌》，第 30 輯（1970.3），頁 665。

「我邦小大」皆「猷」之修飾語，意即團結我國小大各級領導人物。❾²金文之中，惠、雒為近義詞，順、和之義相通，文從字順。此說為古文字學界所熟悉，姑不俱論。

　　「惠」字除見於《毛公鼎》銘文外，尚見於以下各器。倪教授又徵引數則西周銅器銘文，以供「惠」為「助」例證如下：

其一，《何尊》：「重王龏德〔谷〕天訓我不敏」。

Help [me, your] king to maintain [my] virtue, so that Heaven will instruct me when I am negligent.

〔漢譯文：助余，即彼之王，持余之德，則天將於余疏忽之際，示余所為。〕

Beside showing that *hui* must mean "help", this example also shows that: "*hui* (help) … *yü* (desiring, = so that)…" is a single rhetorical structure – well entrenched, because Ho *Tsun* and the Mao Kung *Ting* may be separated by more than 250 years.❾³

〔漢譯文：除顯示惠字應為「幫助」之義外，此例亦表明：「惠（幫助）……欲（欲望，＝於是）……」乃單一修辭結構——已牢固樹立，而何尊與毛公鼎相差年代幾近 250 餘年。〕

　　「惠」字在此乃句首語氣「惟」。茲復采鄙見所及者，略加申說。唐蘭（1901－1979）訓讀為「重（唯）王龏（恭）德谷（裕）天」。❾⁴並云「重與惠同，讀為

---

❾² 參見楊伯峻、何樂士：《古漢語語法及其發展》（修訂本）上冊（北京市：語文出版社，2001 年），頁 186。

❾³ David S. Nivison, "The Authenticity of the Mao Kung *Ting* Inscription," in *Ancient Chinese and South Asian Bronze Age Cultures*, ed. F. David Bulbeck (Taipei: SMC Publishing Inc., 1996－97), 319.

❾⁴ 唐蘭：〈何尊銘文解釋〉，《文物》1976 年第 1 期，頁 60。

唯。」❾❺「龏」為「共」，即「恭」，「谷」為「欲」，即「效法」（順從）。馬承源（1927－2004）曰：「谷假為裕，裕有敬重順從的意思，通欲。」❾❻馬氏今譯此句如下：「王有恭順的德性，能夠順應上天，真是教育了我這個遲鈍的人。」❾❼「惠」字因無實義，無須譯出。

李旦丘（亞農）（1906－1962）嘗謂：「叀字涵義極為複雜，欲求一義以貫之實不可能。」❾❽《古文字詁林》於「惠」字之義解舉例甚多，其首列唐蘭之說：「叀古讀當如惠。故金文多以叀為惠。而惠從叀聲。惠字古用為語辭。……其意當與惟字同。」❾❾又引楊樹達（1885－1956）之語：

〔〈彔伯𣪘𣪘〉〕銘文又云：「右闢四方，叀圂（弘）天命，女肇不彖隊。」叀疑與惟同。知者，甲文叀與隹二字皆用為語首助詞，用法全同，隹惟古今字。……叀與惠同，文云叀弘天命，即惟弘天命也。❿⓿

此前，楊筠如（1901－1946）《尚書覈詁》注「予不惠若茲多誥」，謂「惠，疑當作『惟』。……古惠、惟聲近相假。」❿⓿唐蘭則云：「凡卜辭有此一字而致文義不明者，讀為惟未有不文從字順者。」⓵⓶此謂「惠」為「惟」，作助詞。陳夢家評唐氏《天壤閣甲骨文存》所釋第 30 片甲骨之「惠」字曰：

甲骨此字從惠而省心，實是惠的初文，唐氏以為讀若惟，語詞，又舉《尚

---

❾❺　同前註，頁 63。
❾❻　馬承源：〈何尊銘文初釋〉，《文物》1976 年第 1 期，頁 93。
❾❼　同前註，頁 93。
❾❽　古文字詁林編纂委員會編纂：《古文字詁林》第 4 冊（上海市：上海教育出版社，1999年），頁 314。
❾❾　《古文字詁林》第 4 冊，頁 303。
❿⓿　楊樹達：《積微居金文說》（增訂本）卷 1（北京市：中華書局，1997 年），頁 4。又見《古文字詁林》第 4 冊，頁 314。
⓵⓵　楊筠如：《尚書覈詁》（西安市：陝西人民出版社，2005 年），頁 377－378。
⓵⓶　唐蘭：《天壤閣甲骨文存考釋》，轉引自《古文字詁林》第 4 冊，頁 314。

書》〈君奭〉「予不惠若茲多誥」（〈洛誥〉同，惠作惟，）〈洛誥〉「惠篤敘，無有遘自疾，」〈堯典〉「亮采惠疇，」〈皋陶謨〉「朕言惠可底行，」〈多方〉「爾曷不惠王熙天之命，」〈文侯之命〉「惠康小民，無荒寧」等之惠皆假多語詞之惟，甚確。又說卜辭「惠牛」「惠羊」即《詩》之「維牛維羊，」「惠物」即《詩》之「維物，」皆不刊之論。夢案：卜辭說「王惠北羌伐，」「惠王征邛方，」「惠今來甲子燎，」「惠今月告于南室，」這些惠都與佳相通：卜辭說「佳王來征夷方，」「佳王幾祀，」金文說「佳周公于征伐東夷豐白蒲姑，」「佳王伐東夷，」「佳幾年幾月」等佳字皆與卜辭惠同。❿❸

可見以上各條中「惠」並作語詞，與「維」、「佳」通。故李孝定（1918－1997）謂：

> 惟唐氏讀虫為惠，清儒已有此說。並引楊筠如氏之說以明惠為語詞，與經籍中語詞之惟同。以讀卜辭諸辭，無不豁然貫通，意義允洽。其說塙不可易，他家之說亦可以無辨矣。❿❹

此說可用於解釋《夨尊》銘文，故不可徑謂「惠」為動詞也。「惠」在此作「惟」，全句則可通讀無礙。倪教授解「惠」字為「助」釋《夨尊》銘文，文不成義，恐未究其朔。

其二，倪教授復稱引《禹鼎》之文，並英譯之：

肆武公廼遣禹達〔率〕公戎車百乘斯馭二百徒千曰于匡朕肅慕虫西六師殷八

---

❿❸ 陳夢家：〈讀天壤閣甲骨文存〉，《圖書季刊》，新 1 卷 3 期（1939.9），頁 288。又見《古文字詁林》第 4 冊，頁 319。

❿❹ 李孝定：《甲骨文字集釋》第 3 冊，卷 4《中央研究院歷史語言研究所專刊之五十》（臺北市：中央研究院歷史語言研究所，1970 年），頁 1431。又見《古文字詁林》第 4 冊，頁 315。

師伐靈侯馭方勿遺壽幼

Then Duke Wu sent me, Yü, to lead the Duke's war chariots, 100 of them, with 200 servants and drivers, and 1000 foot troops, saying, "Go! Zealously attend to my awesome plan! Help (*hui*) the Six Western Divisions and the Eight Eastern Divisions to attack Yü-fang, Lord of E, without sparing old or young. **⑩⑤**

〔漢譯文：武公派余，即禹，率武公之百輛戰車、二百隨從、千名軍隊，並云：『往矣！專心注視予之宏圖！協助西六師及殷八師攻打馭方及靈侯，勿分老少，格殺勿論。』〕

觀之英譯文，倪教授以「車西六師殷八師伐靈侯馭方」為句，「惠」字屬下讀，而「惠」訓為「助」。

陳世輝嘗隸定句讀此節銘文：

肆武公迺遣禹率公戊（戎）車百乘，斯馭二百，徒千，曰：「于□，朕盡慕車西六師、殷八師伐靈侯馭方，勿遺壽□。」**⑩⑥**

徐中舒（1898－1991）對此段銘文之隸定斷句如下：

龏武公迺遣禹率公戎車百乘，斯（廝）馭言（二百合文），徒千，曰：「于匡（將）賸肅慕𦎫（惠）西六𠂤、殷八𠂤伐靈戻馭方，勿遺壽幼。」**⑩⑦**

---

⑩⑤ David S. Nivison, "The Authenticity of the Mao Kung *Ting* Inscription," in *Ancient Chinese and South Asian Bronze Age Cultures*, ed. F. David Bulbeck (Taipei: SMC Publishing Inc., 1996－97), 319－320.

⑩⑥ 陳世輝：〈禹鼎釋文斠〉，《人文雜誌》1959 年第 2 期，頁 71。又見《金文文獻集成》第 28 冊（香港：香港明石文化國際出版有限公司，2004 年），頁 512。

⑩⑦ 徐中舒：〈禹鼎的年代及其相關問題〉，《考古學報》1959 年第 3 期，頁 54。

徐氏注云：「肅慕惠，伐噩之自既怔懼甚，肅者加以整飭，慕惠者，六自八自皆屬公族，必須以恩惠結之，使知愛慕。」❿❽徐氏釋「惠」為「恩惠」，非是，乃因「惠」於此作動詞，即「施加恩惠」於西六師、殷八師，惟有單一直接賓語「西六師、殷八師」，而不可緊接動詞「伐」。此乃上古漢語常見語法現象也，尤宜引以作證。

　　周勳初、譚優學《禹鼎考釋》說「惠」字為「幫助」之義❿❾，與倪教授之說相類。其言曰：

　　　　《禮記》〈月令〉：「行慶施惠。」鄭注：「惠謂恤其不足也」，是惠字有幫助的意思。武公命禹率兵幫助西六師、殷八師共同伐噩。⓾

然〈月令〉此句中「行」作動詞，「慶」為名詞；「施」作動詞，「惠」為名詞也。《孟子》曰：「分人以財謂之惠。」⓫「惠」於此名詞化，為直接賓語，作「施」之受詞。鄭玄注意為：賜予不足者以好處。周、譚二人誤將名詞「恩惠」解作動詞「助」，此不達古語而強為之說，不足據明矣。上世紀八十年代中期，李先登集諸家釋《禹鼎》之說，因襲周、譚之說辭，釋「惠」為「助」⓬，失之。近年黃天樹接受臺灣學者何樹環之說，即「用為虛詞的『惠』字有『助』之意」⓭，故

---

❿❽　同註❿❼，頁 55。

❿❾　周勳初、譚優學：〈禹鼎考釋〉，《南京大學學報》（人文科學）1959 年第 2 期，頁 69。

⓾　同註❿❾，頁 69。

⓫　趙岐注，孫奭疏：《孟子注疏》卷 5，〈滕文公上〉，載於阮元校刻：《十三經注疏》下冊，頁 2706。

⓬　李先登：〈禹鼎集釋〉，《中國歷史博物館館刊》1984 年第 1 期，頁 114。

⓭　黃天樹：〈禹鼎銘文補釋〉，載於張光裕、黃德寬主編：《古文字學論稿》（合肥：安徽大學出版社，2008），頁 65。2009 年 4 月 24 日，承蒙何樹環教授通過電子郵件惠賜大作兩篇：1.〈金文「叀」字別解〉，載於《文字的俗寫現象及多元性：第十七屆中國文字學全國學術研討會──隋唐五代說文學之傳承及其相關問題之探討》（臺北市：聖環圖書有限公司，2006），頁 319－334。2.「金文『叀』字別解──兼及『惠』字」，未刊稿，36 頁。捧讀之餘，深受啟發。儘管其大作中個別結論不敢苟同，然頗膺服何教授治學之嚴謹。何教授

《禹鼎》銘文之「惠」訓為「助」，文從字順。⑭而其引兩段甲文之意不甚明確，強為解說，難以證「惠」作「助」。訓詁之學必有典據。典者，出典；據者，本證、旁證（此乃陳第（1541－1617）《毛詩古音考》所立之例）。

　　近時，李學勤在《殷墟甲骨輯佚》書序中於「惠」之解亦有新見：

　　　本書第 573 片是無名組卜骨，辭云：「多子其董伐」，很值得注意。「多子」一詞卜辭屢見，……「董伐」可參看西周禹鼎銘文，武公遣禹「董西六師、殷八師伐鄂侯馭方」。「董」即「蕙」字，從「惠」聲，古音在匣母質部，應讀為匣母脂部的「偕」。多子偕伐，是諸侯或眾臣的部隊（所謂「多子族」）一起征伐，是一次規模較大的戰事。⑮

李氏以古音轉韻將「惠」釋為「偕」。其說或有可商，「蕙」「偕」雖可旁轉，似嫌本證及旁證不足。

　　上列各家說者見解紛陳，說各不同，然如《殷周金文集成釋文》編者所言：《禹鼎》「摹本錯字甚多，今據上器拓本訂正補足。」⑯經此書編者隸定之前引銘文如下：

　　　肆武公廼〔遣〕禹率公戎車百乘廝御二百徒〔千〕曰于〔匡〕朕〔肅慕唯〕西六師殷八師〔伐〕〔鄂〕侯〔御〕方勿〔遣〕壽幼⑰

《殷周金文集成釋文》編者讀「西六師」前之字為「唯」，是也。李孝定云：

雅意拳拳，銘感無既。謹記於此，以誌感佩之意。

⑭　黃天樹：〈禹鼎銘文補釋〉，載於張光裕、黃德寬主編：《古文字學論稿》，頁 66。

⑮　李學勤：〈序〉，載於段振美、焦智勤、黨相魁、黨寧編：《殷墟甲骨輯佚——安陽民間藏甲骨》（北京市：文物出版社，2008 年），頁 2。

⑯　中國社會科學院考古研究所編：《殷周金文集成釋文》第 2 卷（香港：中文大學出版社，2001 年），頁 405。

⑰　中國社會科學院考古研究所編：《殷周金文集成釋文》第 2 卷，頁 405。

「《禹鼎》：『重六自殷八自，伐噩侯馭方』，則為發語詞。」⑱甚得確詁。
「惠」、「唯」（喉音）皆為准雙聲，「惠」（脂部）與「唯」（微部）在韻部最
近，可以旁轉，是以「惠」於此作語助詞，方可通釋此段銘文而無滯礙。

　　其三，《師訇毁》載：「今余唯申京乃命命汝惠雍我邦小大猷」。⑲李學勤亦
將《師詢簋》銘釋文以今字寫出：「今余惟申就乃命，命汝惠雍我邦小大猷。」⑳
文有小異。倪教授援據《師訇毁》此句以說明「惠」作動詞「助」之義：

> "… I command you to help me uphold (*hui yung*) wise counsels for our State in
> small matters as well large, …" ㉑

> 〔漢譯文：予命汝助我為國衛護賢人，無論大事抑或小事。〕

　　周寶宏撰〈西周師詢簋銘文彙釋〉㉒，彙集諸名家對「今余隹（唯）䰭臱乃
令，令女（汝）重䮁（雝、雍）我邦小大猷」銘文之考釋。茲排比諸說於次：

> 其一，馬承源謂：「重䮁，讀為惠雝。《詩・大雅・思齊》『惠於宗
> 公』，鄭玄箋：『惠，順也。』又《詩・周頌・清廟》『肅雝顯相』，毛亨
> 傳：『雝，和。相，助也。』惠雝即惠和之意。」馬氏譯此句為現代漢語：
> 「命令你惠和我周邦而貢獻其謀策。」㉓

---

⑱　李孝定：《金文詁林讀後記》第 4 卷，中央研究院歷史語言研究所專刊之 50（臺北市：中央
　　研究院歷史語言研究所，1982 年），頁 147。又見《古文字詁林》第 4 冊，頁 320。

⑲　中國社會科學院考古研究所編：《殷周金文集成釋文》第 3 卷，頁 482。

⑳　李學勤：〈師詢簋與《祭公》〉，《古文字研究》，第 22 輯（2000.7），頁 70。

㉑　David S. Nivison, "The Authenticity of the Mao Kung *Ting* Inscription," in *Ancient Chinese and
　　South Asian Bronze Age Cultures*, ed. F. David Bulbeck (Taipei: SMC Publishing Inc., 1996－97),
　　321.

㉒　周寶宏：〈西周師詢簋銘文彙釋〉，《中國文字學研究》，第 6 輯（2005.10），頁 26－31。

㉓　同前註，頁 30。

其二，于省吾云：「（惠雝我邦小大猷）：惠順雝和我邦之大小謀猷。」⓬

其三，周寶宏曰：「雝，或作雍，古今學者皆訓和，但『惠雝我邦小大猷』，惠訓順，猷訓謀，『順謀』之義可通，而『和謀』之義不可通。和諧……謀略，義不好理解。……古注訓雝為和，和字不能理解和諧、和同，而是向應之義。《說文解字》：『和，相應也。』《周易・中孚》九二：『鳴鶴在陰，其子和之。』《尚書・洛誥》：『和恒四方民』，宋蔡沈集傳：『和，使不乖也。』《論語・子路》：『君子和而不同』，朱熹集注：『和者，無乖戾之心。』那麼，『雍我邦小大猷』即不違背或遵我邦小大謀猷之義。正與《文侯之命》『越小大謀猷罔不率從』相同。」⓭

以上三家之說，各有攸當，卻無釋「惠」作「助」者。于省吾訓「惠雝」為「惠順雝和」，堪為的解矣。學者現多信從于省吾之說，已成定讞。然周氏謂「和謀」之義不可通，誤矣。《左傳》〈昭公二十年〉載晏子辨「和」與「同」：「君所謂可而有否焉，臣獻其否以成其可；君所謂否而有可焉，臣獻其可以去其否，是以政平而不干，民無爭心。」⓮此即和謀義之顯例。於此可見，同乃無差別之統一，即錢鍾書（1910－1998）所謂「蓋全同而至於『壹』」。⓯雖有歧見，卻能於討論中棄短揚長，終歸統一，則謂和。孔子謂「君子和而不同」，其精義即在於此。

　2003 年，陝西眉縣楊家村新出青銅器中有四十三年逨（李學勤釋讀為佐）鼎銘文⓰，其內云：「虔夙夕蕙雝我邦小大猷」⓱，與《毛公鼎》、《師詢簋》文句

⓬　同前註，頁 30。

⓭　同前註，頁 30。

⓮　杜預注，孔穎達疏：《春秋左傳正義》卷 49，頁 391，載於阮元校刻：《十三經注疏》下冊，頁 2093。又見楊伯峻編著：《春秋左傳注》第 4 冊，頁 1419。

⓯　錢鍾書：《管錐篇》第 1 冊（北京市：中華書局，1979 年），頁 27。

⓰　李學勤：〈眉縣楊家村新出青銅器研究〉，載於氏著：《中國古代文明研究》（上海市：華東師範大學出版社，2005 年），頁 144。

⓱　李學勤：〈眉縣楊家村新出青銅器研究〉，載於氏著：《中國古代文明研究》，頁 146。

類似。絕大多數學者釋此句中「惠」為「順」，「雍」為「和」❸，可為《師詢
簋》銘文之佐證。倪教授考證之文，立說似新，然則取其他有關釋文覈之，其誤即
見。

　　釋讀金文須認識某一字於甲骨文之本義及演變，亦須瞭解某一字於金文特定語
言環境中之意義，並參稽經籍之意義引申。據劉奉光研究之結果，「叀字最主要的
演變是與佳通，作為語氣詞。」❸《說文解字》曰：「惠，仁也。」《爾雅》〈釋
詁〉：「惠，愛也。」《詩》〈民勞〉：「惠此中國。」《詩》〈北風〉：「惠而
好我。」「惠」於金文中有多重之義。❸而「惠」字作為動詞，若帶兩個賓語，則
必有介詞「於」介引動作行為對象，而非作為引進施動者。譬如《召伯虎簋》云：
「余惠於君氏大章，報婦氏帛束、璜。」方述鑫釋曰：「『惠』，賜予也，此為被
動用法。」❸可以為例矣。

　　夏含夷（Edward L. Shaughnessy）教授之近作〈《竹書紀年》的整理和整理本
——兼論汲冢竹書的不同整理本〉沿襲倪教授之說，亦以「同」字為介詞，並指摘
酈道元引《竹書紀年》文之草率。其文曰：

> 《水經注》這一條引文又應該怎樣理解？看引文下一句，大概就會發現錯誤
> 是怎樣發生的。「同惠王子多父伐鄶，克之」，不但「惠王」是明顯錯的
> （周惠王在位年代是公元前 676 到 652 年，在晉文侯和鄭桓公多父以後一百
> 年），並且文字也不成句，「同」沒有前置的主語。（東方按：「主語」原
> 文作「注語」，現據夏氏英文本頁 229（the tong "together with" requires a
> preceding noun）改「主語」。）方詩銘在《古本竹書紀年輯證》裏說

❸　參閱李學勤：〈眉縣楊家村新出青銅器研究〉，載於氏著：《中國古代文明研究》，頁
　　154。又參周鳳五：〈眉縣楊家村窖藏《四十三年逨鼎》銘文初探〉，載於《康樂集：曾憲通
　　教授七十壽慶論文集》（廣州市：中山大學出版社，2006 年），頁 56。
❸　劉奉光：〈釋叀〉，《社會科學戰線》1998 年第 2 期，頁 134。
❸　周法高主編：《金文詁林》第 5 冊，卷 4（香港：香港中文大學，1974－1975 年），頁 2485
　　－2501。
❸　方述鑫：〈召伯虎簋銘文新釋〉，《考古與文物》1997 年第 1 期，頁 66。

「同」和「惠」都是錯字，應該讀作「周宣」，即「周宣王子多父伐鄫」。可是這樣改變又和所有的史書說鄭桓公是周宣王庶弟、周厲王的兒子的說法互相矛盾。《水經注》這條引文恐怕祇能說是引得非常草率，應該如《今本竹書紀年》那樣讀作「晉文侯同王子多父伐曾」，大概沒有什麼疑問。**㉞**

夏氏則不僅以「今本」《竹書紀年》所載「晉文侯同王子多父伐曾」為原本《紀年》之文，抑且以「今本」《竹書紀年》易「伐鄫」為「伐鄶」為是，似嫌輕為斷案，失之未考耳。張以仁嘗論「鄶」為「鄫」之誤字，宜可信從也。說詳氏撰〈鄭國滅鄶資料的檢討〉，茲不復贅。**㉟**

四

復須說明者，倪德衛、夏含夷二教授將「同」訓為介詞及連詞（together with），殆以其繼西方漢學界前輩理雅各（James Legge, 1815－1897）舊說之故耳。理氏撰五卷本名著《中國經典》（*The Chinese Classics*）之第三卷《書經》（*The Shoo King*），特附有「今本」《竹書紀年》之英譯。現將理氏所引譯上述《竹書紀年》之句抄錄如下：

> 晉文侯同王子多父伐鄶，克之，乃居鄭父之邱，是為鄭桓公。
>
> Prince Wan of Tsin, with To-foo, of the royal House, attacked, Tsang, and

---

㉞ 夏含夷：《古史異說》（上海市：上海古籍出版社，2005 年），頁 430。夏君注云：「臣瓚、《國語‧鄭語》和《水經注》都把征伐的對象寫作『會』，而《今本竹書紀年》卻作『曾』，我的學生李峰已經論證曾或是鄶應該是對的。」（頁 449）此文之英文版見 Edward L. Shaughnessy, "The Editing and Edition of the *Bamboo Annals*," in *Rewriting Early Chinese Texts* (Albany: State University of New York Press, 2006), 185－256.

㉟ 張以仁：〈鄭國滅鄶資料的檢討〉，載於氏著：《春秋史論集》（臺北市：聯經出版事業公司，1990 年），頁 205－242。又，李峰撰有〈西周金文中的鄭地和鄭國東遷〉，《文物》2006 年第 9 期，頁 70－78。李氏認為，「是《水經注》錯將古本中的『鄶』字引用為『鄶』字，而不是《今本竹書紀年》錯將古本中的『鄶』改為『鄶』字。」（頁 75。）此說似嫌佐證不足，因篇幅限制，容另文討論。

subdued it. After this To-foo took up his residence on the hill of Ch'ing-foo. He
was duke Hwan of Ch'ing.⑬

理氏在此將「同」譯作"with"，謂晉文侯同王室之多父一道攻打鄶國。其於此句譯
文下作注：

To-foo, mentioned here, was a younger brother of king Seuen, by whom he had
been invested with the principality of Ch'ing. He wished to appropriate the State
of Tsang, which was afterwards done by one of his successors. That State was at
this time only subdued. Where Ch'ing-foo was, is not exactly known.⑬

〔漢譯文：此處所言多父為宣王弟，宣王封其於鄭地。其欲占鄶，而鄶後為
其繼承者所滅。此時鄶僅為征服。鄭父位於何處則無法確知。〕

　　「今本」《竹書紀年》「晉文侯同王子多父伐鄶，克之。乃居鄭父之丘，是為
鄭桓公」此條文句語法之問題，於此有必要略加探討。然若此處「同」作介詞或連
詞，以示晉文侯與王子多父攻鄶，則句首施事主語（下加橫線者）必為二人：「晉
文侯同王子多父伐鄶，克之。」即晉文侯、王子多父也。然而此句主語接著變作一
人：即王子多父「乃居鄭父之丘，是為鄭桓公。」然以古漢語文法言，「克之」主
語既為二人，「居之」所省略之主語必為二人。此等例證，見於先秦載籍者甚多。
即可見「今本」之文法大成問題，其改易之迹顯然，此特可證此書為拼湊之作。雷
學淇《考訂竹書紀年》雖據「今本」，而此句改作「〔晉文侯〕二年，周宣王子多
父伐鄶，克之，乃居鄭父之邱」⑬，主語即周宣王子多父，是也。此一問題實為理

---

⑬　James Legge, *The Shoo King*, vol. 3 of *The Chinese Classics* (Hong Kong: Hong Kong University
　　Press, 1960), 157.

⑬　James Legge, *The Shoo King*, vol. 3 of *The Chinese Classics*, 157.

⑬　雷學淇：《考訂竹書紀年》卷 5，頁 2。又見是書亦嚚嚚齋刻本，載於《四庫未收書輯刊》3
　　輯 12 冊，頁 77。

解此句關鍵之所在。

尤當注意者，則先秦古籍俱無以「同」作為介詞及連詞之例。「古本」《竹書紀年》無一處用「同」字。《詩》〈豳風‧七月〉：「同我婦子，饁彼南畝，田畯至喜。」鄭玄箋：「同，猶俱也。」❸王力（1900－1986）考證此「同」之詞性謂：「那是『偕同』的『同』，是動詞，不是介詞。」❹《論語》〈憲問〉：「公叔文子之臣大夫僎與文子同升諸公。」此「同」字亦為偕同之意。依愚見所知，先秦漢語皆以「與」、「及」為連詞。俞樾（1821－1907）舉古書連及之詞例謂：「凡連及之詞，或用『與』字，或用『及』字，此常語也。」❹又列其他古人或用為連及之詞如「于」、「若」、「之」、「惟」為證。❹稽之《經傳釋詞》、《古書虛字集釋》、《詞詮》，皆無「同」字。觀之漢語發展史，「同」字作介詞與連詞，乃後起之義。洪誠（1910－1980）有云：

> 宋人的小說早已用「同」字為介詞。唐人詩題中的「同」字很多是動詞，發展成為介詞的就是這種「同」字。……現代漢語的介詞「同」字大概是起於北宋初。❹

馬貝加將「同」字作介詞之產生時代推前，所舉例有：「友人陳郡儼同丞相義宣反。（南齊書，卷 34，沈仲列傳）……范陽盧景裕同從兄禮於本郡作逆。（北齊書，卷 84，儒林外傳）」❹故馬氏謂：「介詞『同』的用法的『成熟』大約在八

---

❸ 毛亨傳，鄭玄箋，孔穎達疏：《毛詩正義》卷 8，載於阮元校刻：《十三經注疏》上冊，頁 389。

❹ 王力：《漢語史稿》，載於《王力文集》第 11 卷（濟南市：山東教育出版社，1990 年），頁 215。

❹ 俞樾等：《古書疑義舉例五種》（北京市：中華書局，1956 年），頁 83。

❹ 同前註，頁 83－85。

❹ 洪誠：〈王力《漢語史稿》語法部分商榷〉，載於《洪誠文集》（南京市：江蘇古籍出版社，2000 年），頁 83－85。

❹ 馬貝加：〈介詞「同」的產生〉，《中國語文》1993 年第 2 期，頁 151。

到十一世紀，比『共』遲二、三個世紀。」❹丁江則謂：「到了宋代，連詞『同』也開始產生。例如：……『阿姑同健父偕老。』（郭應祥《鷓鴣天》）」❹洪、馬、丁之說足相參印，可證自先秦至中古漢語，並無以「同」為介詞及連詞之例。故楊俊光有曰：「『同』作連詞，是現代的用法，古無是例。」❹唐宋人始用「同」作連詞或介詞，明清後世沿用。「今本」《竹書紀年》抄輯者正緣習聞熟知「同」之後起語義，遂改《水經注》引「晉文侯二年，同惠王子多父」為「晉文侯同王子多父」耳。其混「同」作介詞，反忘「同」字之上古本義矣。

　　《史記》〈鄭世家〉謂宣王二十二年封友於鄭，「今本」《竹書紀年》亦云宣王二十二年錫王子（東方按：宣王時稱多父為王子，因其為宣王之子。），「錫命」與「封」應為一事，且時間相同；而地點一為鄭、一為洛，雖非同一之地，但相去不遠。故此二條材料大體可以互證。王國維《今本竹書紀年疏證》即主張「今本」此條實以〈鄭世家〉為底本。「古本」《竹書紀年》記：「晉文侯二年，同惠王子多父伐鄭。」則此時已為幽王三年，鄭桓公不復稱為「王子多父」。此可反證「同惠王子」作「周宣王子」之解是也。

　　取今古二本校之，「今本」抄輯者改編《水經注》所引《竹書紀年》文字痕迹顯著。尤可異議者，輯者未曾留意「晉文侯二年」非謂直接所引文字，實為表明紀年。以《水經注》同段所引《左傳》文為例：「《左傳》襄公元年，晉韓厥帥諸侯伐鄭，入其郛，敗其徒兵於洧上。」《左傳》原文記襄公元年則云：

> 《傳》：元年春己亥，圍宋彭城。非宋地，追書也。於是為宋討魚石，故稱宋，且不登叛人也，謂之宋志。
>
> 彭城降晉，晉人以宋五大夫在彭城者歸，寘諸瓠丘。
>
> 齊人不會彭城，晉人以為討。二月，齊大子光為質於晉。

---

❹　同前註，頁 152。

❹　丁江：〈近代漢語『和』類虛詞的歷史考察〉，《中國語文》1996 年第 6 期，頁 462。

❹　楊俊光：《墨經研究》（南京市：南京大學出版社，2002 年），頁 311。

夏五月，晉韓厥、荀偃帥諸侯之師伐鄭，入其郛，敗其徒兵於洧上。**❽**

此足資旁參。蓋古人引書常有省改，原不必規規然。《永樂大典》引《水經注》文曰：「《左傳》：襄公元年，『晉韓厥帥諸侯伐鄭，入其郛，敗其徒兵於洧上。』是也。」除省略自元年以下至夏五月之文字外，亦無「荀偃」、「之師」等字。可見《左傳》原文詳而《水經注》所引略。此類以行文之需引文於《水經注》隨處可見，不必悉舉。故酈道元引《竹書紀年》之文，亦當同此例。

　　竊頗疑「晉文侯同王子多父伐鄶」為「今本」編者臆改字句參合而成。抄輯者不曉古人引書之例，移「晉文侯」為全句之主語，又沿《水經注》所引《竹書紀年》「同惠」之訛。蓋其欲與相配合，刪掉「惠」字，遂以「同惠王子多父」成句。然取以「今本」與「古本」相比勘，前者先後顛倒，不符史實，難以依信。

　　茲所欲言者，酈道元稱引《竹書紀年》「同惠王子多父伐鄶」或有錯字，然不似它處之錯簡。經籍之中文字訛傳，每無異於後人之寫別字也，故雷學淇謂「同、周、惠、宣，字形相似，故鈔錄鋟板者多誤。」**❾**張以仁則以為：

　　《竹書紀年》資料，古、今本皆有訛奪，或作「同惠王」，或作「同王」，後人改為「周厲王」或「周宣王」，皆出自臆測，並無實證。然劉知幾《史通》所見者則作「周厲王」，厲之與惠，中間部分相同，因而致誤。**❿**

張氏屢引劉知幾《史通》以為立論之根據，云：「劉知幾親見《竹書紀年》而作『厲王』，自是一項鐵的證據，則朱右曾、王國維以『同惠』為『周厲』之誤反得

---

❽ 杜預注，孔穎達疏：《春秋左傳正義》卷 29，頁 226，載於阮元校刻：《十三經注疏》下冊，頁 1928。標點分段據楊伯峻編著：《春秋左傳注》第 3 冊（北京市：中華書局，1981年），頁 916－917。

❾ 雷學淇：《考訂竹書紀年》卷 5，頁 2。又見是書亦嚻嚻齋刻本，載於《四庫未收書輯刊》3輯 12 冊，頁 77。

❿ 張以仁：〈鄭桓公非厲王之子說述辨〉，載於氏著：《春秋史論集》，頁 366。

其實。」❺然此似難為「同惠」為「周厲」訛誤之確證。且劉知幾所記之可疑者，經雷學淇、趙紹祖、浦起龍之釋證，已昭然若揭，茲不贅述。

張氏以字形推究，疑「同惠」為「周厲」之誤，因曰：

> 當時群臣奉命寫書，使用的今文應該是比較端謹的八分而不會是章草。這種字體，如果原是「厲」字，由於當中部分與「惠」字近似，寫本日久，或遭水蝕，或經蟲蛀，漫漶殘缺，在所難免，酈道元據之抄入《水經注》，而誤「周厲」為「同惠」，並非不可能。如果是「宣」字，可能性便不大了。……「惠」「宣」草書雖然近似，但由「惠」誤「宣」的可能性大、由「宣」誤「惠」的可能性便不大，因為宣的草書，後世不易誤成惠字。❺

然細按之，張氏解「同惠」之「惠」為「厲」義並無原本根據，未可從也。以字形觀之，無論「厲」、或「宣」均非能直接轉成「惠」字。❺故徒泥字形以求之，義未能明矣。張說於字形無所憑藉，於古音亦有可商。信以傳信，疑以傳疑，絕不可勉為其難，企圖對上字形。

考之文獻史實，余頗傾向於雷學淇「周宣王子多父」之說。嘗試論之。信如戴震所言，「周」疑當在「同」字耳。「同」、「周」二字以金文或隸書觀之，皆屬形近相似。王引之《經義述聞》論「形訛」曰：「經典之字往往形近而訛，仍之則義不可通，改之則怡然理順。」❺形訛而義不通，大抵皆誤字。故「周」訛作「同」，非原刻之失，即傳寫之誤。❺或疑之曰：「同」字於《水經注》引「晉文

---

❺　同前註，頁 388。

❺　同前註，頁 388。

❺　參觀高明：《古文字類編》（北京市：中華書局，2004 年），頁 154「惠」字，頁 214「萬」字，頁 385「宣」字。

❺　王引之：《經義述聞》卷 32，頁 26。

❺　「周」誤作「同」之例，古書中多見。如孫詒讓《周書斠補》卷三「聖善同文曰宣」下案云：「《獨斷》作『聖善同文』，『同文』疑即『周聞』之訛。」載於《續修四庫全書》第301 冊，頁 207。《文心雕龍》〈徵聖〉篇「鑒周日月」句之「周」，有版本誤作「同」，參觀楊明照：〈《文心雕龍》版本經眼錄〉，《學術集林》，卷 11（1997.11），頁 222。又如

侯二年，<u>同</u>惠王子多父<u>伐</u>鄶」句式中可否作介詞。如前所述，逮北宋之際，「同」作介詞用例適出現於行文敘述。《玉壺清話》即有實證，其書卷四云：「祥符五年，<u>同</u>丁相<u>迎</u>真宗聖像。」❺❻（引文下橫線乃筆者為說明所加）此句中「同」為介詞，「迎」為動詞。「今本」《竹書紀年》編者不悟，上溯先秦、下逮北魏，絕無此類連動句式流行。張以仁以為：「除非酈道元抄入《水經注》的是根據《竹書》原簡，否則，我們似乎用不著從古文上作比對的工夫。」❺❼其實不然也。竹書經隸變傳寫，率爾隨筆改易者時有發生。「同」「周」二字相類而易致訛誤，則西晉學者整理《紀年》或酈道元摘錄《竹書紀年》傳寫本，訛「周」為「同」之可能似不可排除。

今所得見《水經注》善本，「同」下原有「惠」字。然雷氏又謂「惠」、「宣」因形近而訛，此說似難圓融。形近說不如音近說。按上古音，「惠」字在脂部，「宣」字在元部，「惠」與「宣」二字之韻部為旁對轉關係（脂部→真部對轉，真部→元部旁轉）。❺❽此解似亦可備一說。

王引之（1766－1834）《經義述聞》〈敘〉引乃父念孫（1744－1832）之言曰：

> 詁訓之指，存乎聲音，字之聲同聲近者，經傳往往假借。學者以聲求義，破其假借之字而讀以本字，則渙然冰釋。如其假借之字而強為之解，則詁籥為病矣。❺❾

可見考求文字本義不外乎音同、音近、音轉三途。循此參以《水經注》所引《竹書

辛棄疾〈賀新郎〉「與我周旋久」句，吳則虞云：「歷城本「『周』誤作『同』。」見氏著：《辛棄疾詞選集》（上海市：上海古籍出版社，1993 年），頁 46。

❺❻ 文瑩：《玉壺清話》（北京市：中華書局，1984 年），頁 37。

❺❼ 張以仁：〈鄭桓公非厲王之子說述辨〉，載於氏著：《春秋史論集》，頁 388。

❺❽ 關於上古音韻之音轉研究，尤於旁對轉，可參觀吳澤順：《漢語音轉研究》（長沙市：岳麓書社，2006 年），頁 222－232。

❺❾ 王引之：《經義述聞》，頁 1。

紀年》此條，「宣」字極可能因音近而以「惠」字代之（旁對轉）。

如以上所測不誤，則可定《水經注》所引雖有「同」「惠」二字之訛，但經文字改正及聲音通假，或可更近酈氏所引《竹書紀年》。亦可徵驗「今本」《竹書紀年》輯者誤解《竹書紀年》字句——其雖欲重編古人之書，卻不諳古音韻，改《水經注》引「晉文侯二年，同惠王子多父伐鄶」以「晉文侯同王子多父伐鄶」，失之遠矣。崔述（1740－1816）〈考信錄提要〉謂「偽託於古人者未有不自呈露者也」❿，「今本」此條之語氣文勢不特非先秦，亦不足以充西晉六朝也，此亦可顯元明學人之陋矣。文字流傳，幾經增損變易，每不足徵，以上解說皆個人管見，非敢自必，冀或可補前人所未及也。

---

❿　崔述：〈考信錄提要〉卷下，載於顧頡剛編訂：《崔東壁遺書》（上海市：上海古籍出版社，1983 年），頁 15。

經　學　研　究　論　叢
第　十　七　輯　　頁373～388
臺灣學生書局　2009 年 12 月

香港經學考察記

車行健、吳儀鳳[*]

一、前言

　　二〇〇八年一月十八日至二月一日，中央研究院中國文哲研究所林慶彰教授應香港浸會大學中國傳統文化研究中心之邀，擔任該中心訪問研究員。因多人隨行林老師參訪，林老師便仿之前執行晚清及民國經學計畫組織考察團之例，臨時也組織了一支小型的參訪考察團前往，因而便有了此次香港經學考察之行。考察團成員除林老師及筆者二人外，尚有文哲所的蔣秋華教授與蔡長林教授，以及林老師的助理，就讀於臺北大學古典文獻學研究所的袁明嶸先生。參訪考察對象除浸會大學中文系及中國傳統文化研究中心外，尚有香港大學中文學院、圖書館與饒宗頤學術館、中文大學中文系與中國文化研究所、嶺南大學中文系，以及學海書樓等。為紀錄此行參訪及考察之點滴，爰成斯篇，以誌當日所見所聞之心得體會，一來藉此做他日查考之資，二來亦期盼這些見聞感想能為吾等學界提供一二攻錯之參考。

二、考察日記

◎一月十八日，星期五

　　1.早上七點二十五分左右，我們先和袁明嶸在木柵會合，再一起搭乘租車公司的車直奔士林，去林慶彰老師家接他，然後再到桃園機場。我們搭十點五十五分的

---

*　車行健，政治大學中國文學系副教授；吳儀鳳，東華大學中國語文學系助理教授。

港龍航空編號 KA487 的班機到香港。蔣秋華教授和蔡長林教授沒跟我們同行，他們要晚兩天帶家眷一起來。

　　2.中午時分抵達香港，出關時人很多。出機場後浸會大學中文系的陳致教授與盧鳴東教授親自押著浸會大學的校車來接我們。這次浸會大學中國傳統文化研究中心邀請林慶彰老師前去擔任兩週的訪問研究員，二人出力甚大，大大小小的事都是他們在張羅。浸會大學的校車載我們到下榻的九龍塘聯福道的浸會大學吳多泰博士國際中心，剛到的時候房間還在打掃，於是我們便先去吳多泰中心附設的餐廳簡單吃點東西果腹。在用餐的時候，中國傳統文化研究中心的劉楚華主任來拜訪林老師，表達她的歡迎之意。用完餐後大家就各自回房休息，晚上八點半陳致來邀晚宴，地點在學校內的餐廳。盧鳴東下課後匆匆趕來，他剛上完廣東話教學的課，雖然課程很受歡迎，但他看來還是有點疲累。這場接風宴吃到十一點方結束。因為林老師要吃藥，便由明嶸陪同著提早回去休息了。

◎一月十九日，星期六

　　1.今天一早，我們和林老師、袁明嶸一行四人自行到香港大學馮平山圖書館去。早上從吳多泰中心走路去地鐵站，距離並不算很近，穿過好幾條馬路，也走了將近一、二十分鐘。地鐵站後面有一大賣場，喚「又一城」，是一大型百貨商場，中間是挑高設計的，一樓是國際名牌服飾，四樓有美食城，其中看到有大家在臺灣較熟悉的「吉野家」和「麥當勞」，於是就決定在此吃早餐。林老師和明嶸點了「吉野家」的丼飯，我們則是吃「麥當勞」的滿福堡。之後即走去地鐵站搭地鐵，由於沒有直達港大的車，所以我們一行人先坐到中環，然後再轉搭 55 路小巴士去香港大學。

　　我們一行人的目的地本來是鼎鼎大名的馮平山圖書館，但一開始找不到該館的所在地，後來經詢問後才知道馮平山圖書館的圖書已移至總圖的五、六樓。因此大夥就改去總圖，不過到總圖時已經十一點半了，於是大家便先至總圖樓下的星巴克用餐，簡單吃些三明治、奶茶咖啡之類的，填填肚子，之後再進館查資料。在點餐的過程中，我們發現在香港講普通話還不如講英文，講普通話有時對方還反應不過來，會聽不懂，要講兩三遍，可是英文講一遍就 OK 了。像在港大的星巴克便是，講「hot coffee」，比講國語的「熱咖啡」管用。

我們一行人一開始因無證件，無法進入圖書館，但經過一番交涉後，大夥都獲得了臨時入館的通行證，方便大家這幾天來此查找資料。大部分的中文書在六樓，所以我們一行人主要都待在六樓的中文書庫。大家剛開始都各自在那裡瀏覽架上的書，但明嶸顯然比較忙碌，他可是事先準備好許多要查找的資料前來的，這些資料不但有林老師編《民國時期經學叢書》要找的書刊，也有林老師正在蒐羅的香港經學的相關資料，而且還有別人託他找的資料。他常常在書庫、期刊室和特藏室之間跑來跑去，也常常看到他拿一堆書或刊物在圖書館內的影印機影印。港大圖書館可以直接使用八達通卡影印，我們因沒有八達通卡，所以有時候想要印資料時，便向明嶸借八達通卡來印。看來若來香港查資料最好還是要有八達通卡，這樣比較方便。

2.傍晚五點，盧鳴東和我們大家約在中環地鐵站 J 出口會合，大夥走了好久才到 J 出口。盧鳴東要帶我們去搭纜車上太平山。我們一行人排了好久的隊才買到票，盧鳴東特別提醒我們票根可以留著做紀念。買完票之後，又排了很長的隊才終於坐上像火車一般的纜車上太平山。山上有許多商店、餐廳，還有夜景可看，人很多，很熱鬧，不過這一天天氣不是很好，山上很冷、風很大，而空氣中有些灰濛濛的，遠方景色看起來並不是很清楚。後來陳致也來了，他開車來，所以大夥下山時是搭他的車下山的，而且因為他的車是休旅車，可以坐比較多人，提供了不少方便。下山後，陳致帶大家去吃一家泰國料理。雖然我們在臺灣也常有機會吃泰國料理，不過這一晚吃的和我們在臺灣吃的口感不一樣。像紅咖哩、綠咖哩之類的，都有著濃濃的奶油味，和臺灣的泰式料理偏重酸辣的口味的確有蠻大的不同。吃晚餐時已經八點多了，不過餐廳人還是很多。香港都八點多才吃晚餐，臺灣這個時間餐廳都要打烊了。

3.晚飯後，陳致開車載大家回吳多泰中心，我們送林老師回房，在他房內陪他聊天，直到十二點才回房間。明天還要再去馮平山圖書館，林老師說還有很多書要印。而且接下來林老師還有很多人要見、很多飯局和邀約，包括單周堯教授、李家樹教授、華瑋教授等。

◎一月二十日，星期日

1.今天的主要行程仍是去港大圖書館查資料。早上大家共搭一輛計程車去港

大，去時圖書館二樓剛好有舊書特賣，所以我們一行人在那裡逛了很久，林老師又買了不少書，其中有一套杜佑的《通典》點校本。

2.港大的圖書館有公用的電腦可供使用，並且都可連上網，所以有時候我們在港大圖書館看到的書（如《北京大學史料》），不確定臺灣的圖書館有沒有，於是便上網連到臺灣圖書館的網站（其實主要是中研院圖書館）去查查看。中午清華大學中文系的林聰舜教授來電話，跟我們大夥約下午五點半至圖書館來相會。他這學年到嶺南大學中文系擔任交換教授，清大和嶺南有簽交換教授的合作協議，林教授便是透過這個機制來嶺南任教一年。由於來香港前，我們已寫 e-mail 告訴林教授我們來香港參訪之事，所以便有林教授邀約之舉。

3.中午我們自己在港大吃午飯。晚上林聰舜教授帶大家去蘭桂坊吃飯。但對於要吃什麼林教授自己沒有什麼意見，叫我們自己選，於是我們便挑了一家日本料理，不過這家店好昂貴，林老師點菜都點不下去。飯後林聰舜教授帶我們逛 Hollywood Street，還去吃龜苓膏，然後再一起回吳多泰中心。大家在林老師的 907 號房談了一會兒話。由於嶺南大學並沒有提供招待所，所以林聰舜教授在學校附近租了間房子住，他擔心時間太晚，便起身告辭了。臨走前，林老師要送他書，他便在林老師帶來欲贈香港學術界朋友的書中挑了一本點校本的《翼教叢編》。

◎一月二十一日，星期一

1.今天繼續去港大圖書館，還是一樣搭計程車去。林老師中午和中文學院的單周堯教授有約，蔣秋華教授和蔡長林教授也來和我們會合，他們是昨天才到的。我們一行人先去中文學院辦公室找單教授。單教授最近才剛卸下主任一職，但他還在辦公室中忙進忙出的。我們一夥人在辦公室坐了一下，談了一會兒話，單教授贈送每人一部《香港大學中文學院歷史圖錄》，這是為紀念該學院成立八十週年而編的（港大的中文學院其實就是由原先的中文系升格而成的，中文系創始於 1927 年，2007 年升格為中文學院），也是在單教授任內時編的，製作的相當精美，裏面有許多珍貴的照片、書影和院系史資料，如其中牟宗三（1909－1995）所撰的〈劉百閔先生港大榮休序〉一文，似乎並沒有收錄在《牟宗三先生全集》（臺北：聯合報系文化基金會，2003 年）中。由此可以看出，該書確實具備不少保存文獻的功能，不但是研究港大中文學院的重要史料，而且從中也可略窺這八十年來香港漢學

界的發展動態。

　　稍事休息後，單教授便請我們去吃西餐，在研究生院的西餐廳。這一天因為有個商業的研習營活動，餐廳一路上人很多，都是穿白襯衫、套裝式制服的年輕男女，一批批人剛剛才輪流吃完。這個地方的西餐不錯，我們每人都點了一樣，但單教授不用點，他說他牙齒不好，這裏的廚師知道他要吃什麼，會幫他弄。單教授的募款能力很強，我們跟他說林老師這次來香港浸會大學擔任訪問學者，是因為浸會的中國傳統文化研究中心經費的資助。而這個中心也是因為一位叫蔡德允的女士捐助港幣一千萬元所成立的，這位蔡女士是一位古琴名家，大概靠教授古琴賺了不少錢。但單教授說，他任內就幫中文學院募了五千萬港幣，而且這位蔡女士本來也想把錢捐給港大，但因為當時港大態度有些高傲，再加上有負面新聞（內部有些紛爭），所以蔡女士就覺得港大怎麼那麼亂，於是便把錢捐給浸會了。後來我們把這段典故說給陳致聽時，他還不知道這中間的來龍去脈呢！可見港大只要稍微分一兩杓羹湯，便可沃溉其他學校多多了。

　　2.午飯後，單教授帶大家參觀饒宗頤學術館。此館成立於二〇〇三年十一月八日，主要是由已故的香港麗新集團主席林百欣（1914－2005）、饒宗頤學術館之友及眾多熱心人士的鼎力支持所成立的。據該館網頁的自我介紹：「饒宗頤學術館將會以學術研究放在第一位，並會積極推動香港與海內外重視中華文化研究的學術機構、文化團體與組織、專家學者們作更緊密的學術文化交流；學術館並兼備類似古代文人的藏書樓和畫室的功能；換言之，它既是一個研究中心、全球漢學界的學術文化交流中心，但也兼備供研究型讀者使用的小型圖書館和藝術展覽廳的作用。」❶該館目前一共有十位專職人員，包括五位研究人員和五位行政人員。館的所在地是舊的教職員宿舍，建築雖舊，但佔地可不小，一整層都歸該館使用，有藏書室、工作室、展覽室、收藏室、接待室等。該館目前所收藏的饒公（他們均尊稱饒教授為饒公）贈書計有古籍七百餘種，珍貴的古籍善本約百餘種，著名學者題贈的書籍約有一千二百冊，其他各學術領域的書刊文獻則有三萬餘冊。這些藏書除古籍善本和珍貴的書籍外，均按饒公的分類，分別存放在歷史學（包含考古學、上古史、文

---

❶　參 http://www.hku.hk/jaotipe/intro-3.html。

化史和學術史）、宗教與哲學（包括印度學）、潮學、甲骨學、語文、簡帛學、文
字學、目錄學、敦煌學、藝術、叢書和期刊等等藏書室或區內，著實令人歎為觀
止。接待我們的是該館研究主任鄭煒明博士，此外我們還看到了助理研究主任洪娟
博士，她是饒公的學生，目前正在幫饒公編輯《楚簡書法匯編》的工作。林老師邀
鄭煒明主任寫一篇介紹該館的文章，他可以登在《國文天地》或《經學研究論叢》
中，鄭主任很爽快的答應了。我們一直參觀到四點多方回圖書館。蔣老師和蔡長林
因要去接家眷同赴晚上華瑋的宴，所以便先走了。

　　參觀饒宗頤學術館令我們非常感嘆，一位人文學者能受到如此的尊崇，且香港
的企業家又如此大方慷慨捐款，贊助興建學術館，這對在臺灣的我們而言，簡直是
難以想像之事。當然政府有一些減稅措施鼓勵企業家捐款興學，也許真的應該再好
好去思索：為什麼香港的大學企業捐款如此多？而臺灣的大學財務頗為困窘，可是
企業捐款的風氣卻不如香港興盛？為何如此？值得深思。在財政困窘的情況下，又
要拿什麼去跟人家比大學的競爭力和國際化的程度呢？

　　3.晚上華瑋教授請吃飯，地點在「又一城」，真巧！或許「又一城」就是九龍
塘一帶最像樣的商場，再加上華瑋住在中文大學那一帶，從沙田直接過來九龍塘比
較近，也比較方便。華瑋這學年在中文大學中文系客座，她和林老師是文哲所的同
事，得知林老師來香港訪問，所以便盛情的設宴款待林老師，我們等於是沾了林老
師的光。我們和林老師從港大搭計程車至中環，（明嶸未隨行，他留在港大繼續印
資料。）再從中環搭地鐵至九龍塘，然後再搭計程車回吳多泰中心。陳致與張宏生
已在那裏等我們了。林老師回房間拿書與禮品，然後我們五人再共搭計程車至「又
一城」。晚宴同座的除林老師這一團人及陳致外，還有張光裕教授與張宏生教授。
這是我們第一次見到張光裕教授，而張宏生則是第二次見面了。張宏生這幾年常來
臺灣，上一次他來中央大學客座時，劉漢初教授曾請他來東華大學演講，我們上次
就是在東華大學跟他有過一面之緣。他現在半年在浸會專任，半年在南京大學專
任，而他在浸會專任的職缺又是和北京大學中文系的葛曉音教授平分，兩人各來浸
會專任半年，一個上半年，另一個下半年。這個制度頗特殊，由此可以看出大陸與
香港的某些制度很有彈性，在臺灣大概就無法實施。張光裕教授聞名已久，近幾年
更因《上博簡》而聲名大噪。林老師稱他師兄，蓋因彼亦屈萬里（1907－1979）先

生的弟子,而屆數又早於林老師。張光裕目前是中文大學中文系的研究教授,地位頗為崇高,平常不用上課。張教授極健談,席間談了甚多出土文物、《上博簡》的掌故逸聞,甚為生動有趣。然亦自承有不少難言之隱,他看了許多出土的東西,但卻沒辦法寫相關的論文,有的甚至也不能講,此實是頗痛苦的事,可能受制於他們的「行規」或「職業倫理」的關係吧!看到好東西、得出新穎的論點、聽到天大的祕密,但卻不能跟人說,也不能寫出來,真是夠悶的。

　　4.餐畢,陳致和我們陪林老師至超商買水果,然後四人再搭計程車回吳多泰中心。到了賓館後,陳致回學校開他自己的車回家,我們則回林老師房間吃水果,此時明嶸也已回來了。大家一起陪林老師聊了會兒天後,十一點半方回房休息。明天上午仍是去馮平山圖書館,明嶸還有許多資料要印。下午要去中文大學。

◎一月二十二日,星期二

　　1.上午還是去港大,今天是陳致開車載我們去,但陳致似乎對香港的路還不是很熟,一路開過了頭。找不到港大的入口,但後來還是找到了。把我們送到港大後,他有事就先走了。我們先在圖書館看一會兒書,十一點半才去中文學院拜訪李家樹教授,明嶸留在圖書館繼續印資料,沒有跟去。李教授先帶我們去見新任院長楊玉峰博士。楊玉峰是研究南社的,他的名片寫的是「署理主任及副教授」。我們在辦公室談了一會,李家樹教授主動跟林老師提到雙方合作辦研討會的事,林老師對李教授的提議大表贊成。後來李教授看看時間差不多了,便和楊玉峰主任一起帶我們去吃飯,李教授和林老師兩人在路上還一直在談合作的事。走到圖書館門口,看到蔣老師及蔡長林已經從他們住的賓館趕來和我們會合。但沒看到明嶸的踪影,進圖書館找,也找不著。不得已,只好請蔣老師用手機 CALL 他,好不容易聯絡上他,才知道他原來在裏面正忙著幫他的學長蕭開元印一本學位論文。等他下來後,我們大夥才一塊去學校的教師俱樂部餐廳用餐。

　　2.吃完飯仍回圖書館,一直到兩點半,陳致又回來找我們,開車載我們去中文大學。但去中大的途中,陳致因錯過路口轉彎處,開過頭,繞了一大圈。我們一行人到中大時已快四點了,比原本跟他們約訂的時間已經有所延誤了。一行人先去中文系(全名是中國語言及文學系)見華瑋教授,本來還想去張光裕教授的研究室拜訪他,昨天本來有說今天來中大時可以去看他,但可能因為我們時間延誤了,所以

他就先走了。華瑋帶大家去見系主任陳雄根教授。由於我們事前有注意到中文大學中國文化研究所的何志華教授，所以便請陳雄根主任幫忙聯繫何教授，表達我們想要拜訪他的念頭。其實我們中午已透過陳致先跟他連絡過了，也許正是這個原因，所以他人剛好在中文系的研究室裏（他也是中文系的專任教授）。電話撥了之後，他很快就來主任辦公室和我們會面了。一群人擠在主任辦公室後便七嘴八舌的聊了起來，後來看看時間差不多了（也快五點了），何志華便領我們眾人去參觀中國文化研究所。走時，陳主任送了我們每人一袋該系的出版品，有學報、書籍等，讓我們深切的感受到地主的情誼。

　　中國文化研究所在中大是一個獨立的單位，與中文系所在的馮景禧樓不在同一個區塊，所以我們眾人是分乘幾輛車過去的。中大蓋在山坡上，校園腹地大，景色也極美。而中國文化研究所的建築亦極有特色，它採取和式庭園風格，灰色低調素樸的建築，搭配東方庭園風格，四面是三層樓房，中間有一寬大中庭，庭中設計為低淺水池，池中養了許多鯉魚，池畔有饒公題的「濠梁」二字石碑。疲累之時，散步庭園中看看悠游的魚兒，頗能心曠神怡，一掃煩憂，此或許即是東方建築「天人合一」之境界。中國文化研究所成立於一九六七年，宗旨是促進綜合及比較性之研究，助香港本地及海外學者提高中國文化研究與教學的水準。此外，亦通過出版書刊和舉辦學術會議來促進研究經驗與知識之交流及中國文化之建設。事實上，中國文化研究所不是一個單一學門或領域的學術機構，其下轄文物館、翻譯研究中心、中國考古藝術研究中心、吳多泰中國語文研究中心、當代中國文化研究中心及中國古籍研究中心等單位，這些中心各自發展學術及出版工作，該所的出版品包括《中國文化研究所學報》、《譯叢》、《中國語文通訊》、《二十一世紀》等四種期刊，而其屬下各單位亦分別出版專刊、叢書、及其他學術專書。所內還設有參考圖書室，藏書計三萬四千餘冊及期刊三百餘種。由此看來，這的確是一間具有相當規模的獨立研究機構。❷

　　何志華帶我們參觀他所主持的「中國古籍研究中心」。此中心成立於二○○五

---

❷　以上說明大致參該中心網頁之簡介，該中心網址是：

　　http://www.cuhk.edu.hk/ics/general/index.htm。

年，前身為創建於一九九八年的「漢達古文獻資料庫」，目的在將中國古代全部傳世及出土文獻加以校訂、整理，並收入電腦資料庫，後再通過媒體出版。這個單位跟林老師長期從事的經學文獻（論著目錄的編製、文集的點校整理、經學叢書的出版等）工作較有相關之處，因此若二者能進行實質的交流，相信應該對彼此都有極大的助益。陪同接待的還有一位是《中國文化研究所學報》的編輯朱國藩博士。我們提醒林老師也可以請朱國藩寫一篇介紹中國文化研究所的文章，林老師隨即跟朱國藩提出邀稿的請求，也獲得朱國藩的首肯。

　　從香港各大學中文系的課程安排來看，他們在語言文字之學這一部分的課程是很重視的，很多這方面的必修課，而且教師也多是這方面研究專長者，如浸會大學中文系的周國正主任，中文大學中文系的陳雄根主任，以及嶺南大學中文系的李雄溪主任都是專精於語言文字學方面的專家，至於港大的單周堯教授及曾擔任文學院副院長的李家樹教授，在專治經學（單教授專攻《左傳》，李教授以《詩經》名家）之餘，語言文字之學亦是他們專擅的領域。臺灣的大學中文系因為文學課程加重，使得有些學校已經沒有文字學、聲韻學、訓詁學的必修課了，而一般語言學及語法學的課程也不是很重視。語言文字之學的課程萎縮得很厲害，這當然對經學、經書及一般經典古籍的研究與教學都帶來不利的影響，這點讓我們頗有所感。

　　3.傍晚，陳致開車載我們回浸會的校內餐廳用餐，但明嶸則留在中大圖書館找資料，未隨我們回去。用完餐後，陳致帶我們去浸會中文系及他的研究室參觀，他送了大家他的博士論文改寫出版的英文專著——*The Shaping of the Book of Songs: From Ritualization to Secularization*，最近才由德國《華裔學志》出版，因為書在德國印的，所以一本要價三千多臺幣。林老師戲稱我們像是蝗蟲過境，讓陳致大失血。後來陳致載我們回吳多泰中心，蔣老師、蔡長林和陳致要去盧鳴東家「續攤」，大夥兒就在賓館門口道別。

◎一月二十三日，星期三

　　1.今天下午林慶彰老師要在浸會大學中國傳統文化研究中心發表他來該中心訪問的第一場公開演講，林老師受邀來該中心擔任十四天的訪問研究員，一共要在該中心發表兩場公開演講。我們只能聽第一場，第二場則是在我們回臺灣後才發表。這兩場演講活動有個正式的名義：「經學當代名師講席」。據盧鳴東告知，林老師

是該中心所邀之經學當代名師中之第一位，緊接在林老師之後的則是大陸的李學勤教授。該中心是由浸會大學中文系於二〇〇七年所創辦成立的，成立的時間雖短，卻也展現了旺盛的學術企圖心，其宗旨為發展中國傳統文化學科研究，向內凝聚中文系的研究能量，開發可持續的發展項目；向外則提供國際學術交流平臺，整合研究成果，促進學術合作，並向社會與學界推廣傳統文化教育，以盡文化薪傳的責任。該中心下設「文學與宗教研究室」、「經學研究室」和「文化薪傳教室」，除由系內研究員共同主理外，亦邀聘校外學人出任客座研究員或專任導師，協助研究計畫及課程講授。❸正是因為有此機制，才有林老師今春的香港訪問之行。

　　為了順利進行演講，林老師今天上午沒有排任何外出的行程，專心留在房間改稿，我們也在林老師房間幫忙。

　　2.中午，盧鳴東和陳致請我們去浸會旁邊的餐廳吃港式飲茶。照例，人都很多，生意很好，但環境也很吵雜。林老師的演講是在下午三點半，地點在浸會大學善衡校園邵逸夫大樓九樓會議廳（RRS 905）。演講的場地不大，但人卻很多，不但浸會自己的老師（如鄺健行教授、林幸謙教授）有來捧場，而且也有不少校外的人士，如香港公開大學人文社會科學院的楊靜剛教授和香港科技大學人文學部的陳榮開教授，他們在聽演講時都有提出問題發問。鄺健行教授專研賦學，和臺灣老一輩的學者，如簡宗梧教授交情不錯。林幸謙教授是馬來西亞華僑，大學念馬來亞大學，碩士班念政治大學，博士班則在香港中文大學念的，專研現代文學，同時也是位作家。林老師的演講題目是：〈中國經典詮釋的幾個重要觀念〉，演講主持人是劉楚華教授。明嶸由於還有任務在身（他可能是我們這一團人中最忙碌的），所以他特別交代我們幫他錄音，他說要把林老師的演講整理出來。林老師在這場演講中除了略述他研究經學的歷程外，主要從一、述而不作；二、以經解經；三、疏不破注；四、離經言道；五、以人情求《詩》之義，及六、回歸原典等六個觀念來反省中國經典詮釋的特性。

　　4.晚上由浸會中文系周國正主任作東宴請林老師一行人，席開兩桌。張宏生也

---

❸　以上敘述參該中心網頁之簡介，該中心網址是：
　　http://net3.hkbu.edu.hk/~cch/index.php?fl=intro_intro。

有來,我們和林老師跟他聊到抗戰時的「偽大學」,如偽北京大學、偽中央大學等。張宏生本身是南京大學的,所以我們詢問他是否有這方面的相關資料。他也就其所知的跟我們聊了許多,例如近代詞學大家龍榆生(沐勛,1902－1966)就是當時待在偽中央大學而飽受爭議的一位學者,張宏生說他有一個學生張暉就是研究龍榆生的,曾寫過一部《龍榆生先生年譜》(上海:學林出版社,2001年)。其實偽政權時代的學術機構、學術活動及學人都是我們一般學術史較忽略的一段,當事人也往往諱談這些經歷。除龍榆生外,還有一位著名的學者錢仲聯(1908－2003)也是值得注意的,他早年也曾效力於汪偽政權,但晚年卻整理、研究錢謙益(1582－1664)的著作,其心態頗堪玩味。這些地方的確值得關注民國學術的學界同好們深思留意。

◎一月二十四日,星期四

1.中午李家樹教授請大家在中環飲茶。我們四人與蔣老師、蔡長林約在中環地鐵J出口碰面。上午林老師在修改文稿,明嶸幫他輸入。但明嶸用的是蒙恬手寫輸入法,速度其實不會比倉頡輸入法快。一直到十點多我們方從賓館出發,準備坐計程車到中環。但招了一兩輛車後,司機都不載,好不容易才有一位司機把我們載到另一處計程車排班處,將我們放下,叫我們轉搭這裏的計程車去,如此一來我們總共換了兩次計程車才到了中環。

2.我們的港幣現金不夠,所以打算先到中環的銀行換港幣。先去問了匯豐銀行,但手續費要二百元港幣,把我們嚇了一跳。後來問到渣打銀行,手續費只要五十港幣,本來想要去換,但因時間太趕,所以我們還是沒換,匆匆的趕去與蔣、蔡會合,好一同去赴李家樹教授的宴會。

3.李家樹教授約在新世界大樓二樓的茶館,極高檔。李教授另外約了香港公開大學的楊靜剛教授,他昨天有來浸會聽林老師的演講,並且問林老師「商朝有無經典?」的問題。楊靜剛是國立澳州大學研究《楚帛書》極有名的巴納(Noel Barnard)教授的學生。我們私下跟林老師建議,是否可以請楊靜剛教授寫篇文章介紹巴納?林老師隨即向楊靜剛提出這個請求,他起先有些遲疑,後來又表示可以考慮看看。楊靜剛因之前有文章登在東華大學的《東華人文學報》,所以他還特地跟我們詢問該學報的狀況。

4.今天下午的行程是去嶺南大學中文系參訪，系主任李雄溪教授特別為我們辦了一場「經學座談會」，他昨天也有來浸會聽林老師的演講。飲完茶後，陳致開車載我們去嶺南大學。途中先回浸會大學換錢。浸會在九龍塘，下面就是城市大學，兩校距離很近，還共用一個運動場。再下面就是中文大學，在沙田，嶺南最遠，都快到大陸了。明嶸因要去中文大學印資料，所以沒跟我們去嶺南。

5.至嶺南，天空有點開始下著細雨，其實中午在中環時就已是如此的天氣。剛來的幾天，天氣都還好，沒下什麼雨，但後來幾天就開始下雨了，中國大陸南方甚至下起大雪。這場大雪一直持續到過年後，為大陸南方省分（湖南、廣東、貴州等）帶來大災難。但當時在香港並沒有感覺到太嚴重，電視新聞也有報，但都還沒有什麼太大的災情傳出。到學校後，李雄溪主任、許子濱教授、林聰舜教授和汪春泓教授來迎接我們一行人。汪春泓本是北大中文系的教授，但現在已轉來嶺南大學中文系專任了。他們先帶大夥參觀了一下校園，然後又帶大家到中文系的會議室稍事休息，等到差不多快四點半了，就領我們一行人去新教學大樓 NAB112 室參加座談會。單周堯教授和城市大學的郭鵬飛教授也都有來參加。李雄溪、許子濱和郭鵬飛都是單周堯教授的學生，他們三個是同門，感情很好。李雄溪送我們每人一本他們為單周堯教授編的祝壽論文集——《耕耨集——漢語與經典論集》（香港：商務印書館，2007 年），裏面的撰稿者都是單周堯教授在港大指導的學生，在該書的〈序言〉中列有一張〈本集作者學位論文與香港大學畢業年份一覽表〉，從此表中可以看到，從一九八五年至二〇〇四年，單教授在港大共指導了十九位研究生、共二十五篇碩博士論文，其中碩士論文十三篇，博士論文十二篇，大多集中在語言文字與經學這兩個領域。看過這張表後，我們不禁都有這個想法：單周堯教授恐怕是這二、三十年來對香港經學教育貢獻最大的一位學人！這場座談會主要是讓我們每人報告一下自己研究經學的心得、專精的領域，以及目前正在從事的研究。嶺南很大方，我們參加座談會的與談人都可領到一千五百元港幣的酬勞。

6.座談會結束後，大家先去參觀一下校園書店，之後便同去校內餐廳用餐。飯後，陳致開車載我們（蔣、蔡不同路，二人自行搭車回去。）三人回吳多泰中心。

◎**一月二十五日，星期五**

1.早上在賓館整理行李，我們這一行人除了林老師外，其他人都是今天回臺

灣，連明嶸也要先回去。林老師說港大的許振興教授過一會兒來拜訪，所以我們便先回房間等他來。但我們因為覺得明嶸一直在幫林老師處理事情，怕他忙不過來，便去他房間看看有什麼需要協助的。當時他仍在幫林老師打文稿，但他打得很慢，所以我們便幫他打，好讓他有時間整理自己的行李。不久之後林老師來電，說許振興已經來了，我們便至林老師房間，陪著聊天。許振興帶來一個學生，叫曾震宇，也是港大的博士，專業是遼史，目前在香港公開大學擔任人文學部課程經理。

　　2.中午，林老師請許振興至浸會餐廳（也是我們第一天來時陳致帶我們來的餐廳）用餐，明嶸因還要幫林老師打文稿，所以沒一起過來。陳致後來趕來，但盧鳴東沒到。陳致覺得奇怪，便打手機找他，但沒打通。不一會兒，盧鳴東才又回撥過來，他說他本來到浸會圖書館來找我們（林老師前一天有跟他說今天上午會去浸會圖書館），但找不著我們。因為他等會兒有事，所以就不過來赴宴了，於是他便在電話中跟我們一一話別。在席間，許振興教授跟林老師提到有間學海書樓，是香港大學中文系創系主任賴際熙（1865－1937）創辦的。目前是由他的兒子賴恬昌老先生在負責，賴老先生今年八十多歲了，他曾在一九六五至一九八四年間擔任中文大學校外進修部的主任。賴際熙是前清的進士，少年時曾就讀於廣雅書院。一九二三年創立學海書樓，以保存國粹，聚書講學，弘揚聖道，宏振斯文為主旨。學海書樓不但本身有藏書，而且還有閱覽室供大眾觀覽借閱，是香港有史以來民間設立最早的公開圖書館。不只於此，賴際熙還在學海書樓設壇講學，時常敦聘國學名宿在此講學，可說是兼具講學與圖書館雙重功能的學術文化場所，對於中國傳統學術文化在香港的保存與弘揚，居功甚偉。❹對圖書文獻資料極為敏感的林老師聽了之後很感興趣，當下便立刻決定飯後前去參觀。匆匆用餐罷，除了有事不去的陳致外，我們同桌的五人，便共搭一輛計程車至學海書樓。書樓在九龍尖沙咀天星碼頭附近的星光大樓中（星光行中座十四樓 1405 室）。這棟大樓底下的樓層是商場，上面的樓層是商業辦公室，學海書樓就側身於此中的一個單位，看來似乎有點顯得不搭

---

❹ 以上對學海書樓的介紹係取材於許振興的〈民國時期香港的經學：1912－1941 年間的發展〉（發表於中央研究院中國文哲研究所主辦之「變動時代的經學和經學家（1912－1949）第一次學術研討會」，2007 年 7 月 12～13 日），頁 14－18。

調。但這就是香港的特色，永遠都是在擁擠紛亂中仍可找出自己獨特的秩序與保有一絲的閒雅！那天大門深鎖，並沒有開放，裏面也沒人辦公。於是我們便建議林老師不妨留個字條給他，附上自己的名片，再留上盧鳴東的電話，也許他們看到後會回電。後來，據林老師告知，賴老先生果然親自打電話給盧鳴東，盧鳴東便陪林老師來學海書樓拜訪賴老先生。林老師與他相談甚歡，林老師還送他一瓶洋酒。但據賴老先生告知，學海書樓中的大部分藏書都已捐給香港中央圖書館了。

　　3.既然拜訪學海書樓不得，林老師又欲去中環的中華書店。於是許振興師徒二人便跟我們在雨中告別。我們在中華書店一直待到四點半方坐計程車回吳多泰中心。五點半，浸會的中巴先來接我們，然後再去接蔣、蔡二家人，陳致親送大夥去機場。我們和明嶸三人搭八點十分的港龍航空編號 KA488 的班機回臺灣，蔣老師和蔡長林兩家人的班機跟我們的不一樣，所以到機場後便跟他們分道揚鑣了。

三、考察的心得與收穫

　　此行隨林老師至香港，剛去的幾天，幾乎天天都往港大的圖書館跑，大家大多數時間想的都是蒐集資料的事，談的也都是香港地區經學研究之事，完全沒有任何餘暇去顧及其他，除了第二天盧鳴東安排坐纜車參觀太平山夜景及第三天林聰舜教授帶我們逛逛蘭桂坊之外，大部分時間不是在找資料，便是在參訪。從中真實地體會到一位認真執著於學術的學者的那種敬業態度，實在令人感佩！加上在幫明嶸輸入資料時，也看到林老師非常勤勉地蒐集香港地區的經學研究資料。晚上回賓館房間休息後，林老師還繼續在工作，整理出一些資料，包括準備他兩場要演講的文稿及資料，尤其是第二場演講要講的〈香港地區的詩經研究〉，為此他日夜以手寫抄錄每一筆《詩經》研究資料目錄，不厭其煩地手寫，然後由明嶸輸入電腦，請盧鳴東幫忙列印出來，再根據列印出的稿子去做校對和增補，如此一再反覆。我們知道現在這樣的工作已經很少有人有耐心和意願下苦工去做了，因為做目錄的工作是很吃力不討好的，花的時間多，得到的效益又不如論文寫作，看著林老師這種紮紮實實的治學工夫，讓我們非常地感動。

　　林老師待人非常好，經常鼓勵年輕學者，也常會主動提供研究資料給對方。他把經學研究視為一種學術志業，覺得有好多題目、好多工作都還沒有人做，此行至

香港，他也一再地跟香港的學者們說應該有人來對香港的經學研究做一全面性的資料蒐集、整理和論述的工作。他出門在外，從不擺架子，儘管身體不是很好，他也從不麻煩別人，非常平民化，而且每天都從早忙到晚，十幾個鐘頭沒有休息，從不喊累。他這種對待學術的熱忱和執著，深深地感染到和他接觸的人身上，不少人甚至受到林老師的精神感召，而願意投入經學的研究。

　　至於此行的主要收獲，我們認為大致集中在以下三個方面：

　　一、學術的交流與合作。林老師此次的香港之行本來就是應浸會大學之邀，而我們那麼多人會隨行同去也是因為這幾年浸會的盧鳴東與陳致二人常與我們臺灣經學界有密切的交流合作關係，所以當他們有資源（中國傳統文化中心）去推動經學研究時，當然很快的就會找上和他們合作密切的這些臺灣經學研究同道們。除了浸會，在港大參訪時，李家樹教授也透露出願與文哲所合作辦學術會議的意願，林老師則也邀請單周堯教授和李家樹教授前去文哲所擔任短期的訪問學人，均獲二人的允諾。其中單教授二〇〇八年五月已然成行，為港臺經學界的合作交流持續維持著活潑的能量。

　　二、學術機構的觀摩。此行中，香港大學的饒宗頤學術館、中文大學的中國文化研究所和浸會大學的中國傳統文化中心是三個令我們印象頗為深刻的學術機構。其中饒宗頤學術館和中國文化研究所雖是依附在大學內部，但又不隸屬於某一院系，可說是獨立的單位。此外，饒宗頤學術館和中國傳統文化中心則都是靠民間或企業的捐款所成立的，這兩點都跟臺灣的情況差異極大。一般來說，臺灣的大學內的組織或機構，除了行政體系外，大都是屬於教學體系，較少獨立的研究體系。像政治大學的國際關係中心或中央大學的太空遙測中心，都可說是鳳毛麟角，並不常見。而民間的大額捐款又幾乎全部集中在少數的明星大學的理工及商管科系，到目前為止，類似饒宗頤學術館及浸會大學中國傳統文化中心那樣獲得高額捐款所成立的學術機構的例子，在臺灣高等學府中的人文科系中，好像還不多見。透過實地的觀摩，我們對這些機構的成立及運作方式有了更深一層的瞭解與認識，他們的經驗確實有不少值得我們參考的。

　　三、香港經學資料的蒐集、香港經學研究的推動與香港經學社群的整合。林老師此次受邀來浸會訪問，他所要進行的公開演講題目之一是〈香港地區的詩經研

究〉。在來香港之前，林老師已經在臺灣蒐羅了不少這方面的資料，但還是不太完備，所以他來香港的這幾天也花了好多時間去尋覓這方面的資料，特別是何敬群這位老一輩的學者，林老師對他極感興趣，不但努力的找他的文章，而且還常四處去向人打聽他的情況。此外，為了編輯《民國時期經學叢書》，他和明嶸也利用這次來港的機會，跑了好幾間圖書館去蒐訪複印相關的資料。譬如區大典（1877－1937）編纂的《香港大學經學講義》，明嶸就花了好多時間在港大圖書館影印。不止於此，勤快的明嶸還跑到街上的舊書店去訪書，他的戰利品就包括了一本民國十六年的《白話孟子講義》，這可是他花了四十元港幣從九龍旺角的梅馨書舍收到的貨。

　　林老師還有一個構想，亦即編輯《香港地區經學研究論著目錄》，當然他也知道這個工作對於非長期居留於香港的我們是非常難以去完成的。所以他便鼓勵陳致和盧鳴東等人，希望由他們在地的學者來做，本鄉人整理自己的鄉邦文獻是林老師這幾年考察中國各地，時常跟當地學者宣揚的觀念。他認為如此一來，才會帶動當地的經學研究的發展。盧鳴東與陳致等人似乎都對此構想表達出了濃厚的興趣。

　　林老師對香港的經學研究者確實起著相當程度的號召力，而他也很樂意在其中扮演一定程度的整合工作，結合香港本地的經學研究者與經學資源，彼此攜手，相互合作，共同致力於香港經學的研究。本來浸會大學中國傳統文化中心與嶺南大學中文系都各自要舉辦經學的會議，林老師不但鼓勵他們一起合辦，而且也提議他們以香港經學為會議主題。若這個構想能獲得實現，無疑將是香港經學界的一大盛事。

　　看來，林老師所領導的這次香港經學考察團的行程，不但收穫滿滿，而且香港經學研究的榮景也似乎是指日可待的！

經 學 研 究 論 叢
第 十 七 輯　　頁389～392
臺灣學生書局　2009 年 12 月

「變動時代的經學研究和經學家（1912－1949）」學術研討會

編輯部

　　中央研究院中國文哲研究所經學文獻組執行的「民國以來經學之研究計畫」，第一階段為「民國時期（1912－1949）」，此一階段著重於民初經學與晚清經學的關係、國故整理運動、以及西方新方法對經學研究的影響。臺灣受日本統治五十年，其經學研究也附於此階段一起研究。執行期間自九十六年一月一日起，至九十九年十二月三十一日止，計有四年，第一年已召開兩次學術研討會，第二年分別進行第三次及第四次學術研討會，時間及發表論文如下：

第三次學術研討會

　　第三次學術研討會於民國九十七年七月十七日（星期四）、十八日（星期五），假中央研究院中國文哲研究所二樓會議室舉行，發表論文十九篇，出席學者及研究生百餘人。議程如下：

■九十七年七月十七日（星期四）

開幕儀式：林慶彰教授

◎第一場會議（賀廣如教授主持及評論）

　　程克雅：民國初年經學工具書「引得」、「索引」、「通檢」、「辭典」編纂與

體例探究——以洪業、聶崇岐為主的討論

車行健：近代大學中的經學教育

◎第二場會議（蔣秋華教授主持及評論）

曾聖益：劉師培之校讎思想要義

周德良：劉師培〈白虎通義源流考〉辨

◎第三場會議（陳恆嵩教授主持及評論）

嚴壽澂：經通於史而經非史——蒙文通經學研究述評

宋惠如：從經學到經史學——論章太炎（1869－1936）六經皆史說

陳金木：從《黃侃日記》看黃季剛先生治經學法

◎第四場會議（陳逢源教授主持及評論）

盧鳴東：「進化」視野下的經學闡釋——陳柱經學研究

蘇費翔 Christian Soffel：錢穆早期的四書學（1918－1928）

■九十七年七月十八日（星期五）

◎第五場會議（陳廖安教授主持及評論）

陳進益：以象解《易》——尚秉和的《周易尚氏學》研究

許振興：民國時期香港的經學——陳伯陶《孝經說》的啟示

◎第六場會議（張曉生教授主持及評論）

許子濱：陳漢章〈《周禮》行於春秋時證〉析論

鄭憲仁：郭沫若《周禮》職官研究之探討

◎第七場會議（楊晉龍教授主持及評論）

李雄溪：讀劉師培（1884－1919）《毛詩詞例舉要》小識

呂珍玉：吳闓生《詩義會通》研究

陳文采：張壽林《詩經》學研究

◎第八場會議（張素卿教授主持及評論）

蔡妙真：世變與經學——《國粹學報》、《國故月刊》及《學衡》裡的《左傳》

郭鵬飛：讀章太炎《春秋左傳讀》記

蔡長林：經學視野下的國史論述——讀柳詒徵《國史要義》

第四次學術研討會

　　第四次學術研討會於民國九十七年十一月六日（星期四）、七日（星期五），假中央研究院中國文哲研究所二樓會議室舉行，發表論文十八篇，出席學者及研究生百餘人。議程如下：

■九十七年十一月六日（星期四）

開幕儀式：林慶彰教授

◎第一場會議（金培懿教授主持及評論）

張高評：章太炎之《春秋左傳》學——以《春秋左傳讀敘錄》為核心

張政偉：梁啟超清代學術史研究述評

◎第二場會議（車行健教授主持及評論）

魏　泉：哈佛燕京學社與民國時期之學術轉型——以洪業為中心

嚴壽澂：「信古天倪」——陳鼎忠經學略述

◎第三場會議（蔣秋華教授主持及評論）

王　亮：《續修四庫全書總目提要》與民國經學

許振興：民國時期香港的經學——兩種《大學中文哲學課本》的啟示

陳　韻：黃侃禮學研究（二）——論著篇

◎第四場會議（詹海雲教授主持及評論）

魏怡昱：文質彬彬——廖平大統理想的實踐進路

張素卿：詮釋與辨疑——章太炎《春秋左氏疑義答問》研究

■九十七年十一月七日（星期五）

◎第五場會議（陳恆嵩教授主持及評論）

陳東輝：蔣伯潛經學成就初探

鄧國光：唐文治的經學研究

　　　　——二十世紀前期朱子學視野下的經義詮釋與重構（二）

◎第六場會議（張曉生教授主持及評論）

　馮曉庭：北平「明經學會」講著《春秋正議證釋》初探

　許華峰：吳闓生《定本尚書大義》對〈堯典〉、〈金縢〉篇的解釋

◎第七場會議（陳廖安教授主持及評論）

　何廣棪：經史學家楊筠如事迹繫年

　楊逢彬：楊樹達先生的經學研究及其《春秋大義述》

　劉德明：楊樹達《春秋大義述》研究

◎第八場會議（楊晉龍教授主持及評論）

　邱惠芬：民初古文字學在《詩經》訓詁的實踐

　鄭月梅：從《詩經六論》看張西堂對《詩經》的見解

經 學 研 究 論 叢
第 十 七 輯　 頁393～396
臺灣學生書局　 2009 年 12 月

經學與中國哲學國際學術研討會

編輯部

　　經學在中國哲學和文化史上佔有重要地位，對中國傳統文化產生重要影響，其流傳發展時間長遠，涵蓋層面廣泛，居於華人意識型態領域的正統地位。主辦單位四川師範大學在籌備會議之初，即揭櫫會議的主旨與精神，認為經學體現中華民族精神的內容，對現代社會有其積極的正面影響和作用；而經學中的流弊及傳統注經法、注經思維方式的缺陷，也可透過學術研討來克服和糾正。為此，四川師範大學與中國哲學史學會、香港孔教學院、臺灣中央研究院中國文哲研究所、臺灣元智大學中國語文學系等單位共同召開此次國際學術研討會，以進一步深入探討經學與中國哲學發展的關係、儒家經學的歷史價值、現實意義及與現代社會的關係。具有重要的學術價值和意義。

　　會議於二〇〇八年九月十日至十三日在四川師範大學舉行，來自美國、日本、韓國、澳大利亞、巴西及臺灣、香港、和中國大陸等地的專家學者百餘人出席，計收錄論文七十餘篇，八十餘萬字。會議期間，大會為開拓學生眼界，提高人文素質，舉辦了八場大型人文講座，邀請海內外著名學者進行演講，講座時間及演講題目如下：

第一場　時間：二〇〇八年九月八日（星期一）晚 7：00－9：00

地　　點：四川師範大學新校區

主 持 人：四川師範大學校領導，四川師範大學政治教育學院黃開國特聘教授

主 講 人：曾春海（臺灣中國文化大學哲學系教授）

演講題目：竹林七賢的精神世界

第二場　時間：二〇〇八年九月八日（星期一）晚 7：00－9：00

地　　點：四川師範大學學術廳

主 持 人：四川師範大學校領導，四川師範大學政治教育學院副院長陳萬松教授

主 講 人：鐘肇鵬（中國社會科學院世界宗教研究所教授）

演講題目：經學與中國文化

第三場　時間：二〇〇八年九月九日（星期二）晚 7：00－9：00

地　　點：四川師範大學學術廳

主 持 人：四川師範大學校領導，四川師範大學政治教育學院院長吳敏英教授

主 講 人：詹海雲（臺灣元智大學中國語文學教授暨系主任）

演講題目：從中國文化談快樂（中國思想家的快樂觀）

第四場　時間：二〇〇八年九月十一日（星期四）晚 7：00－9：00

地　　點：四川師範大學學術廳

主 持 人：四川師範大學校領導，四川師範大學研究生處處長董志強教授

主 講 人：唐凱麟（湖南師範大學公共管理學院教授）

演講題目：當代新技術革命與人的發展

第五場　時間：二〇〇八年九月十一日（星期四）晚 7：00－9：00

地　　點：四川師範大學新校區

主 持 人：四川師範大學校領導，四川師範大學成龍校區辦公室主任張紹平

主 講 人：周桂鈿（北京師範大學哲學與社會學學院教授）

演講題目：民本觀的三大特點

第六場　時間：二〇〇八年九月十二日（星期五）晚 7：00－9：00

地　　點：四川師範大學新校區

主 持 人：四川師範大學校領導，四川師範大學政治教育學院黨委副書記陳　波

主 講 人：郭齊勇（武漢大學哲學學院教授）

演講題目：重新發現中國

第七場　時間：二○○八年九月十二日（星期五）晚 7：00－9：00

地　　點：四川師範大學學術廳

主 持 人：四川師範大學校領導，四川師範大學政治教育學院副院長李小平教授

主 講 人：成中英（美國夏威夷大學哲學系教授）

演講題目：中國哲學與世界哲學：從中西對立到中西融合

第八場　時間：二○○八年九月十三日（星期六）晚 7：00－9：00

地　　點：四川師範大學學術廳

主 持 人：四川師範大學校領導，四川師範大學政治教育學院副院長李小平教授

主 講 人：鍾彩鈞（臺灣中央研究院中國文哲研究所研究員暨所長）

演講題目：談讀書的目的與方法

經 學 研 究 論 叢
第 十 七 輯　　頁397～402
臺灣學生書局　2009 年 12 月

「2008 海峽兩岸易學文化」研討會

何淑蘋[*]

　　由山東大學易學與中國古代哲學研究中心主辦的「海峽兩岸易學文化研討會」，今年（2008）特別選在伏羲故鄉——甘肅省天水市舉行。會議原本預訂於六月間召開，不料五月發生世界矚目的四川大地震，災情慘重，而臨近的甘肅也未能倖免，考量與會學者安全，主辦單位遂決定延至九月下旬。

　　此次來自海峽兩岸的《易》學研究者聚集在天水，相互交流切磋，合計發表四十五篇文章。九月二十一日上午八時舉行開幕式，由天水市周易學會會長安志宏先生主持，中國周易學會會長劉大鈞、國際易學大會會長邵崇齡等先生致辭。緊接著進行為期三天的學術討論，各場次議程如下：

第一場大會報告
議　題：伏羲與周易文化
主持人：郭文夫
發表人：1.蒙培元〈伏羲與周易文化〉
　　　　2.安志宏〈我國卜卦起源於天水新探〉
　　　　3.蕭漢明〈釋上海博物館藏戰國楚竹書《周易》訟、師二卦〉
　　　　4.周宜興〈關於伏羲文化〉

＊　　何淑蘋，成功大學中國文學系博士生。

第一場分組會議

第一組

主持人：孫劍秋

發表人：1.廖名春〈帛書〈要〉篇「夫子老而好易」章新釋〉

　　　　2.劉　彬〈論帛書〈要〉篇「〈損〉、〈益〉說」的兩個問題〉

　　　　3.魯慶中〈《八卦》：狩獵采集業的思想〉

　　　　4.連劭名〈《周易》中的「交」及相關問題〉

第二組

主持人：黃黎星

發表人：1.向世陵〈蔡清對朱熹《本義》的折中修正——以「保合太和」與「繼善成性」的注解為例〉

　　　　2.張克賓〈哲學視域中《周易》詮釋諸問題芻議〉

　　　　3.張義生〈僧肇佛學思想與易學〉

第二場分組會議

第一組

主持人：向世陵

發表人：1.李道平〈《周易集解纂疏》的爻位觀——爻位「當」、「應」說的重要內涵〉

　　　　2.王　政〈《周易》與元明戲曲略考〉

　　　　3.金生楊〈方舟易學淺論〉

第二組

主持人：徐儀明

發表人：1.黃黎星〈京房援《易》立律學說探微〉

　　　　2.陳仁仁〈《周易》「用」字異文及其用法與相關卦爻辭的解讀〉

　　　　3.陳利民〈試論《易緯》〉

第三場分組會議

第一組

主持人：廖名春

發表人：1.林忠軍〈從戰國楚簡《周易‧艮》談《周易》脫卦名問題〉

　　　　2.丁四新〈馬王堆漢墓《易傳》類帛書札記數則〉

　　　　3.王　瑩〈帛書《二三子問》「龍之德」之意蘊及憂患意識〉

第二組

主持人：王鈞林

發表人：1.倪淑娟〈孔穎達《周易正義》探論〉

　　　　2.吳永明〈宋代易學源流〉

　　　　3.楊亞利〈論「慶曆易學」對《易傳》奠基的中國傳統文化基本精神的發
　　　　　揚光大〉

第四場分組會議

第一組

主持人：施炎平

發表人：1.李似珍〈《正蒙》與易學的關係〉

　　　　2.劉原池〈朱熹對程頤易學思想之開展〉

　　　　3.曾凡朝〈從《己易》看楊簡易學的心學宗旨及學術意義〉

第二組

主持人：程　鋼

發表人：1.王俊龍、瞿永玲〈卦象在邏輯推理中的應用研究〉

　　　　2.徐儀明〈張景岳醫易思想新論〉

　　　　3.鄭朝暉〈論惠棟易學的考證方法〉

第五場分組會議

第一組

主持人：孫劍秋

發表人：1.問永寧〈蔣湘南的易學、科學及宗教哲學思想〉

　　　　2.丁　楠〈尚秉和論《周易》之精義〉

　　　　3.郭麗娟〈熊氏乾元本體思想探析〉

第二組

主持人：連劭名

發表人：1.謝向榮〈上博簡《周易·恒》卦辭「利有攸往」考異〉

　　　　2.侯乃峰〈談出土易學文獻札記〉

　　　　3.宋立林〈讀帛書《繆和》札記〉

第六場分組會議

第一組

主持人：林忠軍

發表人：1.郭振香〈羽翼之功不可沒──論胡炳文的《周易本義通釋》〉

　　　　2.彭彥華〈退溪「禮緣仁情」中的易學思想〉

　　　　3.程　鋼〈焦循易學的學派屬性、宗旨及其政治倫理涵義〉

第二組

主持人：陳伯适

發表人：1.晏能康〈源遠流長，歷久彌新──《周易》人文精神的當代意義〉

　　　　2.張　健〈周易縱橫談──感悟名辯數理邏輯預測〉

　　　　3.程　凱〈河圖洛書之數理模型〉

第二場大會報告

主持人：蕭漢明

發表人：1.施炎平〈易學現代轉化的一個重要環節──析康有為對周易理念的詮釋和闡發〉

　　　　2.郭文夫〈中國大易哲學「太極」旨趣之探究〉

3.孫劍秋、何淑蘋〈海峽兩岸《易》學工具書編纂之回顧與展望〉

4.馬保平〈中國古代的人體生命觀〉

　　會議最後一天（23 日），主辦單位為配合一年一度的伏羲節，特別安排上午前往伏羲廟及民俗博物館參觀，下午再返回會場繼續討論。閉幕式由中國周易學會秘書長林忠軍教授主持，臺灣中華易經學會理事長倪淑娟女士、天水市周易學會會長安志宏先生等致辭。廿四日上午安排參觀麥積山，下午參觀卦台山，兩處勝地饒具特色，令與會學者留下深刻印象。次日賦歸，為此次研討會劃下圓滿的句點。

經 學 研 究 論 叢
第 十 七 輯　　頁403～406
臺灣學生書局　2009 年 12 月

高雄師範大學經學研究所
第二屆全國經學學術研討會

編輯部

　　高雄師範大學經學研究所曾於民國九十四年舉辦第一屆「全國經學學術研討會」，主題為「經典與宗教」。以「經典的詮釋」、「治經的方法」、「經學與宗教的關係」、「經典的傳承與影響」等議題為討論的方向，獲得學界迴響。九十七年十一月十五日（六），第二屆「全國經學學術研討會」，假國立高雄師範大學和平校區行政大樓十樓會議室舉辦。此次會議以中國經典為主軸，不限主題，發表論文二十一篇，會議時間及發表論文如下：

■九十七年十一月十五日（星期六）

◎開幕儀式：

國立高雄師範大學戴嘉南校長

國立高雄師範大學經學研究所蔡根祥所長

◎第一場會議

（十樓會議室：江聰平教授主持）

陳鴻森：《經義考》札迻（特約討論：胡楚生教授）

胡楚生：陳岳《春秋折衷論》析評（特約討論：蔡根祥教授）

陳新雄：孔子與詩經（特約討論：江聰平教授）

◎第二場會議

（十樓會議室：胡楚生教授主持）

賴貴三：翁方綱《易附記》手稿初探（特約討論：黃忠天教授）

康雲山：華嚴宗理事無礙觀對程頤易學的影響——體用概念及其在解易上的應用
　　　　（特約討論：賴貴三教授）

陳伯适：朱震之易學特色——從闡釋《周易》經傳的重要義理內涵展開（特約討
　　　　論：康雲山教授）

（六樓會議室：陳新雄教授主持）

林素英：論〈王風〉詩中的禮教思想（特約討論：韋金滿教授）

韋金滿：淺談《詩經·國風》棄婦詩之形式美（特約討論：江聰平教授）

林耀潾：《詩經》的文化人類學研究：以趙沛霖《興的源起》為中心（特約討論：
　　　　林素英教授）

◎第三場會議

（十樓會議室：陳鴻森教授主持）

廖雲仙：「朱注猶經」——元代《四書》類著作疏釋風尚（特約討論：簡光明教
　　　　授）

陳立驤：《論語》的「仁」及其與「和諧」之關係析論（特約討論：杜明德教授）

蒲彥光：試論明代隆萬時期之四書文——以方苞《欽定四書文》為觀察中心（特約
　　　　討論：侯美珍教授）

（六樓會議室：林慶勳教授主持）

吳智雄：論春秋學在漢代的政治應用（特約討論：楊濟襄教授）

魯瑞菁：王逸《楚辭章句》引《詩》考論（特約討論：林耀潾教授）

蔡錦昌：配論名義與標明法度——《白虎通》的經義解讀法（特約討論：鄭志明教
　　　　授）

◎第四場會議

（十樓會議室：賴貴三教授主持）

蔡根祥：中研院藏王念孫論經義函手稿再議及研探（特約討論：陳鴻森教授）

林文華：上博楚簡考釋五則（特約討論：何樹環教授）

侯美珍：明清八股取士與經書評點的興起（特約討論：廖雲仙教授）

（六樓會議室：魯瑞菁教授主持）

鄭志明：夬卦的文化意涵與生命關懷（特約討論：林文欽教授）

周慶華：在後資訊社會裏讀經———一個超超鏈結的嘗試（特約討論：蔡錦昌教授）

陽平南：清魏禧《左傳》教學個案研究——以偽封烏餘與向戌弭兵為例（特約討
　　　　論：鄭卜五教授）

◎**閉幕式：**

國立高雄師範大學經學研究所蔡根祥所長

經 學 研 究 論 叢
第 十 七 輯　　頁407～410
臺灣學生書局　2009 年 12 月

高雄師範大學經學研究所
第四屆青年經學學術研討會

編輯部

　　高雄師範大學經學研究所自九十三學年度起，每年舉辦青年經學學術研討會，鼓勵經學研究生參與發表論文，提供青年學者經學研究耕耘的園地，頗得各界好評。九十七年十一月十六日（日），假國立高雄師範大學和平校區行政大樓會議室舉辦第四屆「青年經學學術研討會」，發表論文二十四篇，會議時間及發表論文如下：

■九十七年十一月十六日（星期日）

◎開幕儀式：

國立高雄師範大學戴嘉南校長

國立高雄師範大學經學研究所蔡根祥所長

◎第一場會議

（十樓會議室：陳鴻森教授主持）

張　濤：新見《周禮新義》佚文校理——兼論三禮館輯錄《永樂大典》諸問題（特約討論：陳鴻森教授）

陳韋銓：河間獻王與古文經（特約討論：李貴榮教授）

許慧如：孔子「三年喪」說（特約討論：蔡鴻江教授）

喬家駿：再探王弼老學「無」之意蘊（特約討論：黃明誠教授）

◎**第二場會議**

（十樓會議室：林素英教授主持）

李媛媛：朱有燉之風教觀與其雜劇中對儒家的經典運用（特約討論：林素英教授）

葉秀娟：《論語・陽貨》「唯女子與小人為難養也」疑義（特約討論：杜明德貴三
　　　　教授）

劉柏宏：《毛詩正義》引用王肅禮說及其相關問題探究（特約討論：姜龍翔教授）

（六樓會議室：蔡根祥教授主持）

陳亦伶：晚明經學輯佚的繼承與啟發——以鄭玄易注為例（特約討論：陳明彪教
　　　　授）

盧秀仁：「河圖」、「洛書」真實性存在之省思（特約討論：李幸長教授）

鍾展揚：孔穎達與宋代易學（特約討論：陳韋銓教授）

◎**第三場會議**

（十樓會議室：韋金滿教授主持）

黃靖玟：王安石《詩經新義》在宋代詩經學研究之定位商榷（特約討論：韋金滿教
　　　　授）

吳佳鴻：〈小雅・十月之交〉「日有食之」及其相關議題（特約討論：李幸長教授）

林雅淳：《詩經・小雅・都人士》疑義辯證（特約討論：林文華教授）

（六樓會議室：蔡錦昌教授主持）

張晶晶：從「荀子傳《易》說」論荀學與易學的關係（特約討論：蔡錦昌教授）

鄭伊庭：論毛奇齡對朱子《詩經》學的批評（特約討論：李興寧教授）

謝成豪：楊仁山《孟子發隱》的詮釋方式探析（特約討論：劉昌佳教授）

◎**第四場會議**

（十樓會議室：江聰平教授主持）

黃佳駿：康有為《中庸注》的今文經學立場與政治改革之呼應（特約討論：劉滌凡
　　　　教授）

吳伯曜：王陽明的聖學觀與經典觀（特約討論：黃明誠教授）

吳慧貞：朱子對孟子修養論的繼承與發展──以《孟子集注》為範圍的探討（特約
　　　討論：康義勇教授）

簡逸光：《穀梁大義述》與《穀梁大義述補闕》研究（特約討論：鄭卜五教授）

◎**閉幕式：**

國立高雄師範大學經學研究所蔡根祥所長

經 學 研 究 論 叢
第 十 七 輯　　頁411～414
臺灣學生書局　2009 年 12 月

魏晉南北朝經學國際研討會

編輯部

　　中央研究院中國文哲研究所經學文獻組從民國八十一年起，舉辦「清代經學國際研討會」、八十四年舉辦「明代經學國際研討會」、八十七年舉辦「元代經學國際研討會」，九十一年舉辦「宋代經學國際研討會」。九十四年舉辦「隋唐五代經學國際學術研討會」。歷次研討會均邀請國內外專家學者發表數十餘篇論文，參與會議的學者與研究生，也達到一、二百人，五次經學國際研討會的召開，不僅讓與會學者專家對隋唐五代、宋、元、明、清五個階段的經學發展有著更具系統的而多層面的探討，對於有意投入中國傳統經典學術研究的年輕研究生，也深具鼓舞的作用。會中所宣讀發表的論文，經過縝密謹慎的審查程序之後，均彙整編纂成論文集。因此舉辦以各朝代經學為研究範疇的會議，成為中國文哲研究所經學文獻組的重要任務之一。

　　為延續發揚召開各代經學會議的傳統，經學文獻組於民國九十七年十一月二十六至二十八日，假中央研究院學術活動中心第一會議室，舉辦「魏晉南北朝經學國際研討會」，本次研討會就「義疏之學的建構與發展」、「玄學與經學的融合」、「南學與北學」、「王學派與鄭學派的論爭」、「古文尚書與孔傳」、「春秋學的宏揚與完備」、「易學與魏晉六朝哲學」、「禮學在魏晉南北朝時期的實質效用」、「區域經學流派的特色」、「各式經注的特色」等議題作更深入的討論。會議議程如下：

■九十七年十一月二十六日（星期三）

開幕式

◎中國文哲研究所所長鍾彩鈞

◎第一場會議（楊晉龍教授主持）

賴貴三：王弼《周易略例》與阮籍〈通易論〉思想視域的比較分析（評論人：孫劍
　　　　秋教授）

鄧國光：南北朝國史《魏書》、《宋書》、《南齊書》三書《經》論勘議（評論
　　　　人：李紀祥教授）

◎第二場會議（張壽安教授主持）

史　睿：魏晉士人的倫理困境與喪服學（評論人：林啟屏教授）

張煥君：禮制與人情──以《喪服》為母之服為中心（評論人：橋本秀美教授）

◎第三場會議（林義正教授主持）

胡楚生：孫毓《毛詩異同評》析論（評論人：林慶彰教授）

楊晉龍：論《毛詩正義》引述的王肅經解在詩經學上的運用（評論人：張寶三教
　　　　授）

林耀潾：魏晉南北朝《詩經》接受論──以「普通讀者」的接受為中心（評論人：
　　　　陳溫菊教授）

◎第四場會議（何澤恆教授主持）

黃忠天：南北朝經學盛衰考（評論人：詹海雲教授）

黃坤堯：《經典釋文》與魏晉六朝經學（評論人：胡楚生教授）

陳蘇鎮：鄭玄的使命和貢獻──以東漢魏晉政治文化演進為背景（評論人：鄧國光
　　　　教授）

程克雅：經學文獻校釋與魏石經考辨（評論人：邱德修教授）

■九十七年十一月二十七日（星期四）

◎第五場會議（李明輝教授主持）

黃復山：《玉燭寶典》引用讖緯考論（評論人：蔣秋華教授）

梁秉賦：三國、晉宋時期的天人之學——從〈五行志〉考察（評論人：吳智雄教授）

◎第六場會議（林月惠教授主持）

陳伯适：王弼易學的爻位觀（評論人：黃忠天教授）

楊自平：南北朝周弘正與盧景裕《易》學析論（評論人：趙中偉教授）

◎第七場會議（董金裕教授主持）

蔣秋華：《偽孔傳》思想試探（評論人：陳恆嵩教授）

許華峰：《尚書》偽孔傳與《小爾雅》關係的檢討（評論人：陳雄根教授）

許建平：從敦煌寫本《禮記音》殘卷看六朝時鄭玄《禮記注》的版本（評論人：林平和教授）

◎第八場會議（陳麗桂教授主持）

陳雄根、羅燕玲：王王弼以《論語》注《易》研究（評論人：黃沛榮

傅　熊：《論語義疏》何注與皇疏之間的關係（評論人：鍾彩鈞教授）

橋本秀美：論鄭何注論語異趣（評論人：張素卿教授）

金培懿：祖述老莊？以玄解經？經學玄化？——何晏《論語集解》的重新定位（評論人：周大興教授）

■**九十七年十一月二十八日（星期五）**

◎第九場會議（莊雅州教授主持）

蔡妙真：《三國志》、《晉書》所見之《左傳》論述（評論人：何志華教授）

許子濱：論杜預《春秋經傳集解》中的「既葬除喪」說（評論人：林素英教授）

◎第十場會議（夏長樸教授主持）

陳金木：《論語集解》的文獻學檢視（評論人：林安梧教授）

中嶋隆藏：柳宗元之「大中」思想——由其與六朝經學史的關係談起（口譯人：金培懿教授）（評論人：王基倫教授）

◎第十一場會議（洪國樑教授主持）

劉　寧：從「比事」到「屬辭」──杜預與《春秋》義例學的轉型（評論人：蔣秋
　　　　華教授）

馮曉庭：公羊疏與北朝經生（評論人：丁亞傑教授）

蔡長林：穀梁范注劄記──隱公篇（評論人：張曉生教授）

◎第十二場會議（林慶彰教授主持）

何志華：從東漢高誘注解看鄭、王之爭（評論人：車行健教授）

林葉連：《文心雕龍》「道沿聖以垂文，聖因文以明道」的內涵探析（評論人：陳
　　　　廖安教授）

瓦格納：鳩摩羅什、僧肇、竺道生《維摩詰經》注解（評論人：蘇費翔教授）

◎閉幕式

中國文哲研究所研究員林慶彰教授主持

經 學 研 究 論 叢
第 十 七 輯　頁415～416
臺灣學生書局　2009 年 12 月

「2008 經學與文化」學術研討會

編 輯 部

　　中興大學中國文學系於民國九十七年十二月五日（星期五），假該校綜合教學大樓十三樓國際會議廳舉行「2008 經學與文化」學術研討會，大會揭櫫會議宗旨以經典為不刊之鴻教，歷久彌新之常道，蘊含豐富之文化資產，亟需以現代科學文化知識，開發意蘊、闡揚微旨，以期返本開新。本次研討會旨在探賾經學與文化的相關性與影響，期望以文會友，各獻所長，發揮學術與淑世之功能。

　　會議議程如下：

■九十七年十二月五日（星期五）

◎報　到
中興大學中國文學系主任江乾益教授主持

◎開幕式
中興大學中國文學系主任江乾益教授致詞

◎第一場研討會（張麗珠教授主持）
劉錦賢：顏淵之學行面面觀（張麗珠教授特約討論）
朱文光：文化符號學理論的困境與出路（張麗珠教授特約討論）
齊婉先：論六經與王陽明心學之建成——以《尚書‧大禹謨》中十六字為核
　　　　心探討（劉錦賢教授特約討論）
莊凱雯：朱舜水論「夫婦之道」（朱文光教授特約討論）

◎**第二場研討會（江乾益教授主持）**

邱黃海：《毛詩・關雎序》王道理想的理論結構（江乾益教授特約討論）

呂珍玉：馬其昶《毛詩學》研究（江乾益教授特約討論）

林文彬：莊子「天地一體」觀（邱黃海教授特約討論）

楊自平：從《易經通注》論順治殿堂《易》學特色（林文彬教授特約討論）

◎**第三場研討會（郭鶴鳴教授主持）**

涂艷秋：從郭店楚簡到孟子論「仁義禮智」的轉變（郭鶴鳴教授特約討論）

楊琇惠：《老子》「無為」思想於自由意志上之展現（郭鶴鳴教授特約討論）

陳章錫：《禮記》之思想系統及文化精神（邱黃海教授特約討論）

陳致宏：析論《左傳》之「諫」（陳章錫教授特約討論）

◎**第四場研討會（季旭昇教授主持）**

韓碧琴：客家「鋪房」禮俗研究（季旭昇教授特約討論）

蔡妙真：戰場在哪裡──《左傳》「秦晉殽之戰」結構意涵分析（季旭昇教授特約
討論）

劉德明：湛若水《春秋》學初探──論湛若水對《春秋》定位及詮解方法（蔡妙真
教授特約討論）

江江明：論王夫之《詩廣傳》借經說史之詮釋義涵（周玟觀教授特約討論）

經 學 研 究 論 叢
第 十 七 輯　　頁417～482
臺灣學生書局　2009 年 12 月

出版資訊

一、本專欄收二〇〇八年一月至二〇〇八年十二月國內外最新出版，有關經學和經學人物之相關專著。惟舊籍重印或再版書，則不予收入。

二、各提要略依經學通論、經學史、周易、尚書、詩經、三禮、三傳、四書、經學家研究等之順序排列。

三、提要前之目錄項，分別依書名、作譯者、出版地、出版者、頁數（冊數）、出版年月等項排列。

四、各提要以簡介各書之內容為主，如有所評論，僅代表作者之意見。

五、歡迎各界人士提供與本專欄性質相符之著作，以便推介，來書請寄 [10643] 臺北市和平東路一段 75 巷 11 號 1 樓臺灣學生書局經學研究論叢編輯部收。

《經學的多元脈絡——文獻、動機、義理、社群》

《經學的多元脈絡——文獻、動機、義理、社群》　勞悅強、梁秉賦主編　臺北市 臺灣學生書局　376 頁　2008 年 10 月

此書為二〇〇五年十一月五日至六日於北京清華大學歷史系舉辦之「首屆中國經學學術研討會」會議論文，由於此研討會與北京清華大學歷史系合辦，中國大學學者之論文已於二〇〇七年十一月出版《中國經學》第二輯中出版，部分學者與海外學者之論文於是集結成此書出版，分別是⑴鄧國光〈孔穎達《五經正義》「體用」義研究——經學義理營構的思想史考察〉；⑵周啟榮〈清代禮教思潮與考證學——從三禮館看乾隆前期的經學考證學兼論漢學興起的問題〉；⑶鄭吉雄〈乾嘉經典詮釋的典範性綜論——思想史的考察〉；⑷蔡長林〈訓詁與微言——宋翔鳳二重性經說考論〉；⑸嚴壽澂〈「思主容」、「渙其羣」、「序異端」——清人經解中寬容平恕思想舉例〉；⑹勞悅強〈攻乎異端——劉寶楠父子對朱熹的愛恨情結〉；

⑺彭林「評楊大堉、胡肇昕補《儀禮正義》」；⑻陳致〈古金文學與《詩經》文本研究〉；⑼龔道運〈理雅各（James Legge, 1815－1897）英譯《大學》析論〉；⑽梁秉賦〈清末民初學人的讖緯觀——1890－1930〉等十篇論文。

　　勞悅強，美國密西根大學博士，曾在北美多所大學教授中國文史哲諸課，現任職於新加坡國立大學中文系。學術著作分別刊登於歐美及新、馬、中、港、臺各地，包括〈劉寶楠《論語正義》中所見的宋學〉、〈川流不舍與川流不息——從孔子之嘆到朱熹的詮釋〉、〈從觀察論孔子思想的經驗基礎、方法與性格〉、〈《孝經》中似有還無的女性——兼論唐以前孝女罕見的現象〉、〈從《論語》〈唯女子與小人為難養章〉論朱熹的詮釋學〉、〈「朋」字的一個思想史考察——以《論語》註釋為例〉等。

　　梁秉賦，美國加州大學歷史系哲學博士，現執教於新加坡國立大學中文系。主要研究領域為兩漢與清代學術、思想。著作包括：〈偷天換「月」——《易緯》「六十四卦主歲」錯用朔實小考〉，〈清代經師的讖緯觀〉，〈經、史之間——淺談康有為與錢穆的經學研究〉，〈瑞獸、聖人、王者：經傳與讖緯中的神話〉，及〈以史治經、由經明史——錢穆經學研究芻論〉等。　　　　　　　　　（陳亦伶）

《經學研究論叢》第十五輯

《經學研究論叢》第十五輯　林慶彰主編　臺北市　臺灣學生書局　447 頁
　2008 年 3 月

　　本輯收錄有關「民國時期經學家著作目錄專輯（續輯）」、「經學總論」、「尚書研究」、「詩經研究」、「春秋三傳研究」、「小學研究」、「儒學研究」、「經學文獻」、「經學人物」等學術性論文以及「學術會議」、「書刊評論」、「出版資訊」等。

　　其中，「民國時期經學家著作目錄專輯（續輯）」是接續中央研究院中國文哲研究所出刊之《中國文哲研究通訊》中「民國時期經學家著作目錄專輯」之後，蒐羅張晏瑞、陳恆嵩、王世豪、趙惠瑜、鄭淑君所編輯之〈馬其昶著作目錄〉、〈吳承仕著作目錄〉、〈錢玄同著作目錄〉、〈于省吾著作目錄〉、〈陳夢家著作目錄〉五篇，供經學研究者關注民國時期學術動態資料。「學術會議」報導「四川學

者的經學研究」學術研討會相關訊息，「出版資訊」彙集六十六篇經學專著提要，餘計收入文十四篇，依序是：⑴安井小太郎著、金培懿譯〈鄭王異同辨（二）〉，⑵馮乾〈清代揚州學派學術淵源考辨〉，⑶何銘鴻〈《尚書古文攷實》述要〉，⑷郭全芝〈戴震的《詩經》解讀〉，⑸張厚齊〈陳柱《公羊家哲學》略論〉，⑹陳明鎬〈洪亮吉詩論的小學與考據特色〉，⑺黃羽璿〈言偃在先秦儒學傳授中的地位研究〉，⑻魏王妙櫻〈蘇轍作品考述〉，⑼林慶彰〈我蒐集李源澄著作之經過〉，⑽蒙默〈蜀學後勁——李源澄先生〉，⑾吳銘能專訪、黃博整理〈貫通四部圓融三教——蒙默先生談蒙文通先生的學術〉，⑿趙沛霖〈《詩經名著評介》與學術史研究——趙制陽先生《詩經名著評介》特點簡說〉，⒀金生楊〈廖宗澤《六譯先生年譜》手稿評介〉，⒁趙制陽〈李辰冬《詩經通釋》評介〉。　　　　　（陳亦伶）

《經學研究集刊》第四期

《經學研究集刊》第四期　鄭卜五主編，洪政良、吳佳鴻編輯　高雄市　國立高雄師範大學經學研究所　232頁　2008年5月

　　《經學研究集刊》為高雄師範大學經學研究所出版的所刊，前三期每年發行一期，至第四期起改為每半年發行一期。此期為「陳廷敬研究專輯」。

　　陳廷敬為清初學者，然而長期被學術界所遺忘，陳廷敬曾編纂《康熙字典》、《佩文韻府》、《明史》、《大清一統志》等書，並授職為總裁官，是一位深具思想和文學的政治人物，對康熙盛世的形成貢獻不少。此輯以陳廷敬為「學術人物研究」專輯，收論文：⑴蔣秋華〈陳廷敬與汪琬之關係〉、⑵陳恆嵩〈陳廷敬對尚書與春秋的詮解〉、⑶詹海雲〈論陳廷敬的實學〉、⑷李淑萍〈陳廷敬與《康熙字典》——論《康熙字典》之編纂及其價值與影響〉、⑸蔡鴻江〈陳廷敬與《康熙字典》同體字之評述〉等五篇。另外收錄⑴張善文〈吳檢齋先生經學成就述要〉、⑵梁秉賦〈變勤時代的經學從讖緯研究的視角考察〉、⑶上野洋子〈上博楚簡〈詩論〉中的「民性固然」與實踐禮儀之「性」〉、⑷王政〈類、禡、獻俘馘考——《詩經》軍旅祭典研究之一〉、⑸蔡錦昌〈「性一」變成「性二」——現代新儒家孟子心性論續法商榷〉、⑹車行健〈論鄭玄箋詩所表露出的經學思想〉、⑺陳鴻森〈丁杰遺文小集〉等七篇學術論文。

　　鄭卜五，一九五四年生，臺灣省臺北縣人（原籍福建泉州府）。國立高雄師範大學國文學系碩士、博士，曾任海軍軍官學校文史系主任，國立高雄師範大學國文系副教授，現任國立高雄師範大學經學研究所教授。著有《傅青主及其諸子學研究》、《凌曙公羊禮學研究》、《十三經注述目錄・群經總義》、《孟子著述考》、《清代中葉經今文家之公羊學述論》，此外發表於國內外各期刊雜誌與學術研討會之單篇論文五十餘篇，主要研究方向為：春秋三傳、三禮、清代學術史、中國諸子學、佛學。　　　　　　　　　　　　　　　　　　　　　　　　　（陳亦伶）

《經學研究集刊》第五期

《經學研究集刊》第五期　鄭卜五主編，洪政良、黃澤鈞編輯　高雄市　國立高雄師範大學經學研究所　252 頁　2008 年 11 月

　　《經學研究集刊》為高雄師範大學經學研究所出版的所刊，前三期每年發行一期，至第四期起改為每半年發行一期。此期為「民國時期經學家著作目錄專輯（三）」。

　　「民國時期經學家著作目錄專輯（三）」，是接續中央研究院中國文哲研究所出刊之《中國文哲研究通訊》及《經學研究論叢》中「民國時期經學家著作目錄專輯」之後。「民國時期經學家著作目錄專輯（三）」是由林慶彰教授審閱，張晏瑞、陳亦伶、郭明芳、趙威維、林彥延等人編輯而成之〈張爾田著作目錄〉、〈周予同研究文獻目錄〉、〈陳登原著作論著目錄〉、〈趙紀彬著作目錄〉、〈金德建研究文獻目錄〉，提供「張爾田、周予同、陳登原、趙紀彬、金德建」這五位民國時期經學家著作研究文獻資料，供學界師友參考。另外收錄陳鴻森〈《經義考》札迻〉、黃忠天〈世變與易學──清初史事易學述要〉、鄭卜五〈劉逢祿「申何難鄭」析論〉、黃坤堯〈《經典釋文》與魏晉六朝經學〉、劉德明〈《古史辨》中對《春秋》兩種立場的對話及其反省〉、鍋島亞朱華〈明儒許敬菴對《大學》的解釋〉、林文華〈《天子建州》釋讀七則〉等七篇學術論文。

　　鄭卜五，一九五四年生，臺灣省臺北縣人（原籍福建泉州府）。國立高雄師範大學國文學系碩士、博士，曾任海軍軍官學校文史系主任，國立高雄師範大學國文系副教授，現任國立高雄師範大學經學研究所教授。著有《傅青主及其諸子學研

究》、《凌曙公羊禮學研究》、《十三經注述目錄‧群經總義》、《孟子著述考》、《清代中葉經今文家之公羊學述論》，此外發表於國內外各期刊雜誌與學術研討會之單篇論文五十餘篇，主要研究方向為：春秋三傳、三禮、清代學術史、中國諸子學、佛學。　　　　　　　　　　　　　　　　　　　　　（陳亦伶）

《中國經學》第三輯

《中國經學》第三輯　彭林主編　桂林市　廣西師範大學出版社　308 頁　2008年 4 月

　　《中國經學》為清華大學經學研究中心主辦、廣西師範大學出版社資助出版之學術刊物，每年一輯，每輯約三十萬字左右，設有「經學論文」、「學術資訊」、「經學人物志」、「書評」及「青年論壇」等五類。《中國經學》之創辦，旨在為海內外的經學研究推波助瀾，提供論壇，以「推崇實學，去絕浮言」相尚，凡賜稿者，不問資歷、職稱，惟求論文水平，因此特設「青年論壇」一欄獎掖後進。

　　此輯收入余嘉錫〈《漢書藝文志索隱稿》選刊（序、六藝）下〉、顧頡剛〈《尚書》講義（廈門大學）〉、湯志鈞〈西漢的「獨尊儒術」和經今古文的興替〉、朱季海〈小學劄記〉、沈文倬〈祉福補釋〉、蔡根祥〈《左傳》杜解疑義辨議──以僖公十五年「秦晉韓之戰」為範圍〉、鄧國光〈顏師古的《論語》注解及其在思想史上的意義──唐代貞觀經學探要之一〉、夏長樸〈一道德以同風俗──王安石新學的歷史定位及其相關問題〉、李家樹〈歐陽修說《詩》回歸本義蠡測〉、陳鴻森〈《漢學師承記》駢枝〉、〔日〕高橋智著，喬風譯〈論惠棟校本《春秋公羊傳注疏》〉、趙伯雄〈談談劉逢祿的《論語述何篇》〉、賴貴三〈明清時期臺灣經學歷史發展的文獻考察〉、許子濱〈王國維「《顧命》之廟為廟而非寢」說探討〉、孔祥軍〈駁楊伯峻「孔子不作《春秋》」說〉、方向東〈徐復先生與經學──追記士復師生平學術軌跡〉等十六篇論文。

　　彭林，一九四九年生於江蘇無錫市。一九八九年獲歷史學博士學位，現為清華大學思想文化研究所教授。主要從事先秦史和古代學術思想研究，偏愛經學，尤好《三禮》（《周禮》、《儀禮》、《禮記》）研究，著有《周禮主體思想與成書年代研究》、《儀禮譯注》以及《論清人〈儀禮〉校勘之特色》、《論遷廟禮》等論文七十餘篇。　　　　　　　　　　　　　　　　　　　　　　　（陳亦伶）

《經部要籍概述》

《經部要籍概述》 裴錫圭、楊忠、董治安主編 南京市 江蘇教育出版社 260
頁 2008 年 8 月

　　新中國建立後，中國大陸為了維護傳統文化遺產，於一九五八年開始籌劃培養
古籍整理研究人才，除了廣設古典文獻專業於各大學招收碩、博士生外，另編輯一
套《古文獻學基礎知識叢書》，除了作為古典文獻專業本科生的教材或主要教學參
考書，也能作古文獻學科研究生及古代文學、古代歷史、古代哲學和宗教等學科研
究生的參考書，更可作為廣大文史哲工作者和愛好者參考利用，而此書即為此叢書
中的其中一本。

　　此書選定歷代經部要籍八十四種，上自西漢、下迄清季（酌收個別民國期間著
作），兼顧到經學自身發展的階段性和今、古文之別等各個方面。此書所作解題有
別於一般經學概論書籍，大體包括著作簡介、原書內容與經學成就外，另有主要版
本等相關文獻知識，使初學者欲入經學堂奧，可依此書按圖索驥購買良善之本。此
外，為幫助一般讀者對經部要籍更進一步的認識，主編董治安執筆《緒論》部分，
並設置了「經學簡介」與「群經略說」兩章，另由劉曉東、莊大鈞、王承略、唐子
恒、李士彪、劉保貞等人撰寫解題。另外，現代學者有關《易》、《書》、
《詩》、三禮、三傳、《論語》、《孟子》以及《孝經》、《爾雅》等古籍的整理
研究成果，體現了新的學術發展，雖與古代經學著作實已不同，但有多方面的參考
價值，因酌列重要書目於卷末，以供研讀。

　　主編裴錫圭，曾任北京大學中文系教授，現任復旦大學教授，古文字學家。主
編楊忠，北京大學中國古文獻研究中心教授，教育部全國高校古籍整理研究工作委
員會秘書長，亦是《古代文化知識》一書的作者之一。這兩位為《古文獻學基礎知
識叢書》叢書的總主編，《經部要籍概述》此冊主編董治安先生，一九三四年七月
生，江蘇徐州人。一九五六年畢業於山東大學中國語言文學系，留校任教，此後一
直在山東大學從事中國先秦兩漢文學和文獻的教學研究工作，曾任山東大學中文系
主任，山東大學古籍整理研究所所長，現任山東大學文史哲研究院教授，博士生導
師。

（陳亦伶）

《六經皆文──經學史／文學史》

《六經皆文──經學史／文學史》　　龔鵬程著　臺北市　臺灣學生書局　426 頁　2008 年 12 月

　　書名「六經皆文」是相對於章學誠的「六經皆史」而說的，龔先生認為乾嘉以來逐漸定型的經學觀應被修正，且久不滿皮錫瑞《經學歷史》與馬宗霍等人之經學專著主張的經學史架構，局限於清代經學的框架，以漢學畫地自限，其認為經學與文學是兩相穿透的，如文學中論詩接推原於《詩經》，一切文體皆源於經，為導正錯誤的經學觀因而寫作此書。本書內含九部分：(1)經學如何變成文學；(2)唐朝中葉的文人經說；(3)細部批評導論；(4)馮夢龍的春秋學；(5)六經皆文：晚明對《春秋》三傳、《禮記》等書的文章典範化；(6)以詩論詩：文學詩經學導論；(7)乾隆年間的文人經說；(8)乾隆年間的文人史論；(9)乾嘉年間的鬼狐怪談。由以上章節名稱即可見本書是要綜合地討論經學與文學的關係，說明現今經學史、文學史研究及論述框架中其實存在極多的問題，並提示進一步思考之諸般線索。

　　龔鵬程，江西省吉安縣人，一九五六年生於臺北，國立臺灣師範大學國文研究所博士，曾任淡江大學中文系所教授暨系主任、所長、文學院院長等教職，及行政院陸委會文教處處長、國際佛學研究中心主任、中國古典文學研究會理事長等職。曾獲中山文藝獎、中興文藝獎章等榮譽。著有《文化符號學》等書七十餘種，編纂圖書百餘種。　　　　　　　　　　　　　　　　　　　　　　　　　　（陳亦伶）

《走出漢學──宋代經典辨疑思潮研究》

《走出漢學──宋代經典辨疑思潮研究》　　楊世文著　成都市　四川大學出版社　688 頁　2008 年 6 月

　　此書對宋代經典辨疑思潮產生的歷史文化背景、發展階段、討論的主要問題、使用的辨疑方法等進行深入的探討與研究。全書大分為上、中、下三篇，十五章。在上篇裡作者探討的是歷史問題，闡述時代課題與經學變古的基本內容和辨疑思潮，以及儒家從舊經學之批判與反思到新經學形態之確立。中篇則是經典辨疑思潮的歷史進程，從漢唐經學餘波與辨疑學風為濫觴，接著「學統四起」與經典辨疑思

潮的勃興到宋學的演變與經典辨疑思潮的發展，以及晚宋學風與經典辨疑思潮的分化。在下篇則是宋儒對經典的辨疑，在《周易》經傳的辨疑裡探討的是《易經》作者與時代、《易傳》作者與時代、《周易》古本的復原；《尚書》的辨疑則是孔序與孔傳的問題、《書小序》辨疑、《古文尚書》辨疑與王柏的《書疑》；《詩經》的辨疑則是針對「孔子刪詩」說考辨、《毛詩序》辨疑、廢《序》說《詩》、古《詩經》的復原等問題；而在《周禮》的辨疑方面則是《周禮》制度的辨疑、《周禮》時代考辨與《冬官》不亡說；《儀禮》的辨疑則是宋代的《儀禮》學對《儀禮》的辨疑；《禮記》的辨疑是對《禮記》諸篇考辨，如《中庸》與《大學》的考辨：《春秋》經傳的辨疑方面則是三傳作者時代的辨疑、三傳解經辨疑與舍傳求經與會通三傳；最末《孝經》的辨疑則是針對《孝經》來歷的考辨與義理取向的《孝經》解釋學作討論。

　　楊世文，重慶潼南人，一九六五年二月生。一九八二年考入四川大學歷史系歷史專業，一九八六年入古籍所歷史文獻學專業，一九八九年獲歷史學碩士學位。現為四川大學古籍所研究員，碩士研究生導師。研究重點在宋代歷史文獻、儒學學術史及巴蜀文化。曾在《中國社會科學》、《中國史研究》、《文史》、《文獻》、《中國典籍與文化》、《四川大學學報》、《宋代文化研究》等刊物上發表學術論文三十餘篇，並編寫或參加編纂各種專著、古籍整理著作、辭書十六種。

　　　　　　　　　　　　　　　　　　　　　　　　　　　　　　（陳亦伶）

《北宋新學與文學──以王安石爲中心》

《北宋新學與文學──以王安石為中心》　方笑一著　上海市　上海古籍出版社
231 頁　2008 年 6 月

　　此書以王安石為核心的探討北宋新學對中國思想文化道統之影響。王安石藉助相位之力，建立一套私學為官學，以國家意識型態統一士大夫思想的權力機制，使學術制度化，與現實政治運作緊密結合。為其後的程朱理學成為統治理論的新形態開闢了道路。北宋蔡京曾將王安石與新學作為旗號，黨同伐異，禁毀元代學術與文章，製造文學獄，雖然其所作所為並不能由已故的王安石所創新學來負責，但王安石的學術一元化傾向和實用文學觀，確實影響了宋代以降的文化專制政策，全書即

圍繞在此探討整個北宋的新學與文學。

全書共分十大章,首二章闡述北宋新學的名稱由來及歷史分期;第三章至五章分別對《三經新義》作研究;第六章〈經義文的形成〉探討宋代以前經義與選舉制度的結合、北宋科舉改革與經義文的形成、傳世宋代經義文的形態等諸多相關問題;第七章〈以經術為文章〉探討經術與詮釋體古文、王安石古文風格內容;第八章〈王安石的佛學思想與佛理詩〉則分析王安石對佛教的認識與態度及其晚年的佛學思想,並析探其佛理詩的類型與藝術得失;第九章〈「一道德」思想與實用文學觀探源〉則分別以同朝的柳開、孫復、石介三人的文學觀與王安石相較;第十章〈二程對新學的評價〉則是探討程顥與新法的關係、對王安石「學行不一」的批判以及對新學具體著作的評騭。最後附錄一篇〈論歐(陽修)蘇(軾)曾(鞏)王(安石)的記體文〉作為作者對全書的補充。

作者方笑一先生師從劉永翔先生攻讀華東師範大學古籍研究所博士學位,本書為博士論文增補修訂而成之作,作者目前任教於華東師範大學古籍研究所,並從事「宋代經學與古文」之研究。   (陳亦伶)

《金陵王學研究──王安石早期學術思想的歷史考察(1021-1067)》

《金陵王學研究──王安石早期學術思想的歷史考察(1021-1067)》 楊天保著 上海市 上海人民出版社 380頁 2008年6月

此書為作者博士論文增補修訂而成,論述王安石學述思路的演進及其思想意涵。全書分為上下兩編,凡七章。上編就王安石學術思想的研究學史略作回顧,舉凡王安石其學術思想的歷來研究述評、研究轉向、王安石學術稱謂流變的語義學、學術演繹的流變等,強調歷史研究是哲學研究的基礎。下編則透視北宋「選舉社會」和「王氏家族」的互動關係,並借此漸次勾畫出,王安石早年由力主功名的「能吏」志氣,向「保家」、「養親」的「進士」科舉之學轉變的曲線圖。這部分作者劃分為〈選舉社會與早年治學觀念〉、〈舉業背景下的王學生成史(1021-1042)〉、〈任職江南學術積累(1042-1054)〉以及〈金陵王學的建成(1054-1067)〉四部分。最末附錄〈古本與新版──在王安石詩文集「整理簡史」之後〉

作為作者對王安石學術研究的補充資料，因作者於結語提及此書僅能作為王安石學術研究的三分之一，另有荊公新學史研究與王安石晚年學術研究待作者日後深究。

　　楊天保，一九七一年生，湖北黃岡人。廣東玉林師範學院副教授。二○○○年獲廣西師範大學歷史學碩士學位，二○○五年獲浙江大學歷史學博士學位。主要從事古籍文獻整理和思想史研究工作。在《史學月刊》、《中州學刊》等報刊上發表論文三十多篇。
　　　　　　　　　　　　　　　　　　　　　　　　　　　　　　（陳亦伶）

《朱熹與經典詮釋》

《朱熹與經典詮釋》　林維杰著　臺北市　國立臺灣大學出版中心　412 頁　2008 年 10 月

　　朱熹（1130－1200），字元晦，一字仲晦，號晦庵、晦翁、遯翁等，徽州婺源（今屬江西）人，南宋著名的理學家。於建陽雲谷結草堂名「晦庵」，在此講學，世稱「考亭學派」，亦稱考亭先生。朱熹承北宋周敦頤與二程學說，創立宋代研究哲理的學風，稱為理學。其學說的核心就是一個「理」字，並強調「格物致知」，即窮天理、明人倫、講聖言、通世故。朱熹一生著述繁富，對後世影響最大的是《詩集傳》和《四書章句集注》。

　　本書是一部從詮釋學觀點探討朱子解經思想的著作。全書共分九章，分屬四個部分：意義論、方法論、工夫論與轉向論。內容論述環環相扣，首先點出朱子的解經思想係以其《大學》詮釋的「格物窮理」（讀書窮理）為基本架構，並說明「義理詮釋」如何以「文義詮釋」為前提（意義論），接著申論文義之詮釋和理解需要具備有效的原則和正確的態度（方法論），並且在掌握經典內容的過程中從事「實踐與修養」（工夫論），才能真正完成經典的詮釋。在意義、方法與工夫等三部分的陳述之後，本書最終以「語意自主性」（轉向論）標誌朱熹的解經思維。書末附「人名索引」與「概念索引」，方便讀者依需求檢索。

　　作者林維杰，東海大學哲學學士、碩士，德國波鴻魯爾大學哲學博士。曾任教南華大學哲學系，現任中央研究院中國文哲研究所助研究員，專長為詮釋學、比較哲學。嘗試通過西方的詮釋學理論來分析、比較與重建宋明儒學中的解經工作。著作專書：《從維根斯坦後期哲學的觀點——論經驗、語言與生活方式》與本書，編

著：《東亞朱子學的同調與異趣》、《當代儒學與西方文化：會通與轉化》，譯
著：《得救的舌頭：一個青年人的故事 1905－1921》，另有學術論文：〈朱陸異
同的詮釋學轉向〉等十數篇。　　　　　　　　　　　　　　　　　（吳怡青）

《明代學術論集》

《明代學術論集》　楊自平著　臺北市　萬卷樓圖書公司　294 頁　2008 年 2 月

　　自黃宗羲《明儒學案》到現今諸「中國思想史」著作，幾以陽明學代表明代學
術。然經作者考察後發現，明代理學家，如曹端、薛瑄、胡居仁均受朱子思想影
響，但在內聖外王主張、形上學及社會實踐方面，皆有所開展。明代《易》學家，
如蔡清、來知德及清末的王船山、李光地，在朱子《易》為卜筮之書及探求《易》
「本義」的基礎上，與在易象解釋和義理發揮上，亦有重要突破。明代政治，自成
祖以降，政治昏闇，然明代學術卻是生機盎然的。作者獨具慧眼，在後人重視的陽
明學外，探討明代的朱子學及其他特色獨具的思想家，使明代的學術研究更為全
面。

　　本書收錄六篇論文，分別〈曹端與薛瑄理學思想之比較研究〉、〈胡居仁內聖
外王之學析論〉、〈從《易經蒙引》論蔡清疏解《周易本義》的作法及太極義理的
轉折〉、〈來知德《易》學特色──錯綜哲學〉、〈李光地之卦主理論及卦主釋
《易》論析〉與〈王船山《周易內傳》解經作法析論〉。

　　作者楊自平，一九七〇年生，臺灣彰化縣人，國立中央大學中國文學系博士，
現任國立中央大學中國文學系專任助理教授。著有專書：《梨洲歷史性儒學之建
立》、《吳澄《易經》解釋》與《易》學觀》，單篇論文：〈論林希元《易經存
疑》的義理發揮與致用思想〉、〈從《日講易經解義》論康熙殿堂《易》學的特
色〉、〈牟宗三先生歷史哲學論英雄與時代之意義探析〉等十數篇。　　（吳怡青）

《經義考研究》

《經義考研究》　張宗友著　北京市　中華書局　356 頁　2008 年 12 月

　　清初學者朱彝尊（1629－1709）之《經義考》為一重要經學目錄巨著，全書三
百卷含涉朱彝尊一生治學之大成。然而如此重要之巨著，深入探究的學術專著卻不

多，臺灣方面除中央研究院林慶彰、蔣秋華教授曾主編過《朱彝尊《經義考》研究論集》外，另有臺北大學楊果霖教授博士論文《朱彝尊《經義考》研究》（上述二書皆於 2000 年出版），而中國大陸則以此書為最。全書大別為八大章，作者首先於緒論詳述《經義考》的成書過程、各種版本、歷來研究現況等基本問題；於第二章〈論《經義考》之條目體系〉對《經義考》全書內容進行分析探究；於第三章〈論《經義考》之分類體系〉解說《經義考》的分類特色；於第四章〈論《經義考》之提要體系〉梳理《經義考》輯錄文獻的輯佚特色；於第五章〈論《經義考》之按語〉探究朱彝尊的學術思想內容；於第六章〈論《經義考》與前代文獻之關係〉將《經義考》與《文獻通考·經籍考》相互比較分析；於第七章〈論《經義考》之學術影響〉論述《經義考》對經學文獻整理、目錄編纂的影響，以及與翁方綱《經義考補正》、《四庫全書總目》相較，最後於第八章總結《經義考》對中國學術、經學、目錄學、文獻學的影響。

　　作者來自一個窮困的家庭，中學時期曾因無法繳出學費而休學，後來在政府與社會大眾的幫助之下繼續求學之路，進而順利獲取博士學位，此書即為作者博士論文增補修改而成。由於其艱困的成長背景造就其嚴謹的治學態度，由全書章節編排、內容架構可見一斑。對岸有許多研究經學領域書籍，於書內折頁介紹作者履歷時，各式各樣的頭銜洋洋灑灑一長串，而張教授卻相當謙虛地僅用三十五字介紹自己，由此亦可看出其樸實不浮誇的問學態度。此外，全書除架構精實、立論嚴謹，徵引各書經籍以證論點外，亦甫以各式各樣新式表格，補充說明內文，清晰明瞭，既新穎又實用。

　　張宗友，安徽金寨人。南京大學文學博士，主要研究方向為目錄學、經學文獻學。　　　　　　　　　　　　　　　　　　　　　　　　　　　　　（陳亦伶）

《戴東原經典詮釋的思想史探索》

《戴東原經典詮釋的思想史探索》　鄭吉雄著　臺北市　國立臺灣大學出版中心
480 頁　2008 年 9 月

　　本書分為上、下編，上編為戴東原思想研究，下編是乾嘉經典詮釋學研究。上編討論了戴東原六個課題，分別是戴東原「分殊」「一體」觀念的思想史考察、經

學中的文化意識、其氣論與漢儒元氣論的歧異、「理」「欲」問題、「群」「欲」觀念；下編則探析乾嘉學者的七項課題，分別是其治經方法釋例、以經治經的方法、經典詮釋的背景與觀念、經典詮釋清代儒學思想的屬性、經典詮釋的拓展與限制、高郵王氏父子對《周易》的詮釋、治經方法中的思想史探索——以王念孫《讀書雜志》為例。

　　本書以戴東原思想為討論中心，從中國思想史演變的角度，探討乾嘉學者經典詮釋的方法與方法論問題。結論指出，清代儒學思想強調道德與知識的一體性，認為道德律則源出社群秩序的禮，而非源出心性，社群意識實貫串有清二百餘年思想發展史，影響所及，此一意識遂於清末得以更長足的發展，學術思想也由經學獨尊的局面漸變為民國初年的百家爭鳴。

　　鄭吉雄，一九六○年生於香港，廣東省中山縣人。臺灣大學文學博士，現任臺灣大學中國文學系教授，近十年來多次擔任各種大型學術研究計畫主持人，曾赴美國、新加坡、日本、香港、中國大陸等多所知名大學講學、訪問，並與各國學者合作研究。主要研究範圍為《易》學、清代學術思想、東亞文獻詮釋學，近年則專注於探討儒家經典、詮釋理論和思想史之間的內在關係。學術專著有：《王陽明——躬行實踐的儒者》、《易圖象與易詮釋》、《戴東原經典詮釋的思想史探索》、《周易玄義詮解》等，編著：《清儒名著述評》等；另有學術論文四十餘篇。

（吳怡青）

《臺海兩岸焦循文獻考察與學術研究》

《臺海兩岸焦循文獻考察與學術研究》　賴貴三著　臺北市　國立編譯館　588頁　2008年11月

　　本書以探討清代焦循（1763－1820）存世文獻與經學研究為核心，作者就公藏於臺灣兩岸各大圖書館的刊刻版本、批校手稿與研究論著目錄進行研究。全書計收正文十五篇，附錄三篇。正文前四篇以知人論世、考述手稿著作與研究現狀為主；再以九篇論文，分就其手批《十三經註疏》、《雕菰樓易學》、《仲軒易義解詁》、《尚書》、《毛詩》、《爾雅》、《論語通釋》、《孟子正義》與《孟子補疏》，進行焦循學術思想的闡釋；終以手批《柳宗元文》與錄鈔《里堂札記》作

結。附錄三篇為〈焦循《易話》釋文——《焦氏遺書》二十三種四十冊〉、〈焦循《論語通釋》釋文〉、〈焦循手批《柳宗元文》釋文〉。

作者多年來深耕於焦循的學術研究，透過本書各篇專論，構築出焦循對傳統經典的詮釋義涵，並能客觀開展其核心經典詮釋的歷史面相，「辨章考鏡尋文本，汲古開新究學原」，恢宏焦循之學問。本書是作者積十餘年的努力所作，結構思路嚴整有序，論述清明條達，是一部精審的清代學術史佳作，提供學者對於焦循經學成就的重構與新詮，有鑒證啟發的學術價值。

賴貴三，字屯如，一字仁叔，合字「屯仁」，一九六二年生，臺灣屏東縣人。臺灣師範大學國文所博士畢業，現任臺灣師大國文學系教授兼國際漢學研究所所長，從事易學、經史學以及文獻學等相關研究。出版著述：《項安世周易玩辭研究》、《焦循年譜新編》、《焦循雕菰樓易學研究》、《臺灣易學史》等，並獲多項國科會補助專題計畫「臺灣公藏焦循手稿整理研究」、「清代八家易學稿本研究」等。

（吳怡青）

《清代今文經學的興起》

《清代今文經學的興起》　黃開國著　成都市　巴蜀書社　317頁　2008年6月

清代乾嘉之世，社會秩序較安定，學者可專心致力於學術研究，考據學進入全盛的時代。惟嘉慶以後，清室內憂外患，內有太平天國、白蓮教動亂，外有鴉片戰爭、英法聯軍戰事。在此形勢下，著重訓詁名物的考據學便不切合實際需要而開始衰落，代之而起的是注重微言大義的今文經學。

本書通過對清代早期幾位講求今文經學的經學家，如對趙汸、莊存與、孔廣森、莊述祖、宋翔鳳等思想的分析，探討清代今文經學的過程。發現清代今文經學並非一開始完全講公羊學、也不是只講今文經學；這個過程的進行使得今文經學逐漸被重視。全書各章節闡發經學家對《春秋》要旨的定義、《公羊傳》與春秋學的關係、今文學家對《論語》學的新觀點等，都有詳實的探討。而對於孔子素王說、性與天道的發明等今文經學問題，亦一一加以討論。清代公羊學以劉逢祿為集大成者，劉氏在公羊學上有重要的意義，故書末也附錄了單篇論文，專章討論劉逢祿對今文經學的影響。

作者黃開國教授，一九五二年生，現任四川師範大學政治教育學院特聘教授。從事中國哲學文化研究，主要研究方向是秦漢哲學、兩漢經學及近代經學，出版有《廖平評傳》、《揚雄思想初探》、《巴蜀哲學史稿》、《諸子百家興起的前奏》、《經學管窺》等以及主編《經學詞典》、《諸子百家大辭典》等十餘部著作。 （謝智光）

《晚清經學史論集》

《晚清經學史論集》　丁亞傑著　臺北市　文津出版社　203頁　2008年8月

晚清的內憂外患紛來沓至，但在學術思想上卻屢綻異采。最特殊之處，是中國文化史中的受到冷落的學問，於此時一一復興。諸如今文經學、諸子學、佛學、宋詩、駢文等，無不成就斐然。其中居於關鍵地位者，非經學莫屬。以經典為核心的討論研治，除承襲乾嘉專門漢學的成果外，影響也及於史學、思想與文學。

近人言清代學術，每稱乾嘉專門漢學，作者以為，乾嘉專門漢學固為其時主流學風，但清代學術並不是只有這一學派，與其同時或稍後的學者，即不滿於此學派學者治學的對象、方法，如常州學派即是一例。常州學派既重視語言文字，也強調躬行實踐；既有駢文，亦發揚古文；既有學者，也有文士；既有考古之功，更在意經世致用；既有古文經學，更以今文經學揚聲。本書欲從此一脈絡觀察，重新思考清代學術的不同面相。

本書收錄五篇論文，即以晚清今文經學的發展為觀察對象，並由此延伸論述今文經學學風的特色、今文經學治學的方法、今文經學內部的異同等問題。所收五篇論文分別為〈李兆洛的通儒之學與常州學派〉、〈孔廣森公羊通義的學術系譜與解經方法〉、〈孔教與翼教：康有為春秋董氏學與蘇輿春秋繁露義證比較〉、〈翼教叢編的經典觀〉和〈制度與秩序：論廖平春秋左氏古經說疏證〉。

作者丁亞傑，安徽合肥人，一九六○年生，東吳大學中文系博士，現任中央大學中文系副教授。專長為春秋公羊學、中國近代經學史。著有專書：《康有為經學述評》、《清末民初公羊學研究——皮錫瑞、廖平、康有為》等，單篇論文：〈方苞述朱之學：詩經的歷史想像與文化建構〉、〈方法論下的春秋觀：朱子的春秋學〉十數篇。 （吳怡青）

《陳澧思想研究》

《陳澧思想研究》　　王惠榮著　　北京市　　中國社會科學出版社　　296頁　　2008年8月

　　陳澧（1810－1882），字蘭甫，一字蘭浦，廣東番禺人，因其讀書處曰東塾，故稱東塾先生。陳澧是晚清廣東大儒，也是廣東近代學術史上的重要人物。他在傳統音韻學、經學、樂理、地理學等方面都有顯著成就。作為一代儒宗，陳澧無書不讀，學識淵博，思想博大精深。他同時也在嶺南執教數十年，培養廣東人才。然而學界對他的研究尚屬薄弱。作者研究這樣一位學者的思想，無疑將有益於中國近代學術史，特別是近代廣東學術史研究的更進一步。

　　本書共五章，作者在廣泛吸收學界研究成果的基礎上，將陳澧的學術思想、學術經世思想和教育思想分三個方面展開論述，並通過研究揚州學派、朱次琦和朱一新等不同學派、學者，剖析其互動關係，更深入地討論陳澧思想的整體面貌和本質性，揭示出陳澧思想的時代特色和歷史地位。

　　作者撰寫本書時，先後查閱梳理陳澧文獻資料二十八種，其中包括大量出版於清代的刻本，故全書資料詳實，言之有據，體現作者治學嚴謹的態度。

　　作者王惠榮，一九七二年生，山西臨汾人，畢業於北京師範大學歷史學院。本書為作者的博士學位論文修改而成，史革新指導並作序。作者目前任教於山西師範大學歷史與旅遊文化學院。主要從事中國近代學術史方面的研究。著有專書：《晚清經世致用思潮與中國早期現代化的啟動》與本書，單篇論文：〈魏源與晚清經世思想〉、〈近代墨學復興與晚清儒學〉、〈山西學者與嘉道年間的西北史地學研究〉等數篇。　　　　　　　　　　　　　　　　　　　　　　　　　　（吳怡青）

《新輯黃侃學術文集》

《新輯黃侃學術文集》　　黃侃著，滕志賢編　　南京市　　南京大學出版社　　478頁　　2008年11月

　　黃侃（1886－1935），字季剛，湖北蘄春人。歷任北京大學、武昌高等師範、北京師範大學、東北大學及南京大學前身中央大學、金陵大學教授。其學識廣博精

湛,尤於文字、音韻、訓詁及經學諸學術領域,出類拔萃,成就卓著,與乃師章太炎並為一代宗師。

本書分前後兩部分,前一部分是許嘉璐先生的導讀、章太炎先生所作序和黃侃先生遺著原文,後一部分是附錄。

歷來編印黃侃先生論文集者頗多,收錄內容不盡相同,有中央大學《文藝叢刊》之《黃季剛先生遺著專號》收錄十九種、上海古籍出版社的《黃侃論學雜著》收錄十七種、中華書局之《黃侃國學文集》收錄十五種。本書不僅吸收驗證前人的校勘成果,也再重新予以校勘,並新增六種黃侃著作,包含《讀集韻證俗語》、《通俗編辭語類題識》、《復許仁書》、《金聲題辭》、《聯緜字典序》、《論康熙字典之非》。

此外,本書附錄多達十五種,包含〈黃侃生平著述年表〉、〈黃季剛先生語錄〉、選錄的墓誌和墓表,以及黃侃先生親友與弟子的追憶、評贊之文等,豐富了黃侃先生學術資料,也是記錄其生平的珍貴文獻。

編者滕志賢,一九四〇年生,上海人。師從南京大學中文系洪誠教授,一九八一年獲碩士學位。現任南京大學中文系教授、博士生導師,馬來西亞韓江學院客座教授。專長為訓詁學、漢語詞彙發展史與詩經語言研究。出版著述:《詩經引論》、《《詩經》與訓詁散論》,譯著:《列子譯注》、《新譯詩經讀本》,單篇論文:〈從出土古車馬看訓詁與考古的關係〉、〈陳奐《詩毛氏傳疏》獻疑〉等數篇。另主編《中國古代名物大典‧交通分卷》、《新編古漢語常用字小字典》、《漢語大詞典》、《古代器物詞典‧舟車分卷》等,並參與《漢語大詞典》之編纂。 (吳怡青)

《錢基博學術研究》

《錢基博學術研究》 王玉德主編 武漢市 華中師範大學出版社 436 頁 2008 年 5 月

錢基博(1887−1957),江蘇無錫人,古文學家、教育家,子為錢鍾書。曾任南京中央大學等校(今南京大學)中國語文學系教授,一九四六年抗戰勝利後,任武漢華中大學(今華中師範大學)教授。著有《經學通志》、《國學必讀》、《讀

莊子天下篇疏記》、《名家五種校讀記》、《文心雕龍校讀記》、《版本通義》、《駢文通義》、《明代文學》、《四書解題及其讀法》、《周易解題及其讀法》等。

　　此書為錢基博先生誕辰一百二十周年，華中師範大學舉辦的紀念學術研討會論文集。此研討會由歷史學家章開沅先生提倡、王玉德主編。所收論文共計四十六篇，撰稿人共有四十九人。對於國學大師錢基博先生的經學研究、子學研究、教育改革乃至於生平交游、待人處世及與其子錢鍾書的傳承皆有所討論。

　　主編王玉德教授，一九五四年生，湖北武漢人。現任華中師範大學歷史文化學院院長、文化管理中心主任、民間文化中心副主任、法文化中心副主任。主要研究歷史學、歷史文獻學、中國傳統文化；著有《發生與交融——中國科技發生史》、《中國歷代風水經典注評》、《神秘的風水——傳統相地術研究》、《神秘的八卦——周易研究》等。合作主編了《中國神秘文化研究叢書》、《中國傳統文化新編》、《中華五千年生態文化》、《長江流域的巫文化》、《中國方士文化》、《神秘主義與中國近代社會》、《生態環境與區域文化史研究》、《羅盤解讀》等。　　　　　　　　　　　　　　　　　　　　　　　　　　　　　（謝智光）

《語文、經典與東亞儒學》

《語文、經典與東亞儒學》　鄭吉雄主編　臺北市　臺灣學生書局　506頁 2008 年 10 月

　　本書是主編鄭吉雄教授多年來致力推廣「經典詮釋中的語文分析」研究計畫的集體研究成果之一。東亞儒學的發展既不離經典之詮釋與再詮釋，而詮釋之基礎，又與具有形音義合一之特殊結構的漢語，有密切的關係。故以漢字漢語為基礎開展的東亞經典世界，必然與東亞儒學的發展，互為表裡。本書收錄十五篇學術論文，分為語言文字、經典文獻，和東亞儒學等三個類別。論文宗旨互異，又有多向交集：語言文字研究之中包含了東亞儒家經典與文化的成分，經典研究中也貫串了語言考覈的內容，東亞儒學的研究則作為一個大背景支撐起前兩個部分的論述，所有論文共同構成了一個頗具整體性的研究成果。

　　本書的特色在於將「語言學」和「思想史」放在一起做實驗性的研究，加上

「東亞儒學」作為文化背景深入討論。收錄論文皆發表於臺大東亞文明研究中心二〇〇四年十一月十九、二十日主辦之「東亞語文學與經典詮釋國際學術研討會」和二〇〇五年八月二十六、二十七日主辦之「觀念字解讀與思想史探索國際學術研討會」的會議論文；論文撰寫者包括了臺灣、香港、中國大陸、日本及美國的學者。

　　主編鄭吉雄教授，一九六〇年生，廣東中山縣人。臺灣大學中文系教授，主要研究範圍為《易》學、清代學術思想、東亞文獻詮釋理論。主要編著有《易圖象與易詮釋》、《戴東原經典詮釋的思想史探索》、《清儒名著述評》、《東亞視域中的近世儒學文獻與思想》、《東亞傳世漢籍文獻譯解方法初探》等。　　　（謝智光）

《東亞文化交流與經典詮釋》

《東亞文化交流與經典詮釋》　徐興慶編　臺北市　國立臺灣大學出版中心　528頁　2008 年 12 月

　　本書收錄十九篇論文，都是日本關西大學亞洲文化交流研究中心與臺大人文社會高等研究院「東亞經典與文化」研究計畫，於二〇〇七年十月二十六、二十七日在臺大所合作舉行的同一名稱的國際研討會上，所發表而經送審程序並經各文作者修訂後的定稿。書中分別探討二十一世紀人文社會科學領域中備受關注的「東亞文化交流」與「經典詮釋」二大主題，聚焦於跨國文化互動的脈絡上，闡釋經典與價值理念之變遷及其展望。「東亞文化交流」與「經典詮釋」這兩個互相關涉的研究領域，在漢語學術界具有極大的開發潛力，本書的論文可以在「國族史」與「全球史」兩大研究動向之間，開創「區域史」研究的新視野。

　　在文化交流方面，囊括了〈清代帆船與日中文化交流〉、〈東亞古代冊封體制中的將軍號〉、〈從《徒然草》的《老子河上公章句》受容看中日文學交融〉、〈日本江戶時代唐話的傳播——公開的唐話和內通事〉、〈獨立禪師與朱舜水——文化傳播者的不同論述〉、〈明治日本的興亞論與漢學——以中村正直為探討中心〉、〈久保天隨與康有為筆談稿論考〉、〈華光信仰在東亞地域之傳流〉、〈近代的日本畫與臺灣的膠彩畫——以殖民地統治的意識形態為中心〉、〈臺灣道教儀式文書之差異——臺南與高屏地區的比較〉等十篇文章。

　　在經典詮釋的領域，則收錄了〈十八世紀中日儒學異同試論〉、〈《倭名類聚

抄》引《方言》參證）、〈《性理大全》的成立與黃瑞節《朱子成書》——宋代道
學家著作經典化的重要側面〉、〈論「蘭陵王」樂舞與日本雅樂「陵王」的關
係〉、〈廓門貫徹《註石門文字禪》譾論〉、〈朝鮮半島對占察法的吸收和發展
——以《宋高僧傳・真表傳》的敘述為主線〉、〈十七到十九世紀朝鮮大學說的新
傾向〉、〈日本幕末陽明學者與陽明後學的思想交流關係〉、〈日本「東洋史」的
形成——如何看待近代日本的東亞研究〉等九篇論文。

　　本書廣泛涉及中、日、韓的東亞研究，不僅開拓東亞政治史、海洋史、文化
史、思想史、文學史、宗教史、社會史研究的新視野，也觸及諸多深具全球化時代
新意義的學術課題。

　　徐興慶，一九五六年生，南投縣人。東吳大學東方語文學系文學士，日本國立
九州大學日本歷史研究所文學碩士、博士。曾任中國文化大學日本語文學系副教
授、日本天理大學國際文化學部客座教授、九州大學暨關西大學訪問學人（日本交
流協會招聘人員）。現任臺灣大學日本語文學系教授兼系主任、日本語文學研究所
所長、關西大學亞洲文化交流中心客座研究員（日本文部科學省學術 Frontier 事業
五年計畫）。著有《近世中日文化交流史の研究》、《近世中日思想交流史の研
究》、《朱舜水與東亞文化傳播的世界》等專著，編有《朱舜水集補遺》、《新訂
朱舜水集補遺》、《現代日本政治事典》等專書。　　　　　　　　　（陳水福）

《東亞儒學：經典與詮釋的辯證》

**《東亞儒學：經典與詮釋的辯證》　黃俊傑著　臺北市　國立臺灣大學出版中心
528 頁　2007 年 10 月**

　　本書收錄著者近年所撰十六篇論文，第一篇係全書之導論，其餘論文分為三個
部份：㈠東亞儒學的視野，㈡《論語》的詮釋，㈢《孟子》的詮釋。著者主張：
「東亞儒學」在東亞各國儒者的思想互動之中應時而變、與時俱進，而不是一個抽
離於各國儒學傳統之上的一套僵硬不變的意識形態。所以，「東亞儒學」本身就是
一個多元性的學術領域，在這個領域裡面並不存在前近代式的「一元論」的預設，
所以也不存在「中心 vs. 邊陲」或「正統 vs. 異端」的問題。本書除探討「東亞儒
學經典詮釋」、「東亞遺民儒學」、「東亞儒家身心關係論」等課題之外，也聚焦

於東亞儒者對《論語》與《孟子》的解釋之分析。

全書分為十六章，依次為：(1)〈論經典詮釋與哲學建構之關係：以朱子對《四書》的解釋為中心〉、(2)〈「東亞儒學」如何可能？〉、(3)〈東亞儒家經典詮釋傳統研究的現況及其展望〉、(4)〈論東亞儒家經典詮釋傳統中的兩種張力〉、(5)〈論東亞遺民儒者的兩個兩難式〉、(6)〈東亞儒家思想傳統中的四種「身體」：類型與議題〉、(7)〈中國思想史中「身體觀」研究的新視野〉、(8)〈孔子心學中潛藏的問題及其詮釋之發展：以朱子對「吾道一以貫之」的詮釋為中心〉、(9)〈如何導引「儒門道脈同歸佛海」？──蕅益智旭對《論語》的解釋〉、(10)〈從東亞儒學視域論朝鮮儒者丁茶山對《論語》「克己復禮」章的詮釋〉、(11)〈作為思想發展過程的「東亞論語學」：研究提案與研究資料〉、(12)〈孟子運用經典的脈絡及其解經方法〉、(13)〈《孟子》「七十者可以食肉」的社會史詮釋〉、(14)〈從東亞儒學視域論朝鮮儒者鄭齊斗對孟子「知言養氣」說的解釋〉、(15)〈東亞近世儒者對「公」「私」領域分際的思考：從孟子與桃應的對話出發〉、(16)〈二十一世紀孟子學研究的新展望〉等等。這十六篇文章既是本書的章節，也是一篇篇各自獨立、首尾俱足的論文。

黃俊傑，美國華盛頓大學（西雅圖）博士，曾任美國華盛頓大學、馬利蘭大學、Rutgers 大學等校客座教授、東吳大學東吳通識講座教授、中華民國通識教育學會理事長。現任臺灣大學歷史系特聘教授、臺灣大學「東亞經典與文化」研究計畫總主持人、中央研究院中國文哲研究所合聘研究員。獲得學術榮譽包括美國王安漢學研究獎（1988）、傑出人才講座（1997－2002）、胡適紀念講座（2005－2006）、臺灣大學學術研究傑出專書獎（2006）、中山學術著作獎（2006）。著有英文專著數十種，學術論文數百篇。　　　　　　　　　　　　　　（陳水福）

《讀懂周易》

《讀懂周易》　魯洪生著　北京市　中華書局　207 頁　2008 年 7 月

《周易》是對中國人思維方式和社會生活影響最為深遠的經典著作之一，然而，千百年來，人們對它的認識卻存在著巨大的分歧。本書作者從怎樣讀《周易》和怎樣用《周易》兩方面入手，分別就《周易》是怎樣的一部書、《周易》是怎樣

產生的、《周易》是怎樣「想問題的」、《周易》是如何看世界的以及《周易》闡釋的人生哲學等多層面深入的解讀，揭示了《周易》這一古老的哲學體系積極進步的意義。魯教授認為在認真研究，深入了解的基礎上正確解讀《周易》，對於我們今天正確學習利用《周易》，提升個人道德修養，改善人際交往，創建和諧社會大有裨益。

　　魯洪生，一九五一年，遼寧省東港市人。首都大學文學院教授，博士生導師，中國詩經學會常務理事。主要從事中國先秦兩漢文學、中國古代文學理論的教學與研究。主撰或參撰、參譯出版了《詩經學概論》、《中國古代文學名篇導讀》、《詩經百科辭典》、《詩經析釋》、《先秦大文學史》、《歷代賦辭典》、《儒家教育九面觀》、《二十世紀大博覽》等著作二十餘種。　　　　　　　　　（廖秋滿）

《卦序與解卦理路》

《卦序與解卦理路》　李尚信著　成都市　巴蜀書社　228 頁　2008 年 8 月

　　《周易》古經有二個難解之謎，一個是《周易》古經的卦序（今本卦序）是怎樣排列出來的，它要表達什麼思想？另一個是《周易》古經卦爻辭是如何編纂出來的，六十四卦卦爻辭究竟在講什麼？這兩個問題至少困擾了人們兩千餘年，漢代易學家儘管堅持了以象解《易》的思路，但對於這二個問題的回答仍然非常不能令人滿意。漢之後二千餘年中，儘管各種解讀多如牛毛，其中不乏很有價值的作品，但就卦序的本來構造與卦爻辭本義解讀而言，確實皆未能很好地抓住問題的實質。作者這本關於卦序與卦爻辭解讀的著作，尤其是有關卦序問題的研究，在掌握大量易學史料及總結早期易學演變的內在邏輯與外在背景的基礎上，通過長期思考與辨析，在這兩個問題上都取得了突破。作者的序卦研究不僅解決了今本卦序的排列與蘊含的思想問題，而且對各種卦序，如帛書《周易》卦序、楚竹書《周易》卦序、《雜卦》卦序、孟喜卦氣卦序等，都提出了非常系統的看法，其研究不僅使我們看到任何卦序都是象數與義理的統一，且更重要的是，使我們看到，重要的卦序往往高度凝練地表現著某種宇宙論的思想，體現著一個學派的易學思想體系，因而在易學中具有極其重要的地位。在具體的卦爻辭解讀中，作者提出了許多新的解卦體例，提供了很好的思路。

　　本書作者分上下二編，上編「今、帛、竹書《周易》序卦研究」，分前言、第一章〈今本《周易》六十四卦卦序研究〉、第二章〈帛書《周易》卦序研究〉、第三章〈楚竹書《周易》紅黑符號與卦序問題〉、第四章〈今、帛、竹書《周易》序卦合論〉、第五章〈有關《周易》古經卦序新觀點補評〉以及附錄一〈《雜卦》卦序圖乃「晝夜變化」之圖（概要）〉、附錄二〈孟喜卦氣卦序研究〉；下編「《周易》古經卦爻辭解讀」，分第一章〈觀象繫辭與《周易》古經之編纂（概要）——論《周易》古經的解讀方法〉、第二章〈《周易》古經卦爻辭例解〉，書後附參考文獻、本書相關成果的發表與轉載情況。

　　李尚信，山東大學易學與中國古代哲學研究中心副教授。主要論文有〈《繫辭》中一段文字的解讀與後天八卦圖正解〉、〈今本《周易》六十四卦卦序的基本骨架〉、〈《序卦》卦序中的陰陽平衡互補與變通配四時思想〉、〈孟喜卦氣卦序反映的思想初論〉、〈《序卦》卦序中的「參伍」「錯綜」思想〉、〈上海戰國楚簡《周易》與讀者見面〉、〈楚竹書《周易》中的特殊符號與卦序問題〉、〈釋《周易·漸卦》〉、〈《莊子注》中的「獨化」說及其現代意義〉等。　　　　（廖秋滿）

《帛書周易論集》

《帛書周易論集》　廖名春著　上海市　上海古籍出版社　442頁　2008年12月

　　長沙馬王堆三號漢墓出土的十二萬多字帛書，是繼漢代孔府壁中書、晉代汲冢竹書、清末敦煌卷子之後又一次重大的文獻發現。在這批珍貴的帛書中，有關《周易》的有二萬餘字，既有經，又有傳。隨著一九七四年以來帛書《周易》內容的不斷披露，幾十年來對它的研究一直是學界的焦點。作者以為帛書《易傳》的主要整理者之一，先後在海內外刊物上發表了大量的研究論文，今匯集成《帛書〈帛書〉論集》出版，共輯入論作及釋文於三十篇，分成立六個部分，首開「帛書《周易》經傳研究」性質屬於通論，以下分列《要》、《衷》、《繫辭》的專門研究，第五部份則討論《二三子》、《謬和》、《昭力》諸篇，而以帛書釋文殿後。

　　在書中，作者不僅對帛書《周易》的一些難字進行了考釋，而且還根據帛書《周易》對今本《周易》經傳的作者、易卦的形成、卦序、卦名和卦爻辭的導文、《繫辭傳》和《象傳》《文言傳》的形成、《周易》的歷史地位、傳《易》學派、

帛書《周易》經傳同今本《周易》經傳的關係等易學史上的傳釋文，因而本書無論對研究《周易》經、傳文本，還是易學史，都有著十分重要的參考價值。

　　廖名春，一九五六年生，湖南武岡人。清華大學歷史系暨思想文化研究所教授、博士生導師，湖北大學中國古典文獻學學科教授（楚天學者），中國人民大學、首都師範大學、山東大學、四川大學、湖南大學等校兼職教授，韓國成均館大學客座教授。文學碩士（武漢大學，1988）、歷史學博士（吉林大學，1992）、中國思想史博士後（西北大學，1995－1997）。主要從事出土簡帛和先秦秦漢文獻的研究。著有《周易研究史》（合著）、《荀子新探》、《帛書易傳初探》、《新出楚簡試論》、《周易經傳與易書史新論》、《郭店楚簡老子校釋》、《出土簡帛叢考》、《周易經傳十五講》、《中國學術史新證》等書，在《歷史研究》、《文史》、《哲學研究》、《漢學研究》等中外學術刊物上發表論文一百九十餘篇。

（廖秋滿）

《周易古禮研究》

《周易古禮研究》　蘭甲雲著　長沙市　湖南大學出版社　318 頁　2008 年 6 月

　　本書是作者博士論文修改出版，探討的是《周易》卦爻辭中所存在的古禮現象以及易學史上歷代易學家運用古禮來解釋《易》的情況，可算是一部對《周易》經傳及易學史上有關古禮問題進行專門探討的專注。考察易學史上以禮釋易的學術源流，研究相關的以禮釋易著作，對《周易》經傳中蘊含的商周古禮進行挖掘、分析和考證，闡述《周易》所反映的當時社會的禮制情況，解決了許多卦爻辭闡釋中存在的疑難問題。

　　第一章〈引論〉，探討的內容分三節：第一節分析《周易》古禮研究的歷史比較及前提、條件及目的；第二節對《周易》古禮研究目前存在的主要問題及其研究內容作一個簡要說明；第三節總論《易》與禮二者之間的關係。第二章〈《周易》文本、《周易》時代之社會生活、《易》之占著及其溝通功能考論〉：第一節《周易》文本有關問題考論；第二節《周易》時代之社會生活綜論；第三節論《易》之占筮在先秦時代的應用及影響；第四節《周易》時代的四重世界認知模式及其溝通。第三章〈易學史上易禮研究略論〉，第一節易學古禮研討考論；第二節鄭玄以

禮釋《易》略論；第三節虞翻以禮釋《易》略論；第四節李鼎祚、司馬光、朱熹易禮思想略論；第五節王夫之易禮思想綜論；第六節張惠言《虞氏易禮》的易學成就；第七節近現代易學者易禮研究簡論；第八節胡樸安《周易古史觀》禮制內容及禮制思想略論。第四章〈《周易》卦爻辭古禮考論〉：第一節《周易》古禮表現形式及其意旨；第二節《周易》卦爻辭之古禮分類；第三節《坤》卦與相關衣裳禮制；第四節《蒙》卦之學禮考論；第五節祭祀禮制考論；第六節錫命禮及建國封侯、爵祿禮制考論；第七節喪禮考論；第八節軍禮田狩禮考論；第九節賓禮考論；第十節《歸妹》卦媵婚制考論；第十一節婚禮婚俗考論；第十二節《需》卦與飲食之禮；第十三節宴飲餽賓禮考論。第五章〈餘論〉：第一節《周易》禮治思想綜論；第二節《周易》古禮研究結論。書後並附參考文獻。

　　蘭甲雲，湖南洞口人，湖南大學岳麓書院副教授、博士。《湖南大學學報》（社會科學版）副主編，編輯部主任，出版各人專著三部，參編著作三部。在《中國出版》、《出版發行與研究》、《湖南社會科學》、《西北師大學報》、《古漢語研究》、《北方論叢》等刊物上發表學術論文四十餘篇，多篇論文被《新華文摘》、《中國社會科學文摘》等刊物摘錄。二○○六年四月被評為全國社科學報優秀主編。
　　　　　　　　　　　　　　　　　　　　　　　　　　　　（廖秋滿）

《尚書學史》

《尚書學史》　程元敏著　臺北市　五南圖書出版公司　1640 頁　2008 年 6 月

　　「經書難讀，《書經》尤難」，《尚書》素來號稱文義古奧，艱澀難治，歷代經學大家窮其畢生精力注釋，依然聚訟紛紜。程元敏先生，早年讀書期間，師從國內著名經學專家屈萬里先生，勤勉研讀，奠定深厚的經學根柢。爾後長期研究《尚書》、《詩經》及中國經學史，數十年來著有《王柏之詩經學》、《王柏之生平與學術》、《三經新義輯考彙評》、《三國蜀經學》、《書序通考》、《詩序新考》等書。

　　先生有鑒於之前撰寫的《尚書》學史專著，大多著重《尚書》之纂集、題解、兩漢今古文《尚書》、辨偽古文經傳暨反覆於《尚書》學少數專題之討論，對於歷代《尚書》學沿革、《尚書》與政教關係，多闕略未及。對了解《尚書》義理旨趣

有所不足，遂撰寫《尚書學史》。全書內容約可分為三大部分：第一部分為《尚書》學的概論，含《尚書》的名義、篇數及其體裁、《尚書》各篇經文題解。第二部分為歷代《尚書》學史，介紹自周、秦以迄五代十國間各朝代《尚書》學的傳承及沿革。第三部分為《尚書》板本要略，介紹各種國子監《尚書》板本。最後附錄〈漢尚書學承傳表〉，以方便讀者更易掌握漢代《尚書》學起源及承傳關係。

　　綜觀《尚書學史》的內容，凝聚作者數十年來精研《尚書》學的心血結晶，從書中可看到作者深厚的學術功力。全書不僅論述《尚書》學發展史脈絡，也兼顧經學人物的學術成就與特色。又將研究《尚書》學應具備的基本知識、板本作簡明闡述，讓讀者在極短時間內，掌握問題核心所在。根據陳恆嵩教授的評論，本書有四大特色：⑴論述《尚書》學基本問題，清楚明白；⑵敘述《尚書》學的沿革，內容詳盡；⑶考據工夫縝密，辨證清晰；⑷敘述《尚書》學板本，簡潔易明。（《國文天地》第 25 卷 3 期，2009 年 8 月）這評論是相當中肯的。　　　　（編輯部）

《周秦尚書學研究》

《周秦尚書學研究》　馬士遠著　北京市　中華書局　340 頁　2008 年 9 月

　　周秦時期是《尚書》學的源頭時期，所存相關《書》學史料及一些《書》學問題長期以來多存有真偽之辯、先後之爭。作者對出土文獻、傳世文獻中涉及此一時期的《書》學史料進行了「竭澤而漁」式的挖掘，並堅持論從史出的原則，不囿於成說，從編纂學、銓釋學、文學史學、文藝學等不同視角對《尚書》學在周秦時期的流變進行了系統審視，闡明了《尚書》對周秦社會、文化、學術的深度影響，揭示了《尚書》內容與晚周學術之間相互生變的內在聯繫，不少見解深刻獨到，具有一定的正本溯源意義和學術創新價值。

　　作者以問題意識為線索，從八個方面架構起了本書研究周秦《尚書》學研究的基本框架：⑴斷代《尚書》學研究最好從源頭起步；⑵文獻考辨是開展周秦《尚書》學研究的起點；⑶《尚書》編纂資料來源問題研究⑷編纂學視域中的周秦《尚書》流變；⑸周秦《尚書》學流變研究⑹銓釋學視域中的周秦《尚書》學研究；⑺文學史視域中的周秦《尚書》學研究；⑻周秦儒家《書》教文藝思想研究。

　　馬士遠，一九七○年生，漢族，山東棗庄人。中國古代文學博士，曲阜師範大

學文學院副教授。近幾年來主要從事斷代《尚書》學及秦漢文學史方面的研究。

（廖秋滿）

《詩經齊風研究》

《詩經齊風研究》 李兆祿著 濟南市 齊魯書社 426 頁 2008 年 12 月（齊魯文化與中國古代文學研究叢書）

〈齊風〉是《詩經》的一個組成部分，目前研究較為薄弱，還沒有研究者對它進行全方面、多角度的分析。基於此，本書作者據其碩士論文〈《詩經·齊風》研究〉為基礎，加以修改擴充，對《詩經·齊風》進行了全面、深入、系統的探討。

本書分上、中、下三編。上編〈齊風研究〉，考證〈齊風〉產生的年代、地域與作者，並結合其他文獻探究〈齊風〉中的齊國社會，審視〈齊風〉中各地文化的互動交融，兼論述〈齊風〉的寫作手法與文學成就；中編〈齊風研究史略〉，將傳統〈齊風〉研究史，依時代先後分為先秦至唐代、宋元時期、明代、清代四時期，以點帶面透視歷代〈齊風〉研究的概況；下編〈齊風論析〉，注釋〈齊風〉十一首，並列舉歷來每首詩歌主旨有代表性的闡釋，評析每首詩歌的文學藝術與特色成就，對於各家詩說主張，臚列其要，一一論析，供讀者研覈。書後並附錄〈齊風研究資料輯錄〉，輯錄各時期有代表性的研究資料，以詩篇為單位編排，分總論、分論、論述《齊風》文學性資料，方便研究者使用。該書在探究〈齊風〉時，不乏獨到見解，在使用的角度與方法上，可供借鑒，既有宏觀的整體審視，亦有字斟句酌地微觀的字詞辨析，以多角度、全方位探究，對於《齊風》研究，提供了完善的資料。

李兆祿，一九七一年生，男，山東惠民人。師從王志民，二○○四山東師範大學中國古代文學碩士畢業，目前擔任濱州學院學報編輯部編輯、講師，主要從事中國古代文學研究。陸續發表有〈以「臆」說《詩》──明清之際《詩經》文學詮釋主體的張揚〉、〈明清之際《詩經》社會功能的文學詮釋〉、〈沈德潛《詩經》文學詮釋〉、〈王船山對《詩經》藝術風格的評鑒〉、〈文本載體對《詩經》學的影響〉、〈《詩經·齊風》歡快愉悅的感情基調及其成因〉、〈《詩經·齊風》體現的齊人生活〉、〈《詩三百》對孫子軍事思想的影響〉等期刊論文數十篇。 （吳玫燕）

《詩經與訓詁散論》

《詩經與訓詁散論》　滕志賢著　上海市　上海人民出版社　185頁　2008年2月（江山語言學叢書）

　　本書選收作者近二十多年來的詩經學和訓詁學的主要研究成果，共計十八篇。詩經學方面，主要是研究清代陳奐、馬瑞辰、王先謙等人的《詩經》新疏，闡發其經學思想、訓詁成就、校勘特點及其學說缺失處，並辨析《詩經》中若干有疑義的訓詁。訓詁學方面，主要研究訓詁與考古關係、字義關係、語法關係的再思考。收錄文章有〈陳奐及《詩毛氏傳疏》研究〉、〈試論陳奐對《毛詩》的校勘〉、〈讀《毛詩傳箋通釋》獻疑〉、〈《詩經》訓詁辨疑四題〉、〈《詩經》導讀——《新譯詩經讀本》代序〉、〈《詩三家義集疏》點校失誤辨析〉、〈淺論洪誠先生《訓詁學》的特色——重讀洪誠《訓詁學》的幾點體會〉、〈從出土古車馬看訓詁與考古的關係〉、〈說「戳」〉、〈「為壽」考辨〉、〈《論語》「子路從而後」章臆斷〉、〈「向」字本義考——兼論訓詁與字義〉、〈輿服類史志點校商兌〉、〈史漢標點瑣議〉、〈《五燈會元》詞語考釋〉、〈《五燈會元》詞語試釋三則〉、〈禪籍俗語考釋〉、〈「因」在中古的一種特殊用法〉、〈後記〉。其中〈試論陳奐對《毛詩》的校勘〉以《傳疏》中的《毛詩》校勘與阮元《毛詩注疏校勘記》作比較，分析兩者校勘內容、校勘思想、校勘方法的異同，揭示了陳奐繼承段玉裁「以不校為校」的校勘思想，其校勘皆從訓詁入手，與阮元、顧廣圻不同術，並且列舉實例對其校勘得失作出實事求是的評價，對於陳奐的研究貢獻良多。

　　綜觀全書，探究《詩經》與訓詁學關係時，深入淺出，並配有多方面的實例，是一本不錯的入門書籍。惜本書倉促出版，集結時不允細加修改，又在不同刊物上發表，因此體例上不一致，又文章時間跨度長，選錄議題比較不一，但大抵可看出作者學思歷程及其《詩經》訓詁學上的成就與工夫。除此本書作者針對原有的篇目標題，略加改動，在每篇第一條註解下，註明原載出處、時間，供讀者掌握原始資料。

　　作者滕志賢，男，一九四〇年生，籍貫上海市。一九六三年於南京大學中文系漢語言文學專業語言專門化本科畢業，一九七八年師從洪誠，攻讀漢語史專業研究

生。一九八一年獲文學碩士學位。現為南京大學中文系教授、碩士生導師,並任中國訓詁學會理事、中國詩經學會理事,為《漢語大詞典》、《中國古代名物大典交通分卷》、《古代器物詞典》主要撰稿人,著有《詩經引論》、《列子譯注》、《詩經新譯讀本》等書。　　　　　　　　　　　　　　　　　　　　　　(吳玫燕)

《毛詩古音考、屈宋古音義》

《毛詩古音考、屈宋古音義》　〔明〕陳第著　康瑞琮點校　北京市　中華書局　253頁　2008年6月

　　《毛詩古音考》、《屈宋古音義》在古音研究上有著重要地位。《毛詩古音考》是第一本敢於徹底破除葉韻說的書,其中列舉了大量的材料,證明詩經的用韻,並佐以《易經》、《左傳》、《國語》、《楚辭》、秦碑、漢賦以至上古歌謠讚頌等等資料證明古有定音,提出「時有古今,地有南北,字有更革,音有轉移,亦勢所必至」的說法;《屈宋古音義》則以屈宋辭賦為研究,通過分析比較,印證《楚辭》音與《詩》、《易》乃至周秦兩漢之詩歌用韻相合,得出「古音原與今異,凡今之所謂葉音,皆古人之本」的說法,與《毛詩古音考》的論點相互印證。

　　二書在體例安排上,每字先注音講解,後列本證,以求古音,再列旁證,加強論據。以韻語排比的古音方法,對於某字在上古時與哪些字押韻,便顯而易見,然其缺失處亦有,大致上是未能將古音有系統的歸納為若干韻部、一字數音的錯誤、徵引文獻過於龐雜,受南北方音影響導致無法客觀的分析某些古注、古讀等缺失,但仍不可抹滅其開創性,以及對於清代學者在音韻、訓詁上的影響。鑒於其重要性,今人康瑞琮重新點校《毛詩古音考》、《屈宋古音義》,選用渭南嚴氏刻本為底本,並參照其他版本,將書中明顯錯字逕改不注,並將《毛詩古音考》條目與《屈宋古音義》的第一卷分別按音序、筆畫編製目錄與索引,便於研究者查覈,該書為研究陳第古音學不可或缺的點校本。

　　康瑞琮,祖籍山東蓬萊,出生於瀋陽市。畢業於瀋陽師範學院中文系,一九八一年中國音韻學會研究班畢業,一九八四年任中國音韻學會理事,一九八六年任天津師範大學中文系副教授。一九九〇年赴美,一九九一年九月至一九九五年二月,

美國南加州大學東亞研究中心訪問學者。著有《古代漢語語法》,點校《毛詩古音考》、點校《屈宋古音義》,合作編寫《古代漢語知識辭典》等書。　　（吳玟燕）

《詩經研究叢刊》（第十四輯）

《詩經研究叢刊》（第十四輯）　中國詩經學會、河北師範大學編　北京市　學苑出版社　322頁　2008年1月

　　此書為中國詩經學會編輯之專門學術性刊物,囊括中國、臺灣、日本等各地學者對於詩經的研究。本輯收錄「第七屆『詩經』國際學術研討會論文集」,計十八篇,並附詩經研究相關「論文摘要」七篇,詳目如下:方銘〈《孔子詩論》第一章文意解〉、馬輝洪〈從宗教、政治到倫理——論孔子對《詩經》天命觀的接受與轉化〉、王碩民〈漢儒說《詩》情志關係的哲學闡釋〉、廖群〈「對話式」與「表演式」——《詩經》、漢樂府初始傳播方式的比較研究〉、周曉琳〈南朝作家對《詩經》的接受與發展〉、姚永輝〈朱熹、呂祖謙關於《詩經》的四大論辯平議〉、吳伯曜〈王陽明的《詩經》觀〉、蔣秋華〈汪琬《詩》無天子諸侯說試探〉、趙雨〈二十世紀五十年代批胡適運動與《詩經》學〉、盧雪松〈《詩經》「民」字解〉、鄒然、辛樹洪〈四句定型的象理契合藝術——《詩經》起興通例〉、（日本）徐送迎〈試論《風》之始「二南」與〈關雎〉〉、李子偉、丁國棟〈論《秦風》產生的時代、地域〉、黃維華〈上古婚俗現象中的「奔」——《氓》詩婚姻行為辨正〉、孟慶茹〈《詩經》中的流浪者之歌〉、藍麗春〈從《王風・揚之水》論周平王之戍申情緒〉、王建堂〈《詩經》:詩性思維與科學思維的完美嫁接〉、李金坤〈《詩經》憂患意識原論〉。「論文摘要」有季旭升〈從《孔子詩論》與熹平石經談《小雅・都人士》首章的版本問題〉、王洲明〈從《漢書》稱《詩》論定《毛詩序》基本完成于《史記》之前——兼答張啟成先生的《商榷》〉、蔣芳〈唐人引《詩》之考察〉、（日本）田中和夫〈朱熹《詩集傳》與《毛詩注疏》〉、林慶彰〈呂柟《毛詩說序》研究〉、蘆益平〈格拉涅與松本雅明的《詩經》研究〉、邵炳軍〈《詩・唐風・綢繆》詩旨補正〉。這些研究成果除了彌補歷來學者對於《詩經》學研究的疏略之處外,也為後續學者勾勒出值得跡循的新議題與新方法,對於致力研究詩經學者而言,可謂裨益良多。　　（吳玟燕）

《詩經研究叢刊》（第十五輯）

《詩經研究叢刊》（第十五輯）　中國詩經學會、河北師範大學編　北京市　學苑出版社　272 頁　2008 年 10 月

　　本輯收錄《詩經》研究相關論文二十五篇，囊括中國、臺灣、日本、美國等各地學者研究的成果。討論議題有「學術考論」（九篇）、「語言研究」（五篇）、「篇義探討」（四篇）、「詩經地方文化資源」（三篇）、「日本詩經學」（四篇）五大類，其中論述頗多前人所未發者。「學術考論」有（香港）賈晉華〈釋賦：從詩體到詩歌技巧及賦體〉、李子偉、丁國棟〈《秦風》產生的時代、地域〉、李中華〈王夫之《詩廣傳》評議〉、吳培德〈聞一多《詩經通義（乙）》校補本讀評〉、趙逵夫〈郭晉稀先生《詩經蠡測》再版跋〉、劉暉、曾志東〈從《左傳》用《詩》看《詩經》的《雅》〉、張寶林〈《詩經》與服飾文化〉、張鶴〈《詩經》、楚辭的馬意象比較〉、楊秀禮〈《詩·鄭風》「逍遙」三談〉。「語言研究」有柴秀敏〈論《詩經》疑問句的疑問表達手段〉、林葉蓮〈《豳風·東山》「伊威在室」及「熠耀宵行」〉、袁召起〈關於《詩經》「黃」字字義及「彤管」語義的探索與結論〉、肖甫春〈「食野之蘋」探微——淺析簡化字「蘋」字〉、陳錦春〈《詩經》黃鳥倉庚辨〉。「篇義探討」有李蹊〈從「行邁」的含義看〈黍離〉的主題〉、關小彬〈《邶風·北風》主旨考〉、殷光熹〈「經營四方」、「豈不懷歸」——《詩經》中使臣自傷久役未歸詩析評〉、（美國）吳少達〈從河洛語探《陳風·澤陂》〉。「詩經地方文化資源」有王渭清、霍彥儒〈關中西部《詩經》文化遺跡考略〉、張步學〈孔子編詩子夏傳〉、姚菊泉〈歷史的永恆與光輝：《詩經》中的淇河〉。「日本詩經學」有郭艷紅〈評安井息軒《毛詩輯疏》〉、岳雁虹〈山本章夫《詩經新注》簡介〉、許顯謀〈評龜井昭陽《毛詩考》〉、張小敏〈讀仁井田好古《毛詩補傳》〉。這些研究成果除了彌補歷來學者關於《詩經》學研究的疏略之處外，也為後續學者勾勒出值得跡循的新議題與新方法，對於致力於研究《詩經》學者而言，可謂裨益良多。

　　主編夏傳才，一九二四年生於安徽亳縣。四○年代的詩人，五○年代從事古典文學研究。現任河北師大教授，博士生導師，中國詩經學會會長。主要學術著作有

《詩經研究史概要》、《詩經語言藝術》、《思無邪齋詩經論稿》、《論語趣談》、《詩詞入門：格律、作法、鑑賞》、《思無邪齋文抄》等，並主編多種教材和叢書。另有舊體詩集《七十前集》等，在海內外有廣泛影響。　　　　　（吳玫燕）

《詩經論文集》

《詩經論文集》　洪湛侯著　臺北市　藝文印書館　284頁　2008年5月

本書主要集結作者近二十年來《詩經》學相關論文，可視為作者退休後，在《詩經》學研究上的精華之作，這些論文的撰稿動機，除去有關出版單位的約稿之外，大半論文為作者參加大型研討會所提交的論文，還有一些應邀作專題演講的講稿，結尾皆有註明其原始出處。所收論文共計有〈歷代《詩經》研究〉、〈《詩經原始》簡評〉、〈《詩經‧國風》與《舊約‧雅歌》的比較〉、〈一部功力深厚的《詩經》新讀本——《詩經注析》讀後〉、〈《詩經》清學探微〉、〈清代今文詩學的整理和研究〉、〈戴震與《詩經》研究〉、〈讀戴震《經雅》（從所錄《詩經》名物談起）〉、〈《詩經考》為戴震《詩經》研究的奠基之作〉、〈胡適與《詩經》研究〉、〈《詩經》中的魚文化〉、〈徽派樸學家的《詩經》研究〉等，共計十二篇論文。附錄則收錄作者近年來多項著作的自序。

洪湛侯，安徽歙縣洪坑人，一九二八年生。復旦大學中文系畢業，歷任復旦大學、杭州大學、浙江大學教授，一九八九至一九九一年曾應邀至美國科羅拉多大學講學。專長領域為《詩經》、文獻學、徽州學研究等，著有《詩經學史》、《中國文獻學新探》、《徽州樸學》。　　　　　（鄭于香）

《嚴粲詩緝新探》

《嚴粲詩緝新探》　黃忠慎著　臺北市　文史哲出版社　254頁　2008年2月

宋代的學術以推陳出新為特色，表現在《詩經》學，則在於對《詩序》的反動上，從宋初劉敞的《七經小傳》開始，疑經風潮一直延燒到南宋，朱熹的《詩集傳》可視為此疑辨思潮的成果，於是反《序》與宗《序》的對立情形成為此時學術思潮上的一大特點。嚴粲的《詩緝》寫成於《詩集傳》之後，對於《詩序》的態度，難免受到當時學術思潮的影響。《四庫全書總目提要》評此書：「以呂祖謙

《讀詩記》為主」，清人劉燦於《嚴氏詩緝補義》卻認為：「《詩緝》多采《集傳》」，可見《詩緝》並不墨守單一學派的學說，而是揉合新舊思維的著作。清儒姚際恆曾於《詩經通論‧詩經論旨》如此評論嚴粲《詩緝》：「嚴坦叔《詩緝》，其才長于詩，故其運辭宛轉曲折，能肖詩人之意；亦能時出別解。第總圍于《詩序》，間有齟齬而已。惜其識小而未及遠大；然自為宋人說《詩》第一。」這樣高度的評價，引起了作者對於此書的注意，於是在二○○四年提出的國科會計畫：「嚴粲《詩緝》新探──以經學、理學與文學的角度為考察中心」，本書即為此計畫的研究成果。

作者從「共時性」的角度，以宋代當時的經學、理學與文學批評三方面切入，來觀察學術思潮對於《詩緝》一書的影響，與此書治經的最大特色。第一章為「嚴粲傳略」，歷數其家世、交遊與著作。第二章為「嚴粲《詩緝》的解經態度與方法及其在經學史上的意義」，除了從傳統的《詩》教觀觀察嚴氏的解經態度外，並且分析此書以經解經、以傳解經的詮釋法，進而認為教化觀點為嚴氏解《詩》的基本態度。第三章為「嚴粲《詩緝》的以理學說《詩》及其在經學史上的意義」，作者以為，嚴氏還受到宋代理學家的治學方法與學術觀念的影響，因此書中常有引用程朱等理學家的觀念，來詮釋《詩經》的義解，在名物訓詁的部分，似乎也循著朱子「格物致知」的模式進行。第四章「嚴粲《詩緝》的以文學說《詩》及其在經學史上的意義」，除了分析嚴氏對於「六義」的見解外，還點出嚴氏在解釋某些詩句時，帶有濃厚的文學批評意識。書中最後還附有〈《詩經》詮釋的流變〉，是作者日後擬撰寫的《詩經學詮釋史》的熱身稿，提供給讀者參考。

黃忠慎，一九五五年生於臺灣省南投縣。國立政治大學中國文學研究所博士，現任國立彰化師範大學國文系專任教授、明道大學中文系兼任教授。研究領域為《詩經》學、《尚書》學、四書學、經學史等。　　　　　　　　　　　　（鄭于香）

《考工記譯注》

《考工記譯注》　聞人軍譯注　上海市　上海古籍出版社　190 頁　2008 年 4 月
（中國古代科技名著譯注叢書）

《考工記》是我國第一部手工藝技術彙編，書中保留有先秦大量的手工業生產

技術、工藝美術資料等。相傳春秋戰國時作，列為《周禮》〈冬官〉，為儒家經典的一部分。《考工記》歷來研究者眾多，各種版本達數百種，本書以一九二九年上海商務印書館《四部叢刊》本係據葉德輝觀古堂所藏明嘉靖間翻元初岳氏相臺本《周禮》十二卷影印本為底本整理，譯注者透過現代化科技、多學科綜合研究結合新出土文物資料與傳統研究方法，重新詮譯《考工記》，對於古代科技理論以現代科學原理解釋方式，對讀者言，裨益甚大。

　　本書完稿於一九八八年，初版於一九九三年。其初版體例，上編為譯文，注釋從屬於譯文；下編為原文，及必要的校勘和附錄。本次再版，為增訂版，體例更改為，逐段譯注。首列原文，次接注釋，隨注附圖，次接譯文。內容上除了修訂初版時的誤排與未校處，並對注釋和譯文更新補充；文中三分之一以上的插圖，配合出土文獻與近年來研究成果，作了更新，書後補充了插圖目錄，注明資料來源，供研究者覈查。卷上〈總敘〉百工之事的由來和特點，爾後，以主要的篇幅分述當時官營手工業和家庭手工業的主要工種，結合現代科學技術分列細述〈輪人〉、〈輿人〉、〈輈人〉、〈攻金之工〉、〈築氏、冶氏、桃氏〉、〈鳧氏〉、〈栗氏、段氏（闕）〉、〈函人〉、〈鮑人〉、〈韗人、韋氏（闕）、裘氏（闕）〉、〈畫繢〉、〈鍾氏、筐人（闕）〉、〈㡛氏〉；卷下分列細述〈玉人、榔人（闕）、雕人（闕）〉、〈磬氏〉、〈矢人〉、〈陶人、旊人〉、〈廬人〉、〈匠人〉、〈車人〉、〈弓人〉。書後附錄〈馬融《周官傳》節錄〉、〈鄭玄《三禮目錄》節錄〉、〈陸德明《經典釋文》節錄〉、〈林希逸《鬳齋考工記解》節錄〉、茅兆海〈徐玄扈先生《考工記解》跋〉、〈江永《周禮疑義舉要》節錄〉、戴震〈考工記圖序〉、戴震〈考工記圖後序〉、〈程瑤田《考工創物小記》節錄〉、郭沫若〈考工記的年代與國別〉、〈考工記著作年代新考〉、〈《考工記》的版本源流〉等相關文章十二篇。綜觀全書，深入淺出，適合初學者閱讀。

　　聞人軍，一九四五年生，原名聞人俊，浙江平湖人。一九六八年畢業於上海交通大學。一九八一年，獲杭州大學物理系物理學史專業研究生碩士學位，並留校任教，主講中國科技史。一九九四年協同夫人王雅增創辦矽谷華夏中文學校。現為美國矽谷跨國電子公司高級工程師。重要專著有《中國科學技術史綱》（與汪建平合著）、《國學大講堂：考工記導讀》、《考工記導讀圖譯》等書；八〇年代至九〇

年代初，國內外發表科技史論文約五十篇，其中具代表性的有〈《考工記》中的兵器學〉、〈《考工記》中的流體力學知識〉、〈《考工記》中聲學知識的數理詮釋〉等。

（吳玫燕）

《儀禮注疏》

《儀禮注疏》　〔漢〕鄭玄注　〔唐〕賈公彥疏　王輝整理　上海市　上海古籍出版社　1603 頁（全三冊）　2008 年 12 月（十三經注疏）

　　《儀禮》，為十三經之一。主要記載冠、婚、喪、祭、飲、射、燕、聘、覲等具體儀式，是先秦時代有關社會習俗和禮制的資料總匯。歷代為之作注解者甚多，目前通行的《儀禮注疏》整理本，仍以阮元重刊宋本《儀禮注疏》為基礎，進行整理點校。然阮本實際上與本書所採用之底本（張敦仁本）取材相同，但因阮本急於呈送，校對未精以及主事者意見不和，各執己見等因素，致謬誤百出，有鑒於此，西北大學與上海古籍出版社於一九九二年共同發起，成立新版十三經注疏整理本的編纂委員會，整理新的整理本，彌補阮刻本的不足。

　　本書由王輝重新校勘整理，採用張敦仁本（北京圖書館藏本），並與唐石經、嚴州本、單疏本、阮刻本等版本比較異同，擇善而從，並對阮刻本的誤校用按語的形式指出，為了與阮按相區別，凡校點者所加按語，均用今案；除此各卷後附有〈校勘記〉。書前有張豈之、周天游〈十三經注疏整理本序〉及作者〈校點前言〉，書後附錄〈四庫全書總目儀禮注疏提要〉、阮元〈儀禮注疏校勘記序〉、黃丕烈〈宋嚴州本儀禮經注精校重雕緣起〉、汪士鐘〈重刻宋本儀禮疏序〉、顧千里〈重刻宋本儀禮疏後序〉、張元濟〈重刻宋本儀禮疏跋〉、張敦仁〈重刻儀禮注疏序〉、莫棠〈重刻儀禮注疏記〉、劉承幹〈嘉業堂叢書本儀禮注疏跋〉。綜觀全書，資料賅詳，吸收了歷代學者研究《儀禮》的成果，是研究《儀禮》必備的精校本。

　　王輝，一九四三年生，男，陝西省高陵縣人。一九六七年畢業於陝西師範大學中文系，一九八〇年獲四川大學歷史系碩士學位。現為陝西省考古研究所研究員，陝西師範大學文學院教授博士生導師、中國古文字研究會理事、中國秦文化研究會理事、中國秦俑學研究會常務理事。個人專著已出版有《秦銅器銘文編年集釋》、

《古文字通假釋例》、《一粟集──王輝學術文存》等十餘本；已發表論文百餘篇，其中代表性論文有〈馬王堆帛書〈六十四卦〉校讀劄記〉、〈殷人火祭說〉等。

（吳玫燕）

《禮記正義》

《禮記正義》　〔漢〕鄭玄注　〔唐〕孔穎達正義　呂友仁整理　上海市　上海古籍出版社　2377 頁（全三冊）　2008 年 9 月

　　《禮記》是儒學的基本典籍之一，內容側重闡明禮的作用和意義，其體例雖屬雜編性質，但其內容卻對社會、對民眾的思想影響甚鉅。目前通行的《禮記正義》整理本，仍以阮元重刊宋本《禮記注疏》為基礎，進行整理點校。然阮本雖稱善本，但因選用底本不當，以元刻明修之南雍本（十行本）為底本，此本原出宋季建科附音本，遞經修補，轉相承訛之處甚多，除此又因分卷無例、急於呈送，校對未精以及主事者意見不和，各執己見等因素，以致謬誤百出，有鑒於此，西北大學與上海古籍出版社共同發起，於一九九二年成立新版十三經注疏整理本的編纂委員會，整理新的整理本，供研究者使用。

　　本書點校由呂友仁擬影印中國書店一九八五年出版景宋紹熙本《禮記正義》（八行本）為底本，並針對其經文、經注文、注疏本追本溯源，詳加考校，以彌補阮刻本之不足。每篇後並採用前賢校勘成果，成〈校勘記〉，除此「八行本」原無唐陸明《經典釋文》，今將《經典釋文》〈禮記音義〉，分別插入經、注各條之下，以○號識之，方便讀者閱讀。書前有張豈之、周天遊〈十三經注疏整理本序〉及作者〈校點前言〉，書後有黃唐〈後序〉，附錄〈四庫全書總目禮記正義提要〉、阮元〈禮記注疏校勘記序〉、陳鱣〈宋本禮記注疏跋〉、惠棟、李盛鐸、袁克定、張元濟〈禮記正義七十卷跋〉、潘宗周〈禮記正義校勘記附識〉、潘世茲〈重印禮記正義校勘記序〉、張元濟〈禮記正義古鈔殘本及單疏殘本跋〉。綜觀全書，資料賅詳，吸收了歷代學者研究《禮記》的成果，是研究《禮記》必備的精校本。

　　呂友仁，一九三九年生，河南省滎陽市人。一九六二年畢業於河南大學外語系，一九八一年畢業於上海師範大學古籍整理研究所，獲碩士學位。一九八二年任

教於河南師範大學，一九九二年晉升教授。現任河南師範大學文學院教授、碩士生導師，中國歷史文獻研究會常務理事、國家社科基金專案同行評議專家。其代表專著有《周禮譯注》、《禮記全譯》、《孝經全譯》修訂版等書，已發表論文廿餘篇，如〈指瑜為瑕的校記何其多——讀點校本《禮記集解》札記之一〉、〈《周禮》概說〉等。　　　　　　　　　　　　　　　　　　　　　　　　（吳玫燕）

《禮文化的價值與反思》

《禮文化的價值與反思》　張自慧著　上海市　學林出版社　321頁　2008年9月

　　本書依據作者二○○六年，由鄭州大學楊天宇教授所指導博士論文〈禮文化的人文精神與價值研究〉一文為基礎修改而成，主要針對古代禮文化和價值進行深入的探究與反思。總覽全書，第一章〈禮的起源與地位〉，論述禮的起源，探究禮文化的形成發展以及孔、孟、荀至近現代學者對於禮的起源觀點，同時該書還從禮的內涵，禮儀與禮義兩層面探討禮的起源。第二章〈禮的嬗變與本質〉，提出禮的四大本質為義、理、敬、信；嬗變的五大規律，以宗法等級、人性、理性、功利、適度五大原則，釐清禮在幾千年來嬗變過程所遵循基本原則。第三章〈禮文化的人文精神〉，論述禮文化的人文精神與人學之間的關係，弘揚人的主體精神，透過禮達到人與自然、人與人、人與社會的合諧。第四章〈禮的價值與反思〉，主要是對於傳統禮教、禮治重新的認識與揚棄。第五章〈中國禮文化的走勢與再生〉，以微觀與宏觀相統一，歷史與現實結合，對禮未來的走勢和發展框架，提出了構想，並且反思禮文化的缺陷不足處。本書立意甚佳，依據史料，立足現實，以開闊的視野，對禮文化的價值進行了分析和反思，然題目過大，內容稍嫌煩雜，除此在章節與篇目標題的安排上仍須改進，使其條理化，應盡量避免相似或同標題出現。如：第三章〈禮文化的人文精神〉，其 3.3 的小標為「禮文化的人文精神」等處，應加以修改。

　　作者張自慧，一九六六年生，女，河南南陽人。現任鄭州大學公共管理學院副教授，長期以來一直從事人際交際學、交際禮儀學、個人形象與求職藝術、演講學、以及市場行銷學等課程的教學與研究工作，著有《人際關係與溝通藝術》等書，發表相關學術論文數十篇，如：〈從禮文化的視角論「樂」之魂〉、〈從《禮

記‧學記》看中國當代教育的缺失〉、〈古代儒者的人格追求與形象定位〉、〈中國古代的「論德使能」制度及其當代價值〉、〈從《禮記‧學記》看中國當代教育的缺失〉等期刊論文。　　　　　　　　　　　　　　　　　　　　　（吳玫燕）

《三禮館：清代學術與政治互動的鏈環》

《三禮館：清代學術與政治互動的鏈環》　林存陽著　北京市　社會科學文獻出版社　323頁　2008年5月

　　乾隆初葉，三禮館的設置，《三禮義疏》、《大清通禮》的纂修，是關係乾隆一朝政治、社會和學術演進的大事，其影響則遠遠逾出高宗在位的六十年。然而在迄今的清史研究中，對此一歷史現象進行專題研究的學者還不多見，有分量的研究成果也嫌太少。有鑒於此，林存陽博士在完成《清初三禮學》的研究之後，自二〇〇〇年起，將其關注重心轉移到此一課題上來，歷時七年而成此一具有創闢意義的研究成果。本書以乾隆朝初葉清廷詔開三禮館為探究視角，從清代學術史發展的整體過程入手，通過對這一具有典型特徵的政治性學術活動的系統梳理和考察，力求呈現學術思潮賡續與政治文化取向的互動影響，從而揭示三禮學在清中期學術與政治轉型過程中的演進脈絡，旨在彰顯三禮館在其間所承擔的鏈環作用及其轉折意義。

　　本書的本文部分分為〈前言〉、第一章〈三禮館的詔開及其原因〉、第二章〈三禮館纂修整體進程〉、第三章〈三禮館人事變遷與纂修條件〉、第四章〈《三禮義疏》的學術取向與架構〉、第五章〈《欽定大清通禮》等的政治文化功能〉、第六章〈三禮館詔開的歷史意蘊〉和〈餘論〉等幾個部分。除此之外，本書的附錄亦相當豐富，有〈三禮館編年〉與〈三禮館儒臣一覽簡表〉，還附錄了〈方苞三禮學論析〉、〈杭世駿與三禮館〉、〈禮法之治：維繫清代王權的一種政治理念〉等三篇文章。

　　林存陽，一九七〇年三月生，山東省任城人。歷史學博士，中國社會科學院歷史研究所副研究員。主要研究方向為清代學術思想史、傳統政治文化史，尤致力於清代《三禮》學的探究。著有《清初三禮學》（專著）、《中國之倫理精神》（合著）、《乾嘉學派研究》（合著）等；另在《中國史研究》、《清史論叢》、《清史研究》等學術刊物上發表論文數十篇。　　　　　　　　　　　　　　（陳水福）

《周禮考論──周禮與中國文學》

《周禮考論──周禮與中國文學》　　丁進著　上海市　上海人民出版社　425頁
2008年7月

　　周禮是周代政治制度、文化制度、禮儀制度等的總稱，《周禮》一書則是周禮的集中反映。此書從經學角度研究周禮，以經學與文學的關係為主線，從周禮的神話思想、詩學思想、對早期文學的影響等各方面系統論述了周禮與中國文學的關係。除導言外，全書共分四大章，第一章〈周禮的性質〉先敘明周禮的建立、發展與衰變等基本問題，第二章〈周禮的神話思想〉則分別從五帝、日月星辰、司中、司命、山神祭祀、音樂舞蹈、禮器服飾、巫術神話等諸方面探討周禮的神話思想。第三章〈周禮的詩學思想〉從周禮教育制度與詩歌傳播、用詩制度、詩樂體系三方面探究。末章〈周禮與早期散文〉則由《周禮》職官如史官、盟誓制度等其他行政制度與散文寫作關係、銘文的製作兩方面分析。此書史料豐富，考證翔實，且首次揭示《周禮》六官的起源問題，論述縝密精審。

　　丁進，一九六二年生，安徽青陽縣人。一九八二年起從事中學語文教學達十七年，一九九九年考入安徽大學中文系，師從孫以昭先生學習先秦兩漢文學和經學。二○○二年獲得碩士學位，同年考入復旦大學中文系，師從蔣凡先生研究中國古代文學與文論。二○○五年獲得博士學位，同年進入安徽財經大學中文系任教。現為安徽財經大學中文系主任兼經學與文學研究所所長。曾在《學術月刊》、《孔子研究》、《古籍整理研究學刊》、《中國經學》等學術刊物上發表論文二十餘篇。

（陳亦伶）

《儒家倫理與春秋敘事》

《儒家倫理與春秋敘事》　　周遠斌著　濟南市　齊魯書社　315頁　2008年8月

　　倫理指人與人、人與群體之間的關係準則與秩序準則，孔子所建構的儒家倫理也以此為宗旨。儒家倫理在孔子初建後，經孟子、荀子、董仲舒等後學的豐富、發展和宏揚，以及最高統治者的推尊推廣，成為中國古代最普及、亦最有影響力的道德規範。儒家倫理對中國古代文藝的影響是多方面的，其中對中國古代敘事的影響

可以說是最為突出的。

　　孔子是將儒家倫理與敘事融合在一起的第一人，他在《春秋》敘事中，以自己的倫理標準評判二百四十二年之史實，「貶天子，退諸侯，討大夫」，「以為天下儀表」。這樣承載儒家倫理的《春秋》敘事，為後世立法，所規範、影響的不止史書敘事，還有小說敘事，甚至對詩歌敘事、戲劇敘事也有不同程度的影響。本書共分為七章：〈第一章 儒家倫理概說〉、〈第二章 先秦儒家諸子與《春秋》〉、〈第三章 儒家倫理與《春秋》敘事〉、〈第四章 《春秋》敘事與先秦其他史書敘事〉、〈第五章 《春秋》敘事與秦後史書敘事〉、〈第六章 《春秋》敘事與古代史學〉和〈第七章 《春秋》敘事與古代小說敘事〉。書中舉的相當多的例證，〈《春秋》敘事與先秦其他史書敘事〉一章以《國語》和《呂氏春秋》為例，〈《春秋》敘事與秦後史書敘事〉中更列舉了《史記》、《漢書》、歐陽修的史書（《新五代史》、《新唐書》）和《資治通鑑》等。尤其是〈《春秋》敘事與古代小說敘事〉中舉出了《三國演義》、《水滸傳》、《西游記》、《金瓶梅》、《聊齋志異》和《紅樓夢》等為證，更能看出作者的別出心裁。

　　周遠斌，一九六九年生，山東省泗水人。華東師範大學博士，現任山東師範大學副教授、碩士生導師。發表學術論文數十篇，出版《紅樓人物百家言——薛寶釵》等專著。　　　　　　　　　　　　　　　　　　　　　　　（陳水福）

《案頭春秋》

《案頭春秋》　　張素貞著　　臺北市　　萬卷樓圖書公司　　305 頁　　2008 年 10 月

　　《左傳》既是經典，也是歷史，而又極具文學性，人物個性分明，事件錯綜複雜，對後世極具啟發作用。本書主要取材於《左傳》與《韓非子》、《史記》，嘗試古典的現代化和文、史、哲的融會貫通，論述周詳細密而又條理分明，運筆簡潔而流暢，兼具知識性與趣味性。言說有據，細節都有所本，案頭神遊，仍可以覆按經脈，窮究原委；說古道今，綜括歸納，足供思辨參證。

　　本書為作者歷年所發表的文章薈萃，書中分為四個部分：〈春秋人物論〉、〈《左傳》的故事〉、〈《韓非子》說〉和〈《孟子》、《莊子》、《韓非子》、《史記》〉。〈春秋人物論〉討論士會、向戌、子產、叔向四人的功過，〈《左

傳》的故事〉則敘述《左傳》中二十六個故事，此兩部分均以今論古，對歷史做辨析檢視，並帶點批判。〈《韓非子》說〉中以《韓非子・十過篇》的討論為主，重視故事的趣味性，少談哲理，兼有三篇結合古典小說的研究而得，是哲學與文學的交會。其他的文章則是從個人研究相關資料處理的一些知性的趣味性論題，均收錄於〈《孟子》、《莊子》、《韓非子》、《史記》〉一節中。

　　張素貞，臺灣省新竹縣人，一九四二年生。臺灣師大國文系文學士、國文研究所碩士，任國立臺灣師大國文系教授。專長在韓非子、現代小說，兼研古典小說，著有：《韓非子思想體系》、《韓非子解老喻老研究》、《韓非子難篇研究》、《國家的秩序──韓非子》、《韓非子的實用哲學》、《中國文學與美學・古典小說的多采與變化》、《細讀現代小說》、《續讀現代小說》、《現代小說啟事》等；校注譯有：《新編韓非子》。　　　　　　　　　　　　　　　（陳水福）

《春秋經傳研究》

《春秋經傳研究》　劉黎明著　成都市　巴蜀書社　416 頁　2008 年 5 月

　　《春秋》經是現存最早的中國古代編年體歷史著作，記載了從魯隱公元年（前722 年）到魯哀公十四年（前 481 年）的歷史。《春秋》中的文字非常簡練，事件的記載很簡略，最少一字，最多敘述不超過四十五個字，因此又作傳說明之。據《漢書》〈藝文志〉記載，為春秋作傳者共 5 家：《左氏傳》、《公羊傳》、《穀梁傳》、《鄒氏傳》和《夾氏傳》。其中後兩種已經不存。《公羊傳》和《穀梁傳》與《左傳》解經方式不同，《公羊傳》、《穀梁傳》大多講「微言大義」，試圖闡述清楚孔子的本意，《左傳》以史實為主，補充《春秋》無記錄之事。

　　本書是研究《春秋》經傳的專著，然非此研究論題的第一本著作。書中共分三個部分，專章討論了《左傳》、《公羊傳》、《穀梁傳》與《春秋》經的各種經學問題。包括了《春經》經傳的作者問題、《春秋繁露》的主要內容、公羊學派「大一統」思想、公羊學派的「三科九旨」、公羊學派的「三世說」、公羊學派的「四諱」理論、公羊學派的孔子「素王」理論、《穀梁傳》的學派歸屬等內容。

　　作者劉黎明教授，一九五六年生，吉林長春人，四川大學文學與新聞學院教授。從事古代文學、宗教學等方面的教學工作，主要著作有《民間習慣法》、《中

國文學》（先秦兩漢卷）、《宋代民間巫術研究》等，另有《霍洛維茨》等三部譯
著。　　　　　　　　　　　　　　　　　　　　　　　　　　　　　（謝智光）

《左傳介詞研究》

《左傳介詞研究》　趙大明著　北京市　首都師範大學出版社　529頁　2007年
12月

　　本書以《左傳》為研究對象，對其中出現的所有介詞進行逐一的考察，全面而
詳盡地描寫了《左傳》介詞系統的面貌以及每個介詞的語義語法功能，對介詞跟相
關的詞類——動詞和連詞的區分標準也作了重點研究，力求為全面考察漢語史介詞
系統及其歷史演變奠定基礎。

　　此書為作者在其博士論文基礎上修改而成。作者對《左傳》中確定的十八個介
詞和排除了的六個尚未轉化成介詞的動詞做了窮盡式的研究，收集分析了13930條
用例，確定了6812例是用作介詞。對這一萬多條用例逐字研究。每個字都先分析
其非介詞用例，再分析其介詞用例；介詞用例又分層次分析介詞引進成分的語義類
型、介詞引進成分與謂詞性中心語之間的語義關係和謂詞性中心語的語義類型。全
書共分十五章，第一章為總論，是對全書的理論方法和本書研究情況的總體介紹；
其餘十四章為分論，是對《左傳》各個介詞以及介詞系統外圍的一些詞的具體考察。

　　作者趙大明教授，一九五二年生，北京市人，曾任教於首都師範大學，現任中
國社會科學院語言研究所副研究員，主要研究領域是古漢語語法及辭書編纂。參撰
了《十三經辭典》（詩經、穀梁傳、論語、孟子、孝經等五卷）、《新華字典》、
《現代漢語詞典》第5版、《新華多功能字典》、《現代漢語小詞典》等工具書。
　　　　　　　　　　　　　　　　　　　　　　　　　　　　　（謝智光）

《左傳戰國策講演錄》

《左傳戰國策講演錄》　郭丹著　桂林市　廣西師範大學出版社　268頁　2008
年11月

　　「中國文學史」中，不管哪一類、哪一種的文學史，《左傳》和《戰國策》這
兩部書在先秦文學史中通常都被歸入「歷史散文」或「先秦敘事散文」，也有時候

被歸入「史傳文學」這一類中。先秦兩漢史傳文學就包括《左傳》、《國語》、《戰國策》、《史記》、《漢書》等歷史著作。「史傳文學」是中國古代文學中一個非常重要的樣式。中國古代文學史，實際上是非常長久的。如果把綿延幾千年的中國古代文學發展史比作一條浩浩蕩蕩、奔騰不息的長河，史傳文學就是這條長河中重要的一股勁流。

本書是郭丹教授從文學角度來研究《左傳》和《戰國策》兩部先秦典籍的講堂實錄，共分十講，約三十萬字。首先是：「第一講 中國史學之發軔」，接著四講是《左傳》：「第二講 《左傳》：大變革時代的歷史記錄」、「第三講 春秋人物畫卷」、「第四講 國之大事，在祀與戎」、「第五講 文學的威權」，後四講是《戰國策》：「第六講 縱橫之世與縱橫之書」、「第七講 《戰國策》的史料價值」、「第八講 眾士如雲唱大風」、「第九講 《戰國策》的文學成就」，最後是結論「第十講 先秦史傳散文的文化內涵及其影響」。

對於《左傳》一書，作者主要分析了它的時代特徵和思想傾向，分析了書中的人物形象，總結《左傳》作者塑造人物的藝術特徵；同時，作者還對全書中的戰爭進行了細致的統計，論析了《左傳》的戰爭思想。對於《戰國策》一書，作者主要分析了《戰國策》的思想特徵，考察了《戰國策》史料的真偽，列舉歷代學人對《戰國策》的評價；分析了《戰國策》的人物形象，還對戰國策士的智慧與謀略進行歸納和總結；最後，對《戰國策》的文學成就進行了總結。

郭丹，福建省龍岩人，一九八七年江西師範大學中文系研究生畢業，獲碩士學位；現任福建師範大學文學院教授、博士生導師，福建師大工會主席、校學術委員會委員。已出版學術著作十餘種，發表學術論文七十餘篇；先後獲省社科優秀成果二等獎一項、三等獎三項，福建省優秀教學成果一等獎、國家級教學優秀成果二等獎。二〇〇七年被評為福建省教學名師。　　　　　　　　　　　　（陳水福）

《清代儀徵劉氏左傳家學研究》

《清代儀徵劉氏左傳家學研究》　郭院林著　北京市　中華書局　301頁　2008年3月

晚清的徵儀劉家自劉文淇開始、其子劉毓崧、其孫劉壽曾三代人皆從事寫作

《春秋左氏傳舊注疏證》的工作，之後的劉師培對於《左傳》的研究也有獨到之處，徵儀劉家可說是近代的《左傳》研究世家。本書綜述了劉氏家學的研究現狀，考察了劉氏學人學行，分析劉氏四世之學術變化與發展。以專書和專人研究相結合，對劉氏《左傳》學進行了比較系統的考察。

　　本書除了〈導論〉之外，共分四章：〈第一章 儀徵劉氏家學譜系〉、〈第二章 《春秋左氏傳舊注疏證》研究〉、〈第三章 劉師培的學術思想——以《左傳》學為中心〉和〈第四章 劉氏家學的學術史意義〉。作者對《春秋左氏傳舊注疏證》一書進行深入系統的分析，釐清以往的研究均籠統將此書歸功於劉文淇的說法，指出劉氏四世學人對此書都有貢獻；探討了劉師培研究《左傳》的動力與成就，認為劉師培為《左傳》學建立了完整的理論構架。最後以劉氏家族為代表，從治學方法論角度分析了清儒治經方法，對清代學術發展規律進行了總結。書後並附錄有：〈劉氏家族譜系略表〉、〈儀徵劉氏家族學譜簡編〉、〈劉文淇、劉毓崧、劉壽曾交游合表〉與〈劉文淇書札四通〉，資料相當豐富。

　　郭院林，一九七五年生於江西省星子縣。一九九七年畢業於南昌大學中文系；後執教鞭四年，為鄉梓育才；二○○四年於南京大學獲得文學碩士學位；二○○七年七月於北京大學獲得文學博士學位。現為石河子大學中文系副教授，文化研究院研究員，碩士生導師。研究方向為先秦文學、近代文化、民族文化與宗教問題。發表〈劉師培的戴震學〉、〈劉文淇學行考論〉等十餘篇論文。　　　　　（陳水福）

《春秋三傳：亂世的青史》

《春秋三傳：亂世的青史》　　李夢生著　　上海市　　上海古籍出版社　　155 頁
　　2008 年 7 月

　　我國古代儒家經典「十三經」中有三部解釋《春秋》的經典，分別為《左傳》、《公羊傳》、《穀梁傳》。《春秋》相傳由孔子依據魯國史官所編魯國史《春秋》加以整理、修訂而成，是我國最早按年、月、日編寫的歷史書。《春秋》記事的目的，據後人闡發，主要是勸懲。其一是勸惡揚善，即提倡道義，從成敗中引發教訓。其二是提倡攘夷尊王，提倡王霸、王道。「三傳」對《春秋》的解釋，各有特點，都是研究先秦文史的重要資料，比較真實地反映了當時的社會現實。

《春秋三傳：亂世的青史》精選春秋三傳的有關章節，通過通俗生動的譯文和深入淺出的述評，闡發經傳的思想，見解新穎，很有發人深省之處。又通過排比史實，使人們如讀一部濃縮的春秋史。

本書在選錄春秋三傳時，是以《左傳》為主幹，只是象徵性地選了幾篇《公羊傳》、《穀梁傳》中的精華，以一臠代全鼎。在編排時，則分成「沙場爭霸」、「賢臣達人」、「篡逆奸謀」、「無道昏君」、「論辨辭令」五個部分。這些內容，其實在每篇文章中都交叉纏結在一起，所以這個分類只能是大致上的；而在每篇的述評中就不得不時時遊離每類的中心鋪展開來，否則難免把雷同的意思反覆地嘮叨。述評的內容，既立意於闡發經傳的思想、同時兼顧史實的排比，使讀者能從儒家思想與史實中得到自己所需要的知識。

李夢生，一九五二年生，江西省南昌人。一九八一年杭州大學中文系研究生畢業，文學碩士。曾任上海古籍出版社編輯室主任、副總編輯，現任漢語大詞典出版社總編輯、編審，北京師範大學、華東師範大學兼職教授。著有《左傳譯注》、《中國禁毀小說百話》等。　　　　　　　　　　　　　　　　　　　（陳水福）

《宋代春秋學與宋型文化》

《宋代春秋學與宋型文化》　李建軍著　北京市　中國社會科學出版社　502頁　2008年6月

此書為作者於四川大學攻讀古典文獻學專業博士學位，師從項楚教授，撰寫而成之博士論文修改而成。作者欲以宋代《春秋》學來管窺中國經學，以宋型文化來錐指華夏文化，以宋代《春秋》學與宋型文化的關系來蠡測中國經學與華夏文化的聯結。首先，本書全面檢視宋代《春秋》學文獻，並把它們放在宋型文化的大背景下，劃分出階段，勾勒出輪廓，概括出特點，進而將其連綴成一部完整的宋代《春秋》學發展史。其次，本書跳出經學研究的狹小苑圍，著力於考察宋型文化背景下宋代《春秋》學與政治、史學、理學、文學等多個文化層面的交互滲透的征跡和雙向會通的動因。一方面發掘宋型文化中深層次的民族意識，道德精神和學術整合的《春秋》學淵源，尋繹宋代《春秋》學為宋型文化的衍生所起的重要作用，另一方面又追尋宋代《春秋》學的學術路徑、學術取向、學術重心、學術範式、學術視野

與宋型文化的深層聯結，揭示宋型褒庇對宋代《春秋》學的路向所產生的重大影響。

全書大別為七大部分，首先在緒論梳理《春秋》學衍生的歷程，接著於第一至第五章分別從宋代《春秋》學的發展歷程、宋代《春秋》學與政治的關係、宋代《春秋》學與理學、文學、史學間的殊異關聯，來論述宋代《春秋》學的研究景況，最後於結論歸納分析宋代《春秋》學與宋型文化的路向與衍生。此外，作者編製有〈宋代《春秋》著述目錄〉置於附錄供讀者參考利用。

李建軍，一九七四年六月生，四川大竹人。二〇〇四年四川師範大學古典文獻學專業碩士，二〇〇七年四川大學文新學院古典文獻學專業博士，現任教於臺州學院中文系。主要研究方向為中國儒學文獻研究、古代文學文獻研究，並於《國學研究》、《孔孟月刊》等學術刊物發表論文二十餘篇。　　　　　　　　　（陳亦伶）

《論語彙校集釋》

《論語彙校集釋》上、下冊　黃懷信主撰　周海生、孔德立參撰　上海市　上海古籍出版社　1752頁　2008年8月

本書為《中華要籍集釋叢書》入選圖書，該叢書以中國傳統文化典籍為主，包括哲學、歷史、文學等學科。叢書選擇以精良版本加以校勘，以彙集前人注釋成果並體現當代學術水準為目標。《論語》歷來註解繁多，如清代《論語》注解集大成者：劉寶楠的《論語正義》，或民國時期程樹德的《論語集釋》更摘引書目六百八十種，凡一百四十萬言，皆為《論語》舊注重要參考書籍。本書在前人舊注的基礎上，將發明未盡之處，進行比對校勘，進行創新，糾正舊的誤解和曲解。體例上先列彙校，次列集釋，無校者直列集釋，輯取各家注說以訓詁明義為主，繁瑣考證與侈言義理者酌減，是目前研究《論語》者較方便的一本參考用書。

本書的特色是突破傳統舊注的框架，以力顯當代學術的特色。體例清楚、各章彙校清晰。惟選擇古注標準較主觀，如選錄劉寶楠《論語正義》者，大都以擷取方式而並非全錄，研究《論語》者不可不查。

主撰黃懷信教授，一九五一年生，陝西岐山人。曲阜師範大學孔子歷史文化學院教授，現任專門史專業博士生導師，專攻中國早期思想史文獻和儒家文獻的研究

與整理。著有《小爾雅校注》、《逸周書源流考辨》、《逸周書彙校集注》（合著）、《逸周書校補注譯》、《尚書注訓》、《上博竹書詩論解義》、《鶡冠子匯校集注》、《古文獻與古史考論》、《大戴禮記彙校集注》；參撰者周海生，曲阜師範大學歷史文化學院副教授；參撰者孔德立，曲阜師範大學歷史文化學院講師。

（謝智光）

《論語大義》

《《論語》大義》　劉元峰著　保定市　河北大學出版社　228 頁　2008 年 1 月

　　《論語》一書影響中華文化源遠流長，意義深遠，古今注解數百千種，有的註釋鉅細靡遺、考實詳核，有的闡發義理精闢深微、鞭辟入理。作者別出心裁獨樹一幟，於《論語》文本的今注今譯之前，對於孔子及《論語》一書之相關問題與背景，先進行了一番其個人視野的闡釋與解讀，自謂是緣著《論語》中孔子的言論「緣目求網」，探求孔子思想的根本，以使讀者能清楚看到因歷史原因被埋沒了兩千年的孔子思想。作者雖非學界人士，但自覺對於《論語》一書頗有新解。

　　本書分為上、下兩篇，上篇為〈《論語》新解〉，下篇為〈《論語》原文及今譯〉。上篇的部分共分十章，分別是：一〈「半部《論語》治天下」解讀〉、二〈被「囚禁」的孔子思想——登高看《論語》〉、三〈撥開迷障看《論語》——孔子的根本思想〉、四〈孔子思想與現代文明理念〉、五〈孔子反對法治，主張愚民嗎？——解讀孔子最受非議的兩段話〉、六〈孔子對社會公權力的認識〉、七〈知其不可而為之——孔子的偉大人格〉、八〈儒學的長壽秘密——從余秋雨先生的「三個不喜歡」說起〉、九〈孔子「天道」思想的意義及欠缺〉、十〈五十歲以前的孔子是君子嗎？〉。下篇則先提出〈孔子所說的「中庸」究竟是什麼？——對《論語》原文及今譯部分的說明〉，之後對《論語》章節依序注解。

　　劉元峰，重慶人，南京熙典律師事務所律師。一九八二年參加高考，大學主修化工工程等理科課程，之後任企業的工程師，二〇〇〇年加入律師行業。二〇〇八年出版《《論語》大義》。

（李唯嘉）

《論語心解：從心性的修煉和體悟探索
《論語》的眞實意涵》

《論語心解：從心性的修煉和體悟探索《論語》的真實意涵》　宋光宇著　臺北市
萬卷樓圖書公司　542頁　2008年5月

　　作者宋光宇先生，一九四九年生，臺灣大學考古人類學研究所碩士，美國賓州
大學歷史學博士。自一九七七年起任職於中央研究院歷史語言研究所，於二〇〇一
年以中央研究院歷史語言研究所研究員身分退休。現為佛光大學生命學研究所教授
兼所長。代表著作有：《天道鉤沉：一貫道調查報告》（1984年）、《宗教與社會》
（1995年）；另譯有《蠻荒的訪客：馬凌諾斯基》（1982年）一書。

　　本書是以解釋《論語》作為主要內容，但在充斥各類古籍文獻讀本的市場中，
此書又有什麼異於其他作品的特出之處，值得讀者停下腳步投以關注的目光呢？本
書主要分為「導讀篇」與「正文解讀篇」兩大部分，與其他作品最為不同的地方在
於作者選擇了有別於傳統以道德修養、倫理教化的「進德修業」觀點；或是詞章考
據，章句訓詁式的「歷史文獻」觀點，而改採身心修煉的立場重新解讀《論語》。
但不同於坊間民俗宗教類的讀本，作者透過了在西方科學領域發展已久的量子力學
理論，及經由歷代長期的身體操作與實踐工夫而逐漸體系化的氣功與禪修等理論系
統，重新解讀了我們熟悉已久的《論語》。同時作者也從「生命的修煉」、「直覺
能力的開發」、「靈性知覺本能的訓練」等主題入手（頁154），將本來看似缺乏
關聯的《論語》各章節，予以貫串會通。全書論述雖然部分事涉玄妙，但並不流於
怪力亂神。由於作者選擇了不同於以往的角度對《論語》重新進行解釋，因此建議
有興趣的讀者，在進入正式的各章解讀之前，能抱持開放與理解的心態，細細品味
本書的「導讀篇」。

　　其實國際漢學界以身心之學作為對中國傳統思想進行研究的出發點，所獲得的
成果已經甚為豐碩。這類研究的合法根源就誠如日人湯淺泰雄所指出，中國傳統哲
學乃是以日常生活中切身的健康及道德問題作為處理的對象。而本書與多數從身體
觀、肉身觀進行研究的立場雖然差異不大，但由於作者本身具有人類學、民族學素
養；也曾親身參與宗教修行、人體科學與中醫等相關研究及實驗，因此在本書的內

容表現而言，除了有部份可以與身體觀、傳統中國工夫論的研究成果相互參看之外，作者更援引了相關的考古出土文物、人體科學實驗成果做為論述的佐證。這種研究進路及成果，更有助於對既有的中國傳統身心思想研究成果，進行增補與檢視。 （劉柏宏）

《論語今讀》

《論語今讀》　李澤厚著　北京市　生活・讀書・新知三聯書店　628頁　2008年6月

李澤厚《論語今讀》一書，首要的問題意識在於，對孔子、《論語》、儒家的哲學性與宗教性予以解構的工作，再重建之。作者指出，以董仲舒為代表的漢代儒學，就已建構了一整套陰陽五行、天人感應的「政治、宗教、倫理」合一的儒教體系，統轄、主宰著整個政教體系的價值觀與意識形態，至今仍深有影響。此外，以朱熹為代表的宋明理學，則是建構了一套「天理人欲」心性本體論的哲學體系，雖然否認人格神的上帝，然而其宗教性是通過天人關係的秩序展示成為政治、社會規範不可違的準則，以心性論的哲理高度為宗教信仰。此宗教、哲學融合無間的儒家體系，作者認為有解構「宗教性道德」與「社會性道德」兩種不同的必要。

作者稱謂的「宗教性道德」意指，孔孟發展至宋儒理學的體系，對個體生命實感境界的追求為儒道（釋）互補的準宗教性追求；「社會性道德」意指由孔子而荀子而與道家、法家、陰陽家合流互補所形成的一整套儒法互用的政治、社會規範。這兩者一而二、二而一，尤其以後者納入前者，要求前者決定後者，作者認為此是造成宋明理學家、現代革命倫理主義者，以禮殺人、以革命殺人的緣由。將兩者解構之後，才能予以「批判的繼承」與「轉化性的創造」之重建工作。宗教性道德轉化為個人生命境界、人生情治的追求；社會性道德轉化為群體、人際、教育等關係融入民主體制的建構中。故作者認為有區別兩者的必要。本書先譯後注，前附「記」，為作者的評論、解說與議論。

李澤厚，生於一九三〇年六月，湖南長沙寧鄉人。一九四八年畢業於湖南省立第一師範、一九五四年畢業於北京大學哲學系。一九五五年任中國社會科學院工作。現任中國社會科學院哲學研究所研究員，美國科羅拉多學院客席講座教授。一

九〇八年被選為中華全國美學學會副會長，一九八八年被巴黎國際哲學院選為院士。著有《美的歷程》、《美學四講》、《華夏美學》（合稱《美學三書》）、《中國（古代、近代、現代）思想史論》、《批判哲學的批判》、《走我自己的路》、《李澤厚哲學美學文選》等多部著作，發表論文百餘篇。　　　　（李唯嘉）

《喪家狗：我讀論語》

《喪家狗：我讀論語》　李零著　太原市　山西人民出版社　共 2 冊　390、120頁　2007 年 5 月

　　李零，漢學家，河北人。現為北京大學中文系教授，中國社會科學院研究生院考古系碩士，曾於中國社會科學院農業經濟研究所從事先秦土地制度史研究。主要研究方向為簡帛文獻與學術源流、中國方術、中國古代文明史、海外漢學、古代兵法等。

　　本書是李零在二〇〇四年到二〇〇五年間，於北京大學上課的講義整理而成。可以說是作者通讀《論語》的讀書筆記。作者認為今天的孔子，是歷史上的漢儒、宋儒、宗教三者吹捧出來的。認為孔子並非聖人，只是個古道熱腸，希望恢復周公之治，為了安定天下百姓，而到處奔走的人。他懷抱理想，但孤獨又徬徨，更顛沛流離，無法在現實世界中找到自己的精神家園。因此作者引用了司馬遷曾說過「孔子拒絕當聖人，反而認同喪家狗」的典故，以「喪家狗」作為本書的正標題，再輔以「我讀《論語》」作為副標。主要希望剝去孔子聖人的外衣，透過原典的閱讀，了解孔子真正的想法，而不是固守意識形態，僅做一個吹捧孔子書的知識份子。

　　本書分上、下二冊，上冊除〈自序〉外，附有四篇〈導讀〉，及對《論語》全書作通讀、注解的本文，書後並附有三篇總結文字；下冊分《論語》原文、主題摘錄、《論語》人物表、人名索引四部分。作者從通讀全書、查考人物、歸納主題的方式讀《論語》，進而提出作者對知識分子的命運的思考。希望透過原典的閱讀，提供一個可供討論的思考平臺，化解過去從意識形態來看孔子，而造成的爭論。在四篇導讀中，作者分別談論孔子的為人、孔子弟子、古人讀《論語》的文本、注本、今人讀論語的參考書。對《論語》一書主要概念的詮釋，以及文獻流傳，和讀者閱讀時所必須作的深度擴充，作了詳細的敘述。在三篇總結文字中，作者提出孔

子並不認為自己是聖人，而是希望作一個仁人、君子、有恆者。並且從修行、習禮、治學、施教、干祿、聞達、富貴七方面，來歸納孔子心中真君子的形象。最後提到孔子留給後人的遺產，一方面是否定現在秩序的烏托邦理想，另一方面則是維護現存秩序的意識形態。

（張晏瑞）

《去聖乃得眞孔子：《論語》縱橫讀》

《去聖乃得真孔子：《論語》縱橫讀》　李零著　北京市　生活‧讀書‧新知三聯書店　302頁　2008年3月

　　李零，漢學家，河北人。現為北京大學中文系教授，主要研究方向為簡帛文獻與學術源流、中國方術、中國古代文明史、海外漢學、古代兵法等，近幾年以《論語》研究作為主要投入的領域。主要著作有《中國方術正考》、《中國方術續考》、《孫子十三篇綜和研究》、《兵以詐立》、《簡帛古書與學術源流》、《喪家狗──我讀論語》等書。

　　本書為《喪家狗──我讀論語》一書的延續，是採用精讀的方式，將《論語》各篇拆散來閱讀。分上、下二篇，上篇講人物，為縱向閱讀；下篇講思想，為橫向思考，故本書稱為「《論語》縱橫讀」。本書承繼前書的觀點，講孔子神聖性的形成，以及道統形成後的流變。仍然主張必須擺脫孔子的聖人形象，再來讀孔子的著作，才能真正了解孔子。也就是將孔子當成諸子，以讀諸子書的方法，來讀《論語》，才能擺脫意識形態的窠臼，了解孔子真正的想法。

　　本書書前有〈重歸古典──兼說馮、胡異同〉（「我們的經典」總序）、〈自序〉和〈寫在前面的話〉三篇文章，表達作者希望「回歸真正的古典，而不只是傳統的經典」的看法。並且重申作者「並非標新立異，而是提倡另一種閱讀的方式，和思考的視角」的立場。指出《論語》的文體是語錄體，是孔子指導學生的話，必須拆解來看，從人物和孔子思想兩個方面來閱讀、思考，並且參考歷代名家注本，和出土文獻，擺脫以道統、治統、宗教角度切入的閱讀。〈上篇〉側重歷史人物的敘述，先談孔子，再談孔門弟子，再談其他人，如同劇中人物介紹。對孔子，作者分析了他的形象、時代背景、生平、後代以及成聖的過程；對孔門弟子，作者探討其真正數目、孔子的教學法、學生間的輩分以及十三位傑出的弟子；對其他人，作

者探討孔子對古昔聖賢及今之隱士、從政者的看法。〈下篇〉側重孔子思想，作者一方面從孔子本人的話、弟子接聞孔子的話，來看孔子傳達給大家的思想；另方面從孔子的學術背景、遊宦經歷來看孔子內心的矛盾；最後提出我們可以從《論語》中學到什麼，作為總結。書後附有《論語》原文，提供讀者參考。　　　（張晏瑞）

《清代論語學》

《清代論語學》　朱華忠著　成都市　巴蜀書社　219頁　2008年2月

　　此書為作者博士論文《清代《論語》簡論》增補修訂而成。全書分為九個章節，作者首先對清代以前的《論語》研究進行文獻回顧，如《論語》的集結過程、《論語》的三種版本、漢代至唐代之間《論語》的研究，以及宋、明時期的《論語》學發展。接著在第二章裡對清代《論語》學的研究形成進行分析，如清初經世致用的《論語》學說、清初理學家的《論語》研究、漢學《論語》成就、漢、宋兼采的《論語》研究、《論語》研究的公羊化等。第三章至第九章則為作者對清代幾位著名學者的《論語》研究進行探討，如顏元和《四書正誤》、王夫之的《論語》研究、陸隴其的《論語》研究、翟灝與《四書考異》、劉寶楠與《論語正義》、宋翔鳳之《論語說義》、康有為的《論語注》。最末附上清代《論語》著述表供讀者參考使用。

　　作者以「清代《論語》」為題撰書，主要是受了周予同先生的影響。作為十三經之一的《論語》，又列於四子書之一，其重要性不言而喻，因此歷來研究《論語》者眾多，也不乏名家輩出，但大都圍繞在思想方面的闡釋與現代啟示的研究，對於歷史上《論語》學的流傳與發展情況，關注較少，因此作者遵奉周予同先生所言：「要重視專經的研究」、「綜合的記述工作」，選擇清代《論語》為研究主題，力求掌握清代《論語》學的發展，清晰地反映其時代成果。首先選擇顏元、王夫之、陸隴其、翟灝等人《論語》學成果為首要論述，因為這幾位學者對於朱熹《四書章句集注》皆有深入的探討，無論褒貶皆具學術意義。而選擇劉寶楠則是因為其《論語正義》無論在訓詁亦或是義理方面，皆有很高的成果展現，而宋翔鳳與康有為則是以今文經的立場，兼用近代思想闡釋經義。清代學術風氣鼎盛，以人為軸線貫串時代的研究並不容易，在人物的選擇上尤其關鍵，作者選擇對象均有其意義，但仍稍嫌不夠深刻，還有許多先輩學者的成果和相關書籍值得鑽研探究。

朱華忠，華中師範大學歷史文獻學專業博士，現任西南大學漢語言文獻研究所副教授。 （陳亦伶）

《清代論語詮釋史論》

《清代論語詮釋史論》　柳宏著　北京市　社會科學文獻出版社　408 頁　2008年 3 月

此書為柳宏師從田漢云先生，攻讀揚州大學中國古代文學專業博士論文。

此文具有學位論文嚴謹的架構與縝密的論述，全書除參考文獻外大別為六章節，首先於第一章「緒論」交代研究旨趣、研究範圍與研究方法。接著於第二章先鋪陳「清代以前《論語》詮釋概述」，柳宏依據歷史脈絡將研究進程斷分為四個階段，首先是先秦兩漢時期為《論語》學發展的初步階段，接著魏晉南北朝為《論語》學的新變期，到了隋唐時期則是《論語》從低谷到復甦的階段，最後宋明時期則是《論語》學的高峰。從第三章起，柳宏正式進入探討清代的《論語》詮釋史，一開始以清初理學名家李光地的「尊奉程朱」與宋在詩「切身實用原則」展開正統的《論語》詮釋，後又以毛奇齡的「旁采考訂，以相詰難」、從哲學角度清算理學的王夫之、「崇尚習行、微易其辭」的李塨等人異端詰問承接，末以顧炎武「反對空言，開啟考據新風」做結。在第四章柳宏進一步探討乾嘉時期《論語》的詮釋是「統一與多元的格局」，他分別以江永、惠棟、江聲、徐養原等樸學家對《論語》的考證，程廷祚、趙良猷等漢宋兼采派的《論語》詮釋，樸學家阮元、焦循對《論語》的義理詮釋，梁廷楠、劉寶楠等人對清代《論語》的新箋注論述分析。時序進入第五章為晚清時期的《論語》詮釋，呈現新變與衰退的態勢，如劉逢祿、宋翔鳳、戴望、康有為等今文派《論語》詮釋的興起，桂文燦、馮登府等考證派的《論語》詮釋，以及俞樾、王闓運等人對《論語》的傳注與輯佚。末章總結清代《論語》詮釋史可分三個層次，分別是「清算宋學、崇尚實學、排斥佛老」的反思路徑，「信古崇漢、實事求是、發揚光大」的繁榮與發展，「倡導公羊學、發展今文學、援西學入儒」的轉型與超越。

柳宏認為儒家經典文本的詮釋不是簡單的復現和圖解，而是轉型和創新的過程。清代《論語》的詮釋提供一個獨特的觀察角度，前人學者一層層累積，一代代

耕耘，使經典的詮釋脈絡可循，演變層次縝密而清晰。

　　柳宏先生，一九五九年十一月生，江蘇如皋人。一九八四年六月畢業於南京師範大學文學院，同年分配到揚州師院中文系工作。二〇〇四年獲文學博士學位。現為揚州大學文學院教授，古代文學專業碩士生導師。主要從事寫作學、經學與文學研究。　　　　　　　　　　　　　　　　　　　　　　　　　　　　　（陳亦伶）

《論語後案》

《論語後案》　〔清〕黃式三著　張涅、韓嵐點校　南京市　鳳凰出版傳媒集團、鳳凰出版社　553 頁　2008 年 12 月

　　歷代以來各家各派注釋詮解《論語》觀點繁多，黃式三《論語後案》仿照王光祿《尚書後案》的體例，先釋字注音，之後附錄何晏的《論語集解》與朱熹的《論語集注》，再加入自己的「後案」。此外，《論語後案》裡亦引用了明、清諸多學者的研究觀點，近乎梳理了《論語》學史。其詮解《論語》不專主漢學、宋學，考據詳實，詮釋深切，廣納各家各派觀點。其中，黃式三關切的重點在於禮儀、禮制問題上的考辨，尤其詳細完備。清代政治、學術風氣的影響，學者普遍認為宋明理學流於空疏、浮泛，因此主張「理」就是「禮」，認為天理只在日用常行之中，脫離社會規範的禮制、禮儀，則沒有所謂的「理」，因此談天理不能離開禮儀，黃式三的核心關懷即在社會體制的維護，禮制如何建立的問題。

　　《論語後案》有清道光二十四年活字印本（甲辰本）與清光緒九年浙江書局刻本，後者為修訂本。《續修四庫全書》所收為道光二十四年活字印本。而此點校本則以光緒九年浙江書局刻本為底本，以道光二十四年活字印本（甲辰本）為參校本。本書點校者認為修訂本更能反映黃式三對於《論語》的學問見識，對於浙江書局刻本有刪改道光二十四年活字印本的部分，亦一一校記之。

　　黃式三，生於一七八九年，卒於一八六二年，字薇香，定海紫薇人，是晚清著名學者，博綜群經，治《易》、《春秋》，尤長三《禮》。目前著作尚留存十三種，計有《易釋》、《尚書啟蒙》、《春秋釋》、《論語後案》、《周季編略》、《經說》、《史說》、《讀通考》、《儆居雜著》、《儆居雜著》、《黃氏塾課》、《詩音譜略》、《音均部略》等，《論語後案》為其名作。　　　　　　（李唯嘉）

《孟子類解》

《孟子類解》　于文斌編著　長春市　吉林文史出版社　341頁　2008年11月

　　孟子為繼孔子之後著名儒家學者，孟子的思想主要呈獻於《孟子》書中。起初，孟子及其著作，並未受世人所關注。直到中唐由於韓愈的大力宣傳和表彰，《孟子》的地位才提升，並被列為儒家經典。宋代王安石推行變法，十分推崇《孟子》書中的民本、民生和制民之產的思想，並將其作為推行改革的理論依據，孟子及其著作的社會地位再次得以提升。直到朱熹將《孟子》和《論語》、《大學》、《中庸》合編為「四書」，作為學校基本讀本，其後宋人編刻《十三經》，《孟子》被列為其一，至此孟子及著作之地位屹立不搖數千年。因而歷來以《孟子》為主題撰寫學位論文、研究專著者眾，為市井小民撰寫的白話讀解、注解注釋本亦不在少數，中國大陸近年由於興起「國學熱」現象，加之以于丹《論語心得》的暢行於市，也連帶帶動起人民閱讀《孟子》的需求，此書《孟子類解》即歸屬於普羅大眾閱讀之《孟子》讀本，以深入淺出、通俗易懂的語言風格引領人們進入先秦亞聖的思想堂奧。此外，有別於《孟子》原書篇章分類方式，此書以思想內容分為「做人、為士、君子、修養、中庸、處世、交道、品鑒、人才、民本、經濟、務政、治國、論兵、史論、學習、教育、人性、爭鳴、聖跡」二十類為篇名篇排，又為保持原貌，於書後附有《孟子類解》與原本《孟子》篇章的對照表，便於讀者檢索利用。

　　于文斌，一九五二年五月生，吉林省梨樹縣人，中文本科畢業。自青少年始，就喜讀《易經》、《道德經》、《論語》、《孟子》等中國古代經典書籍。除《孟子類解》外，另撰有《論語類解》一書。　　　　　　　　　　　　　（陳亦伶）

《吳小如講孟子》

《吳小如講孟子》　吳小如著　天津市　天津古籍出版社　212頁　2008年1月

　　中國因應一股漸興的國學熱，民間文化普及性的舉措亦應運而生，造成了一些利弊參半的社會現象。例如，一味提倡兒童讀經，卻忽略師資問題，以及經典本身的深度與難度，兒童學力未逮下理解的困難。另外，為了吸引多數人的注意，坊

間、學界充斥一些浮躁、譁眾取寵的書籍與講稿。迎合大眾而流於庸俗淺薄的學風、文風，對於閱讀經典究也許是有效的普及，然亦可能造成經典理解的不通與妨礙。

　　鑑於此一風氣可能產生的不良影響，作者在儒家經典中，首先選擇《孟子》一書，藉著重新閱讀經典文本，寫下他對經典的詮釋與理解。作者認為，《論語》雖更簡短，但其實不好理解，而《孟子》文字障礙比較少。其撰寫的對象並非對於《孟子》一書毫無理解的讀者，而是至少能藉由傳世的各家古今注釋和譯本，對於《孟子》的文字有基本理解的讀者。《吳小如講孟子》一書雖非鉅細靡遺，旁徵博引各家說法、文獻，詳注詳解地注釋《孟子》或者翻譯原文，卻能夠秉著作者自身的厚實學養，依序《孟子》文本的章節段落，精闢深入、簡短切要地點出《孟子》各篇章各段落重要的精髓與涵義所在。在闡述經典的同時，作者亦借古諷今，以孟子「仁政」的視角，影射當前的不良風氣，並且對學術界有些不求實證確解，卻斷章取義、歪曲文義的說法提出駁斥。

　　吳小如，原名吳同寶，一九二二年九月八日，生於哈爾濱，原籍安徽涇縣茂林，著名書法家吳玉如之子。任北京大學歷史系教授、中國作家協會會員、中央文史研究館館員等。業餘愛好為戲曲（特別是京戲）和書法。早年講授中國文學史，開設過中國小說史、中國戲曲史、中國詩歌史、古典詩詞、散文等課程。一九八〇年升為教授。一九八二年，調北大中國中古史研究中心任職，一九九一年退休。著作頗豐，已發表小說、戲劇及詩詞研究著作十餘部，例如，《中國小說講話及其它》、《吳小如戲曲文錄》、《詩詞劄叢》、《古文精讀舉隅》、《讀書叢劄》、《中國文史工具資料書舉要》等。　　　　　　　　　　　　　　　　（李唯嘉）

《孟子通說》

《孟子通說》　鄧球柏著　長沙市　湖南人民出版社　493 頁　2008 年 9 月

　　孟子學術活動時期上距孔子大約一百五十年，孟子不僅僅繼承與發揚孔子思想，也是先秦儒學重要的創始者。懷著淑世的抱負，為弘揚堯舜之道，游說各國君王，卻不見用於當世。晚年從事教學與著述，與弟子一起編成《孟子》一書，紀載其深刻的思想哲理與政治教育的理念。

　　鄧球柏《孟子通說》除序言外，共收錄：〈梁惠王上〉、〈梁惠王上〉、〈公孫丑上〉、〈公孫丑下〉、〈滕文公上〉、〈滕文公下〉、〈離婁上〉、〈離婁下〉、〈萬章上〉、〈萬章下〉、〈告子上〉、〈告子下〉、〈盡心上〉、〈盡心下〉，以串講的方式解說《孟子》，並多方介紹相關人物和事件之背景，作為更能理解《孟子》此一儒家經典義涵的相關依據。

　　鄧球柏，一九五三年二月出生湖南祁東，任首都師範大學教授，北京創新研究院國家與思想政治教育學博士研究生導師，首都師範大學易學研究所所長。一九七八年三月至一九八二年一月湘潭大學哲學系，獲學士學位；一九八二年至一九九五年，於湘潭大學工作，歷任哲學系助教、副教授、教授等。著有《帛書周易校釋》、《白話易經》、《白話焦氏易林》、《白話帛書周易》、《論語通解》、《大學通說》、《中庸通說》、《論語通說》、《孟子通說》等書。　　（李唯嘉）

《孟子問答》

《孟子問答》　幺峻洲著　濟南市　齊魯書社　399頁　2008年5月

　　儒家經典名著《孟子》影響中國文化深遠自是意義非凡，歷代以來注釋、翻譯、闡發《孟子》義理的著作不知凡幾。然而因為經典文字本身的深度與年代日遠產生的文字隔閡，現代人可能因閱讀的文字障礙而無法暢達地理解古代經典的智慧。因此做為媒介以協助經典閱讀理解的著作，亦顯出重要的意義。

　　《孟子問答》是作者於撰作《孟子說解》之後，對原作的說解與義理闡釋的再補充之作。其編寫的方式為，先對經典提問再貼近經典的要義作回答，全書共四百零九題，而《孟子》共有二百一十六章，因此約略是每章兩個問題。全書大致依《孟子》章節順序編排，有幾處內容相關的章句合在一起，作者亦作了說明。在問答之後，作者根據劉培桂先生的《孟子大略》編寫了有關孟子的生平資料供讀者參考。

　　幺峻洲，一九二四年生於河北豐南，一九四五年畢業於新京法政大學經濟學部，一九四八年畢業於東北大學法商學院經濟系，一九五七年畢業於東北師範大學中文系（函授本科）。終身從事教育工作，退休後致力於研究中國哲學。著作有，《當代新儒學與當代新儒家》（教育科學出版社2000年版）、《論語說解》（齊

魯書社 2003 年版）等，翻譯出版馬克思的《價值型態》（人民出版社 1957 年版）
等。

（李唯嘉）

《孟子》

《孟子》　徐興无著　南京市　南京大學出版社　180 頁　2008 年 10 月

　　專門精深的學術著作浩如煙海，有沒有一本簡明卻不流於淺薄的著作，能引領
一般閱讀大眾或者初學者，作為接觸廣博中國思想智慧的入門書呢？南京大學出版
社所出版的一系列《中國思想評傳》簡明讀本，周憲、程愛民先生主編，即有志規
畫出版此入門書的功能。其出版的《孟子》一書由徐興無先生撰寫，立基學術基礎
的專業知識，卻能簡單扼要而明晰完整地綜述孟子其生平背景、理想抱負、著作內
容及思想體系的概括。

　　本書分為八章，第一章〈當今之世，舍我其誰〉，論述孟子的思想背景、懷抱
的理想與人文精神，著作內容，以及對後世的影響與意義。第二章〈良知〉，從孟
子「性善論」與孟、告對人性的爭論著眼，開始以下各章孟子思想體系的論述。第
三章〈仁義禮智〉，論述孟子的道德體系。第四章〈我善養吾浩然之氣〉談孟子工
夫實踐與精神修養。第五章〈知人論世，以意逆志〉闡釋儒家的文化傳統與對經典
文字生命實感的體驗。第六章〈仁政〉，提出孟子的政治理想與社會批判。第七章
〈予豈好辯哉〉，討論孟子雄辯的思想與語言。第八章〈大道〉，以儒家思想追求
的最高境界作結。

　　徐興无，一九六四年七月十九日生，江蘇揚州人。南京大學中文系畢業、南京
大學中文系古代文學專業碩士、博士。一九九三年任教南京大學中文系古代文學
專業。二○○○年七月，美國哈佛大學燕京學社訪問學者。二○○二年任副系主
任。二○○三年升為教授。主要研究方向為中國古代思想文化、中國古代文學。著
有《白日薄西山──大漢帝國的衰亡》、《新譯《金剛經》》（臺北：三民書
局）、《讖緯文獻與漢代文化建構》（北京：中華書局）等，並發表多篇論文。

（李唯嘉）

《郭店竹簡與思孟學派》

《郭店竹簡與思孟學派》　　梁濤著　　北京市　　中國人民大學出版社　　560 頁
2008 年 5 月

　　本書以新出土的郭店竹簡、上海博物館藏竹簡與《大學》、《中庸》、〈禮運〉、《孟子》等傳世文獻相結合，對思孟學派的形成、演變、發展做了細緻的考察，對思孟學派的特點、內容做了概括、總結，共分為十章，第一章「竹簡、文獻與學派」簡介了郭店楚簡的出土及整理過程，並對其中推論為子思作品者作了一番考證。第二章「孔子的仁、禮思想與孔門後學的分化」對於孔子提出的仁、禮問題作分析，並且對於孔子之後的儒學發展作說明。第三章則是以「思孟學派的醞釀：曾子、子游學派研究」為題，討論在孔子之後、思孟之前的儒學發展。第四、五章「思孟學派的形成：子思學派研究」探討了出土的《五行》、《緇衣》、《表記》、《坊記》等數篇與子思有關的文獻，並利用《中庸》與之相互對照，呈現出土文獻與傳世文獻在觀念上的異同，進而提出作者獨特的解讀。第六、七章「思孟學派的完成：孟子學派研究」則以孟子學說為主要討論的對象，先對孟子的心性論提出其形成的根據，再利用簡書中的《性自命出》與《孟子・天下之言性》作比較，以此展現出孟子心性論及其仁內義外等思想的形成與發展。討論至此，作者已將思孟學派的思想形成經過作了一個完整的說明，第八章「思孟學派與早期儒學」則說明思孟學派與早期儒學發展的相互關係，以簡書《魯穆公問子思》、《窮達以時》來進一步探討儒學中的政治理念、天人觀以及仁與孝的關係，以此說明思孟學派的形成發展與早期儒學間的關係，並對此問題提出了一個屬於思孟學派的思考面向。「結語」部分則提出既然思孟學派的思想根源為子思，那麼就應當還原子思的想法，並以此來重新建構儒家的道統論，使其更加完善。

　　作者將簡書與傳世文獻間的關係做了細緻的考察，並且對先秦儒學的一些基本理論問題，提出了一系列獨到的見解，補足了孔孟之間思想傳承與轉換的空白。在此基礎上，本書對儒學的當代價值、現實意義提出了富有建設性的構想。

　　梁濤，一九六五年生，陝西西安人，西北大學中國思想文化研究所博士，現任中國人民大學國學院副教授、復旦大學儒學研究中心、中國人民大學孔子研究院兼

任教授。主要研究領域為中國思想史、儒學思想史、經學思想史、出土簡帛等。著有《尪書評注》、《先秦學術思想史編年》（第一作者，撰寫春秋戰國部分），另在《哲學研究》、《中國哲學史》、《中國哲學》等刊物發表論文三十餘篇，主編《中國思想史研究通訊》。

（趙威維）

《思想・文獻・歷史──思孟學派新探》

《思想・文獻・歷史──思孟學派新探》　杜維明主編　北京市　北京大學出版社 344 頁　2008 年 4 月

　　從二○○六年初秋到二○○七年暮春的兩個學期，哈佛燕京學社定期在每週五於麻州康橋的布蘭街四號，研讀儒家文本，形成一個思孟學派的研討班。這個讀書會原本是杜維明先生為哈佛大學東亞系的博士生開設，二○○六年至二○○七年，哈佛燕京學社的訪問學者裡，有許多人都是從事中國哲學研究，因此一起參加讀書會，並集中討論有關思孟學派的問題。讀書會第一個學期研讀竹簡《五行》，第二個學期念〈中庸〉，並於二○○七年四月底時，在哈佛大學人文中心舉辦工作坊，宣讀相關論文，本書即是當時工作坊的成果。

　　書中共有七位學者撰寫相關篇章，計有十五篇專論。因研讀會所討論對象為思孟學派，故主要把《子思》的核心文本定為《緇衣》、《五行》、〈中庸〉、〈表記〉、〈坊記〉等五篇。其十五篇論文有：陳來〈《五行》經說分別為子思、孟子所作論〉、〈竹簡《五行》篇與子思思想研究〉、〈帛書《五行》篇說部思想研究〉、梁濤〈《緇衣》、《表記》、《坊記》思想試探〉、〈從簡帛《五行》「經」到帛書《五行》「說」〉、〈即生言性的傳統與孟子性善論〉、陳靜〈思孟學派的思想聯繫〉、干春松〈近代學術視野中的子思研究〉、〈《中庸》的天下國家觀〉、張豐乾〈先秦兩漢文獻所見子思資料〉、〈思孟學派與「民之父母」〉、〈論子思學派之《詩》學〉、劉寧〈論毛詩詩教觀與思孟學派的思想聯繫〉、方旭東〈《中庸》「道不遠人」章義疏〉、〈為何子思說「忠恕」與《論語》不同？〉等篇。

　　以上十五篇論文大致可分為三類，一是與思孟學派的聯繫，二是思孟學派思想論述，最後是關於〈中庸〉之研究。第一類與思孟學派之聯繫，大多是討論思孟學

派的緣起、現在研究思孟學派的情況、文獻中可見之相關資料、某篇出土文獻與思孟學派的聯繫等。第二類文章意在闡述思孟學派的思想脈絡，藉由出土文獻《五行》、《緇衣》或現世流傳的文本資料，討論思孟學派的思想發展。第三類文章專門在討論〈中庸〉，如〈中庸〉某章節之含意、〈中庸〉的天下國家觀，限定於〈中庸〉一篇之研究。

本書主編杜維明先生，美國哈佛大學博士，曾任教於普林斯頓大學、柏克萊加州大學，一九八一年起任教於哈佛大學。現任哈佛燕京學社社長、哈佛大學東亞語言與文明系教授。多年來致力於第三期儒學的發展，促進儒學和西方文化的對話，重要著作有：《宋明理學思想之旅：青年王陽明》、《論儒教的宗教性：對〈中庸〉的現代詮釋》、《仁與修身》、《杜維明文集》、《儒家思想——以創造轉化為自我認同》、《儒教》等多本專著。　　　　　　　　　　　　（劉千惠）

《大學中庸譯注》

《大學中庸譯注》　王文錦著　北京市　中華書局　211 頁　2008 年 12 月

《論語》、《孟子》、《大學》、《中庸》合稱四書，為儒家思想的重要經典，亦成為明清兩朝八股科舉取士的取材題目。《大學》、《中庸》原是《禮記》中的兩篇，未獨立成編，南宋朱熹綜合歷代各家注疏，重新匯集成《四書章句集注》一書，影響深遠。

《大學》、《中庸》文字簡短卻涵義深遠，本書《大學中庸譯注》以白話譯解《大學》、《中庸》原文，翻譯、解釋清楚明晰，能使今人在閱讀古代經典時能避免文字閱讀的障礙，而為理解經典的基礎了解。《大學中庸譯注》是以王文錦先生《禮記譯解》為本，拋開了《禮記》中一些講解具體禮制的章節，精選了《大學》、《中庸》的十四篇文章，重新編排，簡體橫排，旨在對於儒家禮樂思想的意涵能有更多的解析。

王文錦，一九二七年生於北京，卒於二〇〇二年。祖籍天津。肄業中國大學文學系。受業於孫人和、陸宗達兩位先生。一九六三年，到中華書局古代史組作臨時工，參加校點《二十四史》。一九七九年於新華社圖書館工作，編輯《通鑑》節選本，出版《通鑑故事百篇》。一九八〇年三月，調入中華書局，一九八〇年至一九

九〇年十年之間，點校、標點多部古籍，計有《通典》、《大戴禮解故》、《周禮正義》、《野客叢書》等。著有《禮記譯解》（2001 年中華書局出版），發表〈讀《詩經注析》札記〉（上）、（中）、（下），為其遺著（《文史》第六十二輯至第六十四輯。）及其他專著與札記之出版、刊登。　　　　　　　　（李唯嘉）

《大學中庸講演錄》

《大學中庸講演錄》　王岳川著　桂林市　廣西師範大學出版社　252 頁　2008 年 9 月

　　王岳川，北京大學中文系教授、博士生導師。其任北京大學書法研究所副所長、中國作家協會會員、中國書法家協會會員、中國中外文藝理論學會副會長，並於復旦大學等多所大學任客座教授。作者長期從事文藝美學、文學理論、西方文藝理論、當代中西文化比較方面的研究。其已出版的著作有《後現代主義文化研究》、《二十世紀西方哲性詩學》、《文藝本體論》等西方文論和美學研究著作十六部，並有《發現東方》、《中國鏡像》等中國思想文化研究著作十五部，發表學術論文三百餘篇，研究成果裴然。

　　本書共分為上、中、下三編，書末附錄有三，分別是作者的治學心得、主要學術著作及提要、主要學術論文目錄等。上編為「《大學》講演錄」，共分為十講，分別為：一、作為經典的《大學》及其當代價值；二、《大學》「三綱」的歷史語境；三、《大學》「八目」的方法論問題；四、「明明德」與「親民」的重要性；五、「止于至善」的精神高度；六、內本外末的人格提升；七、身心公正的理性意識；八、家國相連的社會倫理；九、天下太平的社會理想；十、以義為先的行動原則。作者於此編最後附上《大學》原文，以供讀者對照利用。作者以為《大學》在當代有其價值存在，是對人的文化心理結構的一種塑型，強調尊重歷史、教化、道義，注重個體精神修養的重要性。

　　中編為「《中庸》講演錄」，分為十三個議題，分別是：一、《中庸》作者及其成書過程考辨；二、中庸實踐難度及中西中庸觀；三、天人合一的儒家之道；四、中庸的精神高度與實踐價值；五、中庸之難與君子之強；六、君子之道的廣大與隱微；七、中庸實踐的主體自覺與功效；八、禮治規範與倫理政治話語；九、

誠：修治天下的內在根據；十、至誠無息的精神生態意義；十一、德合天人的文化
理念；十二、中庸之德的社會倫理價值；十三、《中庸》的思想內涵與當代意義，
作者於本編最後，另附上《中庸》原文，以供參考。作者以為中庸思想是中國思想
史中重要的思維方法論和踐行本體論，其強調在不偏不倚中尋求恆常之道、中和之
道，並追求不急不緩、不驕不餒的人生至境。

　　本書為作者在大陸中央電視臺「國學大講堂：《大學》、《大庸》二十一講」
節目的講稿整理並增補而成，因此在下編中將與觀眾的對話整理歸納，編成下編
的「講演問答錄」，並分為十個要點，分別是：一、重解中國經典與互釋中西文
化精神；二、「太空文明時代」與「妖魔中國化」症候；三、在文化輸出中使中
國思想逐漸世界化；四、大國文化守正創新與中國形象重塑；五、守望文化中國與
重鑄文化精神；六、在全球化語境中持守中國身份立場；七、文化身份表徵亞洲價
值與大國文化競爭力；八、現代性與後現代性語境中的中國文化處境；九、玄奘精
神的當代價值與世界意義；十、反對「去中國化」而堅持東方文化的世界化。

（劉千惠）

《中庸洞見》

**《中庸洞見》　杜維明著　段德智譯　林同奇校　北京市　人民出版社　249 頁
2008 年 7 月**

　　《中庸》原是小戴禮記中的一篇，至宋代受到理學家的大力尊崇，朱熹更合
《大學》、《中庸》、《論語》、《孟子》而為四書，其為儒家重要經典的地位不
言可喻。《中庸》篇幅最小，然而其蘊含深刻的道德形上義理，以道德本體的活動
說明宇宙生化不已的真幾，由先秦孔孟的仁心推至《易傳》、《中庸》，發展出一
套儒學心性的形上體系。

　　本書是杜維明以英文詮釋儒家經典《中庸》的著作，由段德智譯解成中文，採
中英對照的雙語本，作者圍繞文本中的三個主要關懷，即「君子」、「政」和
「誠」（道德形上學），認為儒家的特性及在三者融合一體，由此開展其全幅論
點。本書主要章節分為五個部分：第一章〈文本〉，指出《中庸》格言警語的表達
方式，貌似簡單，然若不能找出其內在連貫聯繫的詮釋角度，則有嚴重誤讀的危

險。第二章〈君子〉，君子是力圖體現在人有限的存在中，人人固有的本性。第三章〈信賴社群〉，君子要體現人存在的終極意義就不能輕視人際關係。第四章〈道德形上學〉，作者提出，道德的要求不僅僅是強調社會規範的穩定而已，其終極展現在於超越社會倫理而在天人合一中致其極。第五章〈論儒學的宗教性〉，儒學的宗教性體現的是「與天地合其德」的人文精神。

杜維明，哈佛大學中國歷史與哲學教授，燕京學社社長，美國人文社會科學院院士，達沃斯世界經濟論壇成員，聯合國推動文明對話傑出人士小組成員。當代新儒家的代表學者之一，其著作主要有《中庸洞見》、《王陽明的青年時代》、《仁與修身》、《儒家思想——以創造轉化為自我認同》、《道學政》等。

段德智，武漢大學哲學學院宗教系教授。主要著作有《歐洲哲學上的經驗主與理性主義》（合著）、《死亡哲學》、《宗教概論》等。譯著有《英國哲學史》、《哲學辭典》、《對萊布尼茲哲學的批評性解釋》等。　　　　　　　　　（李唯嘉）

《大學中庸意釋致用》

《大學中庸意釋致用》　方爾加著　北京市　中國人民大學出版社　243 頁
2008 年 6 月

本書為中國人民大學出版社所出版「大眾閱讀系列」，以淺顯的文字來詮釋《大學》、《中庸》之文本，並順著每段意釋的內容發揮作者致用的個人感想。作者旨在經由本書能使初次接觸《大學》、《中庸》的讀者，了解前人的精神，在實際生活中達到致用的功能。作者以陽明心學，本心即理、知行合一思想的特點為意釋《大學》、《中庸》的進路，並以為傳統的經典權威應通過自己的經驗發現自我價值的根源。作者認為哲學是一種方法，目地是喚起當下的自我蘇醒。因此認為研究前人之思想是要在生活中致用，領悟現狀下的自我，一旦脫離生活，只是掌握哲學字裡行間的邏輯關係，不過是單純增加知識。體悟生活與工作，用自己的經驗印證經典中的道理，是本書寫給大眾讀者的宗旨。然而經典繁浩，千年文化綿延，也使經典中的字句對一般人來說玄奧難懂，因此作者以淺顯文意注釋經典的同時，特以經典文意引申至生活經驗中，力求使讀者能於生活中有所啟發。

方爾加，一九五五年十月生，北京人。北京大學哲學系、中國社會科學院歷史

系碩士、中國人民大學哲學博士，曾任教中國青年政治學院，現為中國政法大學人文學院哲學教研室教授。著有《王陽明心學研究》、《荀子新論》、《將帥型企業家松下幸之助》、《儒家思想講演錄》、《〈道德經〉意釋致用》等專著。發表多篇學術論文，並積極從事校內外講授學術專題、學術活動等。　　　　　　（李唯嘉）

《經學研究論叢》撰稿格式

本《論叢》為方便編輯作業，謹訂下列撰稿格式：

一、各章節使用符號，依一、㈠、1.、⑴……等順序表示；文中舉例的數字標號統一用⑴、⑵、⑶……。

二、所有引文均須核對無誤。各章節若有徵引外文時，請翻譯成流暢達意之中文，於註腳中附上所引篇章之外文原名，並得視需要將所徵引之原文置於註腳中。

三、請用新式標號，惟書名號改用《 》，篇名號改用〈 〉。在行文中，書名和篇名連用時，省略篇名號，如《莊子·天下篇》。若為英文，書名請用斜體，篇名請用" "。日文翻譯成中文，行文時亦請一併改用中文新式標號。

四、獨立引文，每行低三格；若需特別引用之外文，也依中文方式處理。

五、注釋號碼請用阿拉伯數字隨文標示。

六、注釋之體例，請依下列格式：

　㈠引用專書：

　　1.王夢鷗：《禮記校證》（臺北市：藝文印書館，1976年），頁102。

　　2.孫康宜著，李奭學譯：《陳子龍柳如是詩詞情緣》，增訂本（西安市：陝西師範大學出版社，1998年），頁21－30。

　　3. Mark Edward Lewis, *Writing and Authority in Early China* (Albany: State University of New York Press, 1999), pp. 5-10.

　　4. René Wellek and Austin Warren, *Theory of Literature*, 3rd ed. (New York: Harcourt, 1962), p. 289.

　　5.西村天囚：〈宋學傳來者〉，《日本宋學史》（東京都：梁江堂書店，1909年），上編（三），頁22。

　　6.荒木見悟：〈明清思想史の諸相〉，《中國思想史の諸相》（福岡市：中國書店，1989年），第二篇，頁205。

　㈡引用論文：

1.期刊論文：

⑴王叔岷：〈論校詩之難〉，《臺大中文學報》第 3 期（1979 年 12 月），頁 1－5。

⑵林慶彰：〈民國初年的反詩序運動〉，《貴州文史叢刊》1997 年第 5 期，頁 1－12。

⑶ Joshua A. Fogel, "'Shanghai – Japan': The Japanese Residents' Association of Shanghai," *Journal of Asian Studies* 59.4 (Nov. 2000): 927-950.

⑷子安宣邦：〈朱子「神鬼論」の言說的構成──儒家的言說の比較研究序論〉，《思想》792 號（東京都：岩波書店，1990 年），頁 133。

2.論文集論文：

⑴余英時：〈清代思想史的一個新解釋〉，《歷史與思想》（臺北市：聯經出版事業公司，1976 年），頁 121－156。

⑵ John C. Y. Wang, "Early Chinese Narrative: The *Tso-chuan* as Example," in *Chinese Narrative: Critical and Theoretical Essays*, ed. Andrew H. Plaks (Princeton: Princeton University Press, 1977), pp. 3-20.

⑶伊藤漱平：〈日本における『紅樓夢』の流行──幕末から現代までの書誌的素描〉，收入古田敬一編：《中國文學の比較文學的研究》（東京都：汲古書院，1986 年），頁 474－475。

3.學位論文：

⑴吳宏一：《清代詩學研究》（臺北市：臺灣大學中文研究所博士論文，1973 年），頁 20。

⑵ Hwang Ming-chorng, "*Ming-tang*: Cosmology, Political Order and Monument in Early China" (Ph.D. diss., Harvard University, 1996), p. 20.

⑶藤井省三：《魯迅文學の形成と日中露三國の近代化》（東京都：東京大學中國文學研究所博士論文，1991 年），頁 62。

㈢引用古籍：

1.原書只有卷數，無篇章名，註明全書之版本項，例如：

⑴〔宋〕司馬光：《資治通鑑》（〔南宋〕鄂州覆〔北宋〕刊龍爪本，約

西元 12 世紀），卷 2，頁 2 上。

(2)〔明〕郝敬：《尚書辨解》（臺北市：藝文印書館，1969 年《百部叢書集成》影印《湖北叢書》本），卷 3，頁 2 上。

(3)〔清〕曹雪芹：《紅樓夢》第一回，見俞平伯校訂，王惜時參校：《紅樓夢八十回校本》（北京市：人民文學出版社，1958 年），頁 1－5。

(4)那波魯堂：《學問源流》（大阪市：崇高堂，寬政十一年〔1733〕刊本），頁 22 上。

2.原書有篇章名者，應註明篇章名及全書之版本項，例如：

(1)〔宋〕蘇軾：〈祭張子野文〉，《蘇軾文集》（北京市：中華書局，1986 年），卷 63，頁 1943。

(2)〔梁〕劉勰：〈神思〉，見周振甫著：《文心雕龍今譯》（北京市：中華書局，1998 年），頁 248。

(3)王業浩：〈鴛鴦塚序〉，見孟稱舜撰，陳洪綬評點：《節義鴛鴦塚嬌紅記》，收入林侑蒔主編：《全明傳奇》（臺北市：天一出版社影印，出版年不詳），王序頁 3a。

3.原書有後人作註者，例如：

(1)〔魏〕王弼著，樓宇烈校釋：《老子周易王弼注校釋》（臺北市：華正書局，1983 年），上編，頁 45。

(2)〔唐〕李白著，瞿蛻園、朱金城校注：〈贈孟浩然〉，《李白集校注》（上）（上海市：上海古籍出版社，1998 年），卷 9，頁 593。

4.西方古籍請依西方慣例。

㈣引用報紙：

1.余國藩著，李奭學譯：〈先知・君父・纏足——狄百瑞著《儒家的問題》商榷〉，《中國時報》第 39 版（人間副刊），1993 年 5 月 20－21 日。

2. Michael A. Lev, "Nativity Signals Deep Roots for Christianity in China," *Chicago Tribune* [Chicago] 18 March 2001, Sec. 1, p. 4.

3.藤井省三：〈ノーベル文學賞に中國系の高行健氏：言語盜んで逃亡する極北の作家〉，《朝日新聞》第 3 版，2000 年 10 月 13 日。

㈤再次徵引：

  1.再次徵引時可隨文注或用下列簡便方式處理，如：

    ❶　王叔岷：〈論校詩之難〉，《臺大中文學報》第 3 期（1979 年 12 月），頁 1。

    ❷　同註❶。

    ❸　同註❶，頁 3。

  2.如果再次徵引的註不接續，可用下列方式表示：

    ❾　王叔岷：〈論校詩之難〉，頁 5。

  3.若為外文，如：

    ❶　Patrick Hanan, "The Nature of Ling Meng-ch'u's Fiction," in *Chinese Narrative: Critical and Theoretical Essays*, ed. Andrew H. Plaks (Princeton: Princeton University Press, 1977), p. 89.

    ❷　Hanan, pp. 90-110.

    ❸　Patrick Hanan, "The Missionary Novels of Nineteenth – Century China," *Harvard Journal of Asiatic Studies* 60.2 (Dec. 2000): 413-443.

    ❹　Hanan, "The Nature of Ling Meng—ch'u's Fiction," pp. 91-92.

    ❺　那波魯堂：《學問源流》（大阪市：崇高堂，寬政十一年〔1733〕刊本），頁 22 上。

    ❻　同註❺，頁 28 上。

㈥注釋中有引文時，請註明所引註文之出版項。

㈦注解名詞，則標註於該名詞之後；注解整句，則標註於句末標點符號之前；惟獨立引文時放在標點後。

七、徵引書目：

  文末所附徵引書目依作者姓氏排序，中文在前，外文在後；中文依筆畫多寡，日文依漢字筆畫，若無漢字則依日文字母順序排列，西文依字母順序排列。若作者不詳，則以書名或篇名之首字代替。若一作者，其作品在兩種以上，則據出版時間為序。如：

  王叔岷：〈論校詩之難〉，《臺大中文學報》第 3 期，1979 年 12 月，頁 1－

5。

王汎森：〈明末清初的一種道德嚴格主義〉，收入郝延平、魏秀梅編：《近世中國之傳統與蛻變——劉廣京院士七十五歲祝壽論文集》，臺北市：中央研究院近代史研究所，1998 年。

尤侗：《西堂雜俎三集》，《尤太史西堂全集》，收入《四部禁燬書叢刊・集部》第 129 冊，北京市：北京出版社，2000 年。

余英時：《歷史與思想》，臺北市：聯經出版事業公司，1976 年。

———：《宋明理學與政治文化》，臺北市：允晨文化實業公司，2004 年。

《清平山堂話本》，收入《古本小說集成》，上海市：上海古籍出版社，1993 年。

西村天囚：《日本宋學史》，東京都：梁江堂書店，1909 年。

伊藤漱平：〈日本における『紅樓夢』の流行——幕末から現代までの書誌的素描〉，收入古田敬一編：《中國文學の比較文學的研究》，東京都：汲古書院，1986 年。

Sommer, Matthew. *Sex, Law, and Society in Late Imperial China.* Stanford, CA: Stanford University Press, 2000.

Zeitlin, Judith. "Shared Dreams: The Story of the Three Wives' Commentary on *The Peony Pavilion.*" *Harvard Journal of Asiatic Studies* 54.1(1994): 127-179.

八、其他體例：

㈠年代標示：文章中若有年代，儘量使用國字，其後以括號附註西元年代，西元年則用阿拉伯數字。

　1.司馬遷（145－86 B.C.）

　2.馬援（14B.C.－49 A.D.）

　3.道光辛丑年（1841）

　4.黃宗羲（梨洲，1610－1695）

　5.徐渭（明武宗正德十六年〔1521〕－明神宗萬曆十一年〔1593〕）

㈡若文章中多次徵引同一本書之材料，為清耳目，可不必作註，而於引文下改用括號註明卷數、篇章名或章節等。

九、徵引資料來自網頁者，需加註網址。

十、英文稿件請依 *Harvard Journal of Asiatic Studies* 之最新格式處理。

十一、投稿注意事項

　　㈠文稿檔案一律請附：篇名、作者姓名（含學校職級），以利作業。

　　㈡來稿請另紙註明中文姓名、服務機構、職稱、通訊地址、電話（含行動電話）或傳真號碼、電子信箱，以便聯繫。

　　㈢請務必附上 WORD 文字電子檔案，如有特殊造字，請另附 PDF 檔。

十二、投稿方式

　　㈠逕交或寄送（以下二處擇一）：

　　　1.〔10643〕　臺北市大安區和平東路一段 75 巷 11 號 1 樓

　　　　　　　　　　臺灣學生書局經學研究論叢編輯部

　　　2.〔11529〕　臺北市南港區研究院路二段 128 號

　　　　　　　　　　中央研究院中國文哲研究所經學研究室

　　㈡或以電子郵件寄送至以下位址：

　　　wenpinga@tmue.edu.tw

　　　請在「主旨」中註明「經學研究論叢投稿稿件」。

國家圖書館出版品預行編目資料

經學研究論叢‧第十七輯

林慶彰主編.— 初版.—臺北市：臺灣學生，2009.12
面；公分

ISBN 978-957-15-1482-6 (平裝)

1. 經學 2. 文集

090.7   98023746

經學研究論叢‧第十七輯 （全一冊）

主　編　者：林　　　慶　　　彰
責 任 編 輯：張　　　穩　　　蘋
出　版　者：臺 灣 學 生 書 局 有 限 公 司
發　行　人：孫　　　善　　　治
發　行　所：臺 灣 學 生 書 局 有 限 公 司
　　　　　　臺北市和平東路一段七五巷一一號
　　　　　　郵 政 劃 撥 帳 號：00024668
　　　　　　電　話：(02)23928185
　　　　　　傳　眞：(02)23928105
　　　　　　E-mail：student.book@msa.hinet.net
　　　　　　http：//www.studentbooks.com.tw

本 書 局 登
記 證 字 號：行政院新聞局局版北市業字第玖捌壹號

印　刷　所：長 欣 印 刷 企 業 社
　　　　　　中 和 市 永 和 路 三 六 三 巷 四 二 號
　　　　　　電　話：(02)22268853

定價：平裝新臺幣七○○元

西 元 二 ○ ○ 九 年 十 二 月 初 版